中國本草圖錄

索引

蓋載之三墳者也其三百六十五

百二十種為君主養命以應天無

老延年之說中藥一百二十種為

有遏病補虛益損之用下藥一百

可久服故有除寒熱邪氣破積聚

尹湯液之與本乎神農仲景傷寒

中國本草圖錄

索引

商務印書館（香港）有限公司
人民衞生出版社 合作出版

中國本草圖錄　索引

全書主編 —— 蕭培根

編寫 ——《中國本草圖錄》編寫委員會

責任編輯 —— 孫祖基　江先聲

編輯顧問 —— 李甯漢

裝幀設計 —— 王鑑豐

出版 —— 商務印書館(香港)有限公司

　　　　香港鰂魚涌芬尼街 2 號 D 僑英大廈

　　　　人民衛生出版社

　　　　北京天壇西里10號

印刷 —— 中華商務彩色印刷有限公司

　　　　香港九龍炮仗街75號

版次 —— 1991年 1 月第 1 版第 1 次印刷

　Ⓒ 1991 商務印書館(香港)有限公司

　ISBN 962 07 3126 3

目　錄

中文名稱索引 ……………………………………………………………… 1

拉丁名稱索引 ………………………………………………………………55

植物藥科屬分類索引………………………………………………………… 107

動物藥科屬分類索引………………………………………………………… 179

礦物藥科屬分類索引………………………………………………………… 189

一　畫

一匹綢　　1341
一支香　　3804
一文錢　　4128
一皮草　　4050
一年蓬　　2886
一串紅　　804
一把香　　1757, 2705
一枝黃花　　3392, 3906
一枝蒿　　1382
一枝箭　　1045
一品紅　　1724
一碗水　　3890
一葉萩　　179
一豌泡　　160
一輪貝母　　2932
一顆血　　2167
一點血　　2732
一點血秋海棠　　2732
一點紅　　878

二　畫

丁癸草　　143
丁茄　　321
丁香　　229, 230
丁香花　　3820
丁香羅勒　　300
丁香蓼　　1297, 3241
丁蠣　　3963
七指蕨　　4
七筋菇　　1425
七葉一枝花　　2417
七葉蓮　　241, 2228, 2744
七葉樹　　685
七葉龍膽　　3742
九子連環草　　2950
九牛七　　1723
九牛薯　　1267
九牛藤　　4612
九仙草　　4081
九里香　　154, 2698

九果根　　2223
九香蟲　　4972
九眼獨活　　240, 2227
九節　　848
九節木　　2324
九節茶　　1579
九節龍　　255
九層風　　45
九蓮小檗　　2603
九頭妖　　3922
九頭獅子草　　339
九龍吐珠　　398
了哥王　　720
二色補血草　　2775
二型革蓋菌　　2008
二苞黃精　　2939
二喬玉蘭　　3117
二葉舌唇蘭　　1950
二葉蘭　　3444
人　　2999
人工硃砂　　2494
人工砒石　　1498
人心果　　258
人字果　　3090
人參　　1304
人參果　　3632
入地蜈蚣　　4
八月炸　　63, 64, 2093
八爪金龍　　752
八仙花　　590
八仙過海　　3927
八角　　69
八角金盤　　1302
八角香　　2879
八角茴香　　69
八角麻　　4080
八角楓　　225
八角蓮　　3109
八楞木　　1891
刀口藥　　3848
刀豆　　613

刁海龍　　1466
十一葉木藍　　2161
十二兩銀　　4807
十八症　　3522
十大功勞　　65, 1634, 2099
十大功勞葉　　1634
十字苔草　　4397
十姐妹　　602
十萼茄　　313

三　畫

三七　　738
三七草　　3376
三十六蕩　　4809
三叉耳蕨　　2525
三叉苦　　651
三分三　　3792
三分丹　　280
三月花　　3728
三出葉委陵菜　　4165
三加皮　　237
三白草　　1577
三尖杉　　1063
三尖葉豬屎豆　　1205
三色褶孔　　1519
三色堇　　215
三角帆蚌　　2964
三角形冷水花　　2547
三角咪　　3201
三角風　　3031
三角海棠　　3091
三角草　　4931
三角眼鳳尾蕨　　2518
三角葉黃連　　2589
三角葉薯蕷　　927
三股筋香　　3124
三花械　　3212
三花龍膽　　1331
三指雪蓮花　　3905
三星龍蝨　　3478
三疣梭子蟹　　463

三索錦蛇　1971
三脈山黧豆　2683
三脈梅花草　3614
三脈球蘭　4301
三筒管　532
三裂紫菫　3601
三裂葉蛇葡萄　2203
三塊瓦　756
三稜草　3399
三稜　1907
三稜枝杭子稍　2675
三葉木通　2093
三葉木藍　4663
三葉刺針草　869
三葉青　4732
三葉青藤　79
三葉香草　756
三葉茶　4719
三葉萎陵菜　1180
三葉鼠尾草　307
三葉蔓荊　2278
三葉懸鉤子　2147
三鈴子　1705
三對節　1347
三臺花　2275
三線閉殻龜　1470
三褶蝦脊蘭　4444
三顆針　561, 562, 563
三點金草　127
下山虎　4847
下果藤　3687
上山虎　4622
上石蝦　4956
上樹蜈蚣　4260
丫蕊花　1939
千斤拔　134, 4661
千斤墜　3810
千日紅　1609
千年健　405
千里光　885
千里行房　4791

千屈菜　724
千金子　662
千金榆　1069
千根草　167
千針萬線草　551
千葉蓍　366
千層塔　3013
千頭艾納香　3867
叉枝鴉葱　1405
叉歧繁縷　4098
叉指葉栝蔞　4351
叉柱巖菖蒲　3945
叉唇蝦脊蘭　3440
口瘡葉　3878
口蘑　4022
土一枝蒿　1879
土丁桂　2792
土人參　49
土千年健　749
土大黃　4575
土中聞　3949
土元胡　579
土太片　1928
土木香　881
土瓜狼毒　2186
土甘草　2159
土田七　941
土白芨　1950
土地黃　3808
土沉香　717
土艮薑　2431
土豆根　2160
土貝母　856
土香榧　2036
土香薷　798
土柴胡　3369
土荊皮　4544
土荊芥　1606
土密樹　161
土常山　4789
土敗醬　3829

土莊花　1197
土莊繡線菊　1197
土連翹　711, 2210
土紫菀　2901
土黃芩　4104
土銀花　4345
土箭花　1757
土黨參　864
土茯苓　921
土鱉蟲　3974, 3975
大蠶子　3703
大一面鑼　3338
大丁草　2370
大二郎箭　2802
大三葉升麻　57
大山芝麻　704
大山黧豆　1692
大丹參　306
大天鵝　970
大孔褐瓣菌　2507
大木通　2583
大火草　1120
大半夏　3407
大半邊旗　3506
大瓦韋　3512
大白花地榆　1195
大白花杜鵑　2241
大石澤蘭　3339
大字杜鵑　2767
大灰蘚　4513
大百部　3410
大竹蟶　2969
大羽蘚　4512
大耳狷　3498
大血藤　4589
大尾搖　782
大杜鵑　3496, 4284
大杓鷸　4486
大沙葉　2842
大皂角　627
大豆　2677

大車前 2321	大金不換 158	大麥冬 1933
大刺兒菜 4364	大金香爐 4762	大麻 1584
大刺茶藨 2645	大金髮蘚 1040	大麻葉佩蘭 1886
大委陵菜 4168	大雨傘 253	大戟 2187, 2704
大果大戟 2187	大青樹 3527	大散血 4783
大果油麻藤 3663	大青鹽 983	大斑啄木鳥 4489
大果花楸 3164	大籽蒿 2876	大斑芫青 3980
大果榆 2538	大紅袍 3161	大棗 1736
大泡通 1763	大紅菇 4026	大發表 2675
大花女婁菜 3545	大苦草 2254	大發散 191
大花山牽牛 837	大苞芹 2749	大菟絲子 1343
大花木蘭 71	大苞柴胡 1306	大鈕子花 2789
大花甘松 3825	大苞烏頭 2579	大黃 1092
大花老鸛草 4208	大苞鞘花 2550	大黃花 2306
大花杓蘭 1449	大風子 216	大黃檗 3576
大花刺參 855	大風艾 4361	大黃橐吾 3887
大花卷丹 1932	大飛天蜈蚣 4705	大塊瓦 1082
大花虎耳草 3618	大香果 3124	大榆蘑 1536
大花金挖耳 2355	大株紅景天 3611	大腹園蛛 1960
大花金銀花 4870	大海浮石 2479	大葉丁香 230
大花金錢豹 864	大海馬 4981	大葉千斤拔 134
大花扁蕾 3749	大烏泡 2149	大葉千里光 4897
大花珊瑚苣苔 3813	大狼毒 3681	大葉山扁豆 616
大花美人蕉 445	大琉璃草 3312	大葉山棟 655
大花韭 3932	大草蔻 4951	大葉山螞蟥 622
大花益母草 1827	大馬勃 1542	大葉井口邊草 3507
大花馬先蒿 1844	大馬蓼 4087	大葉仙茅 1436
大花馬齒莧 548	大骨碎補 4533	大葉冬青 1253
大花側蕊 3751	大高良薑 933	大葉石龍尾 823
大花剪秋蘿 1104	大崗茶 4309	大葉合歡 1198
大花旋覆花 3378	大巢菜 2693	大葉杓蘭 3445
大花牽牛 283	大接骨丹 3264	大葉花椒 3197
大花荷包牡丹 3131	大梔子 344	大葉青弓散 4782
大花紫薇 4253	大理白前 3762	大葉青木香 3056
大花萬壽竹 3417	大理百合 3939	大葉苧麻 1588
大花葵 4235	大理鹿蹄草 2239	大葉苣蕒菜 3393
大花銀蓮花 4105	大理巖 1492	大葉香薷 4822
大花衛矛 684	大連錢冰島蓼 3534	大葉柴胡 4769
大花龍膽 2251	大連灣牡蠣 2963	大葉麥冬 918
大花雞肉參 332	大野芋 903	大葉紫金牛 1782
大金刀 3034	大野豌豆 142	大葉紫珠 285

大葉黃花稔　4741
大葉碎米薺　1648
大葉鈎藤（鈎藤）　4343
大葉醉魚草　1799
大葉龍角　2215
大葉糙蘇　2810
大葉薔薇　1187
大葉鐵線蓮　557
大葉櫧　3298
大葉蒟　4063
大葉藜　2567
大萼黨參　3837
大過路黃　3285
大對經草　4242
大管　4216
大蒜　4929
大蜻蜓　2976
大趕山鞭　3414
大駁骨　833, 1853
大駁骨丹　2317
大劍葉木　3936
大豬屎豆　618
大壁虎　2985
大樹紫珠　2272
大蕉　4437
大頭平胸龜　3989
大頭艾納香　872
大頭陳　4834
大頭蒲公英　3917
大頭續斷　3826
大頭槖吾　1402
大髻婆　4816
大鴨腳木　4768
大薊　1391
大黏藥　4079
大蟬草　2503
大爆牙郎　4761
大瓣鐵線蓮　4114
大羅傘　4779
大麗菊　378
大鐘花　3752
大礁草　2843
女兒紅　3217
女貞　1325
女貞子　1325
女婁菜　3543
女萎　2582
女菀　2915
寸金草　2805
小一點紅　4890
小二仙草　3243
小刀螳　3969
小六耳稜　4894
小木通　2584
小牛力　4667
小玉竹　1935
小瓦韋　3032
小白花蘇　4844
小白酒草　1392
小白棉　3844
小石韋　4540
小灰包　2515
小米草　1358, 2307
小舌紫菀　3367
小舌菊　3893
小血藤　2105
小伸筋草　4843
小豆花　3182
小刺猴頭　2005
小果山龍眼　4567
小果皂莢　4195
小果油茶　4746
小果金花茶　210
小果倒地鈴　3685
小果博落回　582
小果微花藤　4223
小果薔薇　2660
小花八角楓　226
小花小山橘　1237
小花火燒蘭　2952
小花扭柄花　3426
小花刺參　2859
小花琉璃草　2794
小花草玉梅　3075
小花馬蹄黃　2152
小花鬼針草　2878
小花清風藤　3686
小花黃菫　3129
小花蜘蛛抱蛋　911
小花糖芥　4143
小花龍血樹　2931
小花牆草　4078
小花溲疏　1657
小花耬斗菜　4107
小芸木　3674
小青楊　2039
小扁瓜　3357
小扁豆　2178
小柿子　1247
小紅花　803
小紅參　307
小紅藤　3345
小苦瓜　2863
小苜蓿　1216
小飛楊草　167
小香蒲　1905
小凍綠樹　3219
小海浮石　485
小狼毒　2186
小茴香　246
小酒瓶花　3299
小巢菜　2691
小接骨丹　4229
小通草　2728, 2729
小連翹　1746
小雪人參　3182
小頂冰花　2934
小魚眼草　2361
小麥　397
小棕皮頭　2426
小無心菜　3067
小發散　4720
小距紫菫　3587

小黃皮　4678	小槐花　621	山地虎耳草　3621
小黃花菜　2935	小簑衣藤　2586	山尖子　1882
小黃紫菫　2619	小趕山鞭　3428	山百合　4933
小黃斷腸草　3591	小酸模　4090	山百部　4930
小黑三稜　1907	小銅錘　3913	山竹子　709
小塊根滇藏無心菜　3542	小鳳尾草　3022	山竹葉青　3994
小獅子　4775	小蔓長春花　273	山羊　981
小萱草　1926	小齒龍膽　3743	山羊血　982
小葫蘆　859	小龍木　4774	山羊臭虎耳草　3619
小葉九里香　2698	小檗　2601	山羊骨　981
小葉三點金　624	小薊　1885	山血丹　4778
小葉山雞尾巴草　5	小螳螂（桑螵蛸）　4459	山兵豆　176
小葉六道木　2326	小黏葉　3583	山杏　1671
小葉白蠟樹　1791	小藍雪　3731	山杜仲　4713
小葉羊角藤　348	小雞油菌　2506	山杜英　4231
小葉冷水草　530	小羅傘　4777	山牡荊　4317
小葉忍冬　4871	小懸鉤子　4176	山皂莢　1208
小葉杜鵑　1317	小蘋婆　208	山豆根　137
小葉帚菊　3894	小蠟樹　1326	山辛夷　2103
小葉金老梅　3630	小露兜　4390	山里紅　98
小葉金露梅　2134	小靈丹　500	山刺玫　103
小葉柳　2532	小鷺鷥草　3935	山枝仁　3149
小葉海金沙　502	小楝木　2760	山油柑　645
小葉荊　3774	小薦蕾　3063	山狗豆　4666
小葉茶藨　4154	小藜　1607	山芝麻　4742
小葉乾花豆　2158	山一籠雞　338	山青菜　3387
小葉假糙蘇　2809	山大黃　1600	山扁柏　4518
小葉野決明　1223	山大顏　848	山柏枝　4517
小葉棉團鐵線蓮　2585	山小橘　1237	山柳菊　2893
小葉黑面神　660, 2181	山丹　917	山苦菜　1887
小葉黑面葉　1247	山五味子　2850	山韭　2926
小葉楊　4066	山木通　4583	山韭菜　4934
小葉鈎藤　351	山牛膝　4577	山風　871
小葉鼠李　691	山牛蒡　1410	山香　794, 3128
小葉錦雞兒　1203	山玉蘭　70	山核桃　1066
小葉雙眼龍　4695	山白菊　1386	山桂　4607
小葉羅漢松　511	山白菜　4336	山桂花　4752
小葉枸子　2133	山皮條　3700	山桃　1672
小葉蒟　17	山石榴　349	山桃稠李　1183
小過江龍　2023	山合歡　1681	山烙鐵頭　3994
小麂　1978	山合歡皮　1681	山烏柏　676

山烏龜 4596	山檳榔 4823	川鄂山茱萸 3262
山狸子骨 1478	山雞椒 1140	川鄂獐耳細辛 3091
山荊子 1176	山臘梅 1137	川黃柏 1238
山茴芹 3249	山藥 430	川楝 2700
山茶 1278	山蟹 3009	川楝子 2700
山茱萸 249	山礬 3291	川滇土大黃 2064
山馬蘭 1890	山罌粟 1144	川滇小檗 3107
山梗菜 2870	山蘭 1446	川穀根 2392
山牽牛 2839	山鐵樹葉 2407	川黔翠雀花 3088
山茡薺 2434	山巖黃芪 4196	川黔鴨腳木 2745
山莓 1192	山蘿花 1843	川藏沙參 3833
山荷葉 1655	山觀帶 4960	川藏蛇菰 3061
山野菊 4368	山驢骨 4500	川藏蒲公英 3919
山野豌豆 1704	山奈 444	川續斷 854
山麻稈 2702	山菫菜 4751	川芎 3252
山斑鳩 3997	山楂 97, 1169	川溲疏 2641
山紫菀 3889	山楂懸鈎子 1193	工布烏頭 3548
山菅蘭 1426	山蒟 4549	己褐鐵礦化 1490
山黃皮 649	山橿 2612	
山黃豆藤 1702	山橿根 2612	**四　　畫**
山黃連 3602	山薑香 309	不灰木 1481
山黃麻 3525	山鱉豆 4197	中甸長果婆婆納 3803
山黑豆 1704	川八角蓮 3108	中甸喉毛花 3739
山慈姑 2436, 2437, 3443	川山橙 3306	中甸藍鐘花 3841
山當歸 3255	川中南星 2398	中亞天仙子 3794
山葛 1701	川木通 2084	中亞沙棘 721
山葛藤 1701	川牛膝 1096	中果咖啡 4340
山萵苣 2369	川甘蒲公英 3918	中國沙棘 224
山葡萄 1739	川百合 4420	中國林蛙 964
山遏藍菜 2634	川西千里光 2378, 3906	中國旌節花 2728
山綠豆 3185	川西小黃菊 2904	中國粗榧 2036
山綠茶 4709	川西吊石苣苔 3339	中國無憂花 1220
山蒼子 1140	川杜若 3409	中國蛤蜊 2448
山銀花 850	川貝母 2408, 2409, 2933	中國圓田螺 2439
山銀柴胡 2070, 2568	川赤芍 3095	中國壁虎 3992
山鳶尾 4948	川羌活（羌活） 4266	中國蠶 2451
山橙 2788	川南馬兜 3056	中麻黃 4061
山橘 4213	川桂皮 2611	中華刀螂 2978
山嶺麻黃 3520	川烏 1111	中華大蟾蜍 466
山薑 1945	川陝花椒 2699	中華弓石燕 486
山薑活 443	川梨 2658	中華吊鐘花 3269

中華安息香 757	五葉懸鈎子 2146	天胡荽 2750
中華地鱉 3974	五蕊寄生 3531	天師栗 3213
中華角蒿 3809	五龍根 4665	天麻 948
中華花龜 1969	五轉七 355	天腳板 4772
中華花蕊 2793	五瓣寄生 3532	天葵 2090
中華虎頭蟹 2972	五靈脂 4997	天葵子 2090
中華青牛膽 3582	五椏果 706	天藍沙參 3832
中華青莢葉 2237	元胡 83	天藍苜蓿 2685
中華蚱蜢 2979	元寶草 2723	天藍變豆菜 3257
中華絨螯蟹 1460	元寶槭 1735	天鵝膽 471
中華補血草 2776	內蒙黃芪 2154	太子參 1107
中華蜜蜂 4977	六方藤 1270	太白米 3940
中華稻蝗 3473	六月雪 350	太白貝母 2411
中華繡線菊 2671	六耳稜 4893	太白花 1544, 4044
中華獼猴桃 708	六角蓮 2605	太白紅杉 2034
中間錦雞兒 1202	六道木 1865	太白美漢花 3078
丹桂 1795	分叉蓼 1086	太白韭 3933
丹桂花 1795	勾兒茶 3215	太白針 1546
丹參 305, 1831	化州柚 150	太白深灰槭 2196
丹頂鶴 974	化肉藤 4808	太白稜子芹 3715
五月茶 4691	化香樹 1067	太白槭 2196
五爪金龍 780	升麻 556, 1619	太白樹 1545
五爪風 2146	升麻草 1168	太陽草 2058
五加 736	及己 3047	孔石蓴 2001
五加皮 736	反枝莧 44	孔雀石 1987
五托蓮 255	天女木蘭 4602	孔雀草 2912
五色梅 291	天山花楸 3165	少毛甘西鼠尾草 3788
五步蛇 3489	天山報春 4291	少年紅 4859
五角苓 4329	天文草 3914	少刺大葉薔薇 1187
五味子 1136, 3121	天水蟻草 2888	少花龍葵 819
五花龍骨 1993	天王七 2855	少棘蜈蚣 3471
五指毛桃 526	天仙子 812, 2303	巴天酸模 2565
五指茄 319	天仙藤 565	巴豆藤 1204
五香草 3849	天目地黃 3331	巴戟天 347
五倍子 2997	天泡子 1839	巴塘報春 3724
五氣朝陽草 1666	天竺葵 644	巴塘紫菀 3858
五脈山黧豆 2684	天花粉 862	心葉荊芥 3317
五脈綠絨蒿 2622	天門冬 910, 1423	心葉淫羊藿 1631
五葉木通 63	天青地白 4891	心葉莢蒾 3350
五葉瓜藤 2094	天南星 404, 1417, 1912, 3401	心葉莢蒾根 3350
五葉泡 4634	天星木 4342	心葉紫金牛 4287

心葉纜草	1872	木防己	68	毛梗豨薟	1407
手杖藤	2396	木帚子	3627	毛冬青	4711
手掌參	1450	木帚枸子	3627	毛石韋	1049
文竹	1424	木油桐	678	毛地黃	3327
文冠果	190	木油樹	678	毛地黃鼠尾	3787
文殊蘭	2945	木空菜	3847	毛百合	1931
文蛤	1958	木芙蓉	699	毛肋杜鵑	4270
方枝柏	3517	木香	372	毛杓蘭	3446
方斑東風螺	2960	木香花	1188	毛足鐵線蕨	3019
方葉五月茶	4219	木香薷	4320	毛車藤	3760
方解石	2480	木桃	594	毛兩面針	4684
日本水楊梅	1667	木通七葉蓮	4590	毛果一枝黃花	4383
日本打碗花	1812	木通馬兜鈴	1591	毛果娃兒藤	280
日本美人蝦	462	木麻黃	513	毛果婆婆納	2827
日本海馬	1966	木棉	702	毛果覆盆子	3640
日本臭菘	2400	木棉花	702	毛枝榆	3526
日本常山	3195	木菠蘿	524	毛泡桐	1359
日本旋覆花	2367	木黃連	4591	毛花洋地黃	821
日本細焦掌貝	3456	木賊	2027	毛花點草	2544
日本菟絲子	1343	木賊麻黃	13	毛返顧馬先蒿	4330
日本當歸	2746	木蓮果	4603	毛金腰子	1161
日本對開蕨	1567	木蝴蝶	830	毛柄菫菜	2725
日本醫蛭	1451	木螃蟹	3204	毛相思子	4179
日本鏡蛤	956	木蹄	1006	毛背返魂草	1894
日本關公蟹	1959	木薯	672	毛葦蓋菌	2009
日本蟳	962	木繡球莖	4348	毛香火絨草	3886
月月紅	3280	木蠟樹	1730	毛唇芋蘭	450
月光花	3767	木槿花	4739	毛桐	669
月見草	735	木欖	4254	毛脈柳葉菜	1295
月季花	102	木鱉	363	毛脈崖爬藤	695
月葉西番蓮	3696	木鱉子	363	毛脈酸模	2563
木牛奶	222	止痢蒿	3777	毛脈械	1734
木半夏	2738	止血扇菇	1026	毛草龍	3704, 4256
木奶果	2180	止瀉木	767	毛宿苞豆	3666
木曼陀羅	809	毛茛	234	毛接骨木	3348
木本曼陀羅	809	毛丁香	2781	毛排錢樹	4191
木瓜	594, 595, 596	毛子草	2832	毛梗蚤綴	4093
木瓜紅	3295	毛木耳	1503	毛梗細果冬青	3683
木竹子	4748	毛木樹	4240	毛球馬勃	2514
木耳	1502	毛水蘇	2298	毛球獮	3771
木豆	3652	毛水蘇小剛毛變種	2298	毛盃馬先蒿	3802

毛蚶 458	毛蓼 38	水翁花 1294
毛連菜 2902	毛楨桐 4815	水針鐵礦 1487
毛麻楝 656	水丁香 3241	水鬼蕉葉 4942
毛喉杜鵑 4273	水八角 823	水梔子 344
毛黃肉楠 573	水木草 4511	水莨菜 2740
毛瑞香 2735	水牛 980	水麥冬 2384
毛碎米薺 4615	水牛角 980	水麻秧 2543
毛葉丁香羅勒 797	水仙 1440	水麻葉 4564
毛葉木薑子 2109	水仙杜鵑 4282	水朝陽花 3883
毛葉重樓 3941	水仙花 1440	水棘針 1349
毛葉烏飯樹 749	水冬瓜 3294	水蛭 1451, 1452
毛葉黃櫨 2191	水半夏 906	水黃皮 4202
毛葉藜蘆 3429	水母雪蓮花 3900	水塔花 410
毛萼甘青鐵線蓮 558	水田七 427	水楊柳 2188
毛萼香茶菜 2299	水石榕 1272	水楊梅 839, 1667
毛萼清風藤 191	水曲柳 1793	水榆果 2669
毛蜂窩菌 2013	水曲柳皮 1793	水榆花楸 2669
毛鈎藤 4866	水竹葉 4409	水葫蘆 1916
毛榛 1582	水折耳 3044	水蜈蚣 3400
毛酸漿 2820	水皂角 1688	水團花 1859
毛銀柴 3678	水芋 3405	水榕 1294
毛蔓陀羅 2302	水東哥 1744	水綠礬 2499
毛蕊老鸛草 1230	水林果 1319	水蒲桃 731
毛蕊花 828	水松 2002, 4057	水蓑衣 4337
毛蕊草 828	水油甘 175	水銀 2495
毛穗藜蘆 2423	水芙蓉 4837	水線草 841
毛薑花 2432	水芹 2751	水蔗草 4903
毛蟲藥 4745	水芹菜 3712	水蓮沙 2649
毛雞矢藤 1863	水金雲母 1495	水蔓青 3804
毛瓣美麗烏頭 3553	水金鳳 1260	水蔥 2394
毛瓣棘豆 2166	水指甲花 4722	水錦樹 3824
毛瓣雞血藤 1695	水柏枝 4243	水鴨毛 967
毛藤香 3059	水柳仔 2188	水龍 1762
毛櫻桃 601	水紅木 3349	水燭香蒲 2382
毛麝香 324	水紅花子 2560	水韓信草 3332
毛茛 62	水胡蒲 785	水蘇 1353, 1354, 2816
毛茛狀金蓮花 4125	水苦薏 2311	水蘇草 1353
毛茛狀鐵線蓮 3558	水茄 1841	水榍子 3629, 4158
毛莪朮 940	水飛薊 887	水蓼 2059
毛蒟 3045	水浮蓮 4405	火把花 4222
毛豨薟 886	水珠草 2224	火赤鏈蛇 1970

火油草 3867	牛鼻拳 3215	北豆根 1638
火花樹 2834	牛膝 41	北車前 4855
火殃簕 2183	牛蹄細辛 1593, 3060	北京石韋 2526
火炭母 1085	牛繁縷 1105	北京錦雞兒 4189
火柴樹 4872	牛蒡 367	北芸香 4215
火索麻 205	牛蒡子 367	北美獨行菜 2629
火草 2348	王不留行 2572	北重樓 920
火麻仁 1584	王瓜根 3358	北烏頭 53
火棘 101	王錦蛇 4470	北馬兜鈴 33
火焰花 1366	瓦楞子 457, 458	北側金盞花 4103
火絨草 1401		北野豌豆 4204
火槍烏賊 3970	**五　　畫**	北陵鳶尾 4435
爪哇白豆蔻 438	丘角菱 2741	北紫菫 3599
爪哇唐松草 4123	代代花 648	北黃花菜 1927
牙癰草 2794	代赭石 1486, 1487	北蒼朮 369
牛巴嘴 125	令箭荷花 2733	北壁錢 3470
牛心果 571	仙人掌 220	北萁菪 2303
牛心茄子 765	仙人筆 385	半枝蓮 806
牛奶木 4557	仙客來 2768	半春蓮 4455
牛白藤 843	仙茅 425	半夏 1915
牛皮茶 1316	仙桃草 1847	半島鱗毛蕨 3026
牛耳朵 334	仙鶴 974	半紋鮑 1953
牛耳草 1850	仙鶴草 96	半楓荷 207, 2648
牛耳楓 1727	冬瓜 1874	半楓樟 4137
牛耳巖白菜 334	冬青衛矛 185	半邊旗 1050
牛至 798	冬珊瑚 820	半邊蓮 1380
牛尾七 3064	冬紅花 290	半邊錢 4647
牛尾草 1830	冬葵 2721	半邊蘇 295
牛尾菜 2422	冬蟲夏草 2504	可可 1742
牛尾蒿 3366	凹脈紫金牛 750	古柯 146
牛角七 1300	凹葉木蘭 3116	古鈎藤 276
牛角瓜 275	凹葉厚朴 1134	叫梨木 3219
牛兒黃草 3541	凹葉旋節花 3233	台蘑 3005
牛絑樹 2175	凹葉景天 1653	台灣枇杷 4161
牛扁 4100	凹葉瑞香 2736	台灣相思 111
牛迭肚 1193	凹樸皮 4130	四大天王 1578
牛眼珠 761	包瘡葉 3718	四川山礬 3293
牛眼馬錢 761	北山羊 5000	四川天明精 3372
牛筋草 893	北玄參 1846	四川木蓮 3120
牛黃 2478	北瓜 358	四川木薑子 2613
牛嗓管樹 1277	北沙參 247	四川杜鵑 4285

四川金粟蘭　3048	平貝母　1427	甘青茶薦　3146
四川紅杉　4055	平車前　1858	甘青鐵線蓮　4115
四川香青　3854	平枝栒子　2649	甘草　1209, 3178, 3180
四川釣樟　1642	平狀藍銅礦　2487	甘野菊　2360
四川衛矛　3205	打不死　4806	甘肅上當歸　240
四川蠟瓣花　4623	打火草　3853	甘肅黃芩　807
四川橐吾　3381, 3888	打砍不死　548	甘葛藤　2688
四孔草　4408	打破豌花花　56	甘遂　2703
四方木皮　1220	打碗花　1342	生藤　3766
四方寬筋藤　196	本氏蓼　4085	田字草　4541
四方藤　196	母草　325	田基黃　4372
四角蛤蜊　2968	母菊　1403	田旋花　1813
四季豆　634	玄參　1362, 1846	田間菟絲子　3311
四季海棠　1288	玄精石　1488, 2482	田葱　4410
四季橘　4214	玉　1482	田螺　2439
四裂紅景天　2639	玉竹　422	甲香　1455, 1456
四裂算盤子　169	玉米黑粉菌　1501	白丁香　262, 478
四塊瓦　2772	玉米螟　2454	白三七　2124
四照花　1777	玉米鬚　4396	白千層　232
四稜豆　1218	玉柏　1560	白山蒿　4357
四稜香　3320	玉柏石松　1560	白山蓼　1087
四稜筋骨草　4316	玉葉金花　845, 3343	白五味子　2610
四葉草　4856	玉鬚　1004	白升麻　3565
四葉參　1378	玉龍鞭　4818	白木耳　4506
四葉細辛　2531	玉簪花　916	白木香　717
四葉蘿芙木　271	玉蘭　1133	白木通　64
四輪香　3315	瓜子金　2701	白毛扭連錢　3786
四孢蘑菇　2508	瓜子蓮　3173	白毛委陵菜　4628
奶漿果　1585	瓜木　2220	白毛夏枯草　2280
尼泊爾天名精　3868	瓜木根　2220	白毛雪兔子　4378
尼泊爾羊蹄　3541	瓜蒂　2336	白半楓荷　4767
尼泊爾香青　3853	瓜螺　954	白奴花　2761
尼泊爾蓼　2559	瓜馥木　4606	白布荊　2278
巨斧螳螂（桑螵蛸）　4458	瓜蔞　862, 3360	白尤　371
巨苞烏頭　3074	瓦韋　3032	白玉蘭　569
巧玲花　2781	甘藍　1148	白皮松　1060
布狗尾　1226	甘川鐵線蓮　2082	白石英　2481, 984
布荊　3776	甘木通　4112	白石脂　985
布渣葉　696	甘西鼠尾草　306	白石榴花　3238
布穀鳥　3496	甘松　356	白色高嶺土　985
平甲蟲　460	甘青老鸛草　2696	白豆蔻　439

白車軸草　1225	白亮獨活　2233	白葉委陵菜　2653
白乳菇　1021	白前　1338	白鈎藤　352
白刺　1234	白扁豆　1207	白鷴　972
白刺花　2689	白背風　3300	白鼓釘　382
白屈菜　577	白背紋藤壺　459	白檜桿　2246
白果　506	白背黃花稔　4236	白蜜環菌　1030
白泡草　340	白背葉　172	白緣翠雀花　3563
白花丹　3290	白茅　894	白緣蒲公英　1900
白花丹參　1831	白茅根　894	白蓮蒿　1881
白花牛角瓜　3761	白英　318	白蓬草　2598
白花地丁　1750	白苞花燭　4403	白樺　2534
白花地榆　1195, 3162	白苞筋骨草　3778	白頭翁　1128
白花地膽草　877	白苞蒿　868	白頭草　3857
白花羊蹄甲　113	白苞裸蒴　2530, 3044	白簕　237
白花夾竹桃　1803	白降丹　998	白縧草蜥　2986
白花杜鵑　2766	白首烏　775	白龍鬚　1811
白花刺參　3828, 4350	白唇竹葉青　4477	白檀　3292, 3733
白花委陵菜　4166	白唇鹿　1479	白檀根　3733
白花果　1279	白桂木　4073	白薯莨　928
白花前胡　747	白茯苓　4938	白薇　774
白花益母草　3318	白氣草　4827	白鵑梅　1173
白花草木樨　1693	白粉藤　693	白鵝膏　968
白花茶　4292	白粉蝶　1962	白臘鎖　4820
白花敗醬　1375, 2857	白草莓　2137	白藥子　4593
白花莧　4578	白馬骨根　2846	白藥穀精草　4923
白花蛇舌草　842	白骨走馬　4686	白礬　496
白花菜　86	白骨壤　4310	白蘑　4034
白花菜子　86	白堊　1483	白蘇　799
白花碎米薺　1647	白硇砂　2484	白蘭花　569
白花蒲公英　2914	白婆婆納　4333	白蘚　1710
白花酸藤果　1319	白常山　3343	白蘚皮　1710
白花醉魚草　2783	白接骨　3340	白蠟樹　759
白花龍膽　1801	白條錦蛇　2465	白鶴藤　1341
白花藤　3203	白景天　1158	白鶴靈芝　1856
白花懸鈎子　4636	白紫荊　1200	白薇　194
白花驢蹄草　4110	白菜　2119	白靈藥　3773
白芥　2633	白雲母　987	白鷺　3491
白芥子　2633	白飯豆　1698	白鸛　469
白芷　244	白飯樹　668	白鷴　972
白附子　907	白榆　1583	皮袋香　2103
白芨　448	白腹錦雞　4480	矢車菊　376

石刁柏　　1921
石上柏　　1042
石上藕　　2954
石山巴豆　　4694
石仙桃　　4959
石瓜子　　4802
石生樓梯草　　3528
石生繁縷　　1614
石吊蘭　　1852
石灰　　2496
石竹　　1100
石老虎　　3819
石耳　　1552
石沙參　　2865
石決明　　1453, 1454, 1951,
　　　　　1952, 1953
石防風　　1773, 2755
石刷把　　4520
石松　　2022
石油菜　　529
石花　　3504
石芥菜　　4848
石南藤　　3045, 3524
石柑子　　408
石胡荽　　3373
石英　　2481
石英石　　984
石韋　　2526, 2527
石韋　　4052
石風丹　　3450
石香薷　　4821
石栗　　658
石氣柑　　3408
石海椒　　3452
石斛　　947, 2951
石棒　　1680
石椒草　　647
石筆木　　4241
石楠　　597
石楨楠根　　1642
石蚴　　3971

石榕　　4846
石榴　　1758
石榴根　　2219
石膏　　1484, 1485, 2482
石膏玄精石　　2482
石蒜　　3430
石蓮　　2129
石蓮薑　　4535
石燕　　486
石蕊　　2020
石龍膽　　1330
石龍芮　　2596
石磺海牛　　455
石膽草　　336
石霜　　3011
石薺寧　　2807
石蟬草　　4062
石蟹　　2483
石巖楓　　671
石鹽　　983
石菖蒲　　1911
石蕈　　2501
禾葉風毛菊　　3895
禾線風　　4692
印度橡膠　　27
印度橡膠樹　　27
印度檀　　121
召委陵菜　　4155

六　　畫

丟了棒　　4693
交讓木　　4703
伊犁貝母　　2410
伏毛肥肉草　　1759
伏毛鐵棒錘　　3547
伏委陵菜　　2654
伏龍肝　　1489
仰天鐘　　1760
光千金藤　　4595
光叉葉萎陵菜　　1178
光皮木瓜　　595

光石韋　　3029
光序翠雀花　　3566
光赤爬　　3358
光明鹽　　1491
光果毛翠雀花　　3569
光果甘草　　3178
光果菊　　2800
光背杜鵑　　4278
光核桃　　3636
光棘球海膽　　465
光棍樹　　2706
光軸苧葉蒟　　3522
光葉子花　　46
光葉水蘇　　1354
光葉決明　　615
光葉蚊子草　　1174
光葉眼子菜　　2917
光葉閉鞘薑　　1444
光葉黃鐘花　　3843
光葉豬屎豆　　619
光葉遼寧山楂　　4159
光葉翼萼　　3332
光葉繡線菊　　3167
光萼女婁菜　　1106
光萼青蘭　　2284
光瓣堇菜　　1753
全葉山芹　　2753
全葉延胡索　　2113
全葉馬藍　　2897
全緣金粟蘭　　1578
全緣馬先蒿　　3799
全緣貫眾　　3027
全緣葉小芸木　　3674
全緣葉紫珠　　2273
全緣綠絨蒿　　2621
全蠍　　2974
冰島衣　　1550
冰島蓼　　3534
列當　　1849
印度大風子　　2214
印度犀（犀角）　　4495

吉林延齡草 2944	地梢瓜 2791	多花瓜馥木 4133
吉林烏頭 2578	地梭羅 3012	多花沿階草 918
吉祥草 424	地苍 233	多花胡枝子 4198
吉籠草 3780	地莓子 2666	多花脆蘭 4443
吊瓜 829	地椒 310, 311	多花野牡丹 2221
吊白葉 3349	地湧金蓮 1944	多花筋骨草 2281
吊竹梅 4926	地粟子 3168	多花黃芪 3647
吊球草 793	地黃 826	多花落新婦 3139
吊絲榕 4556	地黃瓜 3230	多花鉤粉草 4853
吊壁伸筋 4516	地楓皮 568	多花薔薇 3637
吊燈花 4234, 4801	地榆 108, 1679, 2667	多花蘭 945
吊蘭 3415	地構葉 180	多苞莓 2149
吐鐵 3962	地碳棍 3001	多脂鱗傘 1036
向天蜈蚣 4672	地膏藥 3882	多莖野豌豆 2171
向日垂頭菊 3874	地膚 1094	多被銀蓮花 1119
向日葵 383	地膚子 1094	多斑紫金牛 3717
合柄鐵線蓮 59	地蓮花 3437	多裂委陵菜 4167
合浦珠母貝 4965	地蓬草 4507	多裂東北延胡索 2615
合掌風 4645	地錢 3012	多裂烏頭 4099
合掌消 773	地錦 1248	多裂葉荊芥 2296
合萌 4640	地錦草 1248	多裂駱駝蓬 4676
合歡 610	地錦械 3210	多葉勾兒茶 2716
合歡皮 610	地膽草 1396	多葉唐松草 3098
回心草 2517	地蠶 4830	多葉棘豆 2165
回回蒜 2595	地靈莧 1097	多葉紫堇 3598
回回蘇 800	多小葉雞肉參 3808	多齒蹄蓋蕨 2520
地丁 1753, 2213, 2679, 2680	多毛稠李 1674	多蕊蛇菰 3062
地丁草 2616	多汁乳菇 1022	多穗金粟蘭 2531
地下明珠 4616	多年擬層孔菌 1007	多鬚公 4370
地不容 1639	多序巖黃芪 130	守宮 2463
地瓜 2542	多形灰包 3502	安胃藤 1731
地瓜兒苗 297	多刺天冬 3934	安息香 4790
地米菜 129	多刺綠絨蒿 4139	安徽小檗 1130
地耳草 1748	多果工布烏頭 3549	尖子木 3703
地血香 4601	多枝阿爾泰狗哇花 2366	尖山橙 4795
地枇杷 2542	多枝滇紫草 3770	尖尾芋 4402
地柑 3928	多歧沙參 2343	尖尾楓 783
地柏枝 2024	多花山竹子 709	尖果沙棗 3236
地核桃 4750	多花山薑 4439	尖突黃堇 2112
地桃花 204	多花勾兒茶 2201	尖海龍 1467
地骨皮 314	多花木藍 2160	尖被百合 3938

尖被藜蘆	1433	灰毛漿果楝	157	竹柏	512
尖頂地星	2516	灰毛藍鐘花	3844	竹苗	4904
尖距紫菫	2114	灰包	3502	竹凌霄	2930
尖葉假龍膽	4295	灰包菇	4040	竹根七	414
尖葉橐吾	2372	灰札子	476	竹根假萬壽竹	2929
尖葉藁本	3711	灰白毛莓	107	竹茹	4915
尖萼紫珠	4814	灰石英	1989	竹黃	2388
尖萼栲	2245	灰帶栓菌	1018	竹節秋海棠	4251
尖萼樓斗菜	1121	灰菜	1093	竹節香附	1119
尖嘴鴨骨	472	灰雁	3492	竹節草	4394
扣巧	4717	灰葉	3668	竹節樹	3701
托里黃花貝母	4416	灰葉豆	3668	竹節蓼	37
早開菫菜	714	灰瑪瑙	1989	竹葉山薑	435
曲枝天門冬	1924	灰綠黃菫	3586	竹葉牛奶樹	4560
曲嘴老鸛草	3670	灰綠龍膽	3304	竹葉青	2467
有柄石韋	2527	灰蓮蒿	4355	竹葉參	3416
有柄樹舌	3004	灰頭鵐	1476	竹葉椒	1239
有梗瓶爾金草	1044	灰氈毛忍冬	1868	竹葉蘭	2434
有斑百合	1930	灰薊	3870	竹蜂	4978
有齒鞘柄木	3264	灰鐵線蓮	3557	竹鼠	4000
朴硝	996	灰鶴	2471	竹雞	3494
朴樹	3053	灰椋鳥	476	竹瀝	4912
朱砂	494	灰藋	1607	竹靈消	2790
朱砂玉蘭	3117	百日青	4060	竹鼦油	4000
朱砂根	751	百日草	889	米口袋	2679, 2680
朱砂菌	1016	百日菊	889	米仔蘭	654
朱砂藤	3763	百合	418, 419, 420	米瓦罐	3070
朱唇	803		2414, 2415	米念巴	4675
朱頂蘭	1435	百步還陽丹	4453	米脈藤	4561
朱蕉	413	百里香	310	米飯花	3276
汝藍	2607	百里香葉杜鵑	4286	米濃液	4562
江戶佈目蛤	2965	百兩金	752	羊奶子	4743
江南卷柏	2024	百花錦蛇	2466	羊耳菊	384
江南星蕨	1569	百脈根	3183	羊耳蒜	2953
江南紫金牛	3280	百眼藤	348	羊肚菜	2505, 4004
江陽大兀	3617	百部	909, 1421, 3410	羊角扭	1337
江珧柱	3964	百齒衛矛	1731	羊角拗	1337
灰毛果莓	604	百蕊草	1589	羊角藤	4860
灰毛萎軟紫菀	3860	竹心	4905	羊洪膻	4267
灰毛黃櫨	1729	竹卷心	4910	羊膜草	822
灰毛槐樹	3186	竹林標	832	羊齒天冬	910

羊蹄　　　539
羊蹄暗消　　3696
羊鮑　　1951
羊鬍髭草　　2393
羽苞藁本　　4265
羽裂風毛菊　　3901
羽裂蟹甲草　　373
羽裂莛子藨　　2855
羽裂蕁麻　　3530
羽葉三七　　739
羽葉千里光　　2907, 3388
羽葉鬼針草　　1388
羽葉鬼燈檠　　591
羽萼　　2283
老母豬半夏　　1418
老瓜頭　　1339
老君扇　　4432
老君鬚　　2790
老虎刺　　3758
老虎楝　　2176
老虎薑　　3420
老虎鬚　　428
老鼠簕　　2316
老鼠瓜　　4142
老槍穀根　　2065
老蝸生　　2685
老鴉花藤　　3663
老鴉柿　　2778
老鴉嘴　　837, 2320
老頭草　　1401
老龍皮　　1548
老鷹爪　　4652
老鸛草　　642, 3190
耳羽巖蕨　　2030
耳狀人字果　　3090
耳草　　1368
耳葉牛皮消　　775
耳葉馬兜鈴　　36
耳葉鳳仙花　　2715
耳葉蓼　　4088
肉色土圞兒　　3168

肉色栓菌　　1526
肉豆蔻　　76
肉果草　　2308
肉桂　　576
肉球近方蟹　　961
肉碎補　　4536
肉蓯蓉　　4335
自扣草　　4586
自然銅　　1490, 2485, 2488
舌唇蘭　　2955
色蒂　　3619
艾葉　　368, 2350
艾蒿　　368
艾膠樹　　4700
血水草　　2620
血見愁　　2567
血見愁老鸛草　　3188
血染葉　　2731
血紅栓菌　　1528
血革　　1003
血痕韌革菌　　1003
血散薯　　4594
血經草　　1785
血葉蘭　　2954
血滿草　　353
血黨　　3278
西瓜　　1875
西瓜翠　　1875
西伯利亞小檗　　4126
西伯利亞冷杉　　3038
西伯利亞杏　　2657
西伯利亞刺柏　　1574
西伯利亞卷柏　　4519
西伯利亞敗醬　　4873
西伯利亞魚黃草　　1816
西伯利亞遠志　　1718
西伯利亞鐵線蓮　　3084
西伯利亞蓼　　4089
西伯利亞橐吾　　4376
西河柳　　213
西非羊角拗　　2263

西南小檗　　3578
西南手參　　4450
西南文殊蘭　　1941
西南石韋　　3030
西南花楸　　2670
西南虎耳草　　3624
西南苧麻　　1588
西南風鈴草　　3835
西南草莓　　3631
西南鬼燈檠　　3615
西南紫金牛　　2243
西南黃精　　2419
西南黃芩　　3323
西南銀蓮花　　2077
西南賽楠　　3125
西南菝葜　　3424
西南蓍草　　1879
西施舌　　2967
西洋紅　　804
西洋參　　740
西康玉蘭　　3118
西康黃芪　　3648
西康薔薇　　3638
西番蓮　　1754
西胡蘆　　2860
西藏八角蓮　　2098
西藏木瓜　　2132
西藏牛皮消　　3764
西藏扭連錢　　2293
西藏杓蘭　　3449
西藏青莢葉　　748
西藏珊瑚　　3260
西藏胡黃蓮　　825
西藏秦艽　　2252
西藏蒲公英　　3921
西藏貓乳　　3688
西藏錦雞兒　　3654
西藏龍膽　　2252
西雙版納粗榧　　1065
全毛懸鈎子　　4633
全緣栒子　　4156

七　畫

串果藤　3104
串鈴草　4824
伴蛇蓮　3535
佛手　3191
佛手瓜　2864
佛甲草　90
佛竹　2389
佛肚竹　2389
佛肚樹　171
佛指甲　2127
佛葵　2817
何道烏　538
伽藍菜　4618
伸筋草　2022
伸筋藤　3582
伯勞　2991
伶鼬榧螺　2962
克氏海馬　1967
冷水蕨　4524
冷杉油　3038
卵黃寶貝　3959
卵葉水芹　3254
卵葉馬兜鈴　3059
卵葉報春　3287
卵葉茜草　2844
卵葉韭　3412
吳茱萸　652
君子蘭　1940
君遷子　260
含笑　1135
含羞決明　3655
含羞草　1696
坐鎮草　2546
壯精丹　3957
夾竹桃　1335
夾竹桃葉素馨　3735
尾花細辛　2551
尾葉山柑　4613
尾葉香茶菜　1829
尾葉馬錢　1329

尾葉紫金牛　3279
尾葉樺　1792
尾穗莧　2065
忍冬藤　851
扶桑　700
扭旋馬先蒿　2823
扭連錢　2292, 2293, 3786
扯根菜　2644
旱冬瓜　2043
旱生天南星　3926
旱生南星　3926
旱田草　3329
旱禾樹　2331
旱芹　2230
旱金蓮　1233
旱柳葉　4068
旱蓮草　380
李　2144
李子　2144
杏　599
杏仁　599, 2657, 2998
杏葉沙參　863
杜仲　95
杜仲藤　4798
杜松實　2035
杜梨　3156
杜莖山　1320
杜楝　4687
杜鵑　252
杜鵑蘭　3443
杉木　1573
杉松　2033, 4053
杉曼石松　1041
杉葉藻　3244
杠木　2537
杠板歸　1597
杠柳　1808
杓蘭　946
沙地柏　510, 3039
沙地旋覆花　1399
沙和尚　3485

沙拐麥　534
沙芥　3135
沙苑子　611, 2153
沙參　2341
沙梨　4630
沙棘　224, 233
沙棘豆　4201
沙棗　1292
沙達木　4723
沙漠嘎　2872
沙糖木　2331
沙羅子　3213
沙蠶　452
決明　119
決明子　119
牡丹　61
牡丹皮　61
牡荊　2277
牡蒿　1385
牡蠣　955, 2443, 2444, 2963
甸果　1318
皂柳　4552
秀雅杜鵑　4274
秀麗莓　2665
禿瘡花　4138
禿鷲　1972
肖梵天花　204
肖菝葜　1928
肝風草　426
芒小米草　4836
芒毛苣苔　2835
芒種花　1282
芒萁　503
芋　902
芋頭　902
芍藥　2089
見血封喉　4072
見血飛　4682
角花胡頹子　3698
角倍蚜　2997
角翅衛矛　3204

角茴香　　1645
角閃石石棉　　1481
角蒿　　2313, 2833
角盤蘭　　4452
角瓣延胡索　　82
谷地翠雀花　　3564
豆形拳蟹　　959
豆根木蘭　　131
豆茶決明　　1688
豆梨　　1186
豆雁　　969
豆葉七　　3137
豆葉參　　3286
豆腐柴　　293
豆腐渣果　　2050
豆薯　　1697
豆瓣菜　　2630
豆瓣綠　　516
貝子　　953
貝加爾亞麻　　4210
貝加爾唐松草　　2597
貝加爾野豌豆　　4203
貝加爾鼠麴草　　4371
赤小豆　　136
赤石脂　　1493
赤芍　　3095, 560
赤豆　　136
赤車　　2545
赤松　　1571
赤芝　　1
赤麻鴨　　2470
赤陽子　　101
赤雹　　861
赤蒼藤　　531
赤鐵礦　　1486
走馬胎　　1782
走莖丹參　　1833
走邊疆　　1283
車前　　838, 1858, 3815
車桑仔葉　　2198
辛夷　　72, 1133

防己葉菝葜　　2421
防風　　2757
延胡索　　83
祁州漏蘆　　387
芝麻　　333
芝麻菜　　2627
芝麻菜子　　2627
疔毒草　　2212

八　　畫

乳毛紫金牛　　3281
乳白香青　　1384
乳白耙齒　　2007
乳茄　　319
乳漿大戟　　2184
乳漿草　　2184
亞乎奴　　3580
亞灰樹花　　1524
亞洲象　　2994
亞洲蒲公英　　2380
亞針裂蹄　　1522
亞側耳　　1025
亞黑管菌　　1509
亞歐唐松草　　2598
亞羅椿　　3676
使君子　　228
併頭黃芩　　1836
佩蘭　　880
兔耳花　　2768
兔兒傘　　1897
兒茶　　110
兒茶樹　　110
兩色烏頭　　2073
兩面針　　4683
兩面綢　　336
兩棲蓼　　2057
具苞河柏　　4244
刻紋蜆　　3462
刻葉刺兒菜　　1885
刺人參　　1303
刺子莞　　4399

刺五加　　1298
刺天茄　　317, 1840
刺田菁　　4182
刺石榴　　603
刺老鴉　　2226
刺李　　2645
刺沙蓬　　1095
刺芋　　406
刺兒菜　　1885
刺果毛茛　　1129
刺果甘草　　628
刺果蘇木　　4186
刺松藻　　2002
刺玫果　　103
刺南蛇藤　　1254
刺柏　　3515
刺紅珠　　2096
刺飛廉　　2354
刺桐　　1691
刺海馬　　2459
刺針草　　869
刺參　　855, 1963, 3827
刺梨子　　1190
刺莧　　542
刺莧菜　　542
刺猬　　975
刺猬皮　　975
刺揪皮　　1764
刺菠　　1194
刺黃果　　268
刺黃柏　　1635
刺葉點地梅　　3723
刺槐　　1219
刺糖　　4641
刺薔薇　　4171
刺芫荽　　245
刺草薢　　2943
刺楸　　1764
刺蒺藜　　1709
刺藜　　4091
刮金板　　168

刮筋板	3679	
卷丹	419	
卷耳	1099	
卷柏	2	
卷莖蓼	4573	
味牛膝	2319	
味連	2588	
咖啡	4339	
咖啡黃葵	2206	
和山薑	4950	
坡柳	2198	
夜合花	2609	
夜吹簫	2327	
夜來香	735, 1810	
夜明砂	4994	
夜香牛	1902	
夜香樹	2301	
夜落金錢	206	
奇蒿	866	
委陵菜	2139	
定經草	824	
宜昌杭子梢	2674	
宜昌胡頹子	221	
岩景天	1654	
岩薑	1445	
岳樺	1068	
帘子藤	270	
帚枝唐松草	3574	
延胡索	2614	
延脈假露珠草	3730	
延齡草	1938	
忽地笑	1438	
念珠黃芩	4829	
房縣械	3209	
披針葉薹草	2393	
拐棗	689	
抱石蓮	1055	
抱莖苦蕒菜	1888	
抱莖菝葜	922	
抱樹蓮	6	
昆明沙參	3834	
昆明杯冠藤	3765	
昂天蓮	703	
明黨參	3251	
杭白芷	741	
東方後片蠊	3472	
東方草莓	1665	
東方婆羅門參	4384	
東方野豌豆	2170	
東方鈴蟾	2983	
東方罌粟	583	
東方蜚蠊	4971	
東方蝶螈	2461	
東北大黑鰓金龜	2456	
東北山梅花	3143	
東北木戟	2185	
東北水龍骨	4537	
東北牛防風	1770	
東北田螺	3454	
東北白樺	521	
東北百合	2414	
東北刺人參	1303	
東北延胡索	578	
東北虎	481	
東北虎耳草	1165	
東北南星	1912	
東北扁核木	1670	
東北柳葉菜	1296	
東北珍珠梅	605	
東北紅豆杉	1575	
東北苧麻	3054	
東北茶藨	1164	
東北婆婆納	1848	
東北淫羊藿	1131	
東北蛔蒿	4886	
東北黃芪	1199	
東北雷公藤	1256	
東北鼠李	2202	
東北蒲公英	1899	
東北鳳仙花	1259	
東北豬殃殃	3342	
東北鴉葱	1893	
東北齒緣草	2795	
東北龍膽	2785	
東北點地梅	1784	
東北鐵線蓮	1622	
東北鶴蝨	2796	
東北堇菜	2213	
東北橙木	4070	
東北螯蝦	3468	
東亞金髮蘚	4514	
東亞唐松草	2091	
東亞鉗蝎	2974	
東京桐	4696	
東俄洛紫菀	3865	
東俄洛橐吾	3891	
東洋毛球馬勃	2514	
東風菜	2884	
東風橘	646	
東風螺	2960, 3960	
東當歸	2746	
枇杷	99	
枇杷柴	4245	
枇杷葉	99	
枇杷葉莢蒾	2853	
枝子皮	3119	
枝兒條	2163	
林地碗	4003	
林金腰子	1160	
林問荆	1561	
林蔭千里光	3390	
林繁縷	1613	
林麝（麝香）	4499	
林茜草	2845	
林檎	3150	
杯菌	4031	
杯菊	2359	
板藍根	585, 1650	
松下蘭	3265	
松生擬層孔菌	4501	
松杉靈芝	1010	
松貝	2933	
松乳菇	4024	

松花粉 9, 11	沿階草 1934	直立百部 909
松香 11	泡卜兒 4845	直立點地梅 3722
松針 11	泡沙參 2340	直角莢蒾 2851
松針層孔 1521	泡花樹 2200	直刺變豆菜 2756
松塔 11	泡桐 327	直穗小檗 2095
松節 10, 11, 2528	泡參 2340, 3830	空心花 256
松蒂 3616	泡囊草 815	空心柳 606
松葉青蘭 2285	爬山虎 1271	空心莧 42
松鼠 1974	爬地松 1572	空心蓮子草 42
松蒿 2824	爬崖紅 3335	空柄假牛肝菌 4016
松潘烏頭 55	爬樹龍 4920	空桶參 3910
松蕈 4030	版納粗榧 1065	肺筋草 3258
杵棒菌 4010	牧地山螞蝗 1213	肥蕨 4531
武鞬藤 4804	牧地香豌豆 1213	臥生水柏枝 2211
歧裂馬勃 4042	牧馬豆 2690	芭蕉 3434
泥東風螺 3960	狀元紅 2948	芭蕉芋 4954
泥炭蘚 4509	狗 479	芭蕉根 3434
泥胡菜 2364	狗日草 1829	芹葉九眼獨活 1300
泥蚶 4963	狗爪豆 135	芹葉鐵線蓮 3080
泥螺 3962	狗牙花 766	花木藍 131
泥鰍 3479	狗仔花 4385	花生衣 4642
河北黃菫 1643	狗舌草 388	花拐藤 270
河北蒲公英 1900	狗尾巴參 415	花南星 3402
河濱千里光 4896	狗尾花 4655	花紅 3150
沼地馬先蒿 1360	狗尾紅 657	花背蟾蜍 1468
波狀葉山螞蝗 125	狗尾草 1909	花烏蔽莓 1267
波稜瓜 857	狗肝菜 1855	花被單 2771
波葉大黃 538, 1600	狗核樹 4736	花斑葉 1269, 2204
波葉忍冬 4346	狗脊蕨 2523	花椒 3196
波葉車前 3815	狗骨 479	花菱草 1142
波葉醉魚草 4794	狗景天 1654	花鈕扣草 3912
波緣冷水花 529	狗棗獼猴桃 1743	花葉山薑 4440
法羅海 4264	狗筋麥瓶草 4097	花葉竹芋 446
油瓜 2337	狗筋蔓 2069	花葉尾花細辛 2552
油松 10	狗腳跡 701	花葉芋 901
油桐 677	狗葡萄 3146	花葉重樓 2418
油桐子 677	狗鈴草 4650	花葉假杜鵑 2836
油茶 1745	狗響鈴 2157	花葉開唇蘭 2433
油梨 4136	狐尾蓼 2056	花葉萬年青 904
油葫蘆 3474	玫瑰 1191	花鼠 3999
油楂果 2337	玫瑰茄 1275	花酸苔 4755

花葱	4307	金耳	1504	金銀木	852
花蕊石	1492	金沙絹毛菊	3908	金銀忍冬	852
花蕨	2518	金沙藤	4523	金銀花	851
花臉細辛	2557	金果欖	567	金鳳毛	284
花錨	1332	金花小檗	563	金鳳花	116
花楸	1196	金花草	1048	金瘡小草	2280
花尾榛雞	1973	金花茶	209	金線風	1636
花龜	1969	金金棒	3151	金線重樓（重樓）	4422
芥菜	2118	金挖耳	375	金線草	3822
芥葉蒲公英	2381	金剛鼠李	1262	金線盤	3451
芸香	1713	金剛藤	3424	金線蘭	2433
芸苔	3133	金剛纂	2183	金蓮木	4239
虎舌紅	3281	金栗蘭	519	金蓮花	3102
虎耳草	1663	金珠柳	3719	金蝴蝶	3545
虎尾草	2391	金粉雪山報春	3728	金橘	153
虎尾蘭	4937	金粉蕨	1051	金錢白花蛇	3488
虎尾鐵角蕨	1052	金納香	4737	金錢草	533, 754
虎杖	40	金釵石斛	947	金錦香	1760
虎刺	2840	金雀花	2167, 1687	金環蛇	1472
虎骨	481	金頂側耳	1027	金雞尾	3505
虎掌草	554	金魚	4462	金雞納	304
虎掌菌	4007	金魚草	4835	金雞菊	874
虎掌藤	3768	金絲刷	1554	金雞腳	3031
虎斑游蛇	4472	金絲苦楝	3685	金邊白馬骨	2846
虎斑寶貝	454	金絲桃	710	金邊吊蘭	3415
迎春花	2779	金絲海棠	711	金邊兔耳	4884
迎紅杜鵑	1780	金絲草	1908	金邊草	2823
近江牡蠣	2444	金絲梅	1282	金鐘花	1790
返顧馬先蒿	1845	金絲藤仲	2261	金櫻子	104
金口蠑螺	1455	金鈕扣	317, 3914	金鐵鎖	548
金山萊菔	2849	金黃柴胡	4261	金露梅	1170, 2134, 3633
金不換	540, 2607	金盞菊	374	金露梅花	3633
金毛七	3139	金盞銀盤	4360	金蕎麥	535
金毛狗尾草	896	金鈎如意草	3130	金礞石	2486
金毛狗脊	2029	金腰子	4620	金鵰	2988
金毛鐵線蓮	3081	金腰草	3141	長小葉十大功勞	3579
金爪兒	2770	金腰帶	2736	長毛風毛菊	3896
金牛七	55	金腰箭	389	長毛細辛	2556
金瓜核	4803	金腰燕	1474	長毛遠志	3198
金合歡	112	金箔	994	長毛銀蓮花	4581
金色補血草	257	金精石	1495	長白山鹿蹄草	1313

長白老鶴草　　1232
長白旱麥瓶草　　1612
長白岩黃蓍　　1210
長白松　1061
長白虎耳草　　1163　1662
長白紅景天　　1156
長白烏頭　　1615
長白茶藨　　1163
長白魚鱗松　　1059
長白棘豆　　1217
長白楤木　　239
長白瑞香　　1290
長白擬水晶蘭　　3267
長白薔薇　　1189
長白樓斗菜　　1617
長石　1494
長石蕈　　2502
長地膽　　3981
長竹蟶　　3467
長舟馬先蒿　　3798
長串茶藨　　3145
長尾婆婆納　　2829
長序美麗烏頭　　3554
長牡蠣　　2443
長芒野稗　　2920
長刺酸模　　2564
長花滇紫草　　2269
長花鐵線蓮　　3559
長果升麻　　1626
長松蘿　　1556
長苞香蒲　　1904
長春花　　1334
長柱沙參　　2866
長柱鹿藥　　3944
長柄杜若　　4925
長柄野扁豆　　4660
長柄菫菜　　2725
長根靜灰球　　1540
長梗千里光　　3389
長梗柳　　3049
長梗郁李　　1182

長梗蓼　　3537
長梗薤　　3411
長莖沿階草　　2416
長莖飛蓬　　2362
長筒馬先蒿　　3800
長距玉鳳花　　3954
長距鳥足蘭　　2956
長距翠雀花　　3568
長距蘭　　2955
長圓紅景天　　3608
長圓葉水蘇　　1355
長節珠　　2261
長葉女貞　　2247
長葉天名精　　3371
長葉水麻　　2046
長葉火絨草　　2900
長葉玉蘭　　4131
長葉地榆　　1679
長葉車前　　1367
長葉胡頹子　　2737
長葉苧麻　　32
長葉茅膏菜　　2636
長葉風毛菊　　3898
長葉萬壽竹　　4932
長葉綠絨蒿　　4140
長葉酸藤果　　3282
長葉鐵角蕨　　4047
長萼栝樓　　4879
長萼菫菜　　713
長葶鳶尾　　3947
長蛸　3466
長蒴母草　　824
長蒴黃麻　　4734
長蕊杜鵑　　3273
長蕊珍珠菜　　2771
長蕊絲石竹　　2070
長蕊萬壽竹　　2930
長穗醉魚草　　3737
長穗貓尾草　　1226
長鞭紅景天　　3609
長藥八寶　　2638

長藥隔重樓　　2938
長瓣金蓮花　　1629
長鬚果　　428
長鬣蜥　　2987
阿里紅　　2011, 3003
阿拉伯膠　　109
阿拉伯膠樹　　109
阿紋綬貝　　951
阿爾泰大黃　　1599
阿爾泰狗哇花　　2365
阿膠　　482
阿穆爾樓斗菜　　4106
阿魏　　4770
附子　　1111
附地菜　　2271
附地葉　　2271
雨久花　　2404
雨蛙　　3482
青天葵　　450
青牛膽　　567
青皮竹　　2388
青竹標　　4921
青竹藤　　4792
青羊　　982
青羊參　　277
青杠樹　　2536
青刺尖　　2143
青城細辛　　2557
青竿竹　　4906
青島老鶴草　　3189
青莢葉　　2238
青蛇藤　　3310
青紫藤　　2204
青絲金竹　　393
青萍　　4922
青菜　　1146
青蛙　　963
青蛤　　3464
青陽參　　277
青搾槭　　4224
青楷槭　　3211

青稞黑粉菌　3501

青葉膽　2255

青蒿　2349, 2998

青蝦　4968

青欖　4733

青葙　544

青葙子　544

青礞石　986

非洲天門冬　2927

非洲螻蛄　1461

芫花　1289

芫花葉白前　1338

芡　1109

九　畫

狐狸　1976

狐狸心　1976

直穗酸模　1603

知母　1920

肺衣　1549

肥皂草　1611

亮菌　3007

亮葉樺　1581

兗州捲柏　3014

前胡　2234

匍生蠅子草　1108

匍伏菫菜　3230

匍枝毛茛　4122

匍枝委陵菜　2651

匍枝柴胡　3705

匍枝烏頭　4101

匍枝蓼　3536

匍匐苦蕒菜　2896

匍莖通泉草　4839

南山花　847

南山楂　1169

南川斑鳩菊　3394

南川繡球　2642

南五味子　3121

南天竹　66

南玉帶　1922

南瓜　1876

南瓜子　1876

南竹葉環根芹　3708

南沙參　863, 2341, 2342, 2865

南亞松　508

南板藍　834

南肺衣亞平變種　1548

南洋杉　4058

南苦蕒菜　3907

南苜蓿　1216

南柴胡　3248

南蛇筋　115

南蛇藤　683

南黃紫菫　3126

南酸棗　182

南鐵線蓮　4584

南鶴虱　2748

厚皮香　1279

厚皮樹　4704

厚喙菊　3881

厚葉川木香　3879

厚葉沿階草　4935

厚葉算盤子　4699

厚樸　1641

厚環黏蓋牛肝菌　3005

哈氏美人蝦　2971

哈蟆油　964

垂果南芥　2117

垂花報春　2774

垂柳　2040

垂盆草　91

垂梗繁縷　4580

垂絲海棠　1177

垂葉黃精　3942

垂頭虎耳草　3622

威靈仙　58, 60, 1621, 1622,
　　　　　2585

屎咕咕　2472

建蘭　1948

建蘭花　1948

待霄草　3242

思茅山橙　3759

思茅豆腐柴　2276

思維樹　525

急折百蕊草　2549

扁竹根　1943

扁刺薔薇　4173

扁枝槲寄生　2052

扁青　2487

扁核木　2143

扁莖崖爬藤　694

扁稈藨草　4400

扁擔木　4735

扁擔藤　694

扁頭蛇　4476

扁蕾　2786

挖耳草　375

指天椒　4831

指甲花　723

指狀鳳尾蕨　3505

春花木　4631

春榆　1583

春蘭　1446

星天牛　3983

星毛委陵菜　4163

星毛金錦香　2223

星毛珍珠梅　4178

星果草　3077

星狀風毛菊　2906

星宿菜　4786

柿　259

柿蒂　259

柱果鐵線蓮　3085

柔毛花葱　1345

柔毛峨嵋翠雀花　1624

柔毛淫羊藿　3112

柔毛齒葉睡蓮　2574

架棚　3731

柯蒲木　768

柄果花椒　1241

柚　149

柚木　789

枸杞 314	洋薑筍 3436	禹餘糧 487
枸杞子 1837	洋鐵酸模 2566	秋子梨 1676
枸骨 681	流蘇蝦脊蘭 2950	秋分草 3383
枸橘 1712	洱源土桔梗 2571	秋石 991
枸橼 1236	活血丹 1824, 3823	秋牡丹 553
柏拉木 4759	活血蓮 2076	秋牡丹根 553
柏樹葉 4545	炮彈果 2260	秋英 4366
柞木 1286	牯嶺野豌豆 3187	秋海棠 2216
柞木葉 1286	珊瑚櫻 820	秋楓木 659
柞柴胡 2231	珍珠母 2445, 2446, 2964,	秋鼠麴草 2888
柞樹皮 4071	3967	穿山甲 4996
柞蠶蛹 2455	珍珠草 1726	穿山龍 429, 2425
柳杉 1062	珍珠參 3956	穿心蓮 1854
柳枝 2040	珍珠桿 3641	穿心莛子藨 355
柳穿魚 2309	珍珠梅 605, 2668	穿地龍 925
柳葉白前 4799	珍珠梅皮 2668	穿破石 25
柳葉竹根七 3247	珍珠莢蒾 2850	穿魚藤 2760
柳葉忍冬 4344	珍珠透骨草 180	穿壁風 4548
柳葉沙參 4352	珍珠傘 3717	穿龍薯蕷 429
柳葉鬼針草 2877	珍珠菜 755, 2769	突節老鸛草 1231
柳葉旌節花 3234	珍珠楓 2798	紅芪 130
柳葉野豌豆 1228	玳瑁 965	紅麩楊 3202
柳葉菜 733	疣果大戟 3680	紅籬鉤 105
柳葉鼠李 4228	疣果豆蔻 937	紅丁香 1797
柳葉繡線菊 606	疣柄魔芋 403	紅千層 728
柳蒿 4356	疣荔枝螺 2441	紅口櫃螺 2961
柳樹寄生 2051	疣草 2402	紅大戟 345
柳藍 236	疣鼻天鵝 471	紅子仔 660
歪頭菜 1705	盈江南星 2924	紅山螞 4194
段報春 4290	省沽油 4714	紅升麻 381
毒芹 1767	相思子 608	紅天葵 4756
毒砂 1997	盾果草 4813	紅木 214
毒紅菇 1023	盾葉唐松草 3099	紅毛丹 688
毒側耳 1534, 4028	盾蕨 3034	紅毛五加 2225
毒勒黑傘 4038	砂仁 938	紅毛玉葉金花 3821
毒蠅傘 1032	砂引草 2268	紅毛雞 477
洋吊鐘 587	砂生沙棗 3235	紅水芋 901
洋地黃葉 3327	砂生槐 2169	紅半邊蓮 3697
洋芋 1842	砂藍刺頭 1394	紅皮雲杉 4056
洋金花 810, 2302	禹白附 907	紅地榆 2142
洋金鳳 116	禹州漏蘆 1395	紅色高嶺石 1493

紅吹風 4731	紅香樹 3693	紅蒿枝 2359
紅尾伯勞 2991	紅桑 2179	紅酸七 4428
紅旱蓮 1281	紅栓菌 1016	紅嘴山鴉 4491
紅杜仲 4796	紅秦艽 2815	紅嘴鷗 4487
紅豆杉 3042	紅粉 999	紅葱 4945
紅豆蔻 933	紅紋馬先蒿 2822	紅褐甘西鼠尾 3790
紅貝栓菌 1525	紅草 4092	紅輪千里光 2376
紅赤葛 2203	紅草藤 4659	紅頭勒 4753
紅車軸草 637	紅茴香 1640	紅薯 1815
紅果類葉升麻 1616	紅茴香根 4598	紅螺塔 954
紅果蘿芙木 770	紅釘耙藤 2083	紅點錦蛇 3487
紅果菝葜 4426	紅馬蹄草 248	紅點錦蛇蛻 3487
紅松 3036	紅鬼筆 2511	紅藍草 4852
紅油菜 3133	紅梗蒲公英 2913	紅雞蛋花 269
紅泡刺 4635	紅條毛膚石鱉 453	紅雞踢香 221
紅花 1389	紅涼傘 3277	紅藤蓼 3536
紅花丹 3732	紅球薑 943	紅藥 4849
紅花天料木 4249	紅莖蓼 2060	紅蠟盤 4032
紅花木欄欖 3736	紅釣桿 3372	美人蝦 2971
紅花羊蹄甲 1685	紅雀珊瑚 1725	美人蕉 944
紅花杜鵑 252	紅魚眼 176	美形金鈕扣 3913
紅花乳白香青 3852	紅魚眼 673	美味牛肝菌 4017
紅花青藤 79	紅斑黃菇 1532	美味紅菇 1533
紅花垂頭菊 3876	紅棕杜鵑 4280	美花兔尾草 3669
紅花寄生 4569	紅絨蓋牛肝 4504	美花風毛菊 2374
紅花鹿蹄草 1778	紅紫蘇 2290	美花鐵線蓮 2587
紅花綠絨蒿 4141	紅絲線 2838	美洲一枝黃花 1408
紅花蕉 4436	紅絲線 313	美洲商陸 545
紅花錦雞兒 614	紅絲線草 2838	美容杜鵑 4271
紅花點地梅 3720	紅椰木 3526	美薔薇 4632
紅花巖松 2129	紅楣 3693	美麗胡枝子 3181
紅花栝樓 2338	紅瑞木 2759	美麗烏頭 3552
紅花酢漿草 641	紅筷子 236	美麗紫堇 3585
紅虎耳草 3623	紅腳鷸 3495	美麗稜子芹 3713
紅活麻 3055	紅腹石耳 1553	美麗獐牙菜 3753
紅秋葵 698	紅腺忍冬 4869	美麗藍鐘花 2344
紅背桂 665	紅腺懸鉤子 4177	美麗蠟傘 4020
紅背桂花 666	紅葉紫珠 286	耐冬果 2133
紅背葉 4690	紅葉藤 3643	胃友 2710
紅胡豆七 4619	紅對節子 2848	背角無齒蚌 1957
紅茉莉 3299	紅睡蓮 552	背瘤麗蚌 1458

胡豆	141	苦蕎麥	4084	飛揚草	1722
胡枝子	1214	苦蘵	1838	飛廉	2354
胡桃	22	苦蘵	2820	飛蓬	2885
胡椒	20	茄	320	飛蝗	2980
胡黃蓮	825	茄子	320	飛燕草	1623
胡楊	520	茄參	2304, 3795	飛龍掌血	3675
胡蔓藤	1800	茉莉	1794	飛簾	1883
胡頹子	3237	茉莉根	1794	食鹽	1499
胡蘆巴	638	英吉里茶藨	4152	首冠藤	4185
胡蘿蔔	1307	苴蓿	2686	香加皮	1808
胎生鐵角蕨	3021	苞葉風毛菊	3385	香白芷	3709
胎盤	2999	苞葉雪蓮	3385	香果樹	3583
苧麻	1077	迪慶塔黃	3540	香芹	1772
茅瓜	2861	郁李仁	601, 1181, 1673, 1675	香花崖豆藤	133
茅莓	2150	重冠紫菀	3859	香附	399
茅蒼朮	310	重陽木	659	香青蘭	294
苣蕒菜	2910	重葉蓮	3078	香茅	4907
苣葉報春	3288	重樓	919, 2417	香根芹	2752
苦蕒菜	884	重樓排草	2772	香栓菌	1019
苦丁茶	4710	重瓣白石榴	3238	香粉葉	4609
苦木	1715	重瓣狗牙花	766	香草蘭	950
苦木皮	1715	降龍草	1851	香茶菜	304, 2813
苦玄參	328	革命菜	2891	香茶藨子	4151
苦瓜	362	革葉兔耳草	3796	香椒子	1240
苦白蹄	2011	革葉蓼	3535	香絲草	4365
苦地丁	2616	韭菜	1919	香葉天竺葵	4209
苦杏仁	1671	韭菜子	1919	香蒿	2349
苦豆子	1221	韭蓮	1942	香蒲	1904
苦刺花	3667	風毛菊	1891	香蕉	433
苦苣菜	2911	風車子	227	香螺	4457
苦郎樹	785	風車草	398	香堇菜	1284
苦馬豆	139	風車藤	2177	香薷	295
苦參	1703	風花菜	4144	香櫞	1236
苦楝皮	1717	風氣草	4883	蚤休	2937
苦葵鴉葱	1405	風寒草	1786	康定玉竹	3421
苦葛	3665	風葉藤	4730	芫荽	1769
苦碟子	1888	風箏果	2177	柘木白皮	2540
苦齊公	2857	風輪菜	2282	柘樹	2540
苦燈籠	4315	風藤草根	3081	枳	1712
苦檀子	4199	飛天蜈蚣	2925	枳根	689
苦芙	2882	飛海蛾	2460	枳殼	4677

枳實　3192

枹柞皮　1072

枹櫟　1072

柊葉　447

砒石　1496, 1498

苤藍　1145

苘麻　199

苘麻子　199

十　　畫

亞麻　145

亞麻子　145

流蘇瓦松　4146

流蘇石斛　4447

背突苔蟲骨骼　1497

降香　620

降香黃檀　620

降眞香　645

倒水蓮　3100

倒生根　3160

倒吊筆　4300

倒地抽　3130

倒地鈴　686

倒扣草　4576

倒卵葉旌節花　3232

倒剝　2279

倒根蓼　1596

倒紮龍　2665

倒提壺　781

倒鈎刺　2147

倒觸傘　4637

凌霄　330, 2831

凌霄花　2831

剛毛忍冬　1867

原雞　474

唐古特青蒿　3856

唐古特馬尿泡　3326

唐菖蒲　931

唇香草　4326

埋摸朗　712

夏至草　1825

夏枯草　303, 2812

夏雪片蓮　1437

夏黃芪　4183

娑羅子　685

家鴿　475

家鵝　968

家稗　2921

射干　929

射線裂脊蚌　3965

展毛工布烏頭　3550

展毛銀蓮花　3556

展枝沙參　3361

展脈毛金腰　1656

峨山草烏　3089, 3564

峨屏草　3147

峨參　2747

峨嵋千里光　3387

峨嵋勾兒茶　3216

峨嵋半邊蓮　3015

峨嵋石鳳丹　1939

峨嵋冷杉　3037

峨嵋冷杉果　3037

峨嵋青莢葉　3263

峨嵋冠唇花　3320

峨嵋南星　3404

峨嵋珊瑚　3261

峨嵋唐松草　3100

峨嵋桃葉珊瑚　3261

峨嵋崖雪下　3147

峨嵋野連　2590

峨嵋雪蓮花　3288

峨嵋雪膽　3355

峨嵋紫金牛　3279

峨嵋紫堇　3128

峨嵋開口箭　3427

峨嵋黃肉楠　3122

峨嵋翠雀花　1624, 3089

峨嵋舞花薑　3435

峨嵋蜘蛛抱蛋　3414

峨嵋蓮座蕨　3015

峨嵋輪環藤　4592

峨嵋龍膽　3302

峨嵋薑　3438

峨嵋薔薇　603

峨嵋賽楠　3125

峨嵋藏猴　3499

峨嵋雙蝴蝶　3305

峨嵋栲　3052

差把嘎蒿　2872

庫頁白芷　1766

庫頁懸鈎子　1678

徐州延胡索　579

徐長卿　1806

悅目金蛛　4969

扇子七　3447

扇耳樹　3071

扇脈杓蘭　3447

扇葉鐵線蕨　1565

拳參　39, 2056

捕蠅草　2636

書帶蕨　3514

核桃楸　21

根辣　2325

桂竹香　1151

桂花　2780

桂圓　4225

桂葉素馨　760

桔梗　1381

栗　1071

栗子　1071

栗葦鳽　468

桑　1587

桑天牛　3982

桑草　4554

桑黃　1012

桑螵蛸　2977, 2978

柴胡　742, 3248

柴胡紅景天　3606

桐葉千金藤　3115

格脈黃精　3943

格菱　2742

桃　1185

桃仁	1185, 1672	海南蒟 18
桃色珊瑚 488	海南薲花 719
桃色珊瑚蟲 488	海南蕷桐 2801
桃兒七 67	海紅 4627
桃金娘 730	海紅豆 609
桃金娘根 730	海島棉 200
桃南瓜 358	海扇 3463
桃葉黃楊 3200	海桐皮 1691
桃葉鴉葱 4382	海桐花 592
桃葉蓼 2561	海桐假柴龍樹 3208
栓皮馬勃 4041	海浮石 485, 1497, 2479
桵枤 1171	海馬 1967, 1968, 2459
氧化鉛 1500	海蛇 4991
泰國大楓子 216	海麻雀 2460
泰國白豆蔻 439	海棠果 1668
消石 2497	海蛤殼 956
消毒藥 4247	海葵 451
海巴戟 346	海蜇 4961
海月 3461	海蛾 3481
海木 2176	海盤車 2981
海仙花 2856	海燕 2457
海仙報春 3725	海龍 1466, 1467, 2982
海石鱉 453	海龜 4987
海州香薷 4819	海膽 464, 465
海決明 2957, 2958	海螺 1955
海杋果 765	海螵蛸 958, 4967
海芋 402	浙玄參 1362
海岸水蠆 461	浙貝母 913
海松子 3036	浮小麥 397
海狗 3500	浮石 2479
海狗腎 3500	浮萍 908
海金沙 501	浮葉眼子菜 2918
海青蛇 4990	烙鐵頭 4478
海南千金藤 566	烏菱 1761
海南大風子 715	烏桕 2708
海南砂仁 440	烏蔹莓 1268
海南草珊瑚 4064	烏毛蕨 4048
海南馬兜鈴 1081	烏奴龍膽 2253
海南粗榧 1064	烏豆根 4673
海南韶子 4227	烏泡刺 107
海南蘿芙木 769	烏柿 4787

烏骨雞	971
烏梢蛇	4475
烏梅	1184
烏魚刺	4940
烏猿	4995
烏蕨	1048
烏頭	1111
烏頭葉蛇葡萄	193
烏龜	1469
烏檀	1862
烏雞騸	3035
烏藥	77
烏蘇里瓦韋	1056
烏蘇里風毛菊	4379
烏蘇里鼠李	1263
烏騷風	3310
烏靈參	3001
烏欖	1243
狼爪瓦松	1155
狼牙委陵菜	2140
狼肉	4492
狼尾花	1785
狼尾草	1413
狼把草	870
狼毒	718
狼毒大戟	163
狼麻	4188
狹菱形翠雀花	3560
狹裂延胡索	1644
狹距紫堇	3593
狹葉十大功	564
狹葉山胡椒	1139
狹葉山苦菜	4374
狹葉巴戟	2323
狹葉竹節參	3247
狹葉米口袋	2679
狹葉委陵菜	3635
狹葉南燭	3270
狹葉垂盆草	2126
狹葉垂頭菊	3871
狹葉毒芹	4262

狹葉紅景天	2125	神聖金龜	4976	臭山羊	3195
狹葉紅紫珠	4312	秤鈎風	1637	臭木頭	2044
狹葉重樓	2937	秧雞	3996	臭矢菜	88
狹葉柴胡	3248	秦皮	759, 1791, 3298	臭李子	600
狹葉鬼吹簫	849	秦連翹	1322	臭牡丹	1346
狹葉剪秋蘿	4096	秦嶺薔薇	2663	臭柏	510, 3039
狹葉瓶爾小草	1045	秦艽	763, 2784	臭茉莉	3773
狹葉黃精	2420	秘脂藤	2192	臭茉莉	288
狹葉黃芩	3324	秘魯香	2164	臭參	3839
狹葉慈姑	2386	秘魯香膠	2164	臭梧桐	787
狹葉樓梯草	4077	窄序巖豆樹	3662	臭黃荊	2803
狹葉蔓烏頭	1117	窄葉火棘	4170	臭黃菇	2509
狹葉鴉葱	4381	窄葉酸模	1604	臭節草	2174
狹葉雞眼藤	2323	窄葉藍盆花	2334	臭蒿	3855
狹葉茜草	3346	窄瓣鹿藥	2942	臭辣樹	3194
狹葉蕁麻	1079	粉枝莓	3639	臭樟	2108
狹萼扁蕾	3748	粉紅叢枝菌	1505	臭魔芋	403
琉璃草	3312	粉苞乳白香青	3852	臭椿	1714
珠子七	2743	粉苞苣	2895	荔枝	4226
珠子參	3836	粉條根	4765	荔枝草	1832
珠仔樹	3734	粉報春	1788	荔枝藤	4639
珠母貝	4964	粉葉小檗	562, 3105	荊芥	308
珠母珍珠蚌	2445	粉葉玉鳳花	3955	荊條	1822
珠芽半枝	2640	粉葉輪環藤	1636	草大青	585
珠芽艾麻	2047	粉葛	2688	草木犀狀黃芪	3169
珠芽景天	2640	粉團花	4149	草木樨	1694
珠芽蓼	1091	粉瘤菌	1001	草本威靈仙	329
珠頸斑鳩	4993	粉藤	4729	草玉梅	554
珠蘭	519	粉藤果	195	草地風毛菊	2373
益母草	1351	粉草薢	4943	草地烏頭	4102
益智	437	紡錘草	3127	草血竭	2060
矩圓葉衛矛	2713	翅果唐松草	1627	草串兒	468
砧草	1860	翅柄鐵線蕨	3020	草沉香	168, 3679
破子草	1309	翅柄菝葜	4425	草芍藥	560
破牛膝	3075	翅柄蓼	3538	草豆蔻	934
破布樹	696	翅莖白粉藤	1270	草果	4952
破裂葉榕	2541	耙齒菌	2007	草紅藤	3666
祖師麻	1756, 2734	脈毛金腰	1656	草胡椒	515
神麴	2998	脈耳草	3817	草原沙蜥	3485
神香草	3316	脈紅螺	1955	草原鼢鼠	2473
神黃豆	2155	脊突苔蟲	1497	草烏	53

草莓	1175	閃蜆	3968	馬蹄蕨	4521
草麻黃	15	陝甘瑞香	1756	馬錢子	1328, 1329
草棉	3224	陝西秦皮	1792	馬糞海膽	464
草棉根	3224	陝西假密網蕨	3035	馬藍	834
草蜘蛛	4970	陝西假瘤蕨	3513	馬鞭草	1348
草鞋青	1568	陝西莢蒾	2854	馬鬃參	2344, 3840
草龍	734, 3704	馬	2996	馬鬆子	4237
草藤	1227	馬蘭	3379	馬蹬草	2522
草靈芝	3268	馬木薑子	2110	馬寶	2996
草蓯蓉	1365	馬比木	3208	馬藺	1441, 2427
茵芋	4217	馬氏巴蝸牛	2442	馬藺子	1441, 2427
茵陳	4885	馬牙羊支	1653	馬蘭	1889
茵陳蒿	2874	馬奶子	4758	馬纓丹	291
茴香	246	馬甲子	690	馬纓花	2242
茴香砂仁	2429	馬先蒿	1845	骨杷	4530
茴香蟲	4461	馬利筋	274	骨牌蕨	4051
茴香菖蒲	4918	馬尿泡	3326	骨碎補	4534
茶	211	馬尿燒	3348	骨螺	2959
茶子蘗	3159	馬尾千金草	4515	高山大戟	2705
茶花雞	474	馬尾松	9	高山大黃	1601
茶條芽	2714	馬尾連	3098	高山石竹	1101
茶條槭	2714	馬勃	1542, 2513	高山石松	1559
茶辣	652, 2175	馬唐	2919	高山竹林消	3426
蚊子草	2136	馬㽒兒	3356	高山米口袋	3659
蚊母草	1847	馬桑	680	高山芹	2232
蚊母樹	93	馬草	4914	高山金挖耳	2880
蚊煙草	1881	馬兜鈴	34	高山柏	3516
蚤綴	3067	馬掃帚	3181	高山紅景天	1652
蚌殼椒	3197	馬連鞍	1809	高山庫頁堇菜	1751
豺	4493	馬鹿	1979	高山烏頭	1115
豹斑毒傘	1033	馬鹿花	3662	高山紫菀	4358
豹貓	1478	馬棘	1212	高山象牙參	3948
貢山薊	3869	馬鈴薯	1842	高山黑紅衣	3011
貢山雞血藤	3184	馬銅鈴	4875	高山穀精草	3929
追風傘	2773	馬鞍菌	4005	高山積雪	664
酒瓶蓟	646	馬鞍葉羊蹄甲	1684	高山龍膽	1801
酒瓶花	4277	馬鞍藤	281	高山檜	1574
酒藥花	1799	馬齒莧	3066	高山薯蕷	2425
針裂蹄	1013	馬蹄金	1814	高山黨參	3838
針層孔菌	1012	馬蹄黃	2152	高山鐵線蓮	1127
針齒鐵仔	3283	馬蹄葉	3079, 4109	高良薑	936

高原毛茛　3571, 4587
高原唐松草　3572
高原鳶尾　2426
高烏頭　54
高粱　3398
高粱烏米　2003
高粱條螟　3978
高斑葉蘭　3450
高榕　3527
高鞘南星　2923
高環柄菇　1034
高穗花報春　3729
高叢珍珠梅　3641
高薩菜　3605
鬼臼　3113
鬼針草　3370
鬼箭羽　2194
鬼燈檠　1661
鬼點燈　4812
瓶兒花　312
笋錐螺　1954
笋蘭　2438
烟草　813
桄榔子　2395
栝樓　862
栝樓子　2338
珙桐　3239
茳芒決明　1689
茜草　1864, 2843, 2845
茯苓　1015
荇菜　1802
豇豆　2694
純葉瓦松　588
純葉酸模　540
茛若　812

十一畫

硇砂　1499, 2484
琉璃草　4308
珠子參　3836
珠仔樹　3734

珠芽蓼　1091
乾朽菌　1506
乾蟾　1468
假人參　4579
假八角　4599
假刀豆　4646
假小檗　2097
假升麻　1168
假木豆　123
假向日葵　4900
假地藍　2157
假耳草　3341
假杜鵑　835
假芙蓉　4738
假芹　4895
假虎刺　3758
假長尾葉蓼　1088
假苦瓜　686
假香野豌豆　2692
假益智　935
假茶辣　157
假馬藍　4854
假通草　3246, 4259
假連翹　289
假朝天罐　2222
假猴頭　2006
假黃皮樹　649
假黃麻　4232
假煙葉　322
假蜜環菌　3007
假酸漿　316
假燈草　3924
假鵲腎樹　31
假蘋婆　705
假鷹爪　74
假蒟　511
偃松　1572
側耳　1028
側金盞花　1118
側柏　12
側莖垂頭菊　3875

偏花報春　3726
偏翅唐松草根　1628
偏頂蛤　1956
偏葉天南星　3403
偏葉南星　3403
剪刀股　883
剪刀草　2804
剪花火絨草　4375
剪秋羅　52
剪夏蘿　1103
匐地風毛菊　2906
匙苞薑　3437
匙葉甘松　853
匙葉伽藍菜　4145
匙葉草　2776
匙葉鼠麴草　4892
匙葉翼首花　2333
匙葉點地梅　3721
匙鞘萬年青　4406
曼氏無針烏賊　958
曼陀茄根　2304
曼陀羅　811
商陸　48
啄木鳥　2990
問荊　4045
啤酒花　29
堅桿火絨草　3885
堅莢樹　3351
堅葉山白菊　3857
基葉翠雀花　4117
婆婆納　1363
婆婆針　870
寄生茶　4570
宿柱三角咪　3201
密生波羅花　3806
密枝木賊　1043
密花豆　138
密花美登木　186
密花馬錢　762
密花滇紫草　3769
密花獨行菜　1651

密陀僧	1500	旋花	1812	淺縫骨螺	2959
密苞山薑	4438	旋葉香青	3850	清香木	2193
密苞石仙桃	3453	旋覆花	2367	淫羊藿	1131, 1631, 1632, 3112
密脈鵝掌柴	2228	旋雞尾	1569	淘鵝油	467
密馬	3669	晚花繡球藤	3082	深山水榆	3163
密葉雀梅藤	3690	晚香玉	4431	深山唐松草	3101
密蒙花	2782	望江南	117	深山露珠草	4764
密穗黃堇	3590	望春玉蘭	2102	深紅龍膽	3303
密黏褶菌	1011	望春花	2102	深裂人參果	3632
密點蔴蜥	4988	望秋子	3435	深綠卷柏	1042
密鱗牡蠣	4966	望骨風	4715	淮通	3058
崖白翠	3330	梓白皮	331	淮通馬兜鈴	3058
崖爬藤	1738	梓樹	331	牽牛子	1344
崖掃把	3099	梵天花	701	犁頭尖	905
崖薑	7	梧桐	3226	犁頭草	713
崑崙多子柏	3518	梧桐子	3226	球子蕨	1054
崗松	727	梭鯔	4465	球果蓴菜	2631
崗梅	4708	梅	1184	球花馬藍	337
巢沙蠶	452	梅花草	1658	球花莢蒾	2852
巢蕨	1053	梅花鹿	1980	球花黨參	3839
常山	589	梅迪乳香	1242	球莖甘藍	1145
帶子樹	2330	梅茶	4727	球藥隔重樓	3419
彩葉草	1350	梅葉竹	849	理石	1981
彩榧螺	3961	條紋龍膽	3746	瓶爾小草	1046
捲葉貝母	2408	條裂黃堇	3595	甜瓜	2336
捲葉黃精	3420	條葉紅景天	3610	甜竹	395
探春	1323	條葉珠光香青	2348	甜茶	106
接骨木	1869	條葉銀蓮花	2079	甜葉木	4701
接骨金粟蘭	1579	條葉豬屎豆	4651	甜葉菊	888
接骨草	354	條葉龍膽	2785	甜遠志	1718
接骨藥	4654	梨形灰包	1038	甜橙	3192
接筋草	1614	梨果榕	2045	異花吳茱萸	3193
掃帚沙參	2867	梨葉懸鈎子	105	異花吳萸	3193
掛苦繡球	3142	淳三七	2571	異裂苣苔	336
排錢樹	124	淡竹葉	895	異葉天南星	3401
救必應	682	淡色小檗	3577	異葉米口袋	3658
救荒野豌豆	2693	淡紅忍冬	2328	異葉爬山虎	4230
敗毒草	4528	淡菜	1956, 3459	異葉青藍	4318
敗醬	1871	淡黃香青	2347	異葉虎耳草	3617
斜莖黃芪	2153	淡黃莢蒾	2330	異葉茴芹	3255
斜葉榕	527	淺裂剪秋蘿	3068	異葉馬兜鈴	3057

異葉假繁縷　　1107
異葉敗醬　　2332
異葉榕　　1585
異葉澤蘭　　381
袋果草　　3362
疏序黃荊　　3775
疏花薔薇　　3157
盔狀黃芩　　4325
盒子草　　2335
盒果藤　　282
眼子菜　　3395
眼球貝　　2440
眼斑水龜　　2984
眼斑芫青　　3979
眼鏡蛇　　1471
硫磺菌　　1020
硃砂　　2494
硃砂蓮　　4571
粒皮灰包　　2018
粗毛玉葉金花　　2841
粗毛栓菌　　4013
粗毛淫羊藿　　3110
粗毛褐孔　　1529
粗皮松蘿　　1557
粗皮針層孔　　1520
粗皮馬勃　　1543
粗吻海龍　　2982
粗壯龍膽　　3744
粗柄杜若　　3930
粗根老鸛草　　4207
粗根鳶尾　　4434
粗莖秦艽　　3301
粗莖鱗毛蕨　　2031
粗喙秋海棠　　3697
粗葉耳草　　4858
粗葉榕　　526
粗葉懸鉤子　　4174
粗齒鐵線蓮　　2583
粗糠柴　　670
粗糙菝葜　　4939
細石蕊　　1546

細辛　　2055
細果冬青　　2711
細果角茴香　　3602
細枝落葵薯　　1610
細金牛草　　4218
細長竹蟶　　2450
細柱柳　　2041
細針果　　4902
細梗排草　　3284
細梗絲石竹　　2071
細裂黃堇　　3127
細圓裂龍膽　　3740
細圓藤　　2100
細葉小蘗　　561
細葉勾兒茶　　192
細葉水芹　　3253
細葉白頭翁　　4121
細葉石斛　　2435
細葉地榆　　2667
細葉百合　　917
細葉杜香　　1314
細葉刺參　　3827
細葉胡枝子　　4664
細葉苦賈　　2895
細葉蚊子草　　2135
細葉婆婆納　　2828
細葉野牡丹　　4255
細葉黃芪　　3170
細葉黃楊　　1728
細葉鳶尾　　4433
細葉菖蒲　　1415
細葛縷子　　3707
細萼沙參　　3831
細齒山芝麻　　3691
細齒草木犀　　632
細燈心草　　4411
細穗腹水草　　2830
細鬚翠雀花　　2592
累心花　　3438
脫皮馬勃　　2513
莎木　　2395

莎草　　399
莢果蕨　　3024
莢蒾　　1372
莢囊蕨　　3023
莓葉萎陵菜　　1179
荷包豆　　4669
荷花玉蘭　　71
荷青花　　1143
荷苞牡丹根　　84
荷苞花　　1821
荷蓮豆　　51
莧　　2066
蛇王藤　　2730
蛇瓜　　3359
蛇目菊　　1393
蛇地錢　　4508
蛇含　　2652
蛇含石　　490
蛇含委陵菜　　2652
蛇尾草　　4324, 4451
蛇床　　1768
蛇床子　　1768
蛇足石杉　　3013
蛇果黃堇　　3597
蛇泡簕　　4175
蛇疙瘩　　591
蛇根木　　1336
蛇根草　　4863
蛇紋石　　1492
蛇眼草　　3903
蛇莓　　1172
蛇菰　　2558
蛇葡萄　　1266
蛇葡萄根　　1266
蛇蛻　　2465
蛇頭菌　　4039
蛇藥　　2257
蚶形無齒蚌　　3966
蛋不老　　2709
蚱蜢　　2980
蚱蟬　　1462

貫衆　　　2031, 2521, 2523, 2524
貫筋藤　　2267
貨貝　　953
軟毛獨活　　3710
軟枝黃蟬　　764
軟骨過山龍　　4585
軟棗獼猴桃　　2722
軟錳礦　　2489
通奶草　　4697
通泉草　　326
通脈丹　　4303
通草　　243
通脫木　　243
通經草　　2519
連珠三七　　3439
連蕊藤　　3581
連翹　　758
連藥沿階草　　3418
透閃石　　1984
透閃石質軟玉　　1482
透骨草　　180, 1857, 2170,
　　　　2171, 2692, 2833
透莖冷水花　　2048
野丁香　　1369
野八角　　2101
野大豆　　2678
野女貞　　2247
野山楂　　1169
野水麻　　4565
野火球　　1224
野冬菊　　3863
野甘草　　4332
野百合　　1206
野艾蒿　　2350
野西瓜苗　　202
野牡丹　　559, 732
野亞麻　　4211
野京豆　　2158
野枇杷　　784
野油菜　　2632
野油茶　　3694

野油麻　　1355
野芝麻　　1826, 2286
野芝麻根　　3691
野花椒　　156
野迎春　　1324
野靑菜　　3389
野柿　　2244
野柿花　　4788
野胡桃仁　　1580
野胡蘿蔔　　2748
野苦瓜　　4877
野茄樹　　322
野茉莉　　3296
野韭　　3931
野香薷　　3321
野香櫞花　　2122
野扇花　　2710
野料豆　　2678
野核桃　　1580
野桐　　1251
野草香　　3314
野馬　　979
野馬肉　　979
野馬槌　　382
野馬蹄草　　4916
野梧桐　　1250
野莧菜　　543
野棗皮　　3262
野椒　　1240
野棉花　　2080
野菰　　2314
野菊　　379, 1390
野菊花　　1390, 2360
野漆樹　　1730, 4221
野鳶尾　　3431
野膠樹　　4610
野蔥　　3933
野豌豆　　142
野豬膽　　4496
野鴉椿　　187
野燈心草　　1420

野燕麥　　2387
野錦葵　　1276
野薑　　4953
野藍枝子　　2682
野雞尾　　1051
野雞腳　　4532
野罌粟　　2623
野蘑菇　　1538
野蘿蔔　　3806
野驢　　482
野豇豆　　4656
野蕎麥　　535
釣魚竿　　2830
閉鞘薑　　1443
陵水暗羅　　4134
陳皮　　152, 2697
陸地棉　　697
陸英　　354
陰行草　　2826
陰香　　575
陰起石　　1982
陰䃥　　3989
雀兒舌頭　　3199
雀梅藤　　692
雀鹿蕊　　1544
雀斑黨參　　1379
雀瓢　　1807
雀甕　　3977
雀翹　　2061
雪三七　　3064
雪山林　　2190
雪地茶　　1551, 2021
雪見草　　1832
雪松　　507
雪柳　　3297
雪茶　　2021
雪條參　　3911
雪蓮　　3384
雪蓮花　　2905, 3384
雪膽　　3354
雪藥　　2544

章魚　2970
頂冰花　1428
頂花艾麻　3529
頂蕊三角咪　2190
魚尾葵　4401
魚眼草　2361, 3878
魚黃草　1816
魚腥草　514
魚綱藤　4744
鳥不企　1301
鹿耳韭　3412
鹿耳草　2114
鹿茸　1979, 1980
鹿銜草　250, 2239, 2240, 2762
鹿蹄草　2240
鹿藥　2941
鹿藿　4671
麥仙翁　1098
麥冬　1933
麥芽　4909
麥門冬　1934
麥瓶草　3070
麥飯石　489
麥穗七　2695
麥穗酢漿草　2695
麥藍菜　2572
麻布七　54
麻竹　395
麻花頭　4898
麻砂　2484
麻風草根　4563
麻雀　478
麻菠蘿　2215
麻黃　13, 15
麻葉千里光　2375
麻瘋樹　2707
麻櫟　522
桫欏　3025
牻牛兒苗（老鸛草）　4206
猞猁　1977
硅藻土　1483

莪朮　1946, 2947
蚺蛇肉　3486
梔子　343
菩蓮菜　1605
涼喉茶　3818

十 二 畫

渥丹　2415
硫黃　491
硫黃菊　875
傘房花耳草　841
傘花絹毛菊　3911
傘花鴉葱　3386
傘葉排草　2773
勝利油菜　1147
勝紅薊　1880
博落回　581
喜山鼊蜥　3990
喜光花　4689
喜馬拉雅米口袋　3658
喜馬拉雅旌節花　2729
喜馬拉雅紫茉莉　2067
喜樹　1293
喜鵲　2992
單子麻黃　3521
單芽狗脊蕨　2524
單花忍冬　1371
單花扁核木　2655
單花紅絲線　2817
單花鳶尾　4949
單面針　4681
單條草　2769
單葉血盆草　2814
單葉吳茱萸　3673
單葉波羅花　3807
單葉返魂草　1406, 2908
單葉細辛　2554
單葉新月蕨　1568
單葉餓螞蟥　4658
單蕊黃芪　3649
單穗升麻　4111

單穗水蜈蚣　4398
單瓣笑靨花　3166
單瓣黃刺玫　2664
喬木紫珠　2272
喉毛花　3738
喙花薑　1445
喙莢雲實　115
圍涎樹　3644
報春花　3726
寒水石　1985
寒風參　3859
尋骨風　1592
廊茵　4574
復生草　3945
戟葉火絨草　3884
戟葉牛皮消　3308
戟葉酸模　2064
戟葉菫菜　3695
戟葉蓼　1089
掌裂草葡萄　2719
掌裂葉秋海棠　4252
掌葉大黃　2062
掌葉半夏　407
掌葉白頭翁　4120
掌葉海金沙　4522
掌葉鐵線蕨　1566
掌葉蠍子草　3055
插田泡　3160
換錦花　1439
揚子鱷　1473
敦盛草　3449
散生木賊　1043
散沫花　723
散斑假萬壽竹　2928
斑子麻黃　4547
斑地錦　166
斑果藤　2123
斑花杓蘭　1448
斑胡蜂　3986
斑海馬　1968
斑葉杓蘭　3448

斑葉鶴頂蘭 4958
斑葉堇菜 1752
斑鳩菊 2916
斑嘴鴨 2469
斑嘴鴨肉 2469
斑嘴鵜鶘 467
斑點虎耳草 1166
斑蝥 3979, 3980
普香蒲 2383
普通秋沙鴨 472
普通鹿蹄草 250
普通鳳丫 4527
普賢菜 1648
晶粒鬼傘 3008
景天 89
景天三七 3138
景天點地梅 3721
曾青 990
朝天罐 2222
朝鮮天南星 1913
朝鮮白頭翁 1625
朝鮮接骨木 2329
朝鮮黑背鳴蟬 1961
朝鮮當歸 1305
朝鮮落新婦 1159
朝鮮槐 1215
朝鮮蒼朮 1387
朝鮮鐵線蓮 1126
朝鮮巄牛兒苗 2172
棺頭蟋蟀 4460
棕毛粉背蕨 3509
棕竹 899
棕腹啄木鳥 2990
棕熊 2474
棕櫚 900
棠梨 2658, 3156
棗 1736
森林千里光 1895
棣棠 110
棣棠花 100
棉毛白芷 3710
棉花 697
棉參 3714
棉團鐵線蓮 1621
款冬花 4901
湖北大戟 1723
湖北黃精 3423
湖廣草 1833
湖鹽 1491
無丁赭石 1487
無心菜 3542
無毛千屈菜 2739
無毛龍眼睛 673
無名異 2489
無刺菝葜 4424
無花果 26
無柄果鈎藤 352
無核橘 2697
無根藤 574
無患子 189
無莖栓果菊 386
無莖黃芪 3645
無斑雨蛙 3482
無距耬斗菜 2081
無齒相手蟹 2973
無瓣女婁菜 3544
無蹼壁虎 2463
牌樓七 3446
猴巴掌 1402
猴骨 977
猴頭 1005
猩紅五味子 2106
猩猩草 661
琥珀 988
琥珀皮傘 4029
琴葉榕 4559
番木瓜 1287
番石榴 729
番紅花 930
番茄 2818
番荔枝 572
番龍眼 2199
番薯 1815
番櫻桃 231
痢止草 792
短毛紫菀 2351
短尾細辛 2553
短序胡枝子 629
短序鵝掌柴 2745
短刺猬 976
短果杜鵑 1315
短柱金絲桃 1747
短柱梅花草 2643
短柱鹿蹄草 1312
短柱鐵線蓮 1123
短柄烏頭 3546
短柄龍膽 3745
短苞黃芪 3650
短梗五加 1299
短梗南蛇藤 3203
短梗重樓 2936
短梗箭頭唐松草 2599
短莖康定筋骨草 2279
短喙蒲公英 3916
短距手參 4449
短萼雞眼草 2162
短腺小米草 2821
短褶矛蚌 1457
短葶飛蓬 879
短蛸 2970
短瓣芪 2345
硬一把抓 3509
硬九子連環草 3440
硬毛棘豆 2687
硬毛夏枯草 2294
硬水黃連 2599
硬皮地星 4043
硬皮樹舌 4014
硬石膏 1494, 1981,1985
硬尖神香草 3316
硬枝黑鎖莓 604
硬骨凌霄 330
硬葉吊蘭 3950

稀花蓼	4086	紫花牛姆瓜	2094	紫飯豆	3677
稀針孔菌	1517	紫花合掌消	2264	紫萬年青	411
稀褶乳菇	4023	紫花地丁	714, 3231	紫葉美人蕉	2948
筆管草	1892	紫花杯冠藤	2266	紫椴	2205
筒冠花	3325	紫花洋地黃	3327	紫萼老鸛草	3672
粟	3397	紫花前胡	2234	紫萼蝴蝶草	3333
粟米	3397	紫花野菊	4367	紫萼鐵線蓮	4113
粟米草	547	紫花雀兒豆	3656	紫鴨跖草	412
絞股藍	360	紫花碎米薺	1649	紫檀	4670
結香	1291	紫花漏斗菜	555	紫穗槐	1682
絨毛山螞蟥	1690	紫花鐵線蓮	1124	紫薇	722
絨毛近方蟹	960	紫花變豆菜	1775	紫點杓蘭	1448
絨毛栓菌	1527	紫金牛	254	紫藤	1706
絨毛陰地蕨	1047	紫金蓮	4862	紫蘇	1352
絨毛番龍眼	2199	紫紅菇	4027	紫露草	412
絨毛戴星草	3912	紫前胡	2234	紫菫	2617
絨白乳菇	1531	紫背綠	2243	紫萁	3016
絨背薊	2357	紫背細辛	2555	絲瓜	361
絨葉斑葉蘭	3451	紫背菜	2890	絲瓜絡	361
紫丁香	262, 1796	紫茉莉	47	絲帶蕨	3033
紫毛千里光	3391	紫苜蓿	2686	絲棉木	1255, 1732
紫玉盤	75	紫苞風毛菊	3904	絲裂沙參	2339
紫玉簪	1929	紫苞鳶尾	4947	絲黑穗菌	2003
紫皮蘑	4035	紫革耳	1535	絲葉苦菜	2368
紫石英	1986	紫珠	1820, 2798	絲葉石竹	2569
紫石房蛤	2447	紫荊	2676	絲瓣剪秋羅	2072
紫灰南星	1418	紫荊皮	2676	絲蘭	1434
紫竹根	4911	紫草	1818	絡石	772
紫羊蹄甲	1200	紫莖垂頭菊	3877	絡石藤	772
紫舌厚喙菊	3880	紫莖稜子芹	3716	腋花杜鵑	4279
紫色頹馬勃	3503	紫雪花	3732	腋花蓼	3063
紫杉	1575	紫硇砂	1499	腎唇蝦脊蘭	3441
紫沙參	4353	紫斑風鈴草	1377	腎陽草	3954
紫芋	3406	紫景天	2128	腎葉打碗花	4304
紫貝齒	454, 2440	紫菀	2352, 2371	腎葉金腰	3141
紫果枸子	3629	紫晶蘑	4036	腎葉高山蓼	1084
紫枝柳	4551	紫筒草	2797	腎蕨	1562
紫河車	2999	紫筒草根	2797	脹果甘草	3180
紫泡	3640	紫萍	908	脹萼藍鐘花	3845
紫芝	1009	紫貽貝	3459	菩提樹	525
紫油木	2193	紫雲英	1683	萍蓬草	2573

菠蘿蜜	524	
華山松	1570	
華山參	4833	
華山薑	1945	
華中五味子	3121	
華中介蕨	5	
華中鐵角蕨	3022	
華水蘇	2816	
華北白前	776	
華北衛矛	1732	
華北鴉葱	1892	
華北螳螂	2977	
華北藍盆花	4874	
華北檉柳	2724	
華北耬斗菜	1618	
華西小檗	4127	
華西貝母	4415	
華西龍頭草	2290	
華東木藍	1211	
華東稠李	3153	
華東藍	1211	
華東覆盆子	1677	
華南十大功勞	65	
華南毛蕨	4747	
華南忍冬	850	
華南虎（虎骨）	4494	
華南省藤	2396	
華南蚱蟬	3475	
華南穀精草	4407	
華南雲實	3172	
華南遠志	158	
華南龍膽	2249	
華風車子	227	
華細辛	4572	
華紫珠	1819	
華黃芪	611	
華鈎藤	4868	
華蒲公英	1901	
華麗馬先蒿	3801	
華椴	2720	
菱	235	
菱葉鹿藿	1702	
菱鋅礦	493	
菴藺	3365	
萊氏金雞納	341	
萊菔子	1153	
菰花	3061	
菲律賓蛤子	957	
菊三七	3376	
菊芋	2892	
菊花黃連	1141	
菊苣	873	
菊柴胡	3368	
菊葉委陵菜	4169	
菊葉薯蕷	2424	
菊蒿	391	
菜子七	1647	
菜木香	4369	
菜瓜	3353	
菜豆	1698	
菜豆	634	
菜豆樹	831	
菜薊	377	
蛟龍木	3644	
蚓蒿	867	
蛛毛蟹甲草	2879	
蛤仔	2965	
蛤殼	1958, 2447	
蛤蜊	2448, 2966, 2968	
蛤螞葉	3815	
蛤蟆草	4811	
蛤蚧	2985	
蛞蝓	456	
裂果金花	2325	
裂果薯	427	
裂芽肺衣	1547	
裂葉水榆花楸	3163	
裂葉星果草	3076	
裂葉秋海棠	4250	
裂葉堇菜	2212	
裂葉粉花繡線菊	2672	
裂葉蕁麻	2548	
裂蹄	1014	
裂褶菌	1537	
訶子	726	
象牙紅	626	
象牙參	4441	
象皮	2994	
象皮木	2258	
象南星	404	
貼生石韋	4538	
費得小檗	2602	
賀蘭山丁香	4793	
賀蘭山黃芪	4643	
買麻藤	16	
越北巴豆	2182	
越南萬年青	3925	
越南槐	137	
越橘	1781	
距花山薑	436	
距花寶鐸草	415	
鄂西粗葉報春花	3286	
鄂西鼠尾草	2815	
鄂羊蹄甲	3171	
量天尺	219	
量濕地星	3009	
鈕子瓜	2862	
鈣芒硝	1488	
鈍葉柃	3228	
鈍葉枸子	3628	
鈍萼鐵線蓮	2586	
鈍齒紅紫珠	2274	
鈍頭茶	3228	
陽春砂	938	
陽桃	1229	
陽起石	1984	
雁肉	969, 3493, 4479	
雁來紅	2066	
雅連	2589	
雄黃	495	
雄黃豆	2155	
雄黃蘭	3433	
雲母	987	

雲母片巖 2486	黃三七 1626	黃花白及 2949
雲芝 1512	黃土塊 1489	黃花石蒜 1438
雲南九節 2324	黃山杜鵑 3271	黃花列當 2315
雲南勾兒茶 3217	黃山烏頭 3072	黃花地丁 4649
雲南甘草 2159	黃山藥 431	黃花地桃花 4233
雲南米口袋 3660	黃毛楤木 1301	黃花尖萼樓斗菜 2581
雲南沉香 2217	黃毛山牽牛 2320	黃花夾竹桃 1805
雲南沙參 3830	黃毛耳草 4857	黃花忍冬 1866
雲南沙棘 3699	黃毛杜鵑 4281	黃花杓蘭 3951
雲南松 11	黃毛榕 4075	黃花美人蕉 4442
雲南油杉 2033	黃毛翠雀花 4116	黃花香薷 3782
雲南金蓮花 1630	黃水枝 3148	黃花倒水蓮 4688
雲南娃兒藤 1811	黃水茄 323	黃花烏頭 1112
雲南紅景天 3137	黃天茄 2305	黃花草 3586
雲南重樓 919	黃牛 2478	黃花馬先蒿 4841
雲南鳥足蘭 3958	黃牛木 212	黃花敗醬 1871
雲南清明花 2260	黃牛茶 212	黃花報春 3727
雲南棘豆 3664	黃瓜 357	黃花菜 4418
雲南黃芪 3651	黃皮 650	黃花落葉松 1058
雲南黃馨 1324	黃皮血藤 4604	黃花補血草 257
雲南葛藤 3665	黃皮樹 1238	黃花鼠尾 2295
雲南豬屎豆 3173	黃石脂 1983	黃花獐牙菜 3754
雲南樟 2108	黃多孔菌 4502	黃花綠絨蒿 3132
雲南蔓龍膽 2248	黃色黏土 1983	黃花蒿 865
雲南蕊木 768	黃衣 3973	黃花遠志 1244
雲南錦雞兒 3653	黃杞 4069	黃花龍船花 4341
雲南龍膽 3747	黃牡丹 559, 3094	黃花藥藥 4296
雲南繁縷 551	黃貝芝 4015	黃花鐵線蓮 1125
雲南翻白草 2142	黃刺加 323	黃花菫菜 1285
雲南隱棒花 3927	黃刺皮 2095	黃金菊 2894
雲南蘇鐵 1057	黃刺莓 2145	黃金間碧竹 393
雲南鐵箍散 2610	黃刺蛾 3977	黃金鳳 3214
雲南菫菜 4248	黃姑娘 1839	黃芪 1199
雲梅花草 3613	黃帚橐吾 3892	黃柏 1711
雲斑天牛 1463	黃果沙棗 3236	黃秋英 875
雲實 1201	黃果懸鈎子 2666	黃苞南星 2397
雲錦杜鵑 2763	黃芽白菜 2119	黃風 2081
雲楂 4624	黃花丹參 2295	黃根 847
須彌垂頭菊 3873	黃花木 2168	黃海棠 1281
須彌紫菀 3861	黃花仔 4740	黃海葵 451
飯豆 4205	黃花瓦松 4147	黃珠子草 1726

黄秦艽　　3757
黄粉牛肝　　4019
黄胸鵐　　1475
黄荆　　790
黄梢蛇　　4473
黄球花　　340
黄連　　2588, 2589
黄連木　　1252
黄麻　　1740
黄喉水龜　　4983
黄筒花　　3337
黄紫堇　　2618
黄絲蓋傘　　1035
黄菠蘿花　　2312
黄蚨蝓　　3458
黄楊　　679
黄楊木　　3682
黄瑞香　　2734
黄稔根　　4760
黄腳雞　　2929
黄腺香青　　2346
黄葵　　2207
黄葉地不容　　4597
黄葛榕　　4076
黄蜀葵　　197
黄鼠　　978
黄鼠肉　　978
黄槐　　2156
黄精　　421, 423, 1936, 2939
黄綠雙蝴蝶　　2257
黄銅礦自然銅　　2488
黄閨蛇　　4474
黄樟木　　4608
黄練芽　　1252
黄緬桂　　570
黄緣閉殼龜　　4984
黄蓮花　　1787
黄獨　　926
黄鴨肉　　2470
黄龍尾　　593
黄檀　　3174

黄薔薇　　2661
黄蟬　　265
黄鎖梅　　2148
黄藁本　　3711
黄藥子　　926
黄鏈蛇　　3993
黄鵪菜　　1903
黄蘆木　　2601
黄鐘花　　3842
黄蘭　　570
黄鐵礦　　2485
黄鐵礦　　490
黄鶯　　3998
黄纓菊　　3922
黄鱔　　3988
黄鱔藤　　2201
黄欖　　1716
黄芩　　805
黄堇　　1141
黄菀　　1895
黄槿　　201
黄顙魚肉　　4979
黄鯔　　4466
黄櫨　　1729
黄櫨根　　2191
黍　　2922
黍米　　2922
黑大豆　　2677
黑及草　　2787
黑心薑　　441
黑毛石斛　　3952
黑水亞麻　　2173
黑水當歸　　2229
黑水纈草　　2858
黑凹螺　　2957
黑老虎根　　4600
黑吹風　　4611
黑尾蠟嘴雀　　2993
黑果小檗　　3106
黑果枸杞　　315
黑果菝葜　　3425

黑芝麻　　333
黑南星　　404
黑珍珠　　3930
黑眉錦蛇（蛇蛻）　　4471
黑紅菇　　1024
黑面神　　1720
黑風散　　2100
黑眶蟾蜍　　2462
黑頂黄堇　　3596
黑斑蛙　　963
黑棗　　260
黑節草　　3817
黑腳蕨　　1565
黑葉接骨草　　2317
黑鈎葉　　3199
黑熊　　1477
黑樺　　2533
黑蕊虎耳草　　3620
黑頭鶴骨　　4485
黑龍江林蛙　　3483
黑龍江草蜥　　4989
黑龍鬚菌　　3002
黑穗石蕊　　1545
黑鵝腳板　　2756
黑藁本　　745
黑櫻桃　　2656
黑鐵鑽　　4721
黑鵰　　4482
塊莖糙蘇　　301
溫州蜜橘　　2697
鈎毛茜草　　3823
鈎狀石斛　　2951
鈎柱唐松草　　3573
鈎距黄堇　　3592
鈎藤　　351, 4867
裁秧泡　　2148
菟絲子　　778
楮頭紅　　3240
楝木　　1311
煉麻　　2049
菝葜　　4423

蒟蒻 2121
菘藍 1650
菖蒲 1910
茜草 2390
酢漿草 1707
硝石 2497
等葉花葶烏頭 2076
隆紋黑蛋巢 2019

十 三 畫

椏木 238
催生藥 2221
催吐蘿芙木 771
圓枝卷柏 2026
圓柏 509
圓苞紫菀 4359
圓頂珠蚌 2446
圓滑番荔枝 571
圓葉弓果藤 279
圓葉木蘭 4132
圓葉肋柱花 3751
圓葉杜鵑 3274
圓葉茅膏菜 1154
圓葉烏柏 177
圓葉豹皮樟 4135
圓葉牽牛 1344
圓葉細辛 1082
圓葉鹿蹄草 2762
圓葉節節菜 2740
圓葉齒瓣延胡索 81
圓蓋陰石蕨 1049
圓齒紅景天 3607
圓齒荊芥 3785
圓錐山螞蟥 3175
圓錐羊肚菌 2505
圓穗蓼 3539
圓藥五味子 2107
幌傘楓 737
幌菊 3328
微毛布荊 3776
意大利蜂 3985

慈姑 2385
感應草 144
愛地草 3816
新都橋烏頭 3555
新裂耳蕨 2032
新疆木通 3084
新疆貝母 2412
新疆柳穿魚 4838
新疆鼠尾草 4826
新疆漏蘆 3377
新疆藍刺頭 3377
新疆藁本 4263
暗紋東方魨 3480
暗紫貝母 2933
暗鱗鱗毛蕨 3510
暖地大葉蘚 2517
榔榆 1074
榔榆皮 1074
楔葉委陵菜 4164
楔葉長白茶藨 2646
楔葉茶藨 4150
楔瓣花 3847
椰 897
椰子 897
楊子毛茛 3096
楊枸花 4067
楊梅 3050
楊葉木薑子 2110
楊樹花 4065
楓香脂 94
楓香寄生 2052
楓香樹 94
楓楊 23
榆 2539
榆白皮 2539
榆葉梅 1675
榆層孔 2012
楝葉吳茱萸 4212
楝樹 1717
滇丁香 1369
滇大薊 2356

滇川角蒿 4334
滇川唐松草 3097
滇丹參 3322
滇五味子 2106
滇瓦花 2127
滇列當 3811
滇百合 4419
滇竹根七 3943
滇西北紫菀 3862
滇西金腰 3612
滇刺棗 1265
滇刺黃柏 2099
滇金絲桃 3229
滇南木薑子 3584
滇南星 2399
滇南美登木 2195
滇柴胡 3706
滇荊芥 3319
滇黃芩 3323
滇常山 788
滇康合頭菊 3915
滇紫草 2270
滇紫菀 3888
滇緬七葉樹 2197
滇獨蒜蘭 2437
滇藏五味子 2104
滇藏方枝柏 3519
滇藏紫菀 3866
滇巖黃芪 3661
滑石 993, 2491
滑石片巖 1982
滑板菜 3581
滑背草鞋根 386
滑桃樹 2189
滑葉跌打 31
溪傍黃菫 3592
溪黃草 802
溪蓀 2428
煙管薊 2883
煤珀 989
照山白 251

瑞金巴 3598
瑞香狼毒 718
當歸藤 4780
當藥 2256
痰火草 4924
矮地榆 2151
矮冷水花 2546
矮茶蔗 1660
矮莖朱砂根 3278
矮麻黃 2529, 3043
矮紫金牛 253
矮紫苞鳶尾 3432
矮龍血樹 3936
碎米莎草 3399
碎米薺 2624
碎骨木 4568
硼砂 1999
萬丈深 876, 3375
萬年巴 4941
萬年青 1937
萬年青根 1937
萬年蒿 2873
萬壽竹 3416
稜子芹 1774
稜沙韭 3931
稜角絲瓜 860
稜果海桐 3149
稜砂貝母 2409
稠李 600
節節草 2028
節節高 2419
絹毛委陵菜 3151
絹毛繡線菊 4638
羣虎草 3762
腥藤 531
腺毛虎耳草 1165
腺毛馬藍 2319
腺果杜鵑 3272
腺茉莉 3772
腺梗菜 1383
腺獨行菜 2628
落地生根 4617
落地金錢 3953
落新婦 92
落葵 50
落葉松 4054
落葉梅 2120
落萼薔薇 4172
萱草 914, 2935
葵花大薊 4363
葵葉蔦蘿 4306
葫蘆 858
葫蘆草 1108
葫蘆茶 140
葫蘆藤 3928
葫蘆蘚 4510
葉下花 4354
葉下珠 674
葉上花 748, 3263
葉上珠 2237
葉子花 46
葉天天花 3821
葉象花 661
葉綠冬青 4957
葛根 1700, 2688
葛藤 1700
葛藟 3221
葛藟汁 3221
萼果香薷 3781
萵苣 1400, 3380
萵苣子 1400
萵苣菜 3380
葡萄 3222
虞美人 584
號角樹 4074
蛹蟲草 1002
蜈蚣 3471
蜈蚣七 1449, 3445
蜈蚣草 3018
蜈蚣藤 2925
蜈蚣蘋 4542
蜀葵 1274
蜀葵葉薯蕷 925
蛾眉蕨 2521
蜂斗菜 1404
蜂蜜 3985
蜂糖草 2248
裙帶菜 4001
補骨脂 1699
貉 480
貉肉 480
賈貝 2696
路邊青 1666, 4314
跳八丈 2181
農吉利 1206
達烏里龍膽 2784
過山風 4605
過山蕨 2522
過山龍 193
過江藤 2802
過崗龍 128
過路黃 754
鉛丹 992
鉛粉 497
鈴當子 4305
鈴蘭 912
鈴鐺子 2300
隔山香 4771
隔山消 278
雉子筵 1179
雉隱天冬 1923
雉雞 973
雷公七 1425
雷公藤 1733
雷蘑 4033
零陵香 4784
馴鹿 1480
鼠李 1261, 2717
鼠婦 460
鼠掌老鸛草 643
鼠麴雪兔子 2905
鼠麯草 1398
槐 636

槐花　　636
葱　　1918
葱子　　1918
葱蓮　　426
椿白皮　　4685
楸　　1364
楸樹　　1364
稗　　396
稗根苗　　396
蓴蘼　　2626, 2628
蓴蘼子　　2625
葳嚴仙　　1633
萹蓄　　1594
葎草　　30
莛蓼　　2560

十 四 畫

鹹黃鵪　　4388
黃蒿　　743
榅桲　　4625
肪胱七　　2952
蚌花　　411
萬壽菊　　390
團羽鐵線蕨　　3020
團花　　840
壽星桃　　3154
壽星桃花　　3154
夢花　　1291
寧波木犀　　1327
寧夏枸杞　　1837
對叉疔藥　　4754
對開蕨　　1567
對節刺　　3690
對葉百部　　3410
對葉杓蘭　　3444
對葉草　　776
對葉榕　　28
對對參　　2956
對蝦　　1459
截裂翅子樹　　3227
榕樹葉　　4558

構皮麻　　4553
構樹　　1075
榛　　1070
榛子　　1070
滴乳石　　1995
漏蘆　　387, 1395, 3935
漢中防己　　3057
漢城細辛　　1083
滿山紅　　1779, 2764
滿山紅根　　2764
滿天星　　2842
滿天飛　　2891
滿江紅　　4543
滿樹星　　4707
漆大姑　　4698
漆姑草　　3069
漸尖槲蕨　　3511
滷地菊　　4386
熊膽　　1477, 2474
熊膽草　　4825
獐子松　　2528
瑪瑙　　492, 1989
瑪瑙石榴　　2219
睡菜　　1333
睡蓮　　2575
磁石　　1988
磁鐵礦　　1988
碟毛菌　　2009
碟花開口箭　　3428
碧冬茄　　2819
福建柏　　4546
端午艾　　4887
管花黨參　　2869
管南香　　35
算盤七　　4427
算盤子　　170
綠孔雀　　4483
綠玉樹　　2706
綠豆　　633
綠花山芹　　2754
綠花鹿蹄草　　4268

綠花獨活　　2754
綠青　　1987
綠背桂花　　667
綠啄木鳥　　3497
綠蛇根草　　4864
綠絨蒿　　2621
綠頭鴨　　967
綠點杜鵑　　4283
綠礬　　2499
綠櫻桃　　3683
綠鹽　　499
網肺衣　　3010
網紋灰包　　1037
網脈唐松草　　4124
網球花　　3946
網眼瓦韋　　4049
網絡崖豆藤　　4668
綿毛馬兜鈴　　1592
綿羊　　483
綿參　　3783
綿棗兒　　2940
綿頭雪兔子　　3897
綏草　　949
翠雀狀紫堇　　2111
翠雀花　　2087
翠菊　　2353
翠雲草　　3
聚花風鈴草　　1376
聚花過路黃　　1786
膀胱果　　3206
舞花薑　　442
舞草　　623
舞鶴草　　1430
蒙古白頭翁　　4119
蒙古石竹　　4094
蒙古沙棘　　223
蒙古扁桃　　4629
蒙古韭　　1422
蒙古香蒲　　4389
蒙古馬蘭　　2898
蒙古莢蒾　　1870

蒙古蒼耳	4387	辣木	586	銅錘草	1397
蒙古葱	1422	辣椒	1357	銅鑽	4716
蒙古蕊巴	4328	辣薄荷	1828	雌黃	1990
蒙古錦雞兒	4187	辣蓼	2998	領春木	3071
蒙古菫菜	2726	遠志	159	餅乾鏡蛤	3465
蒙古蒿	4313	酸五味子	2851	駁骨丹	836, 3300
蒙花皮	2735	酸水草	4391	魁蚶	457
蒲公英	1898, 2380, 2381,	酸角	1222	魁薊	3374
	2913, 2914	酸梅簕	692	鳶尾	932
蒲公幌	2887	酸棗	1737, 2718	鳳仙花	1258
蒲兒根	2909	酸棗仁	1737, 2718	鳳半邊旗	1050
蒲桃	731	酸筒杆	1759	鳳尾草	504
蒲黃	890, 2382	酸模	1602, 2566	鳳尾連	2590
蒲葵	898	酸漿	814	鳳尾絲蘭	923
蒼山黃菫	3589	酸漿菜	1084	鳳尾蘭	923
蒼山橐吾	2372	酸藤子	4288	鳳冠草	4525
蒼朮	369, 370	酸藤果	3282	鳳凰木	122
蒼白秤鈎風	1637	銀毛委陵菜	598	鳳梨	409
蒼耳	1411	銀半夏	2923	鳳梨草莓	1175
蒼耳七	2643	銀合歡	630	鳳眼藍	1916
蓑羽鶴	2989	銀朱	995	鳳蝶	3477
蜜柑草	174	銀杏	506	鼻血草	3319
蜜腺甘草	3179	銀柴	1246	齊墩果	261
蜜環菌	1029	銀柴胡	550	寬身大眼蟹	3972
蜻蜓	2452, 2976	銀烏	3132	寬刺薔薇	3158
蜘蛛抱蛋	1925	銀粉背蕨	2519	寬果叢菔	3603
蜘蛛果	4881	銀紫丹參	3787	寬苞翠雀	2593
蜘蛛香	1872	銀葉委陵菜	1669	寬翅香青	3364
蜥蜴	2464	銀葉桂	2611	寬戟橐吾	3889
裹籬樵	836	銀箔	2498	寬裂紫菫	3594
裸花紫珠	4311	銀線草	518	寬距翠雀花	2591
裸麥	3923	銀環蛇	3488	寬葉石防風	2755
裸莖碎米薺	2120	銀邊翠	664	寬葉杜香	4773
裸頭過路黃	3285	銀鵲樹	3207	寬葉金粟蘭	3046
裸蒴	2530	銀蘭	3442	寬葉韭	2405
豪豬	1975	銀露梅	3634	寬葉香蒲	890
豪豬刺	2603	銅骨七	2077	寬葉展毛銀蓮花	3556
貍尾草	640	銅棒錘	3595	寬葉接骨木	4347
趕山鞭	2209	銅綠	498, 2000	寬葉麥冬	3418
輕粉	1000	銅綠塊	2000	寬葉費菜	4148
辣子草	1397	銅錘玉帶草	1878	寬葉溝酸漿	3334

寬葉腹水草　3336
寬葉鼠麴草　3882
寬葉菖蒲　4917
寬葉蔓烏頭　1116
寬萼土連　2210
寬萼土連翹　2210
寬穗兔兒風　3848
寬體金線蛭　1452
寬鱗大孔菌　4012
箭葉淫羊藿　1632
綾形芒毛苣苔　2835
綾紋香茶菜　801
綾葉東北延胡索　2614
綾葉金雞菊　874
綾葉風毛菊　3903
綾葉旋覆花　4373
綾葉鳥兜鈴　2054
綾葉菊　2363
綾葉薊　2882
綾葉叢菔　3604
綾裂老鸛草　1708
綾齒瓣延胡索　2115
槤藤子　128
槤螺　2961, 2962
樳木　2042, 2043, 3051
樳木皮　2042
樳木梢　3051
蒟蒻　1416
蕨藜　1709
蒳蓮　716
蓍　1382
蓍草　366
蒔蘿　1765
豨薟　1896
豨薟草　886, 1896
墊狀卷柏　2025
嘉蘭　2413
團核褐孔菌　2015
墓頭回　2332
蔞葉　2038

十　五　畫

蝲蛄石　3468
儀花　631
僵蠶　4973
劉寄奴　2826
劍花　219
劍痲　924
劍葉山芝麻　704
劍葉龍血樹　2407
嘴簽　3687
噴瓜　359
廣山楂　4626
廣地龍　4962
廣州相思子　607
廣西七葉蓮　241
廣西九里香　4679
廣西馬兜鈴　35
廣西黃柏　4680
廣西雞屎藤　4865
廣西鵝掌柴　241
廣佈門蘭　3956
廣佈野豌豆　1227
廣豆根　137
廣防己　1590
廣防風　296
廣東地構葉　2709
廣東萬年青　401
廣金錢草　126
廣桑寄生　4082
廣藿香　2811
彈刀子菜　4840
慕荷　1661
播娘蒿　2625
撫松烏頭　1114
暴馬丁香　263
暴馬子　263
樟　3123
樟腦　3123
樟腦草　3317
樟葉木防己　3114
樟葉朴　2044

標桿花　931
槭葉草　1162
槭林果　4718
槭葉蚊子草　1664
歐李　1673
歐亞旋覆花　3378
歐亞繡線菊　1680
歐洲千里光　2379
歐當歸　1771
歐錦葵　3225
歐荀蒿　1884
漿果莧　1097
漿果楝　3676
漿果莧　45
澄茄子　2109
潔麗香菇　4021
潮濕乳菇　4025
潺槁樹　78
熱河黃精　1936
瘤毛獐牙菜　4297
瘦風輪　2804
皺皮木瓜　596
皺皮杜鵑　3275
皺皮菌　2014
皺果莧　543
皺果蛇莓　4160
皺珊瑚菌　4009
皺面草　4321
皺紋盤鮑　1454
皺黃芪　4644
皺葉黃楊　3682
皺葉酸模　2562
皺葉鐵線蓮　3086
盤珠薑花　3436
盤盤木通　59
盤龍參　949
穀芽　1412
穀精草　2401
稻　1412
箭毒羊角拗　2262
箭桿風　2430

箭報春　4289
箭葉雨久花　2403
箭葉蓼　2061
緬甸陸龜　3484
緬茄　4181
緣毛鳥足蘭　3957
緣毛紫菀　3864
羯波蘿香　4749
膜果麻黃　14
膜葉驢蹄草　2085
膜蕨囊瓣芹　3256
膜邊獐牙菜　3755
膠腦菌　4008
膠皺孔菌　1507
蕉　4913
蓮　1110
蓮子　1110
蓮子草　43
蓮生桂子花　274
蓮狀絹毛菊　3909
蓮座薊　4362
蓮葉橐吾　3890
蔓出卷柏　2023
蔓生白薇　4800
蔓生百部　1421
蔓胡頹子　4757
蔓荆　1823
蔓荆子　1823, 2278
蔓草蟲豆　4184
蓬虆　1194
蓬子菜　1861
蝴蝶樹　1373
蝴蝶果　188
蝴蝶花　1943
蝴蝶花豆　617
蝴蝶莢蒾　1373
蝦子花　2218
蝦子草　3344
蝦衣草　2837
蝦脊蘭　3439
蝦蛄　3469

蝦鉗草　4889
蝦鬚豆　4662
蝸牛　2442
蝙蝠草　120
蝙蝠葛　1638
衛矛　2194
褐毛丹參　3789
褐毛甘西鼠尾草　3789
褐毛黎豆　4200
褐地舌　4006
褐苞薯蕷　432
褐翅鴉鵑　477
褐頂赤卒　2452
褐紫鐵線蓮　1620
褐雲瑪瑙螺　3457
褐層臥孔菌　1514
褐環黏蓋牛肝菌　1530
褐黏褶菌　1516
褐鐵礦　487, 1490
複毛胡椒　3523
諸葛菜　1152
調經草　185
豌豆　635
豌豆七　2124
豬毛草　3924
豬毛菜　3065
豬毛蒿　2874
豬牙皂　627
豬仔笠　625
豬肚子　373
豬油果　4876
豬苓　4503
豬殃殃　342
豬膽　4998
豬鬃草　1564
豬鬃鳳尾蕨　3017
豬籠草　2637
輝韭　3413
輪紋硬革　2004
輪葉沙參　2342
輪葉貝母（貝母）　4417

輪葉香茶菜　1830
輪葉馬先蒿　1361
輪葉婆婆納　329
輪葉排草　1321
輪環藤　2606
鄧木扯　2827
醉魚草　264
醉魂藤　3309
醉蝶花　87
鋪地黍　4395
鋪地葫蘆茶　4657
鋪地蜈蚣　1558
鋪地氈　4763
餓螞蟥　3176, 3657
駝脂　2477
駝鹿角　4497
鬧羊花　2765
鴉葱　1893, 4380
鴉頭梨　3294
鴉膽子　653
鴉跖花　3093
麩皮　2998
黎辣根　4725
墨汁鬼傘　1539
墨蘭　1447
齒毛芝　1511
齒苞筋骨草　3779
齒葉母草　3797
齒葉吊石苣苔　4850
齒葉蓍　2871
齒瓣延胡索　580
樗白皮　1714
樗雞　2453
槲皮　523
槲寄生　4083
槲葉雪兔子　3902
槲樹　523
蕹菜　2632, 3136
蓼子樸　1399
蓼葉遠志　3677
蓼藍　1598

蔞蒿	2875	橄欖	1716	蓖麻	675
蔦蘿	284	橢圓葉花錨	2787	蓖麻蠶	3476
螆蚋	962	機製冰片	3000	篦梳劍	4529
蝮蛇	966	濃眉碧鳳蝶	4974	篦齒虎耳草	2131
蝶豆	617	澤芹	2758	篦齒蘇鐵	8
		澤漆	164	糖芥絹毛菊	3910

十 六 畫

氅茸	4498	澤瀉	891	糖茶藨	3144
蕻菜	1157	澤蘭	297	糖膠樹	2258
餘甘子	173	澳洲茄	816	縊蟶	2449
冀地鼈	3975	澳洲鮑	1952	興安一枝黃花	1409
凝毛杜鵑	4269	燒傷藤	4724	興安升麻	1619
壁虎	3992	燈心蟲綴	2568	興安天門冬	4412
壁錢	3470	燈心草	1917	興安毛連菜	2903
戰骨	4817	燈台草	4785	興安白頭翁	2594
曇花	218	燈油藤	3684	興安石竹	2570
樸松實	2034	燈掌花	3862	興安老鸛草	4674
樺木皮	2534	燈盞細辛	879	興安杜鵑	1779
樺剝管菌	1523	燈臺樹	1776	興安沙參	4880
樺葉莢蒾	2848	燈籠果	1164	興安胡枝子	2163
樺菌芝	1006	燈籠草	1838	興安益母草	2288
樺樹皮	521	燕山蚤	2975	興安茶藨	4153
樺褶孔菌	1518	燕麥	4393	興安鹿藥	1431
橙花開口箭	4429	燕麥草	2387	興安黃芪	2673
橙黃疣柄牛肝	4018	燕窩泥	1474	興安圓柏	4059
橙蓋傘	1031	獨一味	2287	興安蒲公英	4899
橫經席	1280	獨正剛	4728	興安薄荷	4322
橘	152	獨尾草	3937	興安堇菜	4246
橘紅	149, 150	獨尾草	4413	興安藜蘆	1432
橘葉巴戟	346	獨角仙	3984	蕨	1563
樹刁	3422	獨角蜣螂蟲	3984	蕨麻	2138
樹五加	3245	獨活	2233	蕨葉藁木	745
樹生杜鵑	4275	獨腳金	827	蕨葉千里光	2377
樹皮薄皮孔菌	2014	獨腳蓮	907	蕪黃	2538
樹地瓜	2541	獨蒜蘭	2436	螃蟹腳	2052
樹舌	1008	獨蕨箕	1047	螞蟻花	3702
樹棉	3223	獨龍薔薇	2662	螞蟻樹	4621
樹棉根	3223	磨盤草	198	螞蟥七	3812
樹頭菜	4614	積雪草	744	螞蟥鏽	3140
樹頭髮	3002	篤斯越桔	1318	螢石	1986, 2492
橉木櫻	3153	篦	8	衢州烏藥	3114
		篦子三尖杉	3040	褪色扭連錢	2292

貓　　2475
貓爪子　1627
貓爪草　4588
貓奶子　2737
貓耳朵　1850
貓肉　2475
貓尾草　639
貓豆　135
貓兒屎　3103
貓兒黃金菊　4882
貓屎瓜　3103
貓眼草　663
貓眼睛　2559
貓鬍子花　2122
貓鬚草　293
蹄玫菌　1513, 4011
蹄葉槖吾　2371
遼東楤木　2226
遼東丁香　1798
遼東水蠟樹　4293
遼東椴木　24
遼東櫟　2537
遼細辛　2055
遼藁本　1308
鋸緣攝龜　4985
鋸齒草　3797
錢蒲　1415
錫　2500
錫生藤　3580
錫金報春　3727
錫金蒲公英　3920
錫金巖黃芪　2681
錫葉藤　707
錫礦　1991
錐序水東哥　1277
錐花小檗　3575
錐栗　2535
錐腺大戟　1249
錦地羅　2635
錦葵　203
錦雞兒　1687

鞘花　3533
鞘柄菫菜　2727
頭序耳草　3818
頭狀馬勃　2512
頭花杜鵑　4272
頭花龍膽　3741
頭花蓼　2058
駱駝蒿　1235
駱駝蓬　147
鴨　470
鴨巴前胡　2235
鴨舌草　4927
鴨血　470
鴨皂樹　112
鴨兒芹　3250
鴨腳木　242
鴨腳艾　868
鴨腳黃連　3076
鴨腳羅傘　3245
鴨嘴花　1853
鴨跖草　1419
鴛鴦　2468
鴛鴦肉　2468
鴛鴦茉莉　4327
黔桂醉魂藤　4805
龍牙花　626
龍牙草　96
龍舌箭　4445
龍吐珠　786
龍州甜茶　4861
龍芽花　3177
龍骨　1992, 1993
龍珠果　217
龍船花　844
龍眼梳　2013
龍眼獨活　2227
龍脷葉　178
龍葵　818
龍腦　3000
龍齒　1994
龍膽　1331, 2250, 2785

龍膽地丁　2249, 3304
龍鬚海棠　546
龍鬚菜　1923
龍鬚藤　114
龜足　3971
龜板　1469
龜背竹　1914
龜裂馬勃　1541
薯蕷　430
闊苞菊　4377
蓽撥　19
穄子　2921
蕎花　3700
薢仁　2655
蕁麻　2049, 2548
蕎麥　536
蕕　2799
賴桐　1821
鮎魚　4467
鵪鶉　4490
薺菜　514

十七畫

蕺慈姑　406
蕺欑花椒　155
嶺南茉莉　760
應城石膏　1485
戴勝　2472
擬水晶蘭　3266
擬海龍　4982
擬臭黃菇　3006
擬條葉銀蓮花　2078
擬棗貝（白貝齒）　4456,
　　3455
擬螺距翠雀花　3561
檀香　1080
檀根　3174
櫛孔扇貝　3460
櫛江珧　3964
氈毛石韋　4539
澀草　1669

濕生扁蕾　3750
濕地黃芪　612
濕鼠麵草　2889
燥原薺　3134
燭台虎耳草　3616
爵床　2318
環根芹　3708
環紋貨貝　952
環草石斛　4955
環裂松蘿　1555
環頸雉　973
瘍病木　4776
穗序大黃　2063
穗序鵝掌柴　1763
穗花玄參　3805
穗花杉　3041
穗花荊芥　3784
穗花馬先蒿　4331
簇生卷耳　2068
簇生椒　4832
簇莖石竹　4095
糠皮樹　4702
糠椴　1273
糞生黑蛋巢　1039
糞箕篤　4129
糙毛假地豆　4192
糙果紫堇　3600
糙葉五加　4258
糙葉敗醬　3352
糙葉樹　1073
糙點栝樓　4878
糙蘇　302
縮砂密　1442
總狀綠絨蒿　2116
總花藍鐘花　3840
繁穗莧　541
翼柄山萵苣　2899
翼首草　2333
翼核果　1264
膿瘡草　4323
膽木　1862

膽礬　997
薄片鏡蛤　2966
薄片變豆菜　3258
薄荷　298
薄葉胡桐　1280
薄葉烏頭　2576
薄葉旋葉香青　3850
薄葉野桐　1251
薄葉鼠李　3218
薄葉薺苨　1877
薑　942
薑三七　941
薑石　2490
薑花　443
薑黃　1947
薊罌粟　80
蟒蛇　3486
螻蛄　1461
螺距翠雀花　3567
蟈蟈　3976
褶孔栓菌　1017
褶牡蠣　955
褶紋冠蚌　3967
褶葉萱草　915
賽葵　2208
賽莨菪　2300
蹋稞菜　1646
蹋菜　1646
還亮草　3087
還陽草　2025
還陽參　2358
闊葉十大功勞　1634
闊葉麥冬　1429
隱孔菌　2010
隱蕊杜鵑　4276
霜紅藤　4712
韓信草　1834
鮮黃連　1132
鮭貝芝　1510
鴻雁　3493
鴿肉　475

黏人草　622
黏人裙　1857
黏山藥　4944
黏土紫石英　2492
黏土滑石　2491
黏毛火索麻　3692
黏毛卷耳　1099
黏毛香青　3849
黏毛黃芩　2297
黏毛鼠尾　3791
黏毛鼠尾草　3791
黏毛蓼　1090
黏委陵菜　3152
黏龍牙草　3626
黏黏草　3259
點地梅　753
點花黃精　3422
檉柳　213
檑子櫟　2536
檞斗菜　2581, 4108
薏苡　394
薏苡仁　394
薤白　4928
蕺葉秋海棠　2731
薅田藨　2150
薙菜　779
蟄蟇子　1079
螽斯　3976
䗪　4469
磻石　1997
薜荔　1586

十八畫

檵木　1167
藁本　746, 1308
叢生盃形珊瑚　2493
叢枝蓼　1595
叢林素馨　3735
斷節參　3765
斷腸草　1800
檳榔　400

檬果	183	
檸條	1202	
檸檬	151	
檸雞兒果	1203	
瞿麥	1102	
繡球	590	
繡球防風	2289	
繡球藤	2084, 3558	
繡球繡線菊	3166	
繡線菊	2672, 3642	
翹鱗環鏽傘	4037	
翻白合	2413	
翻白委陵菜	2141	
翻白草	2141	
翻白蚊子草	4162	
翻白葉樹	207	
藏丁香	3819	
藏中虎耳草	3625	
藏天名精	3868	
藏木香	882	
藏牙草	3692	
藏角蒿	2313	
藏紅花	930	
藏荊芥	2291	
藏茴香	743	
藏馬兜鈴	2053	
藏麻黃	1576	
藏蛤蚧	3990	
藏象牙參	3949	
藏藥紫草	2269	
藍刺頭	1395	
藍花丹	3289	
藍花米口袋	129	
藍花扁竹	4946	
藍花參	3363	
藍花黃芩	4828	
藍雪花	2777, 3289	
藍葉藤	4302	
藍萼香茶菜	2813	
藍實	1598	
藍翠雀花	3562	

藍銅礦	990	
藍樹	4299	
藍錠果	1370	
藍龍膽	3740	
藍薑	441	
藍堇草	3092	
薺菜	1149	
薺苊	2868	
蟬花	2503	
蟬蛹草	4002	
蟬蛻	1462	
蟬翼藤	1245	
蟲蓮	2151	
覆盤子	1677	
鎖陽	4257	
離舌橐吾	2901	
雜色鮑	1453	
雜色龍膽	3745	
雙花黃堇菜	1749	
雙峯駝	2477	
雙參	3829	
雙腎藤	3171	
雙葉蘭	3955	
雙線嗜黏液蛞蝓	456	
雙蝴蝶	3756	
雙環林地菇	2016	
雙環蘑菇	2106	
雙點獐牙菜	2254	
雙邊栝樓	3360	
雙楣木	2847	
雞㙡	2017	
雞內金	4992	
雞心七	2727	
雞爪風	74	
雞爪海星	1464	
雞爪槭	1257	
雞爪蘭	3952	
雞肉參	332	
雞血藤	133, 138, 2608	
雞尾木	666	
雞油菌	1508	

雞冠花	1608	
雞冠滇丁香	3820	
雞屎藤	846	
雞背石斛	4448	
雞桑	1076	
雞翅膀尖	3513	
雞骨柴	4319	
雞骨草	607	
雞骨常山	2259	
雞眼草	132, 2162	
雞眼梅花草	1659	
雞蛋果	1755	
雞蛋花	269, 1804	
雞蛋茄	817	
雞麻	2659	
雞掌七	3604	
雞翔草	2165	
雞腎參	449	
雞腰果	181	
雞腸風	3756	
雞腳刺	1130	
雞腿堇菜	1283	
雞樹條	1374	
雞樹條莢蒾	1374	
雞脬參	3948	
鞭打繡球	822	
鞭葉鐵線蕨	4526	
鞭檐犁頭尖	906	
額敏貝母	4414	
馥芳艾納香	871	
鯉	1964	
鯉魚膽	1964	
鯽魚	2458	
鯽魚膽	256	
鵝不食草	3373	
鵝秧菜	2068	
鵝掌柴	242	
鵝掌藤	2744	
鵝絨委陵菜	2138	
鵝絨藤	2265	
鵝腸草	1105	

鵝管石　　1995, 1996, 2493
鵠油　　970
鼬瓣花　　2806
蕌草　　4392
蟛蜞菊　　392
鯥魚　　4463
礞石　　986

十 九 畫

攀莖鈎藤　　351
攀援星蕨　　3028
櫨罟子　　1906
爆仗竹　　2825
瓣蕊唐松草　　2092
羅氏海盤車　　2981
羅布麻　　267
羅星草　　4294
羅浮槭　　188
羅勒　　2808, 299
羅傘樹　　1783
羅裙帶　　2945
羅漢果　　364
羅漢松　　511
臘梅　　1138
臘腸樹　　4190
藤三七　　1610
藤子甘草　　4653
藤五甲　　1738
藤木通　　4582
藤杜仲　　4797
藤金合歡　　4180
藤烏頭　　3073
藤茶　　4726
藤黃蓮　　565
藤漆　　2192
藥用大黃　　1092
藥用狗牙花　　4298
藥用層孔菌　　3003
藥茴香　　3715
藥蜀葵　　1741
蠍子七　　1091

蟾酥　　466, 2462
蘡菜　　796
關木通　　1591
關蒼朮　　4888
隴塞忍冬　　3347
霧水葛　　4566
類梧桐　　2276
類葉升麻　　2580
類葉牡丹　　1633
顛茄　　1356
顛茄葉　　1356
鬍子鯰　　1465
鵪鶉　　473
麒麟尾　　4404
麗山莨菪　　3793
麗江山慈菇　　417
麗江風毛菊　　3899
麗江烏頭　　2577
麗江窄翼黃芪　　3646
麗江麻黃　　2037
麗江紫堇　　3589
麗江黃鐘花　　3846
麗江黃芩　　1835
麗江獐牙菜　　2255
麗江薊　　2881
麗春花　　584
麗斑麻蜥　　2464
寶蓋草　　795
櫟珊瑚　　1996
藜　　1093
藜蘆　　4430
鯰　　3987
鶡骨　　2988
鶡鴉　　4488

二 十 畫

饅頭果　　4555
寶珠草　　2406
寶興百合　　4421
寶興淫羊藿　　3111
寶興稜子芹　　3714

寶興枸子　　4157
寶鐸草　　3417
爐甘石　　493
競生翠雀　　3570
競生翠雀花　　3570
糯米團　　1078
糯米藤　　1078
糯稻　　3396
糯稻根　　3396
罌粟　　85
蘑菇　　2508
蘭問荊　　4046
蘆竹　　892
蘆根　　1414
蘆葦　　1414
蘋果　　2650
蘋婆　　4238
蘋斑芫菁　　4975
蘇子　　779, 880
蘇木　　1686
蘇鐵　　505
鐘形花褶傘　　4505
鐘乳石　　1998
鐘花垂頭菊　　3872
鐘萼草　　2310
鏽毛金腰　　3140
鏽毛旋蒴苣苔　　3814
鏽毛雀梅藤　　3220
鏽凹螺　　2958
騰小檗　　2604
鹹酸蔃　　4781
麵粉　　2998
黨參　　2869, 365
爛頭砵　　176
蘭石草　　2308
蘭香草　　287
蘭草　　880
魔芋　　1416
鶴望蘭　　434
蘄蛇　　3489
獼猴　　977

獼猴桃　708
穬麥蘗　3923
藿香　791
藿香薊　1880
蠐螬　2456
蠑螺　1456
鏵頭草　1750, 3231

二十一畫

癩子草　3730
櫻桃　3155
櫻桃核　3155
櫻草　1789
櫻額　1674
纏竹黃　3305
續隨子　662
續斷菊　3393
蘭花雙葉草　3448
蘚生馬先蒿　4842
蠟嘴　2993
鐮翅羊耳蒜　3452
鐵刀木　118
鐵力木　712
鐵冬青　682
鐵包金　192
鐵皮石斛（石斛）　4446
鐵芋　4919
鐵角鳳尾草　3508
鐵角蕨　3508
鐵海棠　165
鐵馬鞭　3689
鐵骨蓮　3021
鐵掃帚　2682
鐵桿蒿　2365
鐵莧菜　1719
鐵棒鎚　3551
鐵軸草　808
鐵筷子　2088
鐵腳草鳥　3088
鐵箭矮陀　616
鐵箭巖陀　2161

鐵線草　4908
鐵線蓮　60, 2083
鐵線蕨　1564
鐵樹葉　413
鐵羅傘　631
鐵藤根　1204
鐵箍散　2105
霸王　148
霹靂蘿芙木　3307
露肖　3873
露珠草　2224
露兜樹　1906
露蜂房　3986
露蕊烏頭　2075
騾　2476
騾寶　2476
鰭薊　3382
鶴虱　1817
鶴骨　2471
鶴頂蘭　4454
麝香　4999
麝香百合　420
麝香秋葵　2207
灑金東瀛珊瑚　1310
纈草　1873, 2858

二十二畫

響葉楊　4550
響鈴草　4648
囊花鳶尾　2946
囊絲黃精　421
囊距紫堇　3588
囊距翠雀　2086
囉平　8
彎曲碎米薺　2624
彎枝烏頭　1113
彎花筋骨草　3777
彎柱唐松草　2600
彎喙烏頭　2074
彎管花　2322
彎莩草　4936

疊鞘石斛　1949
鬚花翠雀花　3565
鬚藥藤　3766
鬚藥鐵線蓮　3083
鱅魚　4464
鷦鶓　3995
竊衣　1309, 3259
癭花香茶菜　3321
鱅　1965

二十三畫

蠱蟲藥　3229
鱉甲　4468
巖山枝　3759
巖白菜　2130
巖百合　420
巖羊　484
巖羊角　484
巖枇杷　3814
巖花　2025
巖花海桐　2647
巖陀　3615
巖青蘭　3313
巖香菊　379
巖烏頭　3074
巖高蘭　4220
巖敗醬　4349
巖椒草　2174
巖筍　2438
巖筋菜　2761
巖黃黃　3594
巖蘭花　3835
巖鬚　3268
纖枝香青　3851
纖花耳草　3344
纖細黃堇　3591
纖維石膏　1484, 1485
纖齒衛矛　2712
蘿芙木　272
蘿蔔　1153
蘿蔔根老鸛草　3671

蘿蘑　　1340

變色紅菇　　2510

變色樹蜥　　3991

變豆菜　　2236

變葉木　　162

變葉榕　　528

顯脈山綠豆　　4193

顯脈莢蒾　　3350

驚風藥　　4118

鱔藤　　266

鱗花草　　4851

鱗砷磲　　3463

鷺肉　　3491

鷺鷥　　4481

欒樹　　687

欒樹花　　687

鸕肉　　3495

二十四畫

驚風草　　3574

鱗皮扇菇　　1026

鱗葉龍膽　　1330

蠶豆　　141

靈芝　　1

靈壽茨　　2200

靈藍香　　3788

鸞肉　　2451

鷹不踏　　4766

鷹爪　　73

鷹爪花　　73

鷺鷥蘭　　416

鹽生車前　　4338

鹽霜柏　　4706

蠵龜　　4986

鱧腸　　380

二十五畫以上

欖仁樹　　725

籠天劍　　777

籠打碗花　　777

籠邊黏褶菌　　1515

籬欄子　　4810

觀音茶　　3719

觀音蓮　　3925

觀音蘭　　3433

驢蹄草　　1122

鸛雉　　4484

黿　　1473

鹽膚木　　184

驢　　2995

驢腎　　2995

驢蹄草　　3079

鑽地風　　2148

鑽形紫菀　　3369

鑽稈蟲　　3978

鬱金　　939

鸛骨　　469

鱤魚　　4980

鸕鶿　　3490

鸕鶿肉　　3490

A

Abacopteris simplex (Hook.)
Ching   1568
Abarema clypearia (Jack.)
Kosterm.   3644
Abelmoschus crinitus Wall.   4738
Abelmoschus esculentus (L.)
Moench   2206
Abelmoschus manihot (L.)
Medic.   197
Abelmoschus moschatus Medic.   2207
Abosia parvifolia Hemsl.   2326
Abies delavayi Fr.   3037
Abies fabri (Mast.) Craib   3037
Abies holophylla Maxim.   4053
Abies sibirica Ledb.   3038
Abilia biflora Turcz.   1865
Abrus cantoniensis Hance   607
Abrus mollis Hance   4179
Abrus precatorius L.   608
Abutilon indicum (L.) Sweet   198
Abutilon theophrasti Medic.   199
Acacia arabica Willd.   109
Acacia catechu (L.) Willd.   110
Acacia confusa Merr.   111
Acacia farnesiana (L.) Willd.   112
Acacia sinuata (Lour.) Merr.   4180
Acalypha australis L.   1719
Acalypha hispida Brum. f.   657
Acalypha wikesiana Muell.-Arg.
2197
Acampe multiflora (Lindl.)
Lindl.   4443
Acanthochiton rubrolineatus
(Lischke)   453
Acanthopanax giraldii Harms   2225
Acanthopanax gracilistylus W. W.
Smith   736
Acanthopanax henryi (Oliv.)
Harms   4258
Acanthopanax senticosus (Rupr. et
Maxim.) Harms   1298
Acanthopanax sessiliflorus (Rupr. et
Maxim.) Seem.   1299
Acanthopanax trifoliatus (L.)
Merr.   237

Acanthus ilicifolius L.   2316
Acer barbinerve Maxim.   1734
Acer caesium Wall. ex Brandis subsp.
giraldii (Pax) E. Murr.   2196
Acer davidii Fr.   4224
Acer fabri Hance   188
Acer franchetii Pax   3209
Acer ginnala Maxim.   2714
Acer mono Maxim.   3210
Acer negundo L.   4718
Acer palmatum Thunb.   1257
Acer tegmentosum Maxim.   3211
Acer triflorum Kom.   3212
Acer truncatum Bunge   1735
Achasma yunnanense T. L. Wu et
Senjen   2429
Achatina fulica (Ferussae)   3457
Achillea acuminata (Ledeb.)
Sch.-Miq.   2871
Achillea alpina L.   1382
Achillea millefolium L.   366
Achillea ptarmicoides Maxim.   2345
Achillea wilsoniana (Heim.)
Heim.   1879
Achyranthes aspera L.   4576
Achyranthes bidentata Bl.   41
Achyranthes longifolia (Makino)
Makino   4577
Achyrophorus ciliatus (L.)
Scop.   4882
Aconitum alboviolaceum
Kom.   2073
Aconitum ambiguum Reichb.   4099
Aconitum barbatum Pers.   4100
Aconitum brachypodum Diels   3546
Aconitum campylorrhynchum
Hand.-Mazz.   2074
Aconitum carmichaeli Debx   1111
Aconitum carmichaeli Debx. var.
hwangshanicum W. T. Wang
et Hsiao   3072
Aconitum coreanum (Lévl.)
Rap.   1112
Aconitum fischeri Reichb. var.
arcuatum (Maxim.)
Regel   1113
Aconitum fischeri Reichb.   2576
Aconitum flavum Hand.-Mazz.   3547

Aconitum forrestii Stapf   2577
Aconitum fusungense S. H. Li et
Y. H. Huang   1114
Aconitum gymnandrum
Maxim.   2075
Aconitum hemsleyanum Pritz.   3073
Aconitum kirinense Nakai   2578
Aconitum kongboense Lauener var.
polycarpum W. T. Wang
3549
Aconitum kongboense Lauener var.
villosum W. T. Wang   3550
Aconitum kongboense Lauener
3548
Aconitum kusnezoffii Reichb.   53
Aconitum macrorhynchum Turcz. f.
tenuissimum S. H. Li et Y. H.
Huang   4101
Aconitum monanthum Nakai   1115
Aconitum pendulum Busch   3551
Aconitum pulchellum Hand.-Mazz.
var. hispidum Lauener   3553
Aconitum pulchellum Hand.-Mazz.
var. racemosum W. T. Wang
3554
Aconitum pulchellum Hand.-Mazz.
3552
Aconitum racemulosum Fr. var.
grandibracteolatum W. T.
Wang   3074
Aconitum raddeanum Regel   2579
Aconitum scaposum var. hupehanum
Repaics   2076
Aconitum sczukinii Turcz.   1116
Aconitum sinomontanum Nakai   54
Aconitum sungpanense
Hand.-Mazz.   55
Aconitum tongolense Ulbr.   3555
Aconitum tschangbaischanense S. H.
Li et Y. H. Huang   1615
Aconitum umbrosum (Korsh.)
Kom.   4102
Aconitum volubile Pall. ex
Koelle   1117
Acorus calamus L.   1910
Acorus gramineus Soland. var.
pusillus Engl.   1415
Acorus gramineus Soland.   1911

Acorus latifolius Z. Y. Zhu   4917

Acorus macrospadiceus (Yamamoto)
      F. N. Wei et Y. K. Li   4918

Acrida chinensis (Westw.)   2979

Acridotheres cristatellus (L.)   4490

Acronychia pedunculata (L.)
      Miq.   645

Actaea asiatica Hara   2580

Actaea erythrocarpa Fisch.   1616

Actephila merrilliana Chun   4689

Actinidia arguta (Sieb. et Zucc.)
      Planch. ex Miquel   2722

Actinidia chinensis Planch.   708

Actinidia kolomikta (Rupr. et
      Maxim.) Planch.   1743

Actinidia latifolia (Gardn. et
      Champ.) Merr.   4743

Actinidia liangguangensis C. F.
      Liang   4744

Actinidia melliana Hand.-Mazz.
      4745

Actinodaphne omeiensis (Liou)
      Allen   3122

Actinodaphne pilosa (Lour.)
      Merr.   573

Actinostemma tenerum Griff.   2335

Ademophora remotiflora
      Miq.   1877

Adenanthera pavonina L.   609

Adenia chevalieri Gagnep.   716

Adenocaulon himalaicum
      Edgew.   1383

Adenophora bulleyana Diels   3830

Adenophora capillaris Hemsl. subsp.
      leptosepala (Diels) Hong
      3831

Adenophora capillaris Hemsl.   2339

Adenophora coelestis Diels   3832

Adenophora divaricata Fr. et
      Sav.   3361

Adenophora gmelinii (Spreng.) Fisch
      var. coronopifolia (Fisch.) Y. Z.
      Zhao   4352

Adenophora hunanensis
      Nannj.   863

Adenophora liliifolioides Pax et
      Hoffm.   3833

Adenophora paniculata Nannf.   4353

Adenophora pereskiifolia (Fisch. ex
      Boem. et Schult.) G. Don
      4880

Adenophora polyantha Nakai   2865

Adenophora potaninii Korsh.   2340

Adenophora stenanthina (Ledeb.)
      Kitagawa subsp. stenanthina
      2866

Adenophora stenophylla
      Hemsl.   2867

Adenophora stricta Miq. ssp. confusa
      (Nannf.) Hong   3834

Adenophora stricta Miq.   2341

Adenophora tetraphylla (Thunb.)
      Fisch.   2342

Adenophora trachelioides
      Maxim.   2868

Adenophora wawreana
      Zahlbr.   2343

Adenosma glutinosum (L.)
      Druce   324

Adenosma indianum (Lour.)
      Merr.   4834

Adenostemma lavenia (L.)
      O. Ktze.   4883

Adhatoda vasica Nees   1853

Adhatoda ventricosa (Wall.)
      Nees   833

Adiantum bonatianum Brause   3019

Adiantum capillus-junosis
      Rupr.   3020

Adiantum capillus-veneris L.   1564

Adiantum caudatum L.   4526

Adiantum flabellulatum L.   1565

Adiantum pedatum L.   1566

Adina pilulifera (Lam) Franch. ex
      Drake   1859

Adina rubell Hance   839

Adonis amurensis Regel et
      Radde   1118

Adonis sibirica Patr. ex Ldb.   4103

Aeginetia indica Roxb.   2314

Aegypius monachus (Linnacus)
      1972

Aerva sanguinolenta (L.)
      Blume   4578

Aeschynanthus acuminatus
      Wall.   4846

Aeschynanthus guangxiensis Chun
      ex W. T. Wang   4847

Aeschynanthus lineatus Craib   2835

Aeschynomene indica L.   4640

Aesculus assamica Griff.   2197

Aesculus chinensis Bge.   685

Aesculus wilsonii Rehd.   3213

Afzelia xylocarpa (Kurz)
      Graib   4181

Agama himalayana (Steindachner)
      3990

Agaricus arvensis Schaeff. ex
      Fr.   1538

Agaricus campestris L. ex Fr.   2509

Agaricus placomyce S. PK.   2016

Agastache rugosa (Fisch. et mey.) O.
      Ktze.   791

Agate   493

Agave sisalana Ferrine ex Engelm.
      924

Agelena labyrinthica Clerck   4970

Ageratum conyzoides L.   1880

Agkistrodon acutus (Guenther)
      3489

Agkistrodon halys Pallas   966

Aglaonema modesttum Schott   401

Aglaonema pierreanum Engl.   3925

Aglaria odorata Lour.   654

Agrimonia pilosa Ldb. var.
      nepalensis (D. Don)
      Nakai   593

Agrimonia pilosa Ledeb.   96

Agrimonia viscidula Bunge   3626

Agrostemma githago L.   1098

Ailanthus altissina (Mill.)
      Swingle   1714

Ainsliaea fragrans Champ.   4884

Ainsliaea latifolia (D. Don)
      Schutz-Bip.   3848

Ainsliaea pertyoides Fr. var. albo-
      tomentosa Beauv.   4354

Aix galeiculata (Linnaeus)   2468

Ajuga campylantha Diels   3777

Ajuga campylanthoides var.
      subacaulis C. Y. Wu et
      Chen   2279

Ajuga decumbens Thunb.   2280

Ajuga forrestii Diels   792

Ajuga lupulina Maxim. var. major
Diels 3779

Ajuga lupulina Maxim. 3778

Ajuga multiflora Bge. 2281

Akebia quinata (Thunb.)
Decne. 63

Akebia trifoliata (Thunb.) Koidz. var.
australis (Diels) Rehd. 64

Akebia trifoliata (Thunb.)
Koidz. 2093

Alangium chinense (Lour.)
Harms 225

Alangium faberi Oliv. 226

Alangium platanifolium Harms 2220

Albizzia julibrissin Durazz. 610

Albizzia kalkora (Roxb.) Prain 1681

Albizzia lebbeck (L.) Benth. 1198

Alces alces L. 4497

Alchornea davidii Franch. 2702

Alchornea trewioides (Benth.)
Muell.-Arg. 4690

Aleurites moluccana (L.)
Willd. 658

Aleuritopteris argentea (Gmel.)
Fee 2519

Aleuritopteris ruta (Don)
Ching 3509

Alhagi pseudalhalhagi (M.B.)
Desv. 4641

Alisma orientale (Sam.) Juzep. 891

Allemanda cathartica L. 764

Allemanda neriifolia Hook. 265

Alligator sinensis (Fauvel) 1473

Allium fistulosum L. 1918

Allium forrestii Diels 3931

Allium hookeri Thwaites 2405

Allium macranthum Baker 3932

Allium macrostemon Bunge 4928

Allium mongolicum Regel 1422

Allium neriniflorum Baker 3411

Allium ovalifolium Hand.-Mazz.
3412

Allium prattii C. H. Wright 3933

Allium sativum L. 4929

Allium senescens L. 2926

Allium strictum Schrader 3413

Allium tuberosum Rottl. ex
Sprseng. 1919

Allomyrina dichotoma Linnaeus
3984

Allophylus caudatus Radlk. 4719

Alnus cremastogyne Burk. 3051

Alnus lanata Duthie ex Bean 2042

Alnus mandshurica callier
H. M. 4070

Alnus nepalensis D. Don 2043

Alnus sibirica Fisch. 24

Alocasia cucullata (Lour.) Schott et
Engl. 4402

Alocasia macrorrhiza (L.)
Schott 402

Alpinia bambusifolia C. F.
Liang 435

Alpinia calcarata Rosc. 436

Alpinia chinensis (Retz) Rosc 1945

Alpinia densibractiata T. L. Wu et
Senjen 4438

Alpinia galanga (L.) Willd. 933

Alpinia japonica Miq. 4950

Alpinia katsumadai Hayata 934

Alpinia maclurei Merr. 935

Alpinia officinarum Hance 936

Alpinia oxyphylla Miq. 437

Alpinia polyantha D. Fang 4439

Alpinia sanderae Sand. 4440

Alpinia stachyoides Hance 2430

Alpinia zerumbet (Pers.) Burtt et
Smith 4951

Alstonia scholaris (L.) R. Br. 2258

Alstonia yunnanensis Diels 2259

Alternanthera philoxeroides (Mart.)
Hriseb. 42

Alternanthera sessilis (L.) DC. 43

Alternanthera versicolor
Regel. 4092

Althaea officinalis L. 1741

Althaea rosea (L.) Cavan. 1274

Alumen 496

Amalocalyx yunnanensis
Tsiang 3760

Amanita caesarea (Scop. ex Fr.) Pers.
ex Schw. 1031

Amanita muscaria (L. ex Fr.) Pers. ex
Hook. 1032

Amanita pantherina (D.C. ex Fr.)
Secr. 1033

Amaranthus caudatus L. 2065

Amaranthus paniculatus L. 541

Amaranthus retroflexus L. 44

Amaranthus spinosus L. 542

Amaranthus tricolor L. 2066

Amaranthus viridis L. 543

Amaryllis vittata Ait. 1435

Amber 988

Amber 989

Ambroma angusta (L.) L. f. 703

Amentotaxus argotaenia (Hance)
Pilger 3041

Amethyst 2492

Amethystea caerulea L. 1349

Ammonium chloride 2484

Amomum compactum Soland ex
Maton. 438

Amomum kravanh Pierre ex
Gagnep. 439

Amomum longiligulare T. L.
Wu 440

Amomum muricarpum Elm. 937

Amomum tsao-ko Crevost et
Lemarie 4952

Amomum villosum Lour. var
xanthioides (Wall. ex Bak.)
D. L. Wu et Senjen 1442

Amomum villosum Lour. 938

Amorpha fruticosa L. 1682

Amorphophallus rivieri
Durieu 1416

Amorphophallus virosus N. E.
Brown 403

Ampelopsis aconitifolia Bge. 193

Ampelopsis aconitifolia Bunge var.
glabra Diels 2719

Ampelopsis brevipedunculata
(Maxim.) Trautv. 1266

Ampelopsis cantoniensis (Hook. et
Arn.) Planch. 4726

Ampelopsis delavayana
Planch. 2203

Ampelopsis humulifolia Bge. 4229

Ampelopsis japonica (Thunb.)
Mak. 194

Ampelopsis megalophylla Diels et
Gilg 4727

Ampelopsis sinica (Miq.) W. T.

Wang var. hancei (Planch.)
W. T. Wang   4729

Ampelopsis sinica (Miq.) W. T.
Wang   4728

Amygdalus mongolica (Maxim.)
Ricker   4629

Anacardium occidentale L.   181

Ananas comosus (L.) Merr.   409

Anaphalis aureopunctata Lingelsh. et
Borze   2346

Anaphalis bulleyana (J. F. Jeffr.)
Chang   3849

Anaphalis contorta (D. Don) HK. f.
var. pellucida (Franch.)
Ling   3850

Anaphalis flavescens Hand.-Mazz
2347

Anaphalis gracilis Hand.-Mazz.
3851

Anaphalis lactea Maxim. f. rosea
Ling   3852

Anaphalis lactea Maxim.   1384

Anaphalis latialata Ling et Y. L.
Chen   3364

Anaphalis margaritacea var. japonica
(Sch.-Bip.) Makino   2348

Anaphalis nepalensis (Spreng.)
Hand.-Mazz.   3853

Anaphalis szechuanensis Ling et Y.
L. Chen   3854

Anas domestica Linnaeus   470

Anas platyrhynchos (Linnaeus)   967

Anas poecilorhyncha Forster   2469

Anax parthenope Selys   2976

Andrachne chinensis Bunge   3199

Andrographis paniculata (Burm. f.)
Nees   1854

Androsace aizoon Dudy var.
coccinea Franch.   3720

Androsace bulleyana Forrst   3721

Androsace erecta Maxim.   3722

Androsace filiformis Retz.   1784

Androsace spinulifera (Franch.) R.
Knuth   3723

Androsace umbellata (Lour.)
Merr.   753

Anemarrhera asphodeloides
Bge.   1920

Anemone davidii Franch.   2077

Anemone demissa Hook. f. et
Thoms. var. major W. T.
Wang   3556

Anemone dichotoma L.   4104

Anemone hupehensis Lem. var.
japonica (Thunb.) Boweles et
Stearn   553

Anemone hupehensis Lem.   56

Anemone narcissiflora L. var. crinita
(Juz.) Tamura   4581

Anemone raddeana Regel   1119

Anemone rivularis Buch.-Ham. ex
Dc. var. flore-minore
Maxim.   3075

Anemone rivularis Buch.-Ham.   554

Anemone silvestris L.   4105

Anemone tomentosa (Maxim.)
Pei   1120

Anemone trullifolia var. holophylla
Diels   2078

Anemone trullifolia var. linearis
(Brühl) Hand.-Mazz.   2079

Anemone vitifolia Buch.-Ham.
2080

Anethumgraveolens L.   1765

Angelic acutiloba (Sieb. et Zucc.)
Kitg.   2746

Angelica amurensis Schischk   2229

Angelica anomala Lallem.   1766

Angelica dahurica (Fisch.) Benth. et
Hook. var. formosana (Boiss.)
Shan. et Yuan   741

Angelica dahurica (Fisch.) Benth. et
Hook.   244

Angelica gigas Nakai   1305

Angiopteris fokiensis Hieron.   4521

Angiopteris omeiensis Ching   3015

Anhdrite (fibreeus aggregete)   1985

Anhydrite (granular structure)
1494

Anhydrite (massive structure)   1981

Anisodus acutangulus C. Y. Wu et
C. Chen   3792

Anisodus luridus Link et Otto var.
fischerianus (Pascher) C. Y.
Wu et C. Chen   3793

Anisodus luridus Link et Otto   2300

Anneslea fragrans Wall.   3693

Annona glabra L.   571

Annona squanosa L.   572

Anodendron affine (Hook. et Arn.)
Druce   266

Anodonta arcaeformis (Heude)
3966

Anodonta woodiana woodiana
(Lea)   1957

Anoectochilus roxburghii (Wall.)
Lindl.   2433

Anoplophora chinensis (Foster)
3983

Anotis ingrata (Wall.) Hook. f.
3341

Anredera baselloides Baill   1610

Anser albifrons (Scopoli)   4479

Anser anser (Linnaeus)   3492

Anser cignoides orientalis
(Linnaeus)   968

Anser cygnoides (Linnaeus)   3493

Anser fabalis (Latham)   969

Antenoron filiforme (Thunb.)
Roberty et Vantier   533

Antheraea pernyi Geurin-Meneville
2455

Anthocephalus chinensis (Lam.)
Rich, et Walp.   840

Anthopleura xanthogrammica
(Berkly)   451

Anthriscus aemula (Woron.)
Schischk.   2747

Anthropoides virgo (Linnaeus)
2989

Anthurium andrenum Linn.   4403

Antiaris toxicaria (Pers.)
Lesch.   4072

Antidesma bunius (L.)
Spreng.   4691

Antidesma fordii Hemsl.   4692

Antidesma ghaesembilla
Gaertn.   4219

Antirrhinum majus L.   4835

Aphanamivis grandifolia Bl.   655

Aphananthe aspera (Bl.)
Planch.   1073

Apios carnea Benth.   3168

Apis cerana Fabricius   4977

Apis mellifera Linnaeus   3985

Apium graveolens L. var
    dulce DC.   2230

Apluda mutica L.   4903

Apocynum venetum L.   267

Aporosa chinensis (Champ.)
    Merr.   1246

Aporusa villosa (Lindl.) Baill.   3678

Apriona germari (Hope)   3982

Aquila chrysaetes Linnaeus   2988

Aquilaria sinensis (Lour.) Gilg   717

Aquilaria yunnanensis S. C.
    Huang   2217

Aquilegia amurensis Kom.   4106

Aquilegia ecalcarata Maxim.   2801

Aquilegia japonica Nakai et
    Hara   1617

Aquilegia oxysepala Trautvi. et
    C. A. Mey.   1121

Aquilegia oxysepala Trautv. et C. A.
    Mey. f. pallidiflora (Nakai)
    Kitag.   2581

Aquilegia parviflora Ledeb.   4107

Aquilegia viridiflora Pall. f.
    atropurpurea (Willd.)
    Kitag.   555

Aquilegia viridiflora Pall.   4108

Aquilegia yabeana Kitag.   1618

Arabis pendula L.   2117

Arachis hypogaea L.   4642

Aralia apioides Hand.-Mazz.   1300

Aralia armata (Wall.) Seem.   4766

Aralia chinensis L.   238

Aralia contonentalis Kitag.   239

Aralia decaisneana Hance   1301

Aralia elata (Miq.) Seem.   2226

Aralia fargesii Franch.   2227

Aralia kansnensis Hoo   240

Aranea ventricosa (L. Koch)   1960

Araucaria cunninghamia Sw.   4058

Arctium lappa L.   367

Ardisia bicolor Walker   3277

Ardisia brevicaulis Diels   3278

Ardisia brunnescens Walker   750

Ardisia caudata Hemsl.   3279

Ardisia chinensis Benth.   4775

Ardisia corymbifera Mez   2243

Ardisia crenata Sims   751

Ardisia crispa (Thunb.) DC.   752

Ardisia depressa C. B. Clarke   4776

Ardisia elegans Andr.   4777

Ardisia faberi Hemsl.   3280

Ardisia gigantifolia Stapf.   1782

Ardisia humilis Vahl.   253

Ardisia japonica (Thunb.) Bl.   254

Ardisia maclurei Merr.   4287

Ardisia maculosa Maz   3717

Ardisia mamillata Hance   3281

Ardisia punctata Lindl.   4778

Ardisia pusilla A. DC.   255

Ardisia quinquegona Bl.   1783

Ardisia virens Kurz   4779

Areca catechu L.   400

Arenaria capillaris Poiret   4093

Arenaria juncea Bieb.   2568

Arenaria napuligera Franch.   3542

Arenaria serpyllifolia L.   3067

Arenga pinnata (Wurmb.)
    Merr   2395

Argemona mexicana L.   80

Argiope amoena L. Koch   4969

Argyreia acuta Lour.   1341

Arisaema amurense Maxim.   1912

Arisaema angustatum Franch. et Sav.
    var. peninsulae (Nakai)
    Nakai   1913

Arisaema aridum H. Li   3926

Arisaema auriculatum
    Buchet.   3404

Arisaema bathycoleum Hand.-Mazz.
    2923

Arisaema elephas S. Buchet   404

Arisaema erubescens (Wall.)
    Schott   1417

Arisaema flavum (Forsk.)
    Schott   2397

Arisaema franchetianum
    Engl.   1418

Arisaema heterophyllum Bl.   3401

Arisaema inkiangense H. Li   2924

Arisaema lobatum Engl. var.
    rosthornianum Engl.   3403

Arisaema lobatum Engl.   3402

Arisaema omeiense P. C. Kao   3404

Arisaema wilsonii Engl.   2398

Arisaema yunnanense S. Buch.   2399

Aristichthys nobilis (Richardson)
    1965

Aristolochia austroszechuanica Chien
    & Cheng ex Cheng &
    Wu   3056

Aristolochia championii (Champ.)
    Merr. et Chun   532

Aristolochia contorta Bge.   33

Aristolochia debilis Sieb. et
    Zucc.   34

Aristolochia fangchi Wu ex Chou et
    Hwang   1590

Aristolochia griffithii Hook. f. et
    Thoms. ex Duchartre   2053

Aristolochia hainanensis
    Merr.   1081

Aristolochia heterophylla
    Hemsl.   3057

Aristolochia kwangsiensis Chun et
    How ex C. F. Liang   35

Aristolochia manshuriensis
    Kom.   1591

Aristolochia mollissima
    Hance   1592

Aristolochia moupinensis Fr.   3058

Aristolochia neolengifolia J. L. Wu et
    Z. L. Yang   2054

Aristolochia ovatifolia S. M.
    Hwang   3059

Aristolochia tagala champ.   36

Aristolochia tuberosa C. F. Liang et
    S. M. Hwang   4571

Armadillidium vulgara
    (Latrelle)   460

Armillaria matsutake Ito et
    Imai   4030

Armillariella mellea (Vahl. ex Fr.)
    Karst.   1029

Armillariella tabescens (Scop. ex Fr.)
    Sing.   3007

Arsenic blanc   1498

Arsenopyrite   1997

Artabotrys hexapetalus (L. f.)
    Bhand.   73

Artemisia annua L.   865

Artemisia anomala S. Moore   866

Artemisia apiacea Hance   2349

Artemisia arggi Lévl. et vant.   368

Artemisia capillaris Thb. 4885

Artemisia cina Berg. 867

Artemisia finita Kitag. 4886

Artemisia gmelinii Web. ex
Stechm. 1881

Artemisia halodendron Turcz. ex
Bess. 2872

Artemisia hedinii Ostenf. 3855

Artemisia integrifolia L. 4356

Artemisia japonica Thunb. 1385

Artemisia keiskeana Miq. 3365

Artemisia lactiflora Wall. 868

Artemisia lagocephala (Fisch. ex
Bess.) DC. 4357

Artemisia lavlndulaefolia DC. 2350

Artemisia princeps Pamp. 4887

Artemisia sacrorum Ledeb var.
incana (Bess.) Y. R. Ling
4355

Artemisia sacrorum Ledeb. 2873

Artemisia scoparia Waldst. et
Kit. 2874

Artemisia selengensis Turcz. ex
Bess. 2875

Artemisia sieversiana Willd. 2876

Artemisia subdigitata Mattf. 3366

Artemisia tangutica Pamp. var.
tomentosa Pamp. 3856

Arthraxon hispidus (Thunb.)
Makino 4392

Artificial cinnabar 2494

Artificial cupric chloride 499

Artocarpus heterophyllus Lam. 524

Artocarpus hypargyreus Hance
4073

Aruncus sylvester Koster. ex Maxim.
1168

Arundina graminifolia (D. Con)
Hochr. 2434

Arundo donax L. 892

Asarum caudigerum Hance var.
cardiophyllum (Franch.) Cheng
et Yang 2552

Asarum caudigerum Hance 2551

Asarum caudigrellum C. Y. Cheng et
C. S. Yang 2553

Asarum delavayi Franch. 1593

Asarum delavayi Fr. 3060

Asarum geophilum Hemsl. 1082

Asarum heterotropoides Fr. Schmidt.
var mandshuricum (Maxim)
Kitag. 2055

Asarum himalaicum Hook. f. et
Thoms ex Klotzsch. 2554

Asarum prophyronotum Cheng et
Yang 2555

Asarum pulchellum Hemsl. 2556

Asarum sieboldii Miq. var. seoulense
Nakai 1083

Asarum sieboldii Miq. 4572

Asarum splendens (Maekawa) Cheng
et Yang 2557

Asclepias curassavica L. 274

Asparagus cochinchinensis (Lour.)
Merr. 1423

Asparagus dauricus Fisch. 4412

Asparagus densiflorus (Kunth.)
Jessop 2927

Asparagus filicinus Buch.-Ham. 910

Asparagus lycopodineus Wall. ex
Baker 4930

Asparagus myriacanthus Wang et
S. C. Chen 3934

Asparagus officinalis L. 1921

Asparagus oligoclonos
Maxim. 1922

Asparagus schoberioides
Kunth 1923

Asparagus setaceus (Kunth)
Jessop. 1424

Asparagus trichophyllus
Bunge 1924

Aspidistra elatior Bl. 1925

Aspidistra minutiflora Stapf 911

Aspidistra omeiensis Z. Y. Zhu et
J. L. Zhang 3414

Asplenium falcatum Lam. 4530

Asplenium incisum Thunb. 1052

Asplenium planicaule Wall. 3021

Asplenium prolongatum
Hook. 4047

Asplenium sampsonii Hance 4531

Asplenium sarelii Hook. 3022

Asplenium trichomanes L. 3508

Aspongopus chinensis Dallas 4972

Aster ageratoides Turcz. 1386

Aster agerotoides Turcz. var. firmus
(Diels) Hand.-Mazz. 3857

Aster albescens (DC.) Hand.-Mazz.
3367

Aster alpinus L. 4358

Aster batangensis Bur. et
Franch. 3858

Aster brachytrichus Franch. 2351

Aster diplostephioides (DC.) C. B.
Clarke 3859

Aster flaccidus Bunge f.
griseobarbatus Griers. 3860

Aster himalaicus C. B. Clarke
3861

Aster jeffreyanus Diels 3862

Aster juchaifu Zhu et Min 3368

Aster maackii Regel. 4359

Aster oreophilus Franch. 3863

Aster souliei Franch. 3864

Aster subulatus Michx. 3369

Aster tataricus L. f. 2352

Aster tongolensis Franch. 3865

Aster tsarungensis (Griers.)
Ling 3866

Asterias rollestoni Bell 2981

Asterina pectinifera Müller et
Troschel 2457

Asteropyrum cavaleriei (Lévl. et
Vant.) Drumm. et
Hutch. 3076

Asteropyrum peltatum (Fr.) Drumm.
et Hutch. 3077

Astilbe chinensis (Maxim.) Franch. et
Sav. 92

Astilbe chinensis (Maxim.) Franch.
et. Sav. var. koreana
Kom. 1159

Astilbe myriantha Diels 3139

Astilboides tabularis (Hemsl.)
Engler 1655

Astraeus hygrometricus (Pers.)
Morg. 4043

Astragalus acaulis Baker 3645

Astragalus adsurgens Pall. 2153

Astragalus chinensis L. 611

Astragalus complanatus R. Br. ex
Bunge 4183

Astragalus dahuricus (Pall.) DC. 2673

Astragalus degensis Ulbr. var.
rockianus Peter-Stibal 3646
Astragalus floridus Benth. ex
Bunge 3647
Astragalus hoantchy Franch. 4643
Astragalus kialensis Simpson 3648
Astragalus melilotoides Pall. var.
tenuis Ledeb. 3170
Astragalus melilotoides Pall. 3169
Astragalus membranaceus (Fisch.)
Bge. 1199
Astragalus monodelphus Bge. 3649
Astragalus monogolicus
Bunge 2154
Astragalus prattii Simps. 3650
Astragalus sinicus L. 1683
Astragalus tataricus Franch. 4644
Astragalus uliginosus L. 612
Astragalus yunnanensis
Franch. 3651
Asystasiella chinensis (S. Moore) E.
Hossain 3340
Asystasiella neesiana (Wall.)
Lindau 3340
Atalantia buxifolia (Poir.) Oliv 646
Athyrium multidentatum (Doell.)
Ching 2520
Atractylodes chinensis (DC.)
Koidz. 369
Atractylodes japonica Koidz. ex
Kitam. 4888
Atractylodes koreana (Nakai)
Kitam. 1387
Atractylodes lancea (Thunb.)
DC. 370
Atractylodes macrocephala Koidz. 371
Atropa belladonna L. 1356
Atylosia scarabaeoides (Linn.)
Benth. 4184
Aucklandia lappa Dene. 372
Aucuba chinensis Benth. 4772
Aucuba himalaca Hook. f.
Thoms. 3260
Aucuba japonica Thunb. var.
variegata Rehd. 1310
Aucuba omeiensis Fang 3261
Auricularia auricula (L. etv Hook.)
Underw. 1502

Auricularia polytricha (Mont.)
Sacc. 1503
Avena fatua L. 2387
Avena sativa L. 4393
Averrhoa carambola L. 1229
Avicennia marina (Forsk.)
Vierh. 4310
Azolla imbricata (Roxb.)
Nakai 4543
Azurite 990

B

Babylonia areolata (Lamarck) 2960
Babylonia lutosa (Lamarck) 3960
Baccaurea ramiflora Lour. 2180
Baeckea frutescens L. 727
Balanophora fargesii (Van. Tiegh.)
Harms 3061
Balanophora involucrata Hook. f.
3061
Balanophora japonica Makino 2558
Balanophora polyandra Griff. 3062
Balanus amuphitrite alkicostatus
Pilsbry 459
Balonophyllia sp. 1996
Bambusa eutuldoides Mc
Clure 4904
Bambusa pervariabilis Mc
Clure 4905
Bambusa textilis Mcclure 2388
Bambusa tuldoides Munro 4906
Bambusa ventricosa McClure 2389
Bambusa vulgaris Schrad. var. striata
Gamble 393
Bambusicola thoracica
(Temminck) 3494
Baphicacanthus cusia (Nees)
Bremek. 834
Barleria cristata L. 835
Barleria lupulina Lindl. 2836
Basella rubra L. 50
Batocera horsfieldi (Hope) 1463
Bauhinia acuminata L. 113
Bauhinia aurea Lévl. 4645
Bauhinia brachycarpa Wall. ex.
Benth. 1684

Bauhinia championi Benth. 114
Bauhinia corymbosa Roxb. 4185
Bauhinia hupehana Craib. 3171
Bauhinia purpurea L. 1200
Bauhinia variegata L. 1685
Beaumontia yunnanensis Tsiang et
W. C. Chen 2260
Beauveria bassiana (Bals.)
Vaill. 4973
Beckmannia syzigachne (Steud.)
Fernald. 2390
Begonia cathayana Hemsl. 4755
Begonia crassirostris Irmsch. 3697
Begonia evansiana Andr. 2216
Begonia fimbristipula Hance 4756
Begonia laciniata Roxb. 4250
Begonia limprichtii Irmsch. 2731
Begonia maculata Raddi. 4251
Begonia pedatifida Lévl. 4252
Begonia semperflorens Link et
Otto 1288
Begonia wilsonii Gagn. 2732
Belamcanda chinensis (L.) DC. 929
Benincasa hispida (Thunb.)
Cogn. 1874
Bennettiodendron brevipes
Merr. 4752
Berberis aggregata Schneid. 3575
Berberis amurensis Rupr. 2601
Berberis candidula Schneid. 3105
Berberis chingii Cheng 1130
Berberis dasystachya Maxim. 2095
Berberis dictyophylla Franch. 2096
Berberis fallax Schneid. 2097
Berberis feddeana Schneid. 2602
Berberis francisci-ferdinandi
Schneid. 3576
Berberis heteropoda Schrank 3106
Berberis jamesiana Forrest et W. W.
Smith 3107
Berberis julianae Schneid. 2603
Berberis pallens Franch. 3577
Berberis poiretii Schneid. 561
Berberis pruinosa Franch. 562
Berberis sibirica Pall. 4126
Berberis silva-taroucana
Scheid. 4127
Berberis stiebritziana Schneid. 3578

Berberis thunbergii DC.　2604

Berberis wilsonae Hemsl.　563

Berchemia floribunda (Wall.)
　　Brongn.　2201

Berchemia giraldiana Schneid.　3215

Berchemia lineata (L.) DC.　192

Berchemia omeiensis Fang ex Y. L.
　　Chen　3216

Berchemia polyphylla Wall.　2716

Berchemia yunnanensis Fr.　3217

Bergenia purpurascens (Hook. f. et
　　Thoms.) Engl.　2130

Berneuxia thibetica Decne.　2760

Beta vulgaris L. var cicla L.　1605

Betula dahurica Pall.　2533

Betula ermanii Cham.　1068

Betula luminifera H. Winkl.　1581

Betula mandshurica Nakai　521

Betula platyphylla Suk.　2534

Bidens bipinnata L.　3370

Bidens biternata (Lour.) Merr. et
　　Sherff.　4360

Bidens cernua L.　2877

Bidens maximovicziana Oett.　1388

Bidens parviflora Willd.　2878

Bidens pilosa L. var. radiata
　　Sch.-Bip.　4889

Bidens pilosa L.　869

Bidens tripartita L.　870

Billbergia pyramidalis Lindl.　410

Biophytum sensitivum (L.)
　　DC.　144

Biota orientalis (L.) Endl.　12

Bischofia javanica Bl.　659

Bixa orellana L.　214

Bjerkandera fumosa (Pers. ex Fr.)
　　Karst.　1509

Blastus cochinchinensis Lour.　4759

Blatta orientalis Linnaeus　4971

Blechnum orientale Linn.　4048

Bletilla ochracea Schltr.　2949

Bletilla striata (Thunb.) Reichb. f.
　　448

Blumea aromatica DC.　871

Blumea balsamifera (Linn.)
　　DC.　4361

Blumea lanceolaria (Roxb.)
　　Druce　3867

Blumea megacephala (Rand.) Chang
　　et Tseng　872

Boea hygrometrica (Bunge)
　　R. Br.　1850

Boea martinii Levl.　4848

Boehmeria clidemioides Miq.　2543

Boehmeria longispica Stend.　1588

Boehmeria macrophylla D. Don　32

Boehmeria nivea (L.) Gaud.　1077

Boehmeria platanifolia
　　Franch.　4080

Boehmeria tricuspis (Hance) Makino
　　var. unicuspis Makino　3054

Boenninghausenia arbiflora (Hook.)
　　Meissn.　2174

Boenninghausenia sessilicarpa
　　Lévl.　647

Bolbostemma paniculata (Maxim.)
　　Franq.　856

Boletinus cavipes (Opat.) Kalchbr.
　　4016

Boletus edulis Bull. ex Fr.　4017

Bombina orientalis
　　(Boulenger)　2983

Bombyx mori (Linnaeus)　4973

Borax　1999

Borneolum syntheticum　3000

Bos taurus domesticus Gmelin
　　2478

Boschniakia himalaica HK. f. et
　　Thoms.　3810

Boschniakia rossica (Cham. et
　　Schlech.) Fedtsch. et Flerov.
　　1365

Boswellia neglecta M. Moore　1242

Bothriospermum chinense
　　Bge.　4811

Bothriospermum tenellum (Hornem.)
　　Fisch. et Mey.　4812

Botrychium lanuginosum Wall.
　　1047

Bougainvillea glabra Choisy　46

Bovistella radicata (Mont.) Pat.　1540

Bradybaena maacki (Gerstfeldt)
　　2442

Brassaiopsis cilliata Dunn　4259

Brassaiopsis glomerulata (Bl.)
　　Regel　3245

Brassica campestris L. var. oleifera
　　DC.　3133

Brassica caulorapa Pasq.　1145

Brassica chinensis L.　1146

Brassica juncea (L.) Czern. et Coss.
　　2118

Brassica napus L.　1147

Brassica narinosa Bailey　1646

Brassica oleracea L. var. capitata L.
　　1148

Brassica pekinensis Rupr.　2119

Breynia fruticosa (L.) Hook. f.　1720

Breynia patens Benth.　1247

Breynia retusa (Dunnest.)
　　Alston　2181

Breynia vitis-idaea (Burm. f.) C. E.
　　C. Fischer　660

Bridelia tomentosa Bl.　161

Broussonetia kazinoki Sieb. et
　　Zucc.　4553

Broussonetia papyrifera (L.)
　　Vent.　1075

Brucea javanica (L.) Merr.　653

Bruguiera gymnorrhiza (Linn.)
　　Savigny　4254

Brunsfelsia acuminata (Pohl.)
　　Benth.　4327

Bryophyllum pinnatum (L. f.)
　　Oken　4617

Bubalus bubalis L.　980

Bubo bubo (L.)　4488

Buddleia davidii Franch.　1799

Buddleija officinalis Maxim.　2782

Buddleja asiatica Lour.　3300

Buddleja lindleyana Fort. var.
　　sinuato-dentata Hemsl.　4794

Buddleja lindleyana Fort.　264

Buddleja macrostachya
　　Benth.　3737

Buddoleja heliophila W. W.
　　Smith.　2783

Bufo bufo gargarizans Cantor　466

Bufo raddei Strsuch　1468

Bufomelanostictus Schneider　2462

Bullacta exarata (Philippi)　3962

Bungarus fasciatus (Schneider)　1472

Bungarus multicinctus murticinctus
　　Blyth　3488

Bupleurm euphorbioides Nakai 1306
Bupleurum aureum Fisch. 4261
Bupleurum chinensis DC. 742
Bupleurum dalhousieanum (C. B. Clarke) K.-Pol. 3705
Bupleurum komarovianum Lincz 2231
Bupleurum longiradiatum Turcz. 4769
Bupleurum scorzoneraefolium Willd. 3248
Bupleurum yunnanense Franch. 3706
Buthus marthensi Karsch 2974
Buxus harlandii Hance 1728
Buxus henryi Mayr. 3200
Buxus microphylla Sieb. et Zucc. var. sinica Rehd. et Wils. 679
Buxus rugulosa Hatusima 3682

C

Cacalia hastata L. 1882
Cacalia roborowskii (Maxim.) Ling 2879
Cacalia tangutica (Maxim.) Hand.-Mazz. 373
Caesalpinia crista Linn. 4186
Caesalpinia minax Hance 115
Caesalpinia nuga Ait. 3172
Caesalpinia pulcherrima (L.) Sw. 116
Caesalpinia sappan Linn. 1686
Caesalpinia sepiaria Roxb. 1201
Cajanus cajan (L.) Millsp. 3652
Caladium bicolor (Ait.) Vent. 901
Calamus rhabdocladus Burret 2396
Calanthe discolor Lindl. 3439
Calanthe fimbriata Franch. 2950
Calanthe hancockii Rolfe 3440
Calanthe lamellosa Rolfe 3441
Calanthe triplicata (Willemet) Ames 4444
Calcite 2480
Calcium carbonate 1995
Calcium carbonate 485

Calendula officinalis L. 374
Calla palustris L. 3405
Callianassa harmandi Bouvier 2971
Callianthemum taipaicum. W. T. Wang 3078
Calliarassa petalura Stimpson 462
Calliaspidia guttata (Brandegee) Bremek. 2837
Callicarpa arborea Roxb. 2272
Callicarpa bodinieri Lévl. 2798
Callicarpa cathayana H. T. Chang 1819
Callicarpa dichotoma (Lour.) K. Koch 1820
Callicarpa integerrima Champ. 2273
Callicarpa lobo-apiculata Metc. 4814
Callicarpa longissima (Hemsl.) Merr. 783
Callicarpa loureiri Hook. et Arn. 784
Callicarpa macrophylla Vahl 285
Callicarpa nudiflora Hook. et Arn. 4311
Callicarpa rubella Lindl. f. angustara Pél 4312
Callicarpa rubella Lindl. 286
Callicarpa rubella Lindl., f. crenata Pei 2274
Calligonum mongolocum Turcz. 534
Callistemon rigidus R. Br. 728
Callistephus chinensis (L.) Nees 2353
Callorhinus ursinus (L.) 4500
Calomel mercurous chloride 1000
Calonyction aculeatum (L.) House 3767
Calophyllum membranaceum Gardn. et Champ. 1280
Calotes versicilor (Daudin) 3991
Calotropis gigantea (L.) Dry. ex Ait. f. 275
Calotropis procera (Ait.) Dry ex Ait. 3761
Caltha fistulosa Schipcz. 4109
Caltha natans Pall. 4110

Caltha palustris L. var. sibirica Regel 1122
Caltha palustris L. 3079
Caltha palustris var. membranacea Turcz. 2085
Calvatia caelata (Bull. ex DC.) Morg. 1541
Calvatia craniformis (Schw.) Fr. 2513
Calvatia cyathiformis (Boss) Morg. 3503
Calvatia gigantea (Batsch ex Pers.) Lloyd 1542
Calvatia tatrensis Hollos 1543
Calystegia hederacea Wall. 1342
Calystegia japonica Choisy 1812
Calystegia sepium (L.) R. Brown 777
Calystegia soldanella (L.) R. Br. 4304
Cambaroides dauricus (Pallas) 3468
Camellia chrysantha (Hu) Tuyama 209
Camellia japonica L. 1278
Camellia microcarpa (S. L. Mo et Z. Huang) S. L. Mo 210
Camellia oleifera Abel var. confusa (Craib) Sealy 3694
Camellia oleifera Abel var. monosperma H. T. Chang 4746
Camellia oleifera Abel. 1745
Camellia sinensis O. Ktze. 211
Camelus bactriamus ferus Przewalski 2477
Campanula glomerata L. 1376
Campanula pallida Wall. 3835
Campanula punctata Lam. 1377
Campanumoea javanica Bl. 864
Campanumoea lancifolia (Roxb.) Merr. 4881
Campsis grandiflora (Thunb.) Loisel. 2831
Campsis radicans (L.) Seem. 331
Camptosorus sibiricus Rupr. 2522
Camptotheca acuminata Decne. 1293
Campylotropis ichangensis Schindl. 2674

Campylotropis trigohoclada (Fr.)
Schindl.   2675

Canarium album (Lour.)
Raeusch.   1716

Canarium pimela Koenig   1243

Canavalia gladiata (Jacq.) DC.   613

Canavalia microcarpa (DC.)
Piper   4646

Canis familiaris L.   479

Canis lupus L.   4492

Canna edulis Ker   4954

Canna flaccida Salisb.   4442

Canna generalis Bailey   445

Canna indica L.   944

Canna warscewiezii A. Dietr.   2948

Cannabis sativa L.   1584

Canscora melastomacea Hand.-Mazz.
4294

Cantharella cibarius Fr.   1508

Cantharellus minor Peck   2506

Capparis bodinieri Lévl.   2122

Capparis spinosa L.   4142

Capparis urophylla F. Chun   4613

Capra hircus L.   981

Capra ibex Linnaeus   5000

Capreolus capreolus (L.)   4498

Capricornis sumatraensis
Bechstein   4500

Capsella bursa pastoris (L.)
Medic.   1149

Capsicum annuum L. var. conoides
(Mill.) Irish   4831

Capsicum annuum L. var.
fasciculatum (Sturt.)
Irish   4832

Capsicum frutescens L.   1357

Caragana arborescens (Amm.)
Lam.   4187

Caragana franchetiana Kom.   3653

Caragana intermedia Kuang et H. C.
Fu   1202

Caragana jubata (Pall.) Poir.   4188

Caragana microphylla Lam.   1203

Caragana pekinensis Kom.   4189

Caragana rosea Turcz.   614

Caragana sinica (Buc]hoz)
Rehd.   1687

Caragana tibetica Kom.   3654

Carallia brachiata (Lour.)
Merr.   3701

Carassius auratus L. var.
Goldfisn   4462

Carassius auratus (Linnaeus)   2458

Cardamine flexuosa With.   2624

Cardamine hirsuta L.   4615

Cardamine impatiens L.   1150

Cardamine leucantha (Tausch) O. E.
Schulz   1647

Cardamine macrophylla
Willd.   1648

Cardamine scaposa Franch.   2120

Cardamine tangutorum O. E.
Schulz   1649

Cardiospermum halicacabum L. var.
microcarpum (Kunth) Bl.
3685

Cardiospermum halicacabum L.
686

Carduus acanthoides L.   2354

Carduus crispus L.   1883

Careesium szechuanense Chen et
C. M. Hu   3372

Caretta caretta olivacea
(Eschscholtz)   4986

Carex cruciata Wahlenb.   4397

Carex lanceolata Boott.   2393

Carica papaya L.   1287

Carissa carandas L.   268

Carissa spinarum Linn.   3758

Carlesia sinensis Dunn   3249

Carpesium cernuum L.   375

Carpesium lipskyi C. Winkl.   2880

Carpesium longifolium Chen et
C. M. Hu   3371

Carpesium macrocephalum Franch.
et Sav.   2355

Carpesium nepalense Less.   3868

Carpinus cordata Bl.   1069

Carthamus tinctrius L.   1389

Carum carvi L.   743

Carum carvi L. f. gracile (Lindl.)
Wolff   3707

Carya cathayensis Sarg.   1066

Caryopteris incana (Thunb.)
Miq.   287

Caryopteris mongolica Bunge   4313

Caryopteris nepetaefolia (Benth.)
Maxim.   2799

Caryopteris tangutica Maxim.   2800

Caryopteris trichosphaera W. W. Sm.
3771

Caryota ochlandra Hance   4401

Cassia agnes (De Wit) Brenen   2155

Cassia fistula L.   4190

Cassia floribunda Cav.   615

Cassia leschenaultiana DC.   616

Cassia mimosoides Linn.   3655

Cassia nomame (Sieb.)
Honda   1688

Cassia occidentalis L.   117

Cassia siamea Lam.   118

Cassia sophera L.   1689

Cassia surattensis Burm. f.   2156

Cassia tora L.   119

Cassiope selaginoides Hook. f. et
Thoms.   3268

Cassiterite   1991

Cassytha filiformis L.   574

Castanea hrnrti (Skan) Rehd. et
Wils.   2535

Castanea mollisima Bl.   1071

Castanopsis platyacantha Rehd. et
Wils.   3052

Casuarium equisetifolia L.   513

Catalpa bungei C. A. Mey.   1364

Catalpa ovata G. Don   330

Catharanthus roseus (L.) D. Don
1334

Cayratia corniculata (Benth.)
Gagnep.   1267

Cayratia japonica (Thunb.)
Gagnep.   1268

Cecropia peltata Linn.   4074

Cedrus deodara (Roxb.) G.
Don   507

Celastrus flagellaris Rupr.   1254

Celastrus gemmatus Loes.   4712

Celastrus orbiculatus Thunb.   683

Celastrus paniculatus Willd.   3684

Celastrus rosthornianus Loes.   3203

Celosia argentea L.   544

Celosia cristata L.   1608

Celtis cinnamomea Lindl. et
Planch.   2044

Celtis tetrandra Roxb. subsp. sinansis
(Pers.) Y. C. Tang *3053*

Centaurea cyarus L. *376*

Centella asiatica (L.) Urban *744*

Centipeda minima (L.) A. Br. et
Aschers. *3373*

Centropus sinensis (Stephens) *477*

Cephalantera erecta (Thunb.)
Bl. *3442*

Cephalotaxus fortunei Hook. f.
1063

Cephalotaxus hainanensis Li *1064*

Cephalotaxus mannii Hook. f.
1065

Cephalotaxus oliveri Mast. *3040*

Cephalotaxus sinensis (Rehd. et
Wils.) Li *2036*

Cerastium caespitosum Gilib. *2068*

Cerastium viscosum L. *1099*

Ceratostigma minus Stapf *3731*

Cerbera manghas L. *765*

Cercis chinensis Bge. *2676*

Ceropegia trichantha Hemsl. *4801*

Cervus albirostris Pzewalsni *1479*

Cervus elaphus Linnaeus *1979*

Cervus nippon Temminck *1980*

Cestrum furfureum Standl. *312*

Cestrum nocturnum L. *2301*

Cetraria islandica (L.) Ach. *1550*

Chaenomeles cathayensis (Hemsl.)
Schneid. *594*

Chaenomeles sinensis (Thouin)
Koehne *595*

Chaenomeles speciosa (Sweet)
Nakai *596*

Chaenomeles thibetica Yu *2132*

Chalcopyrite *2488*

Chalk *1483*

Chamaenerion angustifolium (L.)
Scop. *236*

Changium smyrnioides Woff. *3251*

Charybdis japonica (A.
Milne-Edwards) *962*

Chasalia curviflora Thwaites *2322*

Chaydaia rubrinervis (Lévl.) C. Y.
Wu ex Y. L. Chen *4723*

Cheiranthus cheiri L. *1151*

Chelidonium majus L. *577*

Chelonia mydas (Linnaeus) *4987*

Chenopodium album L. *1093*

Chenopodium ambrosioides L.
1606

Chenopodium hybridum L. *2567*

Chenopodium serotinum L. *1607*

Chesneya purpurea P. C. Li *3656*

Chimonanthus nitens Oliv. *1137*

Chimonanthus praecox (L.)
Link *1138*

Chinemys reevesii (Gray) *1469*

Chirita eburnea Hance *334*

Chirita fimbrisepala
Hand.-Mazz. *3812*

Chirita longgangensis W. T. Wang
var. hongyao S. Z.
Huang *4849*

Chlamys farreri (Jones et
Preston) *3460*

Chloranthus fortunei (A. Gray)
Solms var. holostegius
Hond-Mazz. *1578*

Chloranthus henryi Hemsl. *3046*

Chloranthus japonicus Sieb. *518*

Chloranthus multistachys Pei *2531*

Chloranthus serratus (Thunb.) Roem.
et Schult. *3047*

Chloranthus sessilifolius K. F.
Wu *3048*

Chloranthus spicatus (Thunb.)
Makino *519*

Chloris virgata Swar. *2391*

Chlorite schist *986*

Chlorophytum capense (L.)
Ktze. *3415*

Chlorophytum laxum R. Br. *4931*

Chlorostoma nigerrima
(Gmelin) *2957*

Chlorostoma rusticum
(Gmelin) *2958*

Choerospondias axillaris (Roxb.)
Burtt et Hill *182*

Christia obcordata (Poir.) Bahn. f.
4647

Christia vespertilionis (L. f.) Bahn. f.
120

Chrysanthemum coronarium L.
1884

Chrysanthemum indcum L.
[Dendranthema indcum (L.)
Des Moul.] *1390*

Chrysolophus aciculatus (Retz.)
Trin. *4394*

Chrysolophus amherstiae
(Leadbeater) *4480*

Chrysolophus pictus (L.) *4481*

Chrysopogon aciculatus (Retz.)
Trin. *4394*

Chrysosplenium alternifolium L.
4620

Chrysosplenium davidianum Decne.
ex Maxim. *3140*

Chrysosplenium forrestii Diels *3612*

Chrysosplenium griffithii Hook. f. et
Thoms. *3141*

Chrysosplenium lectus-cochleae
Kitag. *1160*

Chrysosplenium pilosum Maxim. var.
valdepilosum Ohwi *1656*

Chrysosplenium pilosum
Maxim. *1161*

Chukrasia tabularis A. Juss. var.
velutina (Wall.) King *656*

Cibotium barometz (L.) J. Sm. *2029*

Cichorium intybus L. *873*

Ciconia ciconia (Linnaeus) *469*

Cicuta virosa L. f. angustifolia
(Kitatbel) Schube *4262*

Cicuta virosa L. *1767*

Cimicifuga dahurica (Turez.)
Maxim. *1619*

Cimicifuga foetida L. *556*

Cimicifuga heracleifolia Kom. *57*

Cimicifuga simplex Wormsk. ex
DC. *4111*

Cinchona ledgeriana Moens. *341*

Cinnabar *494*

Cinnamomum bejolghota (Buch.-
Ham.) Sweet *4607*

Cinnamomum burmannii (Nees)
Bl. *575*

Cinnamomum camphora (L.)
Presl *3123*

Cinnamomum cassia Presl *576*

Cinnamomum glanduliferum (Wall.)
Nees *2108*

Cinnamomum parthenoxylon (Jack.)
Meissn. 4608

Cipadessa baccifera Miq. 3676

Cipadessa cinerascens (Pell.)
Hand.-Mazz. 157

Cipangopaludina chinensis
(Gray) 2439

Circaea alpina L. var. caulescens
Kom. 4764

Circaea mollis Sieb. et Zucc. 4765

Circaea quadrisulcata Maxim.)
Franch. et Savat 2224

Cirsium chlorolepis Petrak 2356

Cirsium eriophoroides (Hook. f.)
Petrak 3869

Cirsium esculentum (Sievers) C. A.
Mey 4362

Cirsium griseum Lévl. 3870

Cirsium japonicum DC. 1391

Cirsium leo Nakai et Kitag. 3374

Cirsium lijiangense Petrak et
Hand.-Mazz. 2881

Cirsium lineare (Tunb.)
Sch.-Bip. 2882

Cirsium pendulum Fisch. 2883

Cirsium segetum Bge. [Cephalanoplos
segetum (Bge.) Kitam] 1885

Cirsium setosum (Willd.) Mb. 4364

Cirsium souliei (Franch.)
Maltf. 4363

Cirsium vlassovianum Fisch. 2357

Cissampelos pareira L. var. hirsuta
(Buch.-Ham. ex DC.)
Forman 3580

Cissus assamica (Laws.) Craib 4730

Cissus discolor Bl. 1269

Cissus glaberrima Planch. 195

Cissus hastata (Miq.) Planch. 196

Cissus hexangularis Planch. 1270

Cissus javana DC. 2204

Cissus repens (Wight et Arn.)
Lam. 693

Cistanche deserticola Y. C. Ma 4335

Citellus dauricus Brandt 978

Citrullus lanatus (Thunb.) Matsum.
et Nakai 1875

Citrus aurantium L. var. amara
Engl. 648

Citrus aurantium L. 4677

Citrus grandis (L.) Osbeck var.
tomentosa Hort. 150

Citrus grandis (L.) Osbeck 149

Citrus limonia Osbeck 151

Citrus medica L. 1236

Citrus medica L. var. sarcodactylis
(Noot.) Swingle 3191

Citrus reticulata Blanco var. unshiu
H. H. Hu 2697

Citrus reticulata Blanco 152

Citrus sinensis (L.) Osbeck 3192

Cladina stellaris (Opiz) Brodo 1544

Cladonia alpestris (L.) Rabht. 4044

Cladonia amaurocraea (Flk.)
Schaer. 1545

Cladonia gracilis (L.) Willd. 1546

Cladonia rangiferina Web. 2020

Cladostachys frutescens D. Don 45

Claoxylon indicum (Reinw. ex Bl.)
Hassk. 4693

Clarias fuscus (Lacepede) 1465

Claucena excavata Burm. f. 649

Claucena lansium (Lour.)
Skeels 650

Clausena emarginata Huang 4678

Clavaria pistillaris L. ex Fr. 4010

Clay mineral 2491

Clay rock 1983

Cleistocalyx operculatus (Roxb.)
Merr. et Perry 1294

Clematis aethusifolia Turcz. 3080

Clematis akebioides (Maxim.) Hort.
ex Veitch 2082

Clematis apiifolia DC. var.
obtusidentata Rehd. et
Wils. 4582

Clematis apiifolia DC. 2582

Clematis argentilucida (Lévl. et
Vant.) W. T. Wang 2583

Clematis armandii Franch. 2584

Clematis brevicaudata DC. 2083

Clematis cadmia Buch.-Ham. ex
Wall. 1123

Clematis chinensis Osb. 58

Clematis chrysocoma Fr. 3081

Clematis connata DC. 59

Clematis filamentosa Dunn. 4112

Clematis finetiana Lëvl. et
Vant. 4583

Clematis florida Thunb. 60

Clematis fusca Turc L. 1620

Clematis fusca Turcz. var. violacea
Maxim. 1124

Clematis glauca Willd. var.
akebioides (Maxim.) Rehd. et
Wils. 3557

Clematis heracleifolia DC. 557

Clematis hexapetala Pall. 1621

Clematis hexapetala Pall.f. breviloba
(Freyn) Nakai 2585

Clematis intricata Bge. 1125

Clematis intricata Bung. var.
purpurea Y. Z. Zhao 4113

Clematis koreana Kom. 1126

Clematis macropetala Ledeb. 4114

Clematis mandshurica Rupr. 1622

Clematis meyeniana Walp. var.
granulata Finet. et
Gagnep. 4585

Clematis meyeniana Walp. 4584

Clematis montana Buch.-Ham. ex
DC. 2084

Clematis montana DC. var. wilsonii
Sprag. 3082

Clematis nobilis Nakai 1127

Clematis peterae Hand.-Mazz. 2586

Clematis pogonandra Maxim. 3083

Clematis potaninii Maxim. 2587

Clematis ranunculoides
Franch. 3558

Clematis rehderiana Craib 3559

Clematis sibirica (L.) Mill. 3084

Clematis tangutica (Maxim.) Korsh.
var. pubescens M. C. Chang
et P. Ling 558

Clematis tangutica (Maxim.)
Korsh. 4115

Clematis uncinata Champ. var.
coriacea Pamp. 3086

Clematis uncinata Champ. 3085

Clemmys bealei (Gray) 2984

Clemmys mutica (Cantor) 4983

Cleome gynandra L. 86

Cleome spinosa L. 87

Cleome vircosa L. 88

Clerodendranthus spicatus (Thunb.)
C. Y. Wu   293

Clerodendrum bungei Steud.   1346

Clerodendrum canescens
Wall.   4815

Clerodendrum colebrookianum
Walp.   3772

Clerodendrum cyrtophyllum
Turcz.   4314

Clerodendrum fortunatum L.   4315

Clerodendrum fragrans Vent.   288

Clerodendrum hainanense
H.-M.   2801

Clerodendrum inerme (L.)
Gaertn.   785

Clerodendrum japonicum (Thunb.)
Sweet.   1821

Clerodendrum philippinum Schau.
var. simplex Moldenke   3773

Clerodendrum philippinum
Schau.   4816

Clerodendrum serratum (L.) Moon
var. amplexifolium
Moldenke   2275

Clerodendrum serratum (L.)
Spr.   1347

Clerodendrum thomsonae
Balf.   786

Clerodendrum trichotomum
Thunb.   787

Clerodendrum yunnanensis Hu ex
Hand.-Mazz.   788

Clinnamomum mairei Lévl.   2611

Clinopodium chinensis (Benth.) O.
Ktze.   2282

Clinopodium gracile (Benth.)
Matsum   2804

Clinopodium megalanthum (Diels) C.
Y. Wu et Hsuan   2805

Clintonia udensis Trautv. et
Mey.   1425

Clitocybe infundibuliformis (Schaeff.
ex Fr.) Quel.   4031

Clitocybe laccata (Scop. ex Fr.)
Quel   4032

Clitoria ternatea L.   617

Clivia miniata Regel.   1940

Cnidium monieri (L.) Cuss.   1768

Cnidocampa flavescens
Walker   3977

Cocculus laurifolius DC.   3114

Cocculus orbiculatus (L.) DC.   68

Cocos nucifera L.   897

Codiaeum variegatum (L.) Bl.   162

Codium fragile (Sur.) Hariot   2002

Codonopsis convolvulacea Kurz var.
forrestii (Diels) Ballard   3836

Codonopsis lanceolata (Sieb. et
Zucc.) Trautv.   1378

Codonopsis macrocalyx Diels   3837

Codonopsis nervosa (Chipp)
Nannf.   3838

Codonopsis pilosula (Franch.)
Nannf.   365

Codonopsis subglobosa W. W. Sm.
3839

Codonopsis tubulosa Kom.   2869

Codonopsis ussuriensis (Rupr. et
Maxim.) Hemsl.   1379

Coelopleurum saxatile (Turcz.)
Drude   2232

Coffea arabica L.   4339

Coffea canephora Pierre ex
Froehn.   4340

Coix lachryma-jodi L.   2392

Coix lacrymajobi L. var. ma-yuen
(Roman) Stapf   394

Colebrookea oppositfolia
Smith   2283

Coleus scutellarioides (L.)
Benth.   1350

Collybia allbuminosa (Berk.)
Petch   2017

Colocasia antiquorum Schott   4919

Colocasia esculenta (L.) Schott   902

Colocasia gigantea (Blume) Hook. f.
903

Colocasia tonoimo Nakai   3406

Coltricia schweinitzii (Fr.)
Cunn.   2507

Columba livia domestica
Gmelin   475

Colysis digitata (Bak.) Ching   4532

Comarum palustre L.   4155

Comastoma pulmonarium (Turcz.)
Toyokuni   3738

Comastoma traillianum (Forrest)
Holub   3739

Combretum alfredii Hance   227

Commelina communis L.   1419

Coniogramme intermedia
Hieron.   4527

Conioselinum tataricum
Hoffm.   4263

Conocephalum conicum (L.)
Dum.   4508

Consolida ajacis (L.) Schur   1623

Convallaria magilis L.   912

Convolvulus arvensis L.   1813

Conyza bonariensis (L.)
Cronq.   4365

Conyza canadensis (L.)
Cronq.   1392

Copper carbonate lump   2000

Copper carbonate   498

Coprinus atramentarius (Bull.)
Fr.   1539

Coprinus micaceus (Bull.) Fr.   3008

Coptis chinensis Franch.   2588

Coptis deltoidea C. Y. Chen et
Hsiao   2589

Coptis omeiensis (Chen) C. Y.
Cheng   2590

Corallium japonicum
Kishinouze   488

Corallodiscus flabellatus (Franch.) B.
L. Brutt   335

Corallodiscus kingianus (Craib)
Burtt   3813

Corbicula nitens (Philippi)   3968

Corbicula targillierti (Philippi)   3462

Corchorus acutangulus Lam.   4232

Corchorus capsularis L.   1740

Corchorus olitorius L.   4734

Cordyceps cicadae Shing   2503

Cordyceps militaris (L. ex Fr.)
Link   1002

Cordyceps sinensis (Berk.)
Sacc.   2504

Cordyceps sobolifera (Hill.) Benk. et
Br.   4002

Cordyline fruticosa (L.) A.
Cheval.   413

Coreopsis lanceolata L.   874

Coreopsis tinctoria Nutt. 1393

Coriandrum sativum L. 1769

Coriaria sinica Maxim. 680

Coriolus biformis (Kl. ex Fr.)
Pat. 2008

Coriolus consors (Berk.) Imaz. 1510

Coriolus hirsutus (Wulf. ex Fr.)
Quel. 2209

Coriolus unicolor (Bull. ex Fr.)
Pat. 1511

Coriolus versicolor (L. ex Fr.)
Quel. 1512

Cornus alba L. 2759

Cornus chinensis Wanger. 3262

Cornus controversa Hemsl. 1776

Cornus kousa Hance var. chinensis
Osborn 1777

Cornus macrophylla Wall. 1311

Cornus paucinervis Hance 2760

Corydalis adrienii Prain 3585

Corydalis adunca Maxim. 3586

Corydalis ambigua Cham. et Schltd.
f. lineariloba (Sieb. et Zucc.)
Kitag. 2614

Corydalis ambigua Cham. et Schltd.
f. multifida Y. H.
Chou 2615

Corydalis ambigua Cham. et Schltd.
var. amurensis Maxim. 578

Corydalis appendiculata
Hand.-Mazz. 3587

Corydalis benecincta W. W.
Sm. 3588

Corydalis bungeana Turcz. 2616

Corydalis davidii Fr. 3126

Corydalis delavayi Franch. 3589

Corydalis delphinioides Fedde 2111

Corydalis densispica C. Y.
Wu 3590

Corydalis edulis Maxim. 2617

Corydalis esquirolli Lévl. 3128

Corydalis feddeana Lévl. 3127

Corydalis gracillima C. Y.
Wu 3591

Corydalis hamata Franch. 3592

Corydalis huschowensis Lian nov.
ined. 579

Corydalis kokiana Hand.-Mazz. 3593

Corydalis latiloba (Franch.)
Hand.-Mazz. 3594

Corydalis linarioides Maxim. 3595

Corydalis mucronifera
Maxim. 2112

Corydalis nigro-apiculata C. Y.
Wu 3596

Corydalis ochotensis Turcz. var.
raddeana (Regel) Nakai 2619

Corydalis ochotensis Turcz. 2618

Corydalis omeiensis Z. Y. Zhu et
B. Q. 3128

Corydalis ophiocarpa HK. f. et
Thoms. 3597

Corydalis pallida (Thunb.) Pers. var.
chanetii (Lévl.) S. Y. He
1643

Corydalis pallida (Thunb.)
Pers. 1141

Corydalis polyphylla
Hand.-Mazz. 3598

Corydalis racemosa (Thun)
Pers. 3129

Corydalis remota Fisch. ex Maxim.
var. lineariloba Maxim. 1644

Corydalis remota Fisch. ex Maxim.
var. rotuntiloba Maxim. 81

Corydalis remota Fisch. ex
Maxim. 580

Corydalis repens Mandl et
Mühl. 2113

Corydalis repens Mandl. et Muchld.
var. watanabei (Kitag.) Y. H.
Chou 82

Corydalis sheareri S. Moore 2114

Corydalis sibirica (L. f.) Pers. 3599

Corydalis taliensis Fr. 3130

Corydalis trachycarpa
Maxim. 3600

Corydalis trifoliata Franch. 3601

Corydalis turtschaninovii Bess. f.
lineariloba (Maxim.)
Kitag. 2115

Corydalis yanhusuo W. T. Wang 83

Corylopsis willmottiac Rehd. et
Wils. 4623

Corylus heterophylla Fisch. ex
Bess. 1070

Corylus mandshurica Maxim. et
Rupr. 1582

Cosmos bipinnatus Cav. 4366

Cosmos sulphureus Cav. 875

Costazia aculeata Canu et
Bassler 1497

Costus speciosus (Koenig)
Smith 1443

Costus tonkinensis Gagnep. 1444

Cotinus coggygria Scop var. cinerea
Engl. 1729

Cotinus coggyria Scop. var.
pubescens Engl. 2191

Cotoneaster dielsianus Pritz. 3627

Cotoneaster hebephyllus
Diels 3628

Cotoneaster horizontalis
Decne. 2649

Cotoneaster integerrimus
Medic. 4156

Cotoneaster microphylus Wall. ex
Lindl. 2133

Cotoneaster moupinensis
Franch. 4157

Cotoneaster multiflorus Bunge var.
atropurpureus Yu 3629

Cotoneaster multiflorus
Bunge. 4158

Coturnix coturnix (Linnaeus) 473

Coura trifasciata (Bell) 1470

Craspedolobium schochii
Harms. 1204

Crataegus cuneata Sieb. et
Zucc. 1169

Crataegus pinnatifida Bge. var. major
N. E. Br. 98

Crataegus pinnatifida Bge. 97

Crataegus sanguinea Pall. var. glabra
Maxim. 4159

Crataegus scabrifolia (Franch.)
Rehd. 4624

Crateva unilocularis Buch.-Ham.4614

Cratoxylum ligustrinum (Spach)
Bl. 212

Crawfurdia campanulacea Wall. et
Criff. 2248

Crawfurdia japonica Sieb. et
Zucc. 3305

Cremanthodium angustifolium W. W. Sm.　3871

Cremanthodium campanulatum (Franch.) Diels　3872

Cremanthodium decaisnei C. B. Clarke　3873

Cremanthodium helianthus (Franch.) W. W. Sm.　3874

Cremanthodium pleurocaule (Franch.) Good　3875

Cremanthodium rhodocephalum Diels　3876

Cremanthodium smithianum (Hand.-Mazz.) Hand.-Mazz.　3877

Cremastra appendiculata (D. Don) Makino　3443

Crepis crocea (Lam.) Babc.　2358

Crepis lignea (Van.) Babc. (Lectuca lignea Van.)　3375

Crepis phloenix Dunn　876

Crinum asiaticum L. var. sinicum Baker　2945

Crinum latifolium L.　1941

Cristaria plicata (Leach)　3967

Crocosmia crocosmiflora (Nichols) N. E. Br.　3433

Crocus sativus L.　930

Crotalaria alata D. Don　4648

Crotalaria albida Heyne ex Roth　4649

Crotalaria anagyroides H. B. K.　1205

Crotalaria assamica Benth.　618

Crotalaria calycina Schrank　4650

Crotalaria ferruginea Grah.　2157

Crotalaria linifolia L. f.　4651

Crotalaria sessiliflora L.　1206

Crotalaria yunnanensis Fr.　3173

Crotalaria zanzibarica Benth.　619

Croton euryphyllus W. W. Sm.　4694

Croton kongensis Gagn.　2182

Croton lachnocarpus Benth.　4695

Croton tiglium L.　1721

Cryptocaryne yunnanensis H. Li　3927

Cryptolepis buchanani Roem. et Schult.　276

Cryptomeria fortunei Hooibrenk ex Otto et Dietr.　1062

Cryptoporus volvatus (Peck) Hubbard　2010

Cryptotaenia japonica Hassk.　3250

Cryptotympana mandrina Dist.　3475

Cryptotympana pustulata Fabricius　1462

Ctenopharyngodon idellus (Cuvier et Valenciennes)　4463

Cucubalus baccifer L.　2069

Cuculus canorus Linnaeus　3496

Cucumis melo L. var. conomon (Thunb.) Makino　3353

Cucumis melo L.　2336

Cucumis sativus L.　357

Cucurbita moschata Duch.　1876

Cucurbita pepo L. var. kintoga Makino　358

Cucurbita pepo L.　2860

Cudrania cochinchinensis (Lour.) Kudo et Matsum.　25

Cudrania tricuspidata (Carr.) Bur.　2540

Cultellus attenuatus Dunker　3969

Cunninghamia lanceolata (Lamb.) Hook.　1573

Cuon alpinus pallas　4493

Cuora flavomarginata (Gray)　4984

Cupressus funebris Endl.　4545

Cupric sulfate　997

Curculigo capitulata (Lour.) O. Kuntze　1436

Curculigo orchioides Gaertn.　425

Curcuma aeruginosa Roxb.　1946

Curcuma aromatica Salisb.　939

Curcuma kwangsiensis S. G. Lee et C. F. Liang　940

Curcuma longa L.　1947

Curcuma phaeocaulis Valeton　441

Curcuma zedoaria (Berg.) Rosc.　2947

Cuscuta campestris Yuncker.　3311

Cuscuta chinensis Lam.　778

Cuscuta japonica Choisy　1343

Cyananthus argenteus Marq.　3840

Cyananthus chungdianensis C. Y. Wu　3841

Cyananthus flavus Marq. var. glaber C. Y. Wu　3843

Cyananthus flavus Marq.　3842

Cyananthus formosus Diiels　2344

Cyananthus incanus Hook. f. et Thoms.　3844

Cyananthus inflatus Hook. f. et Thoms.　3845

Cyananthus lichiangensis W. W. Sm.　3846

Cyanotis cristata Roem. et Schult. f.　4408

Cyathea spinulosa Wall.　3025

Cyathocline purpurea (Buch.-Ham. ex D. Don) O. Kuntze.　2359

Cyathula officinalis Kuan　1096

Cyathus stercoreus (Schw.) de Toni　1039

Cyathus striatus Willd. ex Pers.　2019

Cybister tripunctatus orientalis Gschwendtner　3478

Cycas pectinata Griff.　8

Cycas revoluta Thunb.　505

Cycas siamensis Miq.　1057

Cyclamen persicum Mill.　2768

Cyclea hypoglauca (Schauer) Diels　1636

Cyclea racemosa Oliv. var. omeiensis H. S. Lo et S. Y. Zhao　4592

Cyclea racemosa Oliv.　2606

Cyclemys mouhotii Gray　4985

Cyclina sinensis (Gmelin)　3464

Cyclorhiza waltonii (Wolff) Shed et Shan var. major Sheh et Shan　3708

Cydonia oblonga Mill.　4625

Cygnus cygnus (Linnaeus)　970

Cygnus olor (Gemelin)　471

Cymbaria dahurical L.　2306

Cymbaria mongolica Maxim.　4328

Cymbidium ensifolium (L.) Sw.　1948

Cymbidium floribundum Lindl.　945

Cymbidium goeringii (Rchb. f.) Rchb.　1446

Cymbidium pendulum (Roxb.) Sw.　3950

Cymbidium sinense (Andr.)
Willd. 1447
Cymbium melo (Solander) 954
Cymbopogon citratus (DC.)
Stapf 4907
Cynanchum amplexicaule (Sieb. et
Zucc.) Hemsl. var. castaneum
Makino 2264
Cynanchum amplexicaule (Sieb. et
Zucc.) Hemsl. 773
Cynanchum atratum Bge. 774
Cynanchum auriculatum Royle ex
Wight 775
Cynanchum bungei Decne. 3308
Cynanchum chinense R. Br. 2265
Cynanchum forrestii Schltr. 3762
Cynanchum glaucescens (Decne.)
Hand. - Mazz. 1338
Cynanchum hancockianum (Maxim.)
Al. 776
Cynanchum inamoenum (Maxim.)
Loes. 2790
Cynanchum komarovii Al.
Iljiuski 1339
Cynanchum officinale (Hemsl.)
Tsiang et Zhang ex Tsiang et
P. T. Li 3763
Cynanchum otophyllum
Schneid. 277
Cynanchum paniculatum (Bunge)
Kitag. 1806
Cynanchum purpureum (Pall.) K.
Schum. 2266
Cynanchum saccatum W. T. Wang
ex Tsiang et P. T. Li 3764
Cynanchum stauntonii (Decne.)
Schltr. ex Lévl. 4799
Cynanchum thesioides K.
Schum. 2791
Cynanchum thesioides (Freyn.) K.
Schum var. australe (Maxim.)
Tsiang et P. T. Li 1807
Cynanchum versicolor Bge. 4800
Cynanchum wallichii Wight 3765
Cynanchum wilfordii (Maxim.)
Hemsl. 278
Cynara scolymus L. 377
Cynodon dactylon (L.) Pers. 4908

Cynoglossum amabile Stapf et
Drumm. 781
Cynoglossum divaricatum
Steph. 4308
Cynoglossum lanceolatum
Forsk. 2794
Cynoglossum zeylanicum (Vahl)
Thunb. ex Lehm. 3312
Cynomorium songaricum
Rupr. 4257
Cynops orientalis (David) 2461
Cyperus alternifolius L. subsp.
flabelliformis (Rottb.)
Kukenth. 398
Cyperus iria L. 3399
Cyperus rotundus L. 399
Cypraea tigris Linnaeus 454
Cypraea tigris L. 454
Cypraea vitellus (Linnaeus) 3959
Cyprinus carpio Linnacus 1964
Cypripedium Flavum Hunt et.
Summ. 3951
Cypripedium calceolus L. 946
Cypripedium debile Rchb. f. 3444
Cypripedium fasciculatum Fr. 3445
Cypripedium franchetii Wils. 3446
Cypripedium guttatum Sw. 1448
Cypripedium henryi Rolfe. 4445
Cypripedium japonicum
Thunb. 3447
Cypripedium macranthum
Sw. 1449
Cypripedium margaritaceum
Fr. 3448
Cypripedium tibeticum King ex
Rolfe 3449
Cyrtiospirifer sinensis (Graban) 486
Cyrtomium falcatum Presl 3027

D

Dacryomyces aurantius (Schw.)
Farl. 4008
Dahlia pinnata Cav. 378
Dalbegia odorifera T. Chen 620
Dalbegia sisso Roxb. 121
Dalbergia hupeana Hance 3174

Dalbergia rimosa Roxb. 4652
Dalmadusta gracilis japonica
Schilder 3456
Damnacanthus indicus Gaertn. f.
2840
Daphne Koreana Nakai 1290
Daphne genkwa Sieb. et
Zucc. 1289
Daphne giraldii Nitsche 2734
Daphne odorata Thunb. var.
atrocaulis Rehd. 2735
Daphne retusa Hemsl. 2736
Daphne tangutica Maxim. 1756
Daphniphyllum calycinum
Benth. 1727
Daphniphyllum macropodum
Miq. 4703
Dasiphora fruticosa (L.)
Rydb. 1170
Dasiphora parvifolia (Fisch.)
Juz. 2134
Dasiphora parvifolia (Fisch.)
Juz. 3630
Datura arborea L. 809
Datura innoxia Mill. 2302
Datura metel L. 810
Datura stramonium L. 811
Daucus carota L. var. sativa
DC. 1307
Daucus carota L. 2748
Davidia involucrata Baillon 3239
Debregeasia longifolia (Burm. f.)
Wedd. 2046
Decaisnea fargesii Fr. 3103
Deeringia amaranthoides (Lam.)
Merr. 1097
Delonix regia (Boj.) Raf. 122
Delphinium Omeiense W. T. Wang
var. pubescens W. T.
Wang 1624
Delphinium angustirhombicum W. T.
Wang 3560
Delphinium anthriscifolium
Hance 3087
Delphinium beesianum W. W.
Sm. 2591
Delphinium bonvalotii Fr. 3088
Delphinium brunonianum Royle 2086

Delphinium bulleyanum
Forrest 3561

Delphinium caeruleum Jacquem ex
Cambess. 3562

Delphinium chenii W. T.
Wang 3563

Delphinium chrysotrichum Finet et
Gagnep. 4116

Delphinium crassifolium Schr. ex
Spreng 4117

Delphinium davidii Franch. 3564

Delphinium delavayi Franch. var.
pogonanthum (Hand.-Mazz.)
W. T. Wang 3565

Delphinium grandiflorum L. 2087

Delphinium kamaonense
Huth 3566

Delphinium leptopogon
Hand.-Mazz. 2592

Delphinium maackianum
Regel 2593

Delphinium omeiiense W. T.
Wang 3089

Delphinium spirocentrum
Hand.-Mazz. 3567

Delphinium tatsienensis
Franch. 4118

Delphinium tenii Lévl. 3568

Delphinium trichophorum Franch.
var. subglaberimum
Hand.-Mazz. 3569

Delphinium yangii W. T.
Wang 3570

Dendranthema lavandulifolia
(Makino) Ling et Shis 379

Dendranthema lavandulifolium
(Fisch. ex Trautv.) Ling et
Shih var. Seticuspe (Maxim.)
Shih 2360

Dendranthema zawadskii Tzvel. var.
latiloba (Maxim.) H. C.
Fu 4368

Dendranthema zawaskii (Herb.)
Tzvel. 4367

Dendrobium aduncum Wall. ex
Lindl. 2951

Dendrobium candidum Wall. ex
Lindl. 4446

Dendrobium denneanum
Kerr. 1949

Dendrobium fimbriatum
Hook. 4447

Dendrobium hancockii Rolfe 2435

Dendrobium jenkinsii Wall. ex
Lindl. 4448

Dendrobium loddigesii Rolfe 4955

Dendrobium nobile Lindl. 947

Dendrobium williamsonii Day et
Rchb. f. 3952

Dendrocalamus latiflorus
Munro 395

Dendrocopos hyperythrus
(Vigors) 2990

Dendrocopos major
(Linnacus) 4489

Dendrolobium triangulare (Retz.)
Schindl. 123

Dendropanax proteus (Champ.)
Benth. 4767

Dendrophthoe pentandra (L.)
Miq. 3531

Dens draconis 1994

Derris eriocarpa How 4653

Descurainia sophia (L.) Webb. 2625

Desmodium blandum van
Meeuwen 4191

Desmodium caudatum (Thunb.)
DC. 621

Desmodium esquirolii Lévl. 3175

Desmodium gangeticum (L.)
DC. 622

Desmodium gyrans (L.) DC. 623

Desmodium gyroides (Roxb. ex Link)
DC. 4654

Desmodium heterocarpum (L.)
DC. 4655

Desmodium heterocarpun (L.) DC.
var. strigosum van
Meeuwen 4192

Desmodium leptopus A. Gray ex
Benth. 4656

Desmodium microphyllum (Thunb.)
DC. 624

Desmodium multiflorum DC. 3657

Desmodium pseudotriquetrum
DC. 4657

Desmodium pulchellum 124

Desmodium reticulatum
Champ. 4193

Desmodium rubrum (Lour.)
DC. 4194

Desmodium sambuense (D. Don)
DC. 3176

Desmodium sinuatum Bl. ex
Baker 125

Desmodium styracifolium (Osbeck)
Merr. 126

Desmodium triflorum (L.) DC. 127

Desmodium velutinum (Willd.)
DC 1690

Desmodium zonatum Miq. 4658

Desmos chinensis Lour. 74

Deutzia parviflora Bge. 1657

Deutzia setchuenensis Franch. 2641

Deutzianthus tonkinensis
Gagn. 4696

Dianella ensifolia (L.) DC. 1426

Dianthus chinensis L. var. morii
(Nakai) y. C. Chu 1101

Dianthus chinensis L. var.
subulifolius (Kitag.) Y. C.
Ma 4094

Dianthus chinensis L. 1100

Dianthus repens Willd. 4095

Dianthus subulifolius Kitag. 2569

Dianthus superbus L. 1102

Dianthus versicolor Fisch. 2570

Dicentra macrantha Oliv. 3131

Dicentra spectabilis (L.) Lem. 84

Dichocarpum auriculatum (Fr.) W. T.
Wang et Hsiao 3090

Dichondra repens Forst. 1814

Dichroa febrifuga Lour. 589

Dichrocephala benthamii C. B.
Clarke 2361

Dichrocephala integrifolia (L. f.) O.
Ktze. 3878

Dickinsia hydrocotyloides
Franch. 2749

Dicliptera chinensis (L.) Nees 1855

Dicranopteris dichotoma (Thunb.)
Bernh. 503

Dicranostigma leptopodum (Maxim.)
Fedde 4138

Dictamnus .albus L. var. dasycarpus
(Trucz.) T. N. Liou et Y. H.
Chang 1710
Didissandra sesquifolia C. B.
Clarke 3338
Dieffenbachia picta (Lodd.)
Schott 904
Digitalis lanata Ehrh. 821
Digitalis purpurea L. 3327
Digitaria sanguinalis (L.)
Scop. 2919
Dillenia indica L. 706
Dimocarpus longan Lour. 4225
Dinodon rufozonatum
(Cantor) 1970
Dinodon septentrinalis
(Gunther) 3993
Diopatra neapolitana Rette
Chiaje 452
Dioscorea althaeoides R.
Kunth. 925
Dioscorea bulbifera L. 926
Dioscorea camposita Hemsl. 2424
Dioscorea deltoidea Wall. 927
Dioscorea hispida Dennst. 928
Dioscorea kamoonensis
Kunth 2425
Dioscorea nipponica Makino 429
Dioscorea opposita Thunb. 430
Dioscorea panthaica Prain et
Burk. 431
Dioscorea persimilis Prain et
Burk. 432
Dioscorea subcalva Prain et
Burk. 4944
Dioscosea hypoglauca Palibin 4943
Diospyros cathayensis
Steward 4787
Diospyros kaki L. f. var. sylvestris
Mak. 2244
Diospyros kaki L. f. 259
Diospyros lotus L. 260
Diospyros morrisiana Hance 4788
Diospyros rhombifolia Hemsl. 2778
Dipelta floribunda Maxim. 2847
Diplazium lanceum (Thunb.)
Presl 4529
Diploclisia glaucescens (Bl.) Diels 1637

Dipsacus asper Wall. 854
Dipsacus chinensis Batal. 3826
Dipterocarpus turbinatus
Gaertn. 4749
Dischidia australis Tsiang et P. T.
Li 4802
Dischidia chinensis Champ. ex
Benth. 4803
Disporopsis aspera (Hua) Engl. et
Krause 2928
Disporopsis fuscopicta Hance 414
Disporopsis longifolia Craib 4932
Disporopsis pernyi (Hua)
Diels 2929
Disporum bodinieri (Lévl. et Vant.)
Wang et Tang 2930
Disporum calcaratum D. Don 415
Disporum cantoniense (Lour.)
Merr. 3416
Disporum sessile D. Don 3417
Disporum viridescens (Maxim.)
Nakai 2406
Distylium racemosum Sieb. et
Zucc. 93
Diuranthera major Hemsl. 416
Diuranthera minor (C. H. Wright)
Hemsl. 3935
Docynia delavayi (Franch.)
Schneid. 1171
Dodonaea viscosa (L.) Jacq. 2198
Doellingeria scaber (Thunb.)
Nees 2884
Dolichos lablab L. 1207
Dolomiaea berardioidea (Franch.)
Shih 3879
Dolomiaea edulis (Franch.)
Shih. 4369
Doripde japonica von Siebold 1959
Dorsera rotundifolia L. 1154
Dosinia japonica (Reeve) 956
Dosinia (Lamellidosinia) laminata
(Reeve) 2966
Dosinia (Phacosoma) biscocta
(Reeve) 3465
Draba nemorosa L. 2626
Dracaena cambodiana Pierre ex
Gagnep. 2930
Dracaena cochinchinensis (Lour.) S.

C. Chen 2407
Dracaena terniflora Roxb. 3936
Dracocephalum argunense Fisch. ex
Link 2284
Dracocephalum forrestii W. W.
Smith 2285
Dracocephalum heterophyllum
Benth. 4318
Dracocephalum moldavicum L. 294
Dracocephalum rupestre
Hance 3313
Dregea sinensis var. corrugata
(Schneid.) Tsiang et P. T.
Li 2267
Drosera burmannii Vahl. 2635
Drosera indica L. 2636
Drosera peltata Smith var. glabrata
Y. Z. Ruan 4616
Drymaria cordata (L.) Willd. 51
Drymoglossum piloselloides (L.)
Presl 6
Drymotaenium miyoshianum
(Makino) Makino 3033
Drynaria bonii Christ 4533
Drynaria fortunel (Kze.) J.
Smith 4534
Drynaria propinque (Wall.) J.
Smith 4535
Drynaria sinica Diels var. intermedia
Ching et al. 3511
Dryoathyrium okuboanum (Makino)
Ching 5
Dryopteris crassirhizoma
Nakai 2031
Dryopteris cycadina (Fanch. et Sav.)
C. Chr. 3510
Dryopteris peninsulae Kitag. 3026
Dstrinia nubilalis (Hubner) 2454
Dubyaea atropurpurea (Franch.)
Stebb. 3880
Dubyaea hispida (D. Don)
DC. 3881
Duchesnea chrysantha (Zoll. & Mor.)
Miq. 4160
Duchesnea indica (Andr.)
Focke 1172
Dunbaria fusca (Wall.) Kurz 4659
Dunbaria podocarpa Kurz 4660

Duranta repens L.   289

Dysosma pleiantha (Hance)
    Woodson   2605

Dysosma tsayuensis Ying   2098

Dysosma veitchii (Hemsl. et Wils.)
    Fu   3108

Dysosma versipellis (Hance) M.
    Cheng   3109

E

Ecballium elaterium (L.) A.
    Rich.   359

Echinochloa crusgalli (L.) Beauv. var.
    caudata (Roshev.)
    Kitag.   2920

Echinochloa crusgalli (L.) Beauv. var.
    frumentacea (Roxb.) W. F.
    Wight   2921

Echinochloa crusgalli (L.)
    Beauv.   396

Echinops gmelini Turcz.   1394

Echinops latifolius Tausch.   1395

Echinops ritro L.   3377

Eclipta prostrata (L.) L.   380

Edgeworthia chrysantha
    Lindl.   1291

Egretta garzetta Linnaeus   3491

Ehretia thyrsiflora (Sieb. et. Zucc.)
    Nakai   4309

Eichhornia crassipes Solms   1916

Elaeagnns umbellata Thunb.   222

Elaeagnus angustifolia L.   1292

Elaeagnus bockii Diels   2737

Elaeagnus glabra Thunb.   4757

Elaeagnus gonyanthes Benth.   3698

Elaeagnus henryi Warb.   221

Elaeagnus mooceroftii Wall. ex
    Schlecht.   3235

Elaeagnus multiflora Thunb.   2738

Elaeagnus oxycarpa Schlecht.   3236

Elaeagnus pungens Thunb.   3237

Elaeagnus stellipila Rehd.   4758

Elaeocarpus hainanensis Oliv.   1272

Elaeocarpus serratus L.   4733

Elaeocarpus sylvestris (Lour.)
    Poir.   4231

Elaphe carinata (Guenther)   4470

Elaphe dione (Pallas)   2465

Elaphe moellendorffi
    (Boettger)   2466

Elaphe radiata (Schlegel)   1971

Elaphe rufodorsata (Cantor)   3487

Elaphe taenius Cope   4471

Elatostema lineolatum Wight var.
    majus Thw.   4077

Elatostema rupestre (Ham.)
    Wedd.   3528

Elephantopus scaber L.   1396

Elephantopus tomentosus L.   877

Elephas maximus Linnaeus   2994

Eleusine indica (L.) Gaertn.   893

Eleutherine plicata Herb.   4945

Ellisiophyllum pinnatum (Wall.)
    Makino   3328

Elsholtzia ciliata (Thunb.)
    Hyland.   295

Elsholtzia communis (Coll. et Hemsl.)
    Diels   3780

Elsholtzia cyprianii (Pavel.) S. Chow
    ex. Hsu   3314

Elsholtzia densa Benth.   3781

Elsholtzia eriostachya Benth.   3782

Elsholtzia fruticosa (D. Don)
    Rehd.   4319

Elsholtzia splendens Nakai ex F.
    Mackawa   4819

Elsholtzia stauntonii Benth.   4320

Elytranthe albida (Bl.) Bl.   2550

Embelia laeta (L.) Mez   4288

Embelia longlfolia (Benth.)
    Hemsl.   3282

Embelia parviflora Walt.   4780

Embelia ribes Burm. f. var.
    pachyphylla Chun ex C. Y.
    Wu et C. Chen   4781

Embelia ribes Burm. f.   1319

Emberiza aureola pallas   1475

Emberiza spodocephala Pall.   1476

Emilia prenanthoides DC.   4890

Emilia sonchifolia (L.) DC.   878

Empetrum sibiricam V.
    Vassil.   4220

Engelhardtia chrysolepis
    Hance   4069

Enkianthus chinensis Fr.   3269

Entada phaseoloides (L.) Merr.   128

Eomecon chionantha Hance   2620

Eophona migratoria Hartert   2993

Ephedra lepidosperma C. Y.
    Cheng   4547

Ephedra equisetina Bge.   13

Ephedra geradiana Wall. ex
    Mey.   3043

Ephedra gerardiana Wall. ex
    Stapf   3520

Ephedra intermedia Schrenk ex
    Mey   4061

Ephedra likiangensis Florin   2037

Ephedra minuta (Florein) C. Y.
    Cheng   2529

Ephedra monosperma Gmel. ex C.
    A. Mey.   3521

Ephedra przewalskii Stapf   14

Ephedra saxatilis Royle ex
    Florin   1576

Ephedra sinica Stapf   15

Epilobium amurense
    Hausskn.   1295

Epilobium cylin drostigma
    Kom.   1296

Epilobium hirsutum L.   733

Epimedium acuminatum Fr.   3110

Epimedium brevicornum
    Maxim.   1631

Epimedium davidii Fr.   3111

Epimedium koreanum Nakai   1131

Epimedium pubescens
    Maxim.   3112

Epimedium sagittatum (Sieb. et
    Zucc.) Maxim.   1632

Epimeredi indica (L.) Rothm.   296

Epipactis helloborine (L.)
    Crantz.   2952

Epiphyllum oxypetalum Haw.   218

Epipremnum pinnatum (L.)
    Engl.   4404

Equisetum arvense L.   4045

Equisetum diffusum D. Don   1043

Equisetum hiemale L.   2027

Equisetum ramosissimum
    Desf.   2028

Equisetum scirpoides Michx.   4046

Equisetum sylvaticum L.   1561
Equus asinus Linnaeus   2995
Equus asinus L. x equus caballus
    orientalis Noack   2476
Equus caballus orientalis
    Noack   2996
Equus hemionus Pallas   482
Equus przewalskii Poliakov   979
Eremias argus Peters   2464
Eremias multiocellata
    (Guenther)   4988
Eremurus chinensis O.
    Fedtsch.   3937
Eremurus chinensis O.A.
    Fedtsch.   4413
Eretmochelys imbricata L.   965
Eria corneri Reichb. f.   4956
Erigeron acer L.   2885
Erigeron annuus (L.) Pers.   2886
Erigeron breviscapus Hand.-M.   879
Erigeron elongatus Ledeb.   2362
Erinaceus europaeus Linnaeus   975
Eriobotrya deflexa (Hemsl.)
    Nakai   4161
Eriobotrya japonica (Thunb.)
    Lindl.   99
Eriocaulon alpestre Hook. f. et
    Thoms. ex Koern.   3929
Eriocaulon buergerianum
    Koern.   2401
Eriocaulon sexangulare L.   4407
Eriocaulon sieboldianum Sieb. et
    Zucc.   4923
Eriocheir sinensis H.
    Mirne-Edwards   1460
Eriophyton wallichii Benth.   3783
Eriosema chinense Voeg.   625
Eritrichium mandschurium M.
    Pop.   2795
Erodium stephanianum Willd.   4206
Erosaria erosa (Linnaeus)   2440
Erronea erronea Linnaeus   3455
Erronea errones (L.)   4456
Eruca sativa Mill.   2627
Ervatamia divaricata (L.) Bur. cv.
    Gouyahua   766
Ervatamia officinalis Tsiang   4298
Eryngium foetidum L.   245

Erysimum cheiranthoides L.   4143
Erythrina corallodendron L.   3177
Erythrina corallodendron L.   626
Erythrina variegata L. var. orientalis
    (L.) Merr.   1691
Erythropalum scandens Bl.   531
Erythroxylum coca Lam.   146
Eschscholzia californica Cham   1142
Euaraliopsis ciliata (Dunn)
    Hutch.   3246
Eucommia ulmoides Oliv.   95
Eugenia aromatica (L.) Merr et
    Perry   229
Eugenia caryophyllata Thunb.   230
Eugenia uniflora L.   231
Euodia lepta (Spreng.) Merr.   651
Euodia meliaefolia (Hance)
    Benth.   4212
Euodia rutaecarpa (Juss.)
    Benth.   652
Euonymus alatus (Thunb.)
    Sieb.   2194
Euonymus bungeanus Maxim.   1255
Euonymus centidens Lévl.   1731
Euonymus cornutus Hemsl.   3204
Euonymus giraldii Loes.   2712
Euonymus grandiflorus Wall.   684
Euonymus japonicus Thunb.   185
Euonymus laxiflorus Champ. ex
    Benth.   4713
Euonymus maackii Rupr.   1732
Euonymus oblongifolius Loes et
    Rhed.   2713
Euonymus szechuanensis C. H.
    Wang.   3205
Eupatorium cannabinum L.   1886
Eupatorium chinensis L.   4370
Eupatorium foetunei Turcz.   880
Eupatorium heterophyllum
    DC.   381
Eupatorium lindleyanum DC.   382
Euphorbia antiquorum L.   2183
Euphorbia esula L.   2184
Euphorbia fischeriana Stend.   163
Euphorbia helioscopia L.   164
Euphorbia heterophylla L.   661
Euphorbia hirta L.   1722
Euphorbia humifusa Willd.   1248

Euphorbia hylonoma
    Hand-Mazz.   1723
Euphorbia hypericifolia L.   4697
Euphorbia kansui Liou   2703
Euphorbia lathyris L.   662
Euphorbia lunulata Bge.   663
Euphorbia mandshurica
    Maxim.   2185
Euphorbia marginata Pursh.   664
Euphorbia micractina Boiss.   3680
Euphorbia milii Ch. des
    Moulins.   165
Euphorbia nematacypha
    Hand.-Mazz.   3681
Euphorbia pekinensis Rupr.   2704
Euphorbia prolifera
    Buch.-Ham.   2186
Euphorbia pulcherrima Willd.   1724
Euphorbia savaryi Kiss.   1249
Euphorbia stracheyi Boiss.   2705
Euphorbia supina Rafin   166
Euphorbia thymifolia L.   167
Euphorbia tirucalli L.   2706
Euphorbia wallichii Hook. f.   2187
Euphrasia pectinata Ten. subsp.
    simplex (Freyn) Hong   4836
Euphrasia pectinata Ten.   2307
Euphrasia regelii Wettst.   2821
Euphrasia tatarica Fisch.   1358
Eupolyphaga sinensis Warker   3974
Euptelea pleiospermum Hook. f. et
    Thoms   3071
Eurya ciliata Merr.   4747
Eurya obtusifolia Chang   3228
Euryale ferox Salisb.   1109
Euscaphis japonica (Thunb.)
    Dipp.   187
Eutamias sibiricus Laxmann   3999
Evodia baberi Rehd. et Wils.   3193
Evodia fargesii Dode   3194
Evodia simplicifolia Ridley   3673
Evodia trichotoma (Lour.)
    Pierre   2175
Evolvulus alsinoides L.   2792
Excoecaria acerifolia F. Didr.   168
Excoecaria acerifolia F. Didr.   3679
Excoecaria cochinchinensis Lour-var.
    viridis (Pax et Hoffm.) Merr.   666

Excoecaria cochinchinensis
   Lour.   665
Excoecaria venenata S. Lee et F. N.
   Wei   667
Exochorda racemosa (Lindl.)
   Rehd.   1173

F

Fagopyrum cymosum (Trev.)
   Meisn.   535
Fagopyrum esculentum
   Moench.   536
Fagopyrum tataricum (L.)
   Gaertn.   4084
Fatoua pilosa Gaud.   4554
Fatsia japonica Decne. et
   Planch.   1302
Favolus squamosus (Huds. ex. Fr.)
   Ames.   4012
Felis bengalensis Kerr   1478
Felis lynx Linnaeus   1977
Felis ocreata domestica
   Brisson   2475
Ferula fukanensis K. M. Shen   4770
Fibraurea recisa Pierre   565
Ficus altissima Bl.   3527
Ficus auriculata Lour.   4555
Ficus benjamina L.   4556
Ficus carica L.   26
Ficus elastica Roxb.   27
Ficus formosana Maxim.   4557
Ficus fulva Reinw.   4075
Ficus heteromorpha Hemsl.   1585
Ficus hispida L. f.   28
Ficus laceratifolia Lévl. et
   Vant.   2541
Ficus microcarpa L. f.   4558
Ficus pandurata Hance   4559
Ficus pumila Thunb. 1586
Ficus pyriformis Hk. et Arn.   2045
Ficus religiosa L.   525
Ficus simplicissima Lour.   526
Ficus stenophylla Hemsl.   4560
Ficus tikoua Bur.   2542
Ficus tinctoria Forst f. ssp. gibbosa
   (Bl.) Corner   527

Ficus variolosa Lindl. ex.
   Benth   528
Ficus virens Ait. var. sublanceolata
   (Miq.) Corner   4076
Filifolium sibiricum (L.)
   Kitam.   2363
Filipendula angustiloba (Turcz.)
   Maxim.   2135
Filipendula intermedia (Glehn)
   Juz.   4162
Filipendula palmata (Pall.) Maxim
   var. glabra Ledeb. ex Kom. et
   Alis   1174
Filipendula palmata (Pall.) Maxim.
   2136
Filipendula purpurea Maxim.   1664
Firmiana simplex (L.) W. F.
   Wight   3226
Fissistigma oldhamii (Hemsl.)
   Merr.   4606
Fissistigma polyanthum (Hook. f. et
   Thoms.) Merr.   4133
Flake anhydrite   2482
Flat azurite   2487
Flemingia prostrata Roxb.   4661
Flueggea virosa (Willd.) Baill.   668
Fluorite   1986
Foeniculus vulgare Mill.   246
Fokienia hodginsii (Dunn) Henry et
   Thomas   4546
Fomes fomantarius (Fr.)
   Kickx   1006
Fomes officianalis (Vill. ex Fr.)
   Ames   3003
Fomes roseus Cooke   4011
Fomitopsis annosa (Fr.) Karst.   1007
Fomitopsis officinalis (Vill. ex Fr.)
   Bond. et Sing.   2011
Fomitopsis pinicola (Sw. ex Fr.)
   Karst.   4501
Fomitopsis rosea (Alb. & Schw. ex
   Fr.) Karst.   1513
Fomitopsis ulmaria (Sow. ex Fr.)
   Bond. et Sing.   2012
Fontanesia fortunei Carr.   3297
Fordia cauliflora Hemsl.   4662
Fordia microphylla Dunn   2158
Fordiophyton faberi Stapf   1759

Forsythia giraldiana Lingelsh.   1322
Forsythia viridissima Lindl.   1790
Forsythis suspensa (Thunb.)
   Vahl   758
Fortunella hindsii (Champ.)
   Swingle   4213
Fortunella margarita (Lour.)
   Swingle   153
Fortunella obovata Tanaka   4214
Fragaria ananassa Duchesne   1175
Fragaria moupinensis (Franch.)
   Card.   3631
Fragaria nilgerrensis Schlecht.   2137
Fragaria orientalis Lozinsk.   1665
Francolinus pintadeanus
   (Scopoli)   3995
Fraxinus bungeana DC.   1791
Fraxinus caudata J. L. Wu et Z. W.
   Xie   1792
Fraxinus chinensis Roxb.   759
Fraxinus longicuspis S. et Z.   2245
Fraxinus malacophylla Hemsl.   2246
Fraxinus mandshurica
   Maxim.   1793
Fraxinus rhynchophylla
   Hance   3298
Fritillaria cirrhosa D. Don   2408
Fritillaria delavayi Franch.   2409
Fritillaria maximowiczii Freyn   2932
Fritillaria meleagroides Patrin et
   Schult   4414
Fritillaria pallidifora Schrenk   2410
Fritillaria sichuanica S.C.
   Chen   4415
Fritillaria taipaiensis P. Y. Li   2411
Fritillaria thunbergii Miq.   913
Fritillaria tortifolia Z. X. Duan et X.
   J. Zheng var. cillina X. Z.
   Duan et X. J. Zheng   4416
Fritillaria unibracteata Hsiao et K. C.
   Hsia   2933
Fritillaria ussuriensis Maxim.   1427
Fritillaria verticillata Willd.   4417
Fritillaria walujewii Regel   2412
Frullania moniliata (Reinw., Bl. et
   Nees) Mont.   4507
Fugu obscurus (Abe)   3480
Funaria hygrometrica Hedw.   4510

Fuscoporia punctata (Fr.)
Cunn.   *1514*

G

Gagea hiensis Pasch.   *2934*
Gagea lutea (L.) Ker.-Gawl.   *1428*
Galeopsis bifida Boenn.   *2806*
Galinsoga parviflora Cav.   *1397*
Galium aparine L. var. tenerum
(Gren. et Godr.) Reich
b.   *342*
Galium boreale L.   *1860*
Galium bungei Steud.   *4856*
Galium manshuricum Kitag.   *3342*
Galium verum L.   *1861*
Gallus gallus domesticus
Brisson   *971*
Gallus gallus domesticus
Briss.   *4992*
Gallus gallus (Linnaeus)   *474*
Gampsocleis gratiosa Brunner
Wattenwyl   *3976*
Ganoderma applanatum (Pers. ex
Gray) Pat.   *1008*
Ganoderma applanatum (Pers.) Pat.
var. gibbosum (Bl. et Nees.)
Teng   *3004*
Ganoderma lucidum (Leyss. ex Fr.)
Karst.   *1*
Ganoderma sinense Zhao, Xu et
Zhang   *1009*
Ganoderma tornatum Bres.   *4014*
Ganoderma tsugae Murr.   *1010*
Garcinia multiflora Champ.   *709*
Garcinia oblongifolia Champ.   *4748*
Gardenia jasminoides Ellis var.
grandiflora Nakai   *344*
Gardenia jasminoides Ellis   *343*
Gastrodia elata Bl.   *948*
Geastrum hygrometricum
Pers.   *3009*
Geastrum triplex (Jungh.)
Fisch.   *2516*
Geblera tenuifolia Kitag.   *2887*
Gekko chinensis Gray   *3992*
Gekko gecko (Linnaeus)   *2985*
Gekko swinhonis Guenther   *2463*

Gelsemium elegans (Gardn. et
Champ.) Benth.   *1800*
Gendarussa ventricosa (Wall.)
Nees   *2317*
Gendarussa vulgares Nees   *836*
Genm japonicum Thunb.   *1667*
Gentiana algida Pall.   *1801*
Gentiana arethusae Burkill var.
delicatula Marq.   *3740*
Gentiana cephalantha
Franch.   *3741*
Gentiana crassicaulis Duthie ex
Burkill   *3301*
Gentiana dahurica Fisch.   *2784*
Gentiana heptaphylla Balf. f. et
Forrest   *3742*
Gentiana loureirii (D. Don)
Griseb.   *2249*
Gentiana macrophylla Pall.   *763*
Gentiana manshurica Kitag.   *2785*
Gentiana microdonta Franch.   *3743*
Gentiana omeiensis T. N. Ho   *3302*
Gentiana robusta King ex Hook. f.
3744
Gentiana rubicunda Fr.   *3303*
Gentiana scabra Bge.   *2250*
Gentiana squarrosa Ledeb.   *1330*
Gentiana stipitata Edgew.   *3745*
Gentiana striata Maxim.   *3746*
Gentiana szechenyii Kanitz'   2251
Gentiana tibetica king ex Hook f.
2252
Gentiana triflora Pall.   *1331*
Gentiana urnula H. Sm.   *2253*
Gentiana yokusai Burkill   *3304*
Gentiana yunnanensis
Franch.   *3747*
Gentianaella acuta (Michx.)
Hüt   *4295*
Gentianopsis barbata (Froel.) Ma var.
sinensis Ma   *2786*
Gentianopsis barbata (Froel.)
Ma   *3748*
Gentianopsis grandis (H. Smith)
Ma   *3749*
Gentianopsis paludosa (Munro ex
Hook. f.) Ma   *3750*
Geoglossum paludosum (Pers.)

Durand.   *4006*
Geranium dahuricum DC.   *4207*
Geranium eriostemon Fisch.   *1230*
Geranium forrestii R. Knuth   *3670*
Geranium henryi R. Kunth.   *3188*
Geranium japonicum Franch.   *1231*
Geranium koreanum Kom.   *2172*
Geranium maximowiczii Regel et
Maack   *4674*
Geranium napuligerum
Franch.   *3671*
Geranium nepalense Sweet   *642*
Geranium paishanense Y. L.
Chang   *1232*
Geranium pylzowianum
Maxim.   *2696*
Geranium refractoides Pax et
Hoffm.   *3672*
Geranium sibiricum L.   *643*
Geranium soboliferum Kom.   *1708*
Geranium transhaicalicum
Serg.   *4208*
Geranium tsingtauense Yabe   *3189*
Geranium wilfordii Maxim.   *3190*
Geum aleppicum Jacq.   *1666*
Ginkgo biloba L.   *506*
Girardinia heterophylla
Decne   *3055*
Gladiolus gandavensis Van
Houtt.   *931*
Glauberite   *1488*
Glaxea fascicularis (Linnaeus)   *2493*
Glechoma longituba (Nakai)
Kupr.   *1824*
Gleditsia australis Hemsl.   *4195*
Gleditsia melanacantha Tang et
Wang   *1208*
Gleditsia sinensis Lam.   *627*
Glehnia littoralis F. Schmidt ex
Miq.   *247*
Globba omeiensis Z. Y. Zhu   *3435*
Globba racemosa Smith   *442*
Glochidion assamicum (Muell.-Arg.)
Hook. f.   *169*
Glochidion eriocarpum
Champ.   *4698*
Glochidion hirsutum (Roxb.)
Voigt   *4699*

Glochidion lanceolarium (Roxb.)
Voigt   4700

Glochidion philippinense (Cav.) C.
B. Rob   4701

Glochidion puberum (L.)
Hutch.   170

Gloeophyllum saepiarium (Wulf. ex
Fr.) Karst.   1515

Gloeophyllum subferrugineum (Berk.)
Bond. et Sing.   1516

Gloeophyllum trabeum (Pers. ex Fr.)
Murr.   1011

Gloriosa superba L.   2413

Glycine max (L.) Merr.   2677

Glycine soja Sieb. et Zucc.   2678

Glycosmis parviflora (Sims)
Kurz.   1237

Glycyrrhiza glabra L. var. glandulosa
X. Y. Li   3179

Glycyrrhiza glabra L.   3178

Glycyrrhiza inflata Bat.   3180

Glycyrrhiza pallidiflora Maxim.   628

Glycyrrhiza uralensis Fisch.   1209

Glycyrrhiza yunnanensis Cheng f. et
L. K. Tai   2159

Glyptostrobus pensilis (Staunt.) K.
Koch   4057

Gnaphalium adnatum Wall. ex
DC.   3882

Gnaphalium affine D. Don   1398

Gnaphalium baicalense Kirp.   4371

Gnaphalium hypoleucum
DC.   2888

Gnaphalium japonicum
Thunb.   4891

Gnaphalium pensylvanicum
Willd.   4892

Gnaphalium tranzschelii Kirp.   2889

Gnetum montanum Markgr.   16

Goephila herbacea (L.) O.
Ktze.   3816

Gold   994

Goldfussia pentstemonoides
Nees   338

Gomphostemma chinense
Oliv.   4820

Gomphrena globosa L.   1609

Goodyera procera (Ker-Gawl.)

Hook.   3450

Goodyera velutina Maxim.   3451

Gossampinus malabarica (DC.)
Merr.   702

Gossypium arboreum L.   3223

Gossypium barbadense L.   200

Gossypium herbaceum L.   3224

Gossypium hirsutum L.   697

Gouania javanica Miq.   4724

Gouania leptostachya DC.   3687

Grangea maderaspatana (L.)
Poir.   4372

Grauberis sale salecake sesemin   996

Gray agate   1989

Grewia biloba G. Don var. parviflora
(Bunge) Hand.-Mazz.   4735

Grewia oligandra Pierre   4736

Grus grus (Linnaeus)   2471

Grus japonensis (P. L. S.
Müller)   974

Grus nigricollis (Przevalski)   4485

Gryllotalpa afuricana Palisot et
Beauvois   1461

Gryllus teslaceus Walker   3474

Gueldenstaedtia coelestris (Diels)
Simpson   129

Gueldenstaedtia diversifolia
Maxim.   3658

Gueldenstaedtia himalaica
Baker   3659

Gueldenstaedtia stenophylla
Bge.   2679

Gueldenstaedtia verna (Georgi) A.
Bor.   2680

Gueldenstaedtia yunnanensis
Franch.   3660

Gutzlffia aprica Hance   337

Gymnadenia conopsea (L.) R.
Br.   1450

Gymnadenia crassinervis
Finet   4449

Gymnadenia orchidis Lindl.   4450

Gymnema sylvestre (Retz.)
Schult.   4804

Gymnopteris bipinnata Christ var.
auriculata (Fr.) Ching   4528

Gymnotheca involucrata Péi   2530

Gymnotheca involucrata Péi   3044

Gynostemma pentaphyllum (Thunb.)
Makino   360

Gynura bicolor (Roxb.) DC.   2890

Gynura crepidioides Benth.   2891

Gynura segetum (Lour.)
Merr.   3376

Gypsophila oldhamiana Miq.   2070

Gypsophila pacifica Kom.   2071

Gyrophana lacrymans (Wult.)
Pat.   1506

H

Habenaria aitchisonii Rchb. f. ex
Aitchison   3953

Habenaria davidii Franch.   3954

Habenaria delavayi Finet   449

Habenaria glaucifolia Bur. et
Franch.   3955

Haemanthus multiflorus
Martyn   3946

Halenia corniculata (L.)
Cornaz.   1332

Halenia elliptica D. Don   2787

Haliotis discus Hannai Ino   1454

Haliotis diversicolor Reeve   1453

Halistis ovina Gmelin   1951

Halistis ruber (Leach)   1952

Halistis semistriata Reeve   1953

Halite   983

Haloragis micrantha R. Br.   3243

Hanceola sinensis (Hemsl.)
Kuda   3315

Haplophyllum dauricum (L.)
Juss.   4215

Hedera nepalensis K. Koch. var.
sinensis Rehd.   4260

Hedichium panzhuum. Z. Y.
Zhu   3436

Hedychium coronarium Koen.   443

Hedychium spicatum Ham. ex
Smith   2431

Hedychium villosum Wall.   2432

Hedyotis auricularia L.   1368

Hedyotis chrysotricha (Palib.)
Merr.   4857

Hedyotis corymbosa (L.) Lam.   841

Hedyotis costata Roxb.　3817

Hedyotis diffusa Willd.　842

Hedyotis hedyotidea (DC.)
　　Merr.　843

Hedyotis hispida Retz.　4858

Hedyotis lancea Thunb.　4859

Hedyotis scandens Roxb.　3818

Hedysarum alpinum L.　4196

Hedysarum limitaneum
　　Hand.-Mazz.　3661

Hedysarum polybotrys
　　Hand.-Mazz.　130

Hedysarum sikkimens Benth.　2681

Hedysarum ussuriense I. Schischk. et
　　Kom.　1210

Helianthus annuus L.　383

Helianthus tuberosus L.　2892

Helicia cochinchinensis Lour.　4567

Helicia nilagirica Bedd.　2050

Helicteres angustifolia L.　4742

Helicteres glabriuscula Wall.　3691

Helicteres isora L.　205

Helicteres lanceolata DC.　704

Helicteres viscida Bl.　3692

Heliotropium indicum L.　782

Helixanthera parasitica Lour.　3532

Helleborus thibetanus
　　Franch.　2088

Helminthostachys zeylanica (L.)
　　Hook.　4

Helvella elastica Bull. ex Fr.　4005

Helwingia chinensis Batal.　2237

Helwingia himalaica Clarke　748

Helwingia japonica (Thunb.)
　　Dietr.　2238

Helwingia omeiensis (Fang) Hara et
　　Kurosawa ex Hara　3263

Hematite　1486

Hemerocallis citrina Bareni　4418

Hemerocallis dumortierii
　　Morr.　1926

Hemerocallis fulva L.　914

Hemerocallis lilioasphodelus L.
　　1927

Hemerocallis minor Mill.　2935

Hemerocallis plicata Stepf　915

Hemiboea henryi Clarke　4336

Hemiboea subcapitata C. B.

Clarke　1851

Hemicentrorus pulcherrimus (A.
　　Agassiz)　464

Hemichianus auritus Gmelin　3498

Hemiechianus dauricus Sun-de
　　vall　976

Hemigrapsus penecillatus (de
　　Hann)　960

Hemigrapsus sanguineus (de
　　Hann)　961

Hemiphragma heterophyllum
　　Wall.　822

Hemirhamphus sajori (Temminck et
　　Schlegel)　4980

Hemistepta lyrata Bunge　2364

Hemsleya chinensis Cogn.　3354

Hemsleya graciliflora (Harms)
　　Cogn.　4875

Hemsleya omeiensis L. T. Shen et
　　W. J. Chang　3355

Henricia liviuscula (Stimpson)　1464

Hepatica henryi (Oliv.)
　　Steward　3091

Heracleum barmanicum Kurz　3709

Heracleum candicans Wall. ex
　　DC.　2233

Heracleum lanatum Michx. 3710

Heracleum moellendorffii
　　Hance　1770

Heracleum rapula Franch.　4264

Hericium caput-medusae (Bull. ex Fr.)
　　Pers.　2005

Hericium coralloides (Scop. ex Fr.)
　　Pers. ex Gray　1004

Hericium erinaceus (Bull. ex Fr.)
　　Pers.　1005

Hericium laciniatum (Leers.)
　　Banker　2006

Herminium lanceum (Thunb.)
　　Vuijk　4451

Herminium monorchis (L.) R.
　　Br.　4452

Herpetospermum pedunculosum
　　(Ser.) Baill.　857

Heteropanax fragrans (Roxb.)
　　Seem　737

Heteropappus altaicus (Willd.)
　　Novopokr. var. millefolius

(Vnt.) Wang　2366

Heteropaus altaicus (Willd.)
　　Novopokr.　2365

Heterosmilax japonica Kunth　1928

Heterostemma alatum Wight　3309

Heterostemma esquirolii (Lévl.)
　　Tsiang　4805

Hexagonia apiaria (Pers.) Fr.　2013

Hibiscus coccineus (Medicus)
　　Walt.　698

Hibiscus mutabilis L.　699

Hibiscus rosea-sinensis L.　700

Hibiscus sabdariffa L.　1275

Hibiscus schizopetalus (Mast.)
　　Hook. f.　4234

Hibiscus syriacus L.　4739

Hibiscus tiliaceus L.　201

Hibiscus trionum L.　202

Hieracium umbellatum L.　2893

Hierodula patellifera Serville　4458

Hippocampus histrix Kaup　2459

Hippocampus japonicus Kaup　1966

Hippocampus kelloggi Jorden et
　　Snyder.　1967

Hippocampus kuda Bleeker　4981

Hippocampus trimaculatus
　　Leach　1968

Hippophae rhamnoides L. ssp.
　　yunnanensis Rousi　3699

Hippophae rhamnoides L. subsp.
　　mongolica Rousi　223

Hippophae rhamnoides L. subsp.
　　sinensis Rousi　224

Hippophae rhamnoides L. subsp.
　　turkestanica Rousi　721

Hippuris vul garis L.　3244

Hiptage benghalensis (L.)
　　Kurz　2177

Hirudo nipponica (Whitman)　1451

Hirundo daurica Linnaeus　1474

Hodgsonia macrocarpa var.
　　carpniocarpa (Ridl.) Tsai　2337

Hodgsonia macrocarpa (Bl.)
　　Cogn.　4876

Hohenbuehelia serotina (Schead. ex
　　Fr.) Sing.　1025

Holarrhena antidysenterica Wall. ex
　　A. DC.　767

Holboellia fargesii Réaub.   2094

Holcoglossum quasipinifolium
(Hayata) Schltr.   4957

Holmskioldia sanguinea Retz.   290

Holotrihia diompharia Bates   2456

Homalium hainanensis
Gagnep.   4249

Homalocladium platycladum (F.
Muell.) Bail.   38

Homalomena occulta (Lour.)
Schott   405

Homo sapiens L.   2999

Homoiodoris japonica Bergh.   455

Homonoia riparia Lour.   2188

Hordeum vulgare L. var. nudum
Hook. f.   3923

Hordeum vulgare L.   4909

Hornblende asbestos   1481

Hosta plantaginea (Lam.)
Aschers.   916

Hosta ventricosa (Salisb.)
Stearn   1929

Houttuynia cordata Thunb.   514

Hovenia dulcis Thunb.   689

Hoya cordata P. T. Li et S. Z.
Huang   4806

Hoya lancilimba Merr.   4807

Hoya pottsii Traill   4301

Humata tyermanni S. Moore   1049

Humulus lupulus L.   29

Humulus scandens (Lour.)
Merr.   30

Hydnocarpus alpina Wight   2214

Hydnocarpus anthelmintica
Pierre   216

Hydnocarpus hainanensis (Merr.)
Sleum.   715

Hydrangea kwangsiensis Hu   4621

Hydrangea macrophylla (Thunb.)
Ser.   590

Hydrangea paniculata Sieb.   4149

Hydrangea robusta Hook.   2642

Hydrangea xanthoneura Diels   3142

Hydrocotyle nepalensis Hook.   248

Hydrocotyle sibthorpioides
Lam.   2750

Hydrophis cyanocinctus
Daudin   4990

Hygrophila salicifolia (Vahl.)
Nees   4337

Hygrophorus speciosus PK   4020

Hyla arborea immaculata
Boettger   3482

Hylocereus undatus (Haw.) Brit. et.
Rose   219

Hylomecon japonica (Thunb.) Prantl
et Kündig   1143

Hylotelephium spectabile (Bor.) H.
Ohba   2638

Hymenocallis americana
Roem.   4942

Hymenopogon parasiticus
Wall.   3819

Hyoscyamu niger L.   812

Hyoscyamus bohemicus F.W.
Schmidt   2303

Hyoscyamus pusillus L.   3794

Hypecoum erectum L.   1645

Hypecoum leptocarpum Hook. f. et
Thoms.   3602

Hypericum ascyron L.   1281

Hypericum attenuatum
Choisy   2209

Hypericum bellum subsp. latisepalum
N. Robson   2210

Hypericum chinense L.   710

Hypericum delavayi Fr.   3229

Hypericum erectum Thunb.   1746

Hypericum gebleri Ledeb.   1747

Hypericum hookerianum Wight et
Arn.   711

Hypericum japonicum
Thunb.   1748

Hypericum patulum Thunb.   1282

Hypericum przewalskii
Maxim.   4242

Hypericum sampsonii Hance   2723

Hypnum plumaeforme Wils.   4513

Hypochoeris grandiflora
Ledeb.   2894

Hypoestes purpurea (L.)
Soland.   2838

Hypolepis punctata (Thunb.)
Mett.   4524

Hypophthalmichthys moriiltrix (Cuv.
et Val.)   4464

Hypopitys monotropa Cyantz   3265

Hyptis rhomboides Mart. et
Gal.   793

Hyptis suaveolens (L.) Poir.   794

Hyriopsis cumingii (Lea)   2964

Hyssopus cuspidatus Boriss   3316

Hystrix hodgsoni Gray   1975

I

Igneous rock   489

Ilex aculeolata Nakai   4707

Ilex asprella (Hook. et Arn.) Champ.
ex Benth.   4708

Ilex cornuta Lindl. ex. Paxt.   681

Ilex hainanensis Merr.   4709

Ilex kudingcha C. J. Tseng   4710

Ilex latifolia Thunb.   1253

Ilex micrococca Maxim. f. pilosa S.
Y. Hu   3683

Ilex pubescens Hook. et Arn.   4711

Ilex rotunda Thunb. var. microcarpa
(Lindl. et Part.) S. Y.
Hu   2711

Ilex rotunda Thunb.   682

Illicium difengpi K. I. B. et K. I.
M.   568

Illicium henryi Diels   1640

Illicium lanceolatum A. C.
Smith   4598

Illicium majus Hook. f. et
Thoms.   4599

Illicium simonsii Maxim.   2101

Illicium verum Hook. f.   69

Illigera aromatica S. Z. Huang et S.
L. Mo   4611

Illigera parviflora Dunn   4612

Illigera rhodantha Hance   79

Impatiens balsamina L.   1258

Impatiens chinensis L.   4722

Impatiens delavayi Franch.   2715

Impatiens furcillata Hemsl.   1259

Impatiens noli-tangere L.   1260

Impatiens siculifer Hook. f.   3214

Imperata cylindrica (L.) Beauv. var.
major (Nees) C. E.
Hubb.   894

Incarillea mairei (Lévl.)
    Grierson *4333*

Incarvillea arguta (Royle)
    Royle *2832*

Incarvillea compacta Maxim. *3806*

Incarvillea forrestii Fletcher *3807*

Incarvillea lutea Bur. et
    Franch. *2312*

Incarvillea mairei (Lévl.) Grierson f.
    multifoliolata C. Y. Wu et W.
    C. Yin *3808*

Incarvillea mairei (Lévl.) Grierson
    var. grandiflora (Wehrhahn)
    Grierson *332*

Incarvillea sinensis Lam. ssp.
    variabilis (Batal.)
    Grierson *3809*

Incarvillea sinensis Lam. *2833*

Incarvillea younghusbandii
    Sprague *2313*

Indigofera amblyantha Graib *2160*

Indigofera bungeana Steud. *2682*

Indigofera fortunei Craib. *1211*

Indigofera hendecaphylla
    Jacq. *2161*

Indigofera kirilowii Maxim. ex
    Palioin *131*

Indigofera pseudotinctoria
    Matsum. *1212*

Indigofera trifoliata L. *4663*

Inocybe fastigiata (Schaeff. ex Fr.)
    Quél. *1035*

Inonotus cuticularis (Bull. ex Fr.)
    Karst. *1517*

Inula britannica L. *3378*

Inula cappa DC. *384*

Inula helenium L. *881*

Inula helianthus-aquatilis C. Y. Wu
    ex Ling *3883*

Inula japonica Thunb. *2367*

Inula linariaefolia Regel *4373*

Inula racemosa Hook. f. *882*

Inula salsoloides (Turcz.)
    Ostenf. *1399*

Iodes balansae Gagnep. *4715*

Iodes vetiginea (Hance)
    Hemsl. *4223*

Iphigenia indica Kunth *417*

Ipomea batatas (L.) Lam. *1815*

Ipomoea aquatica Forsk. *779*

Ipomoea cairica (L.) Sweet *780*

Ipomoea pes-caprae (L.) Sweet *281*

Ipomoea pes-tigridis Linn. *3768*

Ipomoea sibirica Pers. *4305*

Iris collettii HK. f. *2426*

Iris confusa Sealy *4946*

Iris delavayi Micheli ex
    Franch. *3947*

Iris dichotoma Pall. *3431*

Iris ensata Thunb. *1441*

Iris japonica Thunb. *1943*

Iris lactea Pall. var. chinensis (Fisch.)
    Koidz. *2427*

Iris laevigata Fisch. *4432*

Iris ruthenica Ker-Gawl. *4947*

Iris ruthenica Ker.-Gawl var. nana
    Maxim. *3432*

Iris sanguinea Donn ex
    Hornem *2428*

Iris setosa Pall. ex Link *4948*

Iris tectorum Maxim. *932*

Iris tenuifolia Pall. *4433*

Iris tigridia Bunge *4434*

Iris typhifolia Kitag *4435*

Iris uniflora Pall. ex Link *4949*

Iris ventricosa Pall. *2946*

Irpex lacteus Fr. *2007*

Isatis indigotica Fort. *585*

Isatis tinctoria L. *1650*

Ischnoderma resinosum (Schrad. ex
    Fr.) Karst. *2014*

Ixeris chinensis (Thunb.) Nakai
    subsp. versicolor
    Kitam. *2368*

Ixeris chinensis (Thunb.) Nakai var.
    intermedia (kitag.)
    Kitag. *4374*

Ixeris chinensis (Thunb.)
    Nakai *1887*

Ixeris debilis A. Gray *883*

Ixeris denticulata (Houst.)
    Stebb. *884*

Ixeris gracilis (DC.) Stebb. *2895*

Ixeris repens A. Gray *2896*

Ixeris sonchifolia (Bge.) Hance *1888*

Ixobrychus cinnamomeus

    (Gmelin) *468*

Ixora chinensis Lam. *844*

Ixora coccinea L. var. lutea
    Corner *4341*

J

Jasminum amplexicaule
    Buch.-Ham. *4292*

Jasminum beesianum Forr. et
    Diels *3299*

Jasminum duclouxii (Lévl.)
    Rehd. *3735*

Jasminum floridum Bunge. *1323*

Jasminum laurifolium Roxb. *760*

Jasminum mesnyi Hance *1324*

Jasminum nervosum Lour. *4791*

Jasminum pentaneurum
    Hand.-Mazz. *4792*

Jasminum sambac (L.) Ait. *1794*

Jasminum undiflorum Lindl. *2779*

Jatropha curas L. *2707*

Jatropha podagrica Hook. *171*

Jeffersonia dubia (Maxim.) Benth. et
    Hook. f. *1132*

Juglans cathayensis Dode *1580*

Juglans mandshurica Maxim. *21*

Juglans regia L. *22*

Juncus effusus L. var. decipeiens
    Buchen. *1917*

Juncus gracillimus Krecz. et
    Gon. *4411*

Juncus setchuensis Buchen. *1420*

Juniperus formosana Hayata *3515*

Juniperus rigida Sieb. et Zucc. *2035*

Juniperus sibirica Burgsd. *1574*

Jussiaea linifolia Vahl *734*

Jussiaea repens L. *1762*

Jussiaea suffruticosa L. *4256*

K

Kadsura coccinea (Lem.) A. C.
    Smith *4600*

Kadsura heteroclita (Roxb.)
    Craib *4601*

Kadsura interior A. C. Smith   2608

Kaempferia galanga L.   444

Kalanchoe laciniata (L.) DC.   4618

Kalanchoe spathulata DC.   4145

Kalanchoe verticillata Elliot   587

Kalimeris indica (L.)
    Schulz-Bip.   1889

Kalimeris indica (L.)
    Schulz-Bip.   3379

Kalimeris integrifolia Turcz.   2897

Kalimeris lautureana (Debx.)
    Kitam   1890

Kalimeris mongolica (Franch.)
    Kitag.   2898

Kalopanax septemlobus (Thunb.)
    Koidz.   1764

Kaolinite   1493

Kaolinite   985

Kerria japonica (L.) DC.   100

Keteleeria evelyniana Mast.   2033

Kigelia aethiopica Decne.   829

Kleinia articulata Haw   385

Knoxia valerianoides Thorel ex
    Pitard   345

Kochia scoparia (L.) Schrad.   1094

Koelreuteria paniculata Lam.   687

Koenigia forrestii (Diels) Mesicek et
    Sojak   3534

Kopsia officinalis Tsiang et P. T.
    Li   768

Kummerowia stipulacea (Maxim.)
    Makino   2162

Kummerowia striata (Thunb.)
    Schindl.   132

Kyllinga brevifolia Rottb.   3400

Kyllinga cororata (L.) Druce   4398

L

Lactarius deliciosus (L. ex Fr.)
    Gray   4024

Lactarius hygrophoroides Berk. &
    Curt.   4023

Lactarius piperatus (L. ex Fr.)
    Gray   1021

Lactarius uvidus (Fr.) Fr.   4025

Lactarius vellereus (Fr.) Fr. 1531

Lactarius volemus Fr.   1022

Lactuca indica L.   2369

Lactuca sativa L.   1400

Lactuca sativa L.   3380

Lactuca triangulata Maxim.   2899

Lagenaria siceraria (Molina) Standl.
    var. microcarpa (Naud.)
    Hara   859

Lagenaria siceraria (Molina)
    Standl.   858

Lagerstroemia indica L.   722

Lagerstroemia speciosa Pers.   4253

Laggera alata (D. Don) Sch.-Bip. ex
    Oliv.   4893

Laggera intermedia C. B.
    Clarke   4894

Lagopsis supina (steph.)
    IK.-Gal.   1825

Lagotis alutacea. W. W.
    Smith   3796

Lake salt   1491

Lamiophlomis rotata (Benth.)
    Kudo   2287

Lamium album. L.   2286

Lamium amplexicaule L.   795

Lamium barbatum Sieb. et
    Zucc.   1826

Lamprotula leai (Gray)   1458

Lampteromyces japonicus (Kawam.)
    Sing.   1534

Lancea tibetica Hook f. et
    Thoms.   2308

Lanceolaria grayana (Lea)   1457

Lanius cristatus Linnaeus   2991

Lannea coromandelica (Houtt.)
    Merr.   4704

Lantana camara L.   291

Lapemis hardwickii (Gray)   4991

Laportea bulbifera (Sieb. et Zucc.)
    Wedd.   2047

Laportea terminalis Wight   3529

Laportea violacea Gagnep.   4563

Lappula echinata Gillb.   1817

Lappula redowskii Greene   2796

Larix chinensis Beiss.   2034

Larix gmelini (Rupr.) Rupr.   4054

Larix mastersiana Rehd. et
    Wils.   4055

Larix olgensis Henry   1058

Larus ridibundus (L.)   4487

Lasia spinosa (L.) Thw.   406

Lasiosphaera fenzlii Reich.   2513

Lasiosphaera nipponica (Kawam) Y.
    Kob. ex Y. Asch.   2514

Lathyrus davidii Hance   1692

Lathyrus komarovii Ohwi   2683

Lathyrus palustris L. var. pilosus
    (Cham.) Ledeb.   4197

Lathyrus pratensis L.   1213

Lathyrus quinquenervius (Miq.) Litv.
    ex Kom.   2684

Launaea acaulis (Roxb.) Babc.   386

Lawsonia inermis L.   723

Lead carbonate   497

Leccinum aurantiacum (Bull.)
    Gray   4018

Ledum palustre L. var. angustum N.
    Busch.   1314

Ledum palustre L. var. dilatatum
    Wahlanberg   4773

Leea indica (Burm. f.) Merr.   4731

Leibnitza anandria (L.) Nakai   2370

Lemna minor L.   4922

Lentinus lepideus Fr.   4021

Lenzites betulina (L.) Fr.   1518

Lenzites tricolor (Bull.) Fr.   1519

Leontice robustum (Maxim.)
    Diels   1633

Leontopodium conglobatum (Turcz.)
    Hand.-Mazz.   4375

Leontopodium dedekensii (Bur. et
    Franch.) Beauv.   3884

Leontopodium franchetii
    Beauv.   3885

Leontopodium leontopodioides
    (Willd.) Beauv.   1401

Leontopodium longifolium
    Ling   2900

Leontopodium stracheyi (Hook. f.) C.
    B. Clarke ex Hemsl.   3886

Leonurus artemisia (Lour.) S. Y. Hu
    var. albiflorus (Kigo) S. Y.
    Hu   3318

Leonurus artemisia (Lour.) S. Y.
    Hu   1351

Leonurus macranthus Maxim.   1827

Leonurus pseudo-macranthus
Kitag. 796

Leonurus tataricus L. 2288

Lepidagathis incurva Buch.-Ham. ex
D. Don 4851

Lepidium apetalum Willd. 2628

Lepidium densiflorum Schrad. 1651

Lepidium virginicum L. 2629

Lepidogrammitis drymoglossoides
(Bak.) Ching 1055

Lepidogrammitis rostrata (Bedd.)
Ching 4051

Lepisorus clathratus (C. B. Clarke)
Ching 4049

Lepisorus contortus (Christ)
Ching 4050

Lepisorus macrosphaerus (Bak.)
Ching var. asterolepis (Bak.)
Ching 3032

Lepisorus macrosphaerus (Bucker)
Ching 3512

Lepisorus ussuriensis (Regel et
Maack) Ching 1056

Leptopyrum fumarioides (L.)
Reichb. 3092

Lespedeza bicolor Turcz. 1214

Lespedeza cyrtobotrya Miq. 629

Lespedeza davurica (Laxm.)
Schindl. 2163

Lespedeza floribunda Bunge 4198

Lespedeza formosa (Vogel)
Koehne 3181

Lespedeza hedysaroides (Pall.) Kitag.
var. subsericea (Kom.)
Kitag. 4664

Lespedeza tomentosa (Thunb.)
Sieb. 3182

Lethariella cladonioides (Nyl.)
Krog. 1554

Leucaena glauca (L.) Benth. 630

Leucas ciliata Benth. 2289

Leucas zeylanica (Li) R. Br. 4321

Leucojum aestivum L. 1437

Leucopaxillus giganteus (Sow. ex Fr.)
Sing. 4033

Levisticum officinale Koch 1771

Leycesteria formosa Wall. var.
stenosepala Kehd. 849

Leycesteria formosa Wall. 2327

Libanotis seseloides Turcz. 1772

Ligia exotica (Roux) 461

Ligularia duciformis (C. Winkl.)
Hand.-Mazz. 3887

Ligularia fischeri (Ledeb.)
Turcz. 2371

Ligularia hodgsoni Hook. var.
sutchuenensis (Fr.)
Henry 3381

Ligularia hodgsoni Hook. var.
sutchuensis (Franch.)
Henry 3888

Ligularia japonica (Thunb.)
Less 1402

Ligularia latihastata (W. W. Sm.)
Hand.-Mazz. 3889

Ligularia nelumbifolia (Franch.)
Hand.-Mazz. 3890

Ligularia sibirica (L.) Cass. 4376

Ligularia tongolensis (Franch.)
Hand.-Mazz. 3891

Ligularia tsangchanensis (Franch.)
Hand.-Mazz. 2372

Ligularia veitchiana (Hemsl.)
Greenm. 2901

Ligularia virgaurea (Maxim.)
Mattf. 3892

Ligusticum acuminatum
Franch. 3711

Ligusticum chuanxiong Hort. 3252

Ligusticum daucoides (Fr.) Fr. 4265

Ligusticum jeholense (Nakai et
Kitag.) Nakai et Kitag. 1308

Ligusticum pteridophyllum
Franch. 745

Ligusticum sinense Oliv. 746

Ligustrum compactum (Wall. ex DC.)
HK. f. et Thoms 2247

Ligustrum lucidum Ait. 1325

Ligustrum obtusifolium Sieb. et Zucc.
var. suave Kitagawa 4293

Ligustrum sinense Lour. 1326

Lilium bakerianum Collétt et
Hemsl. 4419

Lilium brownii F. E. Brown ex
Miell. 4933

Lilium brownii F. E. Brown var.

viridulum Baker 418

Lilium concolor Salisb var.
pulchellum (Fisch.)
Regel 1930

Lilium dauricum Ker-Gawl. 1931

Lilium davidii Duchastre 4420

Lilium distichum Nakai 2414

Lilium duchartrei Franch. 4421

Lilium lancifolium Thunb. 419

Lilium leichtlinii Hook. f. var.
maximowiczii (Regel)
Baker 1932

Lilium longiflorum Thunb. 420

Lilium lophophorum (Bur. et
Franch.) Franch. 3938

Lilium pumilum DC. 917

Lilium taliense Franch. 3939

Lillium concolor Salisb. 2415

Limax fravus Linnaeus 3458

Limestone 2496

Limnophila aromatica (Lam.)
Merr. 4837

Limnophila rugosa (Roth)
Merr. 823

Limonite 487

Limonium aureum (L.) Hill. 257

Limonium bicolor (Bunge) O.
Kuntze 2775

Limonium sinense (Girard) O.
Kuntze 2776

Limonnized pyrite 1490

Linaria vulgaris Mill. subsp. acutiloba
(Fisch. ex Rchb.) Hong 4838

Linaria vulgaris Mill. 2309

Lindenbergia philippensis (Cham.)
Benth. 2310

Lindera angustifolia Cheng 1139

Lindera communis Hemsl. 3583

Lindera pulcherrima (Wall.) Benth.
var. hemsleyana (Diels) H. P.
Tsui 4609

Lindera reflex Hemsl. 2612

Lindera setchuenensis
Gamble 1642

Lindera strychnifolia (Sieb. et Zucc.)
Villar 77

Lindernia anagallis (Burm. f.)
Pennell 824

Lindernia ciliata (Colsm.)
Pennell 3797
Lindernia crustacea (L.) F.
Mueller 325
Lindernia numularifolia (D. Don)
Wittst. 4329
Lindernia ruellioides (Colsm.)
Pennell 3329
Linders thomsonii Allen 3124
Lingnania chungii (Mc Clure) Mc
Clure 4910
Linum amurense Alef. 2173
Linum baicalense Juz. 4210
Linum stelleroides Planch. 4211
Linum usitatissimum L. 145
Liparis bootanensis Griff 3452
Liparis japonica Maxim. 2953
Liquidambar formosana Hance 94
Liriodendron chinesis (Hemsl.)
Sarg 4130
Liriope platyphylla Wang et
Tang 1429
Liriope spicata Lour. 1933
Litchi chinesis Sonn. 4226
Litharge 1500
Lithospermum erythrorhizon Sieb. et
Zucc. 1818
Litsea cubeba (Lour.) Pers. 1140
Litsea garrettii Gamble 3584
Litsea glutinosa (Lour.) C. B. Rob.
var. brideliifolia (Hay.)
Merr. 4610
Litsea glutinosa (Lour.) C. B.
Rob. 78
Litsea mollifolia Chun 2109
Litsea moupinesis var. szechuanica
(Allan) Yang et P. H.
Huang 2613
Litsea populifolia (Hemsl.)
Gamble 2110
Litsea rotundifolia Hemsl. 4135
Livistona chinensis R. Br. 898
Lobaria isidiosa (Müll. Arg.)
Vain. 1547
Lobaria meridionalis vain. var
subplana (Asah.)
Yoshim. 1548
Lobaria pulmonaria (L.) Hoffm. 1549

Lobaria retgera (Ach.) Treris 3010
Lobelia chinensis Lour. 1380
Lobelia sessilifolia Lamb. 2870
Locusta migratoria Linnaeus 2980
Loess concretion 2490
Loligo beca Sasaki 3970
Lomatogonium oreocharis (Diels)
Marq. 3751
Lonicera acuminata Wall. 2328
Lonicera caerulea L. var. edulis
Turcz. ex Herd. 1370
Lonicera chrysantha Turcz. 1866
Lonicera confusa DC. 850
Lonicera hispida Pall. ex Roem. et
Schult. 1867
Lonicera hypoglauca Miq. 4869
Lonicera japonica Thunb. 851
Lonicera lanceolata Wall. 4344
Lonicera maackii (Rupr.)
Maxim. 852
Lonicera macrantha (D. Don)
Spreng. 4870
Lonicera macranthoides
Hand.-Mazz. 1868
Lonicera microphylla Willd, ex
Roem. et Schult. 4871
Lonicera monantha Nakai 1371
Lonicera tangutica Maxim. 3347
Lonicera tragophylla Hemsl. 4345
Lonicera vesicaria Kom. 4346
Lophatherum gracile Brongn. 895
Lophura leucomelana
(Latham) 4482
Lophura nycthemera
(Linnaeus) 972
Loropetalum chinensis (R. Br.)
Oliv. 1167
Lotus corniculatus L. 3183
Loxoblemmus doenitzi Stein 4460
Luculia intermedia Hutch. 1369
Luculia yunnanensis S. Y.
Hu 3820
Ludisia discolor (Ker-Gawl.) A.
Rich. 2954
Ludwigia octovalvis (Jacq.)
Raven 3704
Ludwigia prostrata Roxb. 1297
Ludwigia prostrata Roxb. 3241

Luffa acutangula Roxb. 860
Luffa cylindrica (L.) Roem. 361
Lunathyrium acrostichoides (Sw.)
Ching 2521
Lychnis cognata Maxim. 3068
Lychnis coronata Thunb. 1103
Lychnis fulgens Fisch. 1104
Lychnis senno Sieb. et Zucc. 52
Lychnis sibirica L. 4096
Lychnis wilfordii (Regel)
Maxim. 2072
Lycianthes biflora (Lour.)
Britter 313
Lycianthes lysimachioides (Wall.)
Bitt. 2817
Lycium barbarum L. 1837
Lycium chinensis Mill. 314
Lycium ruthenicum Murr. 315
Lycogala epidendrum (L.) Fr. 1001
Lycoperdon perlatum Pers. 1037
Lycoperdon polymorphum
Vitt. 3502
Lycoperdon pusillum Batsch ex
Pers. 2515
Lycoperdon pyriforme Schaeff. ex
Pers. 1038
Lycoperdon umbrinum Pers. 2018
Lycopersicon esculentum Mill. 2818
Lycopodiastrum casuarinoides
(Spring) Holub 4516
Lycopodium alpinum L. 1559
Lycopodium annotinum L. 1041
Lycopodium claratum L. 2022
Lycopodium obscurum L. 1560
Lycopoiium serrdtum (Thunb.)
Trev. 3013
Lycopus lucidus Turcz. 297
Lycoris aurea (L. Hérit) Herb. 1438
Lycoris radiata (L'Her.) Herb. 3430
Lycoris sprengeri Comes 1439
Lycorma delicatula White 2453
Lygodium conforme C. Chr. 4522
Lygodium flexuosum (L.) Sw. 4523
Lygodium japonicum (Thunb.) Sw. 501
Lygodium scandens (L.) Sw. 502
Lyonia ovalifolia Drude var.
lanceolata (Wall.)
Hand.-Mazz. 3270

Lysidice brevicalyx Wei 4665
Lysidice rhodostegia Hance 631
Lysimachia aifredii Hance 4783
Lysimachia barystachys Bge. 1785
Lysimachia candida Lindl. 2769
Lysimachia capillipes Hemsl. 3284
Lysimachia christinae Hance 754
Lysimachia clethroides Duby 755
Lysimachia congestiflora
    Hemsl. 1786
Lysimachia davurica Ledeb. 1787
Lysimachia decurrens Forst f. 3730
Lysimachia focnum-graecum
    Hance 4784
Lysimachia fordiana Oliv. 4785
Lysimachia fortunei Maxim. 4786
Lysimachia grammica Hance 2770
Lysimachia gymnocephala
    Hand.-Mazz. 3285
Lysimachia insignis Hemsl. 756
Lysimachia klattiana Hance 1321
Lysimachia lobelioides Wall. 2771
Lysimachia paridiformis
    Franch. 2772
Lysimachia trientaloides
    Hemsl. 2773
Lysionotus pauciflora Maxim. 1852
Lysionotus serratus D. Don 4850
Lysionotus wilsonii Rehd. 3339
Lythrum salicaria L. var. glabrum
    Ledel 2739
Lythrum salicaria L. 724

M

Maackia amurensis Rupr. et
    Maxim. 1215
Macaca mulatta Zimmermann 977
Macaca speciosa F. Cuvier 3499
Macaca thibetana
    Milne-Edwares 3499
Macaranga denticulata (Bl.)
    Muell.-Arg. 4702
Macleaya cordata (Willd.) R.
    Brown 581
Macleaya microcarpa (Maxim.)
    Fedde 582

Macrobrachium nipponensis (de
    Haan) 4968
Macrocarpium officinalis (Sieb. et
    Zucc.) Nakai 249
Macrolepiota procera (Scop. ex Fr.)
    Sing. 1034
Macrophthalmus dilatatus de Haan'
    3972
Macrosolen cochinchinensis (Lour.)
    van Tiegh. 3533
Mactra (Mactra) antiquata
    Spengler 2967
Mactra (Mactra) chinensis
    Philippi 2448
Mactra (Mactra) veneriformis
    Reeve 2968
Maesa balansae Mez 4782
Maesa indica (Roxb.) A. DC. 3718
Maesa japonica (Thunb.)
    Moritzi 1320
Maesa montana A. DC. 3719
Maesa perlarius (Lour.) Merr. 256
Magnolia biondii Pamp. 2102
Magnolia coco (Leur.) DC. 2609
Magnolia delavayi Franch. 70
Magnolia denudata Desr. 1133
Magnolia grandiflora L. 71
Magnolia liliflora Desr. 72
Magnolia officinalis Rehd. et Wils.
    var. biloba Rehd. et
    Wils. 1134
Magnolia officinalis Rehd. et
    wils. 1641
Magnolia paenetalauma
    Dandy 4131
Magnolia sargentiana Rehd. et
    Wils. 3116
Magnolia sieboldii K. Koch. 4602
Magnolia sinensis (Rehd. et Wils.)
    Stapf. 4132
Magnolia soulangeana (Lindl.)
    Soul.-Bod. 3117
Magnolia wilsonii (Finet et Gagnep.)
    Rehd. var petrosa Law et
    Chia 3119
Magnolia wilsonii (Finet et Gagnep.)
    Rehd. 3118
Magnotite 1988

Mahonia Lomariifolia Takeda 3579
Mahonia bealei (Fort.) Carr. 1634
Mahonia fortunei (Lindl.)
    Fedde 564
Mahonia gracilipea (Oliv.)
    Fedde 1635
Mahonia japonica (Thunb.)
    DC. 65
Mahonia mairei Takeda 2099
Mahonia shenii Chun 4591
Maianthemum bifolium (L.) Fr.
    Schmidt 1430
Malachite 1987
Malachium aquaticum (L.)
    Fries 1105
Malaisia scandens (Lour.)
    Planch. 4561
Malaphis chinensis (Bell) 2997
Malleus malleus (Linnaeus) 3963
Mallotus apelta (Lour.)
    Muell.-Arg. 172
Mallotus barbatus (Wall.)
    Muell.-Arg. 669
Mallotus japonica Muell.-Arg. 1250
Mallotus philippinensis (Lam.)
    Muell.-Arg. 670
Mallotus repandus (Willd.)
    Muell.-Arg. 671
Mallotus tenuifolius Pax 1251
Malus asiatica Nakai 3150
Malus baccata (L.) Borkh. 1176
Malus doumeri (Bois.) Chev. 4626
Malus halliana (Voss.)
    Koehre 1177
Malus micromalus Makino 4627
Malus pumila Mill. 2650
Malus spectabilis (Ait.)
    Korkh. 1668
Malva mauritiana L. 4235
Malva rotundifolia L. 1276
Malva sinensis Cav. 203
Malva sylvestris L. 3225
Malva verticillata Linn. 2721
Malvastrum coromandelianum (L.)
    Garcke'2208
Mandragora caulescens C. B.
    Clarke 2304
Mandragora caulescens C. B. Clarks

ssp. purpurascens Griers. et
Long 3795
Mangifera indica L. 183
Manglietia fordiana (Hemsl.)
Oliv. 4603
Manglietia szechuanica Hu 3120
Manihot esculenta Grantz 672
Manilkara zapota (L.) Van
Rogen 258
Manis pentadactyla Linnaeus 4996
Mappianthus iodoides
Hand.-Mazz. 4716
Maranta bicolor Ker 446
Marasmius siccus (Schw.) Fr. 4029
Marchantia polymorpha L. 3012
Margaritiana dahurica
(Middendorff) 2445
Marsdenia tinctoria R. Br. 4302
Marsilea quadrifolia L. 4541
Matricaria chamomilla L. 1403
Matteuccia struthiopteris (L.)
Todaro 3024
Mauritis arabica (Linnaeus) 951
Mayodendron igneum (Kurz)
Kurz 2834
Maytenus austroyunnanensis S. J. Pei
et Y. H. Li 2195
Maytenus confertiflora T. Y. Luo et
X. X. Che 186
Mazus japonicus (Thunb.) O.
Ktze. 326
Mazus miquelii Makino 4839
Mazus omeiensis Li 3330
Mazus stachydifolius (Turcz.)
Maxim. 4840
Meconopsis chelidonifolia Bur. et
Fr. 3132
Meconopsis horridula Hook. f. et
Thoms. var. racemosa
(Maxim.) Prain 2116
Meconopsis horridula Hook. f. et
Thoms. 4139
Meconopsis integrifolia (Maxim.)
Franch. 2621
Meconopsis lancifolia (Franch.)
Franch. 4140
Meconopsis punicea Maxim. 4141
Meconopsis quintuplinervia

Reg. 2622
Medicago hispida Gaertn 1216
Medicago lupulina L. 2685
Medicago sativa L. 2686
Medicated leaven 2998
Medinilla septentrionalis (W. W.
Sm.) Li' 4760
Meehania fargesii (Lévl.) C. Y.
Wu 2290
Megacodon stylophorus (C. B.
Clarke) H. Smith 3752
Melaleuca leucadendra L. 232
Melampyrum roseum Maxim. 1843
Melandrium firmum (Sieb. et Zucc.)
Rohrb. 1106
Melanterite 2499
Melastoma affine D. Don 2221
Melastoma candidum D. Don 732
Melastoma dodecantrum Lour. 233
Melastoma imbricatum Wall. ex C.
B. Clarkc 4761
Melastoma intermedium
Dunn 4255
Melastoma normale D. Don 4762
Melastoma sanguineum Sims. 234
Melia azedarach L. 1717
Melia toosendan Sieb. et
Zucc. 2700
Melilotus albus Desr. 1693
Melilotus dentatus (Wald. et Kit.)
Pers. 632
Melilotus suaveolens Ledeb. 1694
Meliosma cuneifolia Franch. 2200
Melissa axillaris (Benth.) Bakh. f
3319
Melliodendron xylocarpum Hand.-
Mazz. (M. wangianum
Hu) 3294
Melochia corchorifolia L. 4237
Melodinus fusiformis Champ. ex
Benth. 4795
Melodinus hemsleyanus Diels 3306
Melodinus henryi Craib 3759
Melodinus suaveolens
Champ. 2788
Meloe violaceus Mars. 3981
Melothria heterophylla (Lour.)
Cogn. 2861

Melothria indica Lour. 3356
Melothria maysorensis (Wight et
Arn.) Chang 2862
Memorialis hirta (BL.) Wedd. 1078
Menispermum dauricum DC. 1638
Mentha dahurica Fisch. ex
Benth. 4322
Mentha haplocalyx Briq. 298
Mentha piperita L. 1828
Menyanthes trifoliata L. 1333
Mercurous chloride 998
Mercury 2495
Meretrix meretrix (Linnaeus) 1958
Mergus mergsnser (Linnaeus) 472
Merremia hederacea (Burm. f.) Hall. f.
4810
Merremia sibirica (Pers.) Hall. f.
1816
Merulius tremellosus Schrad. ex
Fr. 1507
Mesembryanthemum spectabile
Haw. 546
Messerschmidia sibirica L. 2268
Mesua ferrea L. 712
Metaplexis japonica (Thunb.)
Makino 1340
Mica-schist 2486
Michelia alba DC. 569
Michelia champaca L. 570
Michelia figo (Lour.) Spreng 1135
Michelia yunnanensis Franch. 2103
Microcos paniculata L. 696
Microglossa pyrifolia (Lam.) O.
Ktze. 3893
Micromelum falcatum (Lour.)
Tanaka 4216
Micromelum integerrimum (Buch.-
Ham. ex Colebr.) Wight et
Arn. ex Roem. 3674
Microsorium buergerianum (Miq.)
Ching 3028
Microsorium fortunei (Moore)
Ching 1569
Microtoena omeiensis C. Y. Wu et
Hsuan 3320
Millettia champutongensis Hu
Vel 3184
Millettia dielsiana Harms ex Diels 133

Millettia lasiopetala (Hayata)
Merr. 1695

Millettia leptobotrya Dunn 3662

Millettia oosperma Dunn 4666

Millettia pachycarpa Benth. 4199

Millettia pulchra Kurz. var. laxior
(Dunn) Z. Wei 4667

Millettia reticulata Benth. 4668

Mimosa pudica L. 1696

Mimulus tenellus Bge. var.
platyphyllus (Fr.) Hong 3334

Mirabilis jalapa L. 47

Misgurnus anguillicaudatus
(Cantor) 3479

Mitabilis himalaica (Edgew.)
Heim. 2067

Mitella mitella (Linnaeus) 3971

Mnium cuspidatum Hedw. 4511

Modiolus modiolus (Linnaeus) 1956

Moghania macrophylla (Willd.) O.
Kuntze 134

Mollugo pentaphylla L. 547

Momordica charantia L. var.
abbreviata Ser. 2863

Momordica charantia L. 362

Momordica cochinchinensis (Lour.)
Spr. 363

Momordica subangulata Bl. 4877

Monetaria annulus (Linnaeus) 952

Monetaria moneta (Linnaeus) 953

Monochoria hastata (L.)
Solms 2403

Monochoria korsakowii Reg. et
Maack 2404

Monochoria vaginalis (Burm. f.) Presl
ex Kunth 4927

Monopterus albus (Zuiew) 3988

Monotropastrum macrocarpum H.
Andres 3266

Monotropastrum tschanbaischanicum
Y. L. Chang et Chou 3267

Monstera deliciosa Liebm. 1914

Morchella conica Pers. 2505

Morchella esculenta (L.) Pers. 4004

Morina alba H.-M. 4350

Morina delavayi Franch. 855

Morina nepalensis D. Don var. alba
(Hand.-Mazz.) Y. C. Tang 3828

Morina nepalensis D. Don 3827

Morina parviflora Kar. et Kir. 2859

Morinda angustifolia Roxb. 2323

Morinda citrifolia L. 346

Morinda officinalis How 347

Morinda parvifolia Bartl. 348

Morinda umbellata L. 4860

Moringa oleifera Lam. 586

Morus alba L. 1587

Morus australis Poir. 1076

Moschus berezovskii Flerov 4499

Moschus moschiferus L. 4999

Mosla chinensis Maxim. 4821

Mosla scabra (Thunb.) C. Y. Wu et
H. W. Li 2807

Mosladianthera (Buch.-Ham.)
Maxim. 4822

Mucuna castanea Merr. 4200

Mucuna hainanensis Hay. 4669

Mucuna macrocarpa Wall. 3663

Mucuna pruriens (L.) DC. var. utilis
(Wall. ex Wight) Bak. ex
Burck 135

Mugil soiuy Basilewsky 4465

Mugil vaigiensis Quog et
Gaimard 4466

Mukdenia rossii (Oliv.) Koidz. 1162

Muntiacus reevesi Ogiiby 1978

Murdannia bracteata (Clarke) O.
Ktze. ex J. K. Morton 4924

Murdannia keisak (Hassk.)
Hand.-Mazz. 2402

Murdannia triguetra (Wall.)
Briickn. 4409

Murex trapa Roding 2959

Murraya kwangsiensis (Huang)
Huang 4679

Murraya paniculata (L.) Jack. var.
exotica (L.) Huang 2698

Murraya paniculata (L.) Jack. 154

Musa basjoo Sieb. et Zucc. 3434

Musa coccinea Andr. 4436

Musa nana Lour. 433

Musa paradisiaca Linn. 4437

Muscovite 987

Musella Lasiocarpa (Franch.) C. Y.
Wu 1944

Mussaenda hirsutula Miq. 2841

Mussaenda hossei Craib 3821

Mussaenda parviflora Miq. 3343

Mussaenda pubescens Ait. f. 845

Mustinus caninus (Huds. ex Pers.)
Fr. 4039

Mycenastrum corium (Guers.)
Desv. 4041

Mycetia sinensis (Hemsl.)
Craib 4861

Mycoblastus alpinus (Fr.)
Kernst. 3011

Mylabris calida Pallas 4975

Mylabris cichorii Linnaeus 3979

Mylabris phalerata Pallas 3980

Myosparax aspalax Pallas 2473

Myrica rubra Sieb. et Zucc. 3050

Myricaria germanica (L.) Desv. var.
bracteata (Royle)
Franch. 4244

Myricaria germanica (L.)
Desv. 4243

Myricaria rosea W. W. Sm. 2211

Myristica fragrans Houtt.' 76

Myroxylon pereirae (Royle)
Klotzsch 2164

Myrsine semiserrata Wall. 3283

Mytilus edulis Linnaeus 3459

N

Naematoloma fasciculare (Huds. ex
Fr.) Karst. 4038

Naemorhedus goral Hardwiere 982

Naja naja (Linnaeus) 1471

Nandina domestica Thunb. 66

Nanocnide lobata Wedd. 2544

Narcissus tazetta L. var. chinensis
Roem 1440

Nardostachys chinensis Batel. 356

Nardostachys grandiflora DC. 3825

Nardostachys jatamansii DC. 853

Nasturtium officinale R. Br. 2630

Native silver 2498

Natrix tigrina lateralis
(Berthord) 4472

Nauclea officinalis Pierre ex
Pitard 1862

Nelumbo nucifera Gaertn.   1110

Neolepisorus ovatus (Bedd.)
    Ching   3034

Neottianthe cuculata (L.)
    Schltr.   4453

Neottopteris nidus (L.) J. Sm.   1053

Nepenthes mirabilis (Lour.)
    Druce   2637

Nepeta angustiifoliia C. Y.
    Wu   2291

Nepeta cataria L.   3317

Nepeta laevigata (D. Don)
    Hand.-Mazz.   3784

Nepeta wilsonii Duthie   3785

Nephelium lappaceum L.   688

Nephelium topengii (Merr.) H. S.
    Lo   4227

Nephrite   1482

Nephrolepis cordifolia (L.)
    Presl   1562

Neptunea cumingi Crosse   4457

Nerium indicum Mill. cv.
    Paihua   1803

Nerium indicum Mill.   1335

Nervilia fordii (Hance) Schltr.   450

Nicandra physaloides (L.)
    Gaertn.   316

Nicotiana tabacum L.   813

Niter   2497

Nitraria sibirica Pall.   1234

Nopalxochia ackermanii (Har.)
    Kunth   2733

Nothaphoebe cavaleriei (Lévl.)
    Yang   3125

Notholirion bulbiliferum (Lingelsh.)
    Stearn   3940

Nothspodytes pittosporoides (Oliv.)
    sieum.   3207

Notopterygium forbesii Boiss.   4266

Numenius madagascariensis
    (Linnaeus)   4486

Nuphar pumilum (Timm.) DC.   2573

Nyctercutes procynoides Groy   480

Nymphaea alba L. var. rubra
    Lonnr.   552

Nymphaea lotus L. var. pubescens
    (Willd.) Hook. f. &
    Thoms.   2574

Nymphaea tetragona Georgi   2575

Nymphoides peltatum (Gmel.) O.
    Kuntze   1802

O

Ocadia sinensis (Gray)   1969

Ochna integerrima (Lour.)
    Merr.   4239

Ocimum basilicum L. var. pilosum
    (Willd.) Benth.   2808

Ocimum basilicum L.   299

Ocimum gratissimum L. var. suave
    (Willd.) Hook. f.   797

Ocimum gratissimum L.   300

Octopus ocellatus Gray   2970

Octopus variabilis (Sasaki)   3466

Oenanthe benghalensis (Roxb.)
    Kurz   3712

Oenanthe dielsii de Boiss. var.
    stenophylla de Boiss.   3253

Oenanthe javanica (Bl.) DC.   2751

Oenanthe rosthornii Diels   3254

Oenothera biennis L.   735

Oenothera odorata Jacq.   3242

Oldenlandia tenelliflora (Bl.) O.
    Ktze.   3344

Olea europaea   261

Olea rosea Craib   3736

Olgaea leucophylla Iljin   3382

Oliva ispidula (Linnaeus)   3961

Oliva miniacea (Roding)   2961

Oliva mustellina Lamarck   2962

Oncotympana coreana Kato   1961

Onoclea sensibilis L. var. interrupta
    Maxim.   1054

Onosma confertum W. W.
    Smith.   3769

Onosma hookeri C. B. Clarke var.
    longiflorum Duthie   2269

Onosma multiramosum
    Hand.-Mazz.   3770

Onosma paniculata Bur. et
    Franch.   2270

Onychium japonicum (Thunb.)
    Kunze   1051

Operculina turpethum (L.)

Manso   282

Ophioglossum pedunculosum
    Desv.   1044

Ophioglossum thermale Kom.   1045

Ophioglossum vulgatum L.   1046

Ophiophagus hannah
    (Cantor)   4476

Ophiopogon bockianus Diels.   3418

Ophiopogon chingii Wang et
    Tang   2416

Ophiopogon intermedius D.
    Don   4934

Ophiopogon japonicus (L.f.)
    Ker-Gawl.   1934

Ophiopogon platyphyllus Merr. et
    Chun   4935

Ophiopogon tonkinensis Rodr.   918

Ophiorrhiza cantoniensis
    Hance   4862

Ophiorrhiza japonica Bl.   4863

Ophiorrhiza pumila Champ. ex
    Benth.   4864

Opisthoplatia orientalis
    Burm.   3472

Oplopanax elatus Nakai   1303

Opuntia dillenii Haw.   220

Orchis chusua D. Don   3956

Oreocnide frutescens (Thunb.)
    Mig.   4564

Oreocnide obovata (C. H. Wr.)
    Merr. var. mucronata C. J.
    Chen   4565

Origanum vulgare L.   798

Oriollus chinensis Linnaeus   3998

Orithyia sinica L.   2972

Orixa japonica Thunb.   3195

Orobanche pycnostachya
    Hance   2315

Orobanche yunnanensis (G. Beck.)
    Hand.-Mazz.   3811

Orobanchecoerulescens
    Steph.   1849

Orostachys cartilaginea A.
    Bor.   1155

Orostachys fimbriatus (Turcz.) A.
    Berg.   4145

Orostachys malacophyllus (Pall.)
    Fisch.   588

Orostachys spinosus (L.) G. A. Mey *4146*

Oroxylum indicum (L.) Vent. *830*

Orpiment *1990*

Orpiment; Pigment *1496*

Orthosiphon wulfenioides (diels) Hand.-Mazz. *4823*

Orychophragmus violaceus (L.) O. E. Schul *1152*

Oryza sativa L. var. glutinosa Matsum. *3396*

Oryza sativa L. *1412*

Os draconis coloratus *1993*

Os draconis nativus *1992*

Osbeckia chinensis L. *1760*

Osbeckia crinita Benth. *2222*

Osbeckia nepalensis Hook. *3702*

Osbeckia stellata D. Don *2223*

Osmanthus cooperi Hemsl. *1327*

Osmanthus fragrans Lour. *2780*

Osmanthus fragrans (Thunb.) Lour. f. aurantiacus (Makino) P. S. Green *1795*

Osmorhiza aristata (Thunb.) Makino et Yabe *2752*

Osmunda japonica Thunb. *3016*

Ostericum citriodorum (Hance) Shan et Yuan *4771*

Ostericum maximowiczii (Fr. Schmidt et Maxim.) Kitag. *2753*

Ostericum viridiflorum (Turcz.) Kitag. *2754*

Ostrea plicatula Gmelin *955*

Ostrea talienwhanensis Cross *2963*

Ostrea (Crassostrea) gigas Thunberg *2443*

Ostrea (Crassostrea) rivularis Gould *2444*

Ostrea (Ostrea) denselamellosa Lischke *4966*

Oudemansiella mucida (Schrad. ex Fr.) Hohn. *1030*

Ovis aries L. *483*

Oxalia corymbosa DC. *641*

Oxalis briffithii Edgew. et Hook. f *2695*

Oxalis corniculata L. *1707*

Oxidized azoth *999*

Oxya chinensis Thun. *3473*

Oxygraphis glacialis (Fisch.) Bunge *3093*

Oxyria digyna (L.) Hill *1084*

Oxyspora paniculata (D. Don) DC. *3703*

Oxytropis anertii Nakai *1217*

Oxytropis hirta Bunge *2687*

Oxytropis myriophylla (Pall.) DC. *2165*

Oxytropis psammocharis Hance *4201*

Oxytropis sericopetala E. C. E. Fisch. *2166*

Oxytropis yunnanensis Franch. *3664*

P

Pachyrhizus erosus (L.) Urban *1697*

Pachysandra stylosa Dunn *3201*

Pachysandra terminalis Sieb. et Zucc. *2190*

Paederia pertomentosa Merr. ex Li *4865*

Paederia scandens (Lour.) Merr. var. tomentosa (Bl.) Hand.-Mazz. *1863*

Paederia scandens (Lour.) Merr. *846*

Paeonia delavayi Franch. *559*

Paeonia lactiflora Pall. *2089*

Paeonia lutea Fr. *3094*

Paeonia obovata maxim. *560*

Paeonia suffruticosa Andr. *61*

Paeonia veitchii Lynch *3095*

Palhinhaea cernua (L.) A. Franco et Vasc. *1558*

Paliurus ramosissimus (Lour.) Poir. *690*

Panaeolus campanulatus (L. ex Fr.) Quel. *4505*

Panax ginseng C. A. Mey. *1304*

Panax notoginseng (Burk.) F. H. Chen *738*

Panax pseudoginseng Wall. var. bipinnatifidus (Seem.) Li *739*

Panax pseudo-ginseng Wall. var. angustifolius (Burk.) Li *3247*

Panax pseudo-ginseng Wall. var. japonicus (C. A. Mey) Hoo & Tseng *2743*

Panax quinquefolium L. *740*

Pandanus gressitii B. C. Stone *4390*

Pandanus tectorius Sol. *1906*

Panellus stypticus (Bull. ex Fr.) Karst. *1026*

Panicum miliaceum L. *2922*

Panicum repens L. *4395*

Pantala flavescens Fabricius *3973*

Panthera tigris L. *481*

Panthera tigris amoyensis Hilzheimer *4494*

Panus conchatus (Bull. ex Fr.) Fr. *1535*

Panzeria alaschanica Kupr. *4323*

Papaver nudicaule L. *2623*

Papaver orientaris L. *583*

Papaver pseudo-radicatum Kitag. *1144*

Papaver rhoeas L. *584*

Papaver somniferum L. *85*

Papilio bianor mandchurica Matsumura *4974*

Papilio machaon L. *4461*

Papilio xuthus (Linnaeus) *3477*

Parabaena sagitata (Wall.) Miers. ex Hook. f. et Thoms. *3581*

Parabarium chunianum Tsiang *4796*

Parabarium huaitingii Chun et Tsiang *4797*

Parabarium micranthum (A. DC.) Pierre *4798*

Paraboea rufescens (Franch.) Burtt *3814*

Parameria laevigata (Juss.) Moldenke *2261*

Paraphlomis javanica (Bl.) Prain var. coronata (Vaniot) C. Y. Wu et H. W. Li *2809*

Parasilurus asotus Linnaeus *3987*

Paratenodera augustipennis (Saussure) *2977*

Paratenodera sinensis
Saussure　2978

Parietaria micrantha Ledeb.　4078

Paris chinensis Franch.　4422

Paris fargesii Fr.　3419

Paris mairei Lévl.　3941

Paris polyphylla Smith var.
yunnanensis (Franch)
Hand.-Mazz.　919

Paris polyphylla Smith　2417

Paris polyphylla Sm. var.
appendiculata Hara　2936

Paris polyphylla var. stenophylla
Fr.　2937

Paris polyphylla var. thibitica (Fr.)
Hara　2938

Paris verticillata M. Bieb.　920

Paris violacea Lével　2418

Parmelia tinctorum Despr.　3504

Parnassia brevistyla (Brieg.)
H.-M.　2643

Parnassia nubicola Wall. ex
Royle　3613

Parnassia palustris L.　1658

Parnassia trinervis Drude　3614

Parnassia wightiana Wall.　1659

Parochetus communis
Buch.-Ham.　2167

Parthenium hysterophorus L.　4895

Parthenocissus heterophylla (Bl.)
Merr.　4230

Parthenocissus tricuspidata (Sibe. et
Zucc.) Planch.　1271

Passer montanus (Linnaeus)　478

Passiflora altebilobata Hemsl.　3696

Passiflora caerulea L. 1754

Passiflora cupiformis Masters　4754

Passiflora edulis Sims　1755

Passiflora foetida L.　217

Passiflora moluccana Reiw. ex Bl.
var. teysmanniana (Miq.)
Willd.　2730

Patrinia heterophylla Bunge　2332

Patrinia rupestris Juss.　4349

Patrinia scabiosaefolia Fisch. ex
Link　1871

Patrinia scabra Bunge　3352

Patrinia sibirica (L.) Juss.　4873

Patrinia sinensis (Lévl.) Koidz.　1375

Patrinia villosa Juss.　2857

Paulownia fortunei (Seem.)
Hemsl.　327

Paulownia tomentosa (Thunb.)
Steud.　1359

Pavetta hongkongensis
Bremek.　2842

Pavo muticus (L.)　4483

Pedicularis dolichocymba
Hand.-Mazz.　3798

Pedicularis flava Pall. 4841

Pedicularis grandiflora Fisch.　1844

Pedicularis integrifolia Hook. f. ssp.
integerrima (Pennell et Li)
Tsoong　3799

Pedicularis longiflora Rudolph var.
tubiformis (Klotz.)
Tsoong　3800

Pedicularis muscicola Maxim.　4842

Pedicularis palustris L.　1360

Pedicularis resupinata L. var.
pubescens Nokai.　4330

Pedicularis resupinata L.　1845

Pedicularis spicata pall.　4331

Pedicularis striata Pall.　2822

Pedicularis superba Franch. ex
Maxim.　3801

Pedicularis torta Maxim.　2823

Pedicularis trichoglossa Hook. f.
3802

Pedicularis verticillata L.　1361

Pedilanthus tithymaloides (L.)
Poit.　1725

Peganum harmala L. var. multisecta
Maxim.　4676

Peganum harmala L.　147

Peganum nigellastrum Bunge　1235

Pegasus laternarius (Cuvier)　3481

Pegasus volitans Cuvier　2460

Pegia nitida Colebr.　2192

Pegia sarmentosa (Lecte.)
Hand.-Mazz.　4705

Pelargonium graveolens
L'Hérit　4209

Pelargonum hortorum Bailey　644

Pelecanus onocrotalus
Linnaeus　4026

Pelecanus roseus Gmelin　467

Pellionia radicans (Sieb. et Zucc.)
Wedd.　2545

Pelochelys bibroni (Owen)　4469

Penaeus orientalis Kishnouye　1459

Pennisetum alopecuroides (L.)
Spr.　1413

Pentapetes phoenicea L.　206

Penthorum chinense Pursh　2644

Peperomia dindygulensis Miq.　4062

Peperomia pellucida (L.) Kunth　515

Peperomia reflexa (L. f.) A.
Dietr.　516

Peracarpa carnosa (Wall.) Hook. f. et.
Thoms.　3362

Pericampylus glaucus (Lam.)
Merr.　2100

Perilla frustescens (L.) Britt. var.
crispa (Thunb.) Hand.
Mazz.　800

Perilla frutescens (L.) Britt. var. acuta
(Thunb.) Kudo　1352

Perilla frutescens (L.) Britt.　799

Periploca calophylla (Wight.)
Falc　3310

Periploca sepium Bge.　1808

Peripterygium platycarpum (Gagnep.)
Sleum.　4717

Peristrophe japonica (Thunb.)
Brem.　339

Peristrophe roxburghiana (Schult.)
Brem.　4852

Persea americana Mill.　4136

Pertya phylicoides J. F. Jeffr.　3894

Petasites japonicus (Sieb. et Zucc.) F.
Schmidt　1404

Petunia hybrida Vilm.　2819

Peucedanum praeruptorum
Dunn　747

Peucedanum terebinthaceum (Fisch.)
Fisch. ex Turcz. var.
deltoideum Makino　2755

Peucedanum terebinthaceum (Fisch.)
Fisch. ex Turcz.　1773

Peziza sylvestris (Boud.) Sacc. et
Trott　4003

Phacellazhus tubiflorus Sieb. et
Zucc.　3337

Phaius tankervilliae (Ait.) Bl.   4454
Phaius woodfordii (Hook.)
        Merr.   4958
Phalacrocorax carbo (Linneus)   3490
Phallus rubicundus (Bosc) Fr.   2512
Pharbitis nii (L.) Choisy   283
Pharbitis purpurea (L.) Voigt   1344
Phaseolus angularis W. F.
        Wight   136
Phaseolus minimus Roxb.   3185
Phaseolus radiatus L.   633
Phaseolus vulgaris L. var. humilis
        Alef.   634
Phaseolus vulgaris L.   1698
Phasianus colchicus Linnaeus   973
Phellinus gilvus (Schw.) Pat.   1520
Phellinus igniarius (L. ex Fr.)
        Quel.   1012
Phellinus linteus (Berk. & Curt.)
        Teng   1013
Phellinus pini (Thore ex Fr.)
        Ames   1521
Phellinus rimosus (Berk.) Pilat   1014
Phellinus setulosus (Lloyd)
        Imaz.   1522
Phellodendron amurense
        Rupr.   1711
Phellodendron chinense Schneid. var.
        glabriusculum Schneid.   4680
Phellodendron chinense
        Schneid.   1238
Phellorinia inquinans Berk.   4042
Pheretima aspergillum (E.
        Perrier)   4962
Philadelphus schrenkii Rupr.   3143
Philomycus bilineatus (Benson)   456
Philosamia cynthia ricini
        (Donoran)   3476
Philydrum lanuginosum Bands et Sol.
        ex Gaertn.   4410
Philyra pisum Hann   959
Phlegmariurus fargesii (Hert.)
        Ching   4515
Phlogacanthus curviflorus (Wall.)
        Nees   1366
Phlomis maximowiczii Regel   2810
Phlomis mongolica Turcz.   4824
Phlomis tuberosa L.   301

Phlomis umbrosa Turcz.   302
Pholibota imbricata Lindl.   3453
Pholidota chinensis Lindl.   4959
Pholiota adiposa (Fr.) Quél.   1036
Pholiota squarrosa (Murr. ex Fr.)
        Quel.   4037
Photinia serrulata Lindl.   597
Phragmites communis (L.)
        Trin.   1414
Phryma leptostachya L. var. asiatica
        Hara   1857
Phrynium capicatum Willd.   447
Phrynocephalus frontalis
        Strauch   3485
Phuthairopermum japonicum
        (Thunb.) Kanitz   2824
Phyla nodiflora (L.) Greene   2802
Phyllagathis elattandra Diels   4763
Phyllanthus embrica L.   173
Phyllanthus matsumurae
        Hayata   174
Phyllanthus parvifolius
        Buck.-Ham.   175
Phyllanthus reticulatus Poir. var.
        glaber Muell.-Arg.   673
Phyllanthus reticulatus Poir.   176
Phyllanthus urinaria L.   674
Phyllanthus virgatus Forst. f.   1726
Phyllitis japonica Kom.   1567
Phyllophyton complanatum (Dunn)
        Kudo   3786
Phyllophyton decolorans. (Hemsl.)
        Kudo   2292
Phyllophyton tibeticum (Jacq.) C. Y.
        Wu   2293
Phyllostachys nigra (Lodd.) Munro
        var. henonis (Mitf.) Stapf ex
        Rendle   4912
Phyllostachys nigra (Lodd.)
        Munro   4911
Phymatodes lucida (Roxb.)
        Ching   4536
Phymatodes shensiensis (Christ)
        Ching   3513
Phymatopsis hastata (Thunb.)
        Kitag.   3031
Phymatopsis shensiensis (Christ)
        Ching   3035

Physalis alkekengi L. var. franchetii
        (Mast.) Makino   814
Physalis angulata L.   1838
Physalis minima L.   1839
Physalis pubescens L.   2820
Physignathus cocincinus
        Cuvier   2987
Physochlaina infundibularis
        Kuang   4833
Physochlaina physaloides (L.) G.
        Don   815
Phytolacca acinosa Roxb.   48
Phytolacca americana L.   545
Pica pica (Linnaeus)   2992
Picea jezoensis Carr. var. komarovii
        (V. Vassil) Cheng et L. K.
        Fu   1059
Picea koraiensis Nakai   4056
Picrasma quassioides (D. Don)
        Benn.   1715
Picria fel-terrae Lour.   328
Picris japonica Thunb. subsp.
        davurica (Fisch.) Kitag.   2903
Picris japonica Thunb.   2902
Picrorhiza scrophulariaeflora
        Pennell.   825
Picus canus Gmelin   3497
Pieris rapae L.   1962
Pilea cavaleriei Lévl.   529
Pilea microphylla (L.) Liemb.   530
Pilea mongolica Wedd.   2048
Pilea peploides (Gaud.) Hook. et
        Arn.   2546
Pilea swinglei Merr.   2547
Pimpinella diversifolia DC.   3255
Pimpinelle thellungiana Wolff.   4267
Pinctada margaritifera
        (Linnaeus)   4964
Pinctada martensii (Dunker)   4965
Pinellia Oernata (Thunb.)
        Breit.   1915
Pinellia pedatisecta Schott   407
Pinellia polyphylla S. L. Hu   3407
Pinna (Atrina) pentinata
        Linnaeus   3964
Pinus armandii Franch.   1570
Pinus bungeana Zucc.   1060
Pinus densiflora Sieb. et Zucc.   1571

Pinus koraiensis Sieb. et
Zucc. 3036

Pinus latteri Mason 508

Pinus massoniana Lamb. 9

Pinus pumila (Pall.) Regel 1572

Pinus sylvestris L. var. mongolica
Litv. 2528

Pinus sylvestris L. var. sylvestriformis
(Takenouchi) Cheng et C. D.
Chu 1061

Pinus tabulaeformis Carr. 10

Pinus yunnanensis Franch. 11

Piper arboricola C. DC. 17

Piper austrosinense Tseng 4548

Piper betle L. 2038

Piper boehmeriaefolium (Miq.) C.
DC. var. tonkinense C.
DC. 3522

Piper bonii C. DC. 3523

Piper hainanensis Hemsl. 18

Piper hancei Maxim. 4549

Piper laetispicum C. DC. 4063

Piper longum L. 19

Piper martinii C. DC. 3524

Piper nigrum L. 20

Piper puberulum (Benth.)
Maxim. 3045

Piper sarmentosum Roxb. 517

Piptanthus concolor Harrow 2168

Piptoporus betulinus (Bull. ex Fr.)
Karst. 1523

Pistacia chinensis Bunge 1252

Pistacia weinmannifolia Poiss. 2193

Pistia stratiotes L. 4405

Pisum sativum L. 635

Pittosperum tobira (Thunb.)
Ait. 592

Pittosporum pauciflorum Hook. et.
Arn. 4622

Pittosporum sahnianum
Gowda 2647

Pittosporum trigonocarpum
Lévl. 3149

Placuna placenta (Linnaeus) 3461

Plantago asiatica L. 838

Plantago depressa Willd. 1858

Plantago lanceolata L. 1367

Plantago major L. var. sinuata (Lam.)

Decne 3815

Plantago major L. 2321

Plantago maritima L. var. salsa (Pall.)
Pilger 4338

Plantago media L. 4855

Plantanthera chloran-tha Cust ex
Rchb. 1950

Platanthera japonica (Thunb.)
Lindl. 2955

Platycarya strobilacea Sieb. et
Zucc. 1067

Platycodon grandiflorum (Jacq.) A.
DC. 1381

Platysternon megacephalus
Gray 3989

Plecotos auritus Linnaeus 4994

Pleione bulbocodioides (Franch.)
Rolfe 2436

Pleione yunnanensis (Rolfe)
Rolfe 2437

Pleurospermum amabile Craib ex W.
W. Smith 3713

Pleurospermum davidii
Franch. 3714

Pleurospermum giraldii Diels 3715

Pleurospermum hookeri C. B.
Clarke 3716

Pleurospermum uralense
Hoffm. 1774

Pleurotus citrinopileatus Sing. 1027

Pleurotus japanicus Kawam. 4028

Pleurotus ostreatus (Jacq. ex Fr.)
Quel. 1028

Pleurotus ulmaris (Bull. ex Fr.)
Quel. 1536

Pluchea indica Less. 4377

Plumbago auriculata Lam. 2777

Plumbago auriculata Lam. 3289

Plumbago indica L. 3732

Plumbago zeylanica L. 3290

Plumeria rubra L. 269

Plumeria rubra L. cv.
Acutifolia 1804

Pneumatophoruss japonicus
(Houttuyn) 4467

Podocarpus macrophylla (Thunb.) D.
Don var. maki (Sieb.)
Endl. 511

Podocarpus nagi (Thunb.) Zoll. et
Mor. ex Zoll. 512

Podocarpus neriifolius D.
Don 4060

Podophyllum emodi Wall. var.
chinense Sprague 3113

Pogonatherum crinitum (Thunb.)
Kunth 1908

Pogonatum inflexum (Lindb.)
Lac. 4514

Pogostemon auricularius (L.)
Hassk 4324

Pogostemon cablin (Blanco)
Benth. 2811

Polemonium coeruleum Linn. var.
chinense Brand 2793

Polemonium laxiflorum
Kitam. 4307

Polemonium villosum Rud. ex
Georgi 1345

Polianthes tuberosa L. 4431

Pollia hasskarlii Rolla Rao 3930

Pollia omeiensis Hong 3409

Pollia secundiflora (Bl.) Bakh. f.
4925

Polyalthia nemoralis A. DC. 4134

Polygala arillata Buch.-Ham. 1244

Polygala arvensis Willd. 4218

Polygala fallax Hemsl. 4688

Polygala glomerata Lour. 158

Polygala japonica Houtt. 2701

Polygala persicariaefolia DC. 3677

Polygala sibirica L. 1718

Polygala tatarinowii Regel 2178

Polygala tenuifolia Willd. 159

Polygala wattersii Hance 3198

Polygonatum cirrhifolium (Wall.)
Royle 3420

Polygonatum curvistytum
Hua 3942

Polygonatum cyrtonema Hua 421

Polygonatum humile Fisch. ex
Maxim. 1935

Polygonatum involucratum
Maxim. 2939

Polygonatum kingianum Coll. et
Hemsl. 2419

Polygonatum macropodium Turcz. 1936

Polygonatum odorarum (Mill.)
Druce 422
Polygonatum prattii Baker 3421
Polygonatum punctatum Royle ex
Kunth 3422
Polygonatum sibiricum Delar. ex
Redoute 423
Polygonatum stenophyllum
Maxim. 2420
Polygonatum tessellatum Wang et
Tang 3943
Polygonatum zanlanscianense
Pamp. 3423
Polygonum alopecuroides
Turcz. 2056
Polygonum amphibium L. 2057
Polygonum aviculare L. 1594
Polygonum barbatum L. 37
Polygonum bistorta L. 39
Polygonum bungeanum
Turcz. 4085
Polygonum caespitosum Bl. 1595
Polygonum capitatum Buch.-Ham. ex
D. Don 2058
Polygonum chinense L. 1085
Polygonum convolvulus L. 4573
Polygonum coriaceum
Semuels. 3535
Polygonum cuspidatum Sieb. et
Zucc. 40
Polygonum dissitiflorum
Hemsl. 4086
Polygonum divaricatum L. 1086
Polygonum emodi Meisn. 3536
Polygonum griffithii Hook. f. 3537
Polygonum hydropiper L. 2059
Polygonum lapathifolium L. 4087
Polygonum laxmanni Lepech. 1087
Polygonum longisetum De
Bruyn 1088
Polygonum manshuriense V. Petr. ex
Kom. 4088
Polygonum multiflorum
Thunb. 537
Polygonum nepalense Meisn. 2559
Polygonum ochotense V. Pers. ex
Kom. 1596
Polygonum orientale L. 2560

Polygonum paleaceum Wall. 2060
Polygonum perfoliatum L. 1597
Polygonum persicaria L. 2561
Polygonum plebeium R. Br. 3063
Polygonum senticosum (Meisn.)
Franch. et Savat. 4574
Polygonum sibiricum Laxm. 4089
Polygonum sieboldii Meisn. 2061
Polygonum sinomontanum
Sam. 3538
Polygonum sphaerostachyum
Meisn. 3539
Polygonum thunbergii Sieb. et
Zucc. 1089
Polygonum tinctorium Ait. 1598
Polygonum viscosum Buch.
Ham. 1090
Polygonum viviparum L. 1091
Polyphaga plancyi Bolivar 3975
Polypodium virginianum L. 4537
Polyporus elegans (Bull.) Fr. 4502
Polyporus giganteus (Pers.) Fr. 1524
Polyporus umbellatus (Pers.)
Fr. 4503
Polystichum neolobatum
Nakai 2032
Polystichum tripteron (Kunze)
Presl 2525
Polystictus membranaceus (Sw. ex
Fr.) Cke. 4015
Polytricum commune Hedw. 1040
Pometia tomentosa (Bl.) Teysm. et
Binn. 2199
Poncirus trifoliata (L.) Raf. 1712
Pongamia pinnata (L.) Merr. 4202
Populus adenopoda Maxim. 4550
Populus canadensis Moench 4065
Populus diversifolia Schrenk 520
Populus pseudo-simonii Kitag. 2039
Populus simonii Carr. 4066
Populus tomentosa Carr. 4067
Poria cocos (Schw.) Wolf. 1015
Porphyroscia decursiva Miq. 2234
Porphyroscias decursiva Miq. f.
albiflora (Maxim.)
Nakai 2235
Portanus triruberculatus
(Miers) 463

Portulaca graniflora Hook. 548
Portulaca oleracea L. 3066
Potamogeton distincts A. Benn. (P.
franchetiti A. Benn. et
Baag) 3395
Potamogeton lucens L. 2917
Potamogeton natans L. 2918
Potamogeton perfoliatus L. 4391
Potentilla acaulis L. 4163
Potentilla ambigua Cam. 4164
Potentilla anserina L. f. incisa
Thunb. 3632
Potentilla anserina L. 2138
Potentilla arbuscela D. Don. 3633
Potentilla betonicaefolia Poir. 4165
Potentilla bifurca L. var. glabrata
Lehw. 1178
Potentilla chinensis Ser. 2139
Potentilla conferta Bunge 4628
Potentilla cryptotaeniae
Maxim. 2140
Potentilla discolor Bge. 2141
Potentilla fragarioides L. 1179
Potentilla fragellaris Willd. 2651
Potentilla freyniana Bornm. 1180
Potentilla fulgens Wall. 598
Potentilla glabra Lodd. 3634
Potentilla griffithii Hook. f. 2142
Potentilla inquinans Turcz. 4166
Potentilla kleiniana Wight et
Arn. 2652
Potentilla leuconota D. Don 1669
Potentilla leucophylla Pall. 2653
Potentilla multifida L. 4167
Potentilla nudicaulis Willd. ex
Schlecht. 4168
Potentilla paradoxa Nutt. 2654
Potentilla reptans L. var. sericophylla
Fr. 3151
Potentilla stenophylla (Franch.)
Diels 3635
Potentilla tanacetifolia Willd. ex
Schlecht. 4169
Potentilla viscosa J. Don 3152
Pothos cathcartii Schoott. 3408
Pothos chinensis (Raf.) Merr. 408
Pothos pilulifer Buchet ex
Gagn. 3928

Pothos repens (Lour.) Merr.　2925

Pottsia laxiflora (Bl.) O. Ktze.　270

Pouzolzia sanguinea (Bl.)
　　Merr.　4079

Pouzolzia zeylanica (L.) Benn.　4566

Pranus pseudocerasus Lindl.　3155

Pratia begoniifolia (Wall.)
　　Lindl.　1878

Premna fulva Craib　4817

Premna ligustroides Hemsl.　2803

Premna microphylla Turcz.　292

Premna szemaoensis Pei　2276

Presbytis francoisi Pousargues　4995

Primula bathangensis Petitm.　3724

Primula epilosa Craib　3286

Primula farinosa L.　1788

Primula fistulosa Turkey.　4289

Primula maximowiczii Regel　4290

Primula nutans Delavay ex
　　Franch.　2774

Primula ovalifolia Fr.　3287

Primula poissonii Franch.　3725

Primula secundiflora Franch.　3726

Primula sibirica Jacq.　4291

Primula sieboldii E. Morren　1789

Primula sikkimensis Hook.　3727

Primula sinopurpurea Balf. f.　3728

Primula sonchifolia Fr.　3288

Primula viali Delavay ex Franch.
　　3729

Prinsepia sinensis (Oliv.)
　　Kom.　1670

Prinsepia uniflora Batal　2655

Prinsepia utilis Royle　2143

Prismatomeris tetrandra (Roxb.) K.
　　Schum.　847

Proceras venosatus (Walker)　3978

Protothaca jedoensis (Lischke)　2965

Prunella asiatica Nakai　303

Prunella hispida Benth.　2294

Prunella vulgaris L.　2812

Prunus armeniaca L.　599

Prunus armenica L. var. ansu
　　Maxim.　1671

Prunus buergeriana Kiq.　3153

Prunus davidiana Franch.　1672

Prunus humilis Bge.　1673

Prunus japonica Thunb.　1181

Prunus japonica (Thunb.) Lois. var.
　　nakaii (Lévl.) Yu et Li　1182

Prunus maackii Rupr.　1183

Prunus maximowiczii Rupr.　2656

Prunus mira Koehne　3636

Prunus mume (Sieb.) S. et Z.　1184

Prunus padus L. var. pubescens
　　Reg.　1674

Prunus padus L.　600

Prunus persica (L.) Batsch var. densa
　　Mak.　3154

Prunus persica (L.) Batsch　1185

Prunus salicina Lindl.　2144

Prunus sibirica L.　2657

Prunus tomentosus Thunb.　601

Prunus triloba Lindl.　1675

Przewalskia tangutica Maxim.　3326

Psammosilene tumicoides W. C. Wu
　　et C. Y. Wu　549

Pseuderanthemum polyanthum
　　(Clarke) Merr.　4853

Pseudobagrus fulvidraco
　　(Richardson)　4979

Pseudochirita guangxiensis (S. Z.
　　Huang) W. T. Wang　336

Pseudodrynaria coronans (Wall.)
　　Ching　7

Pseudois nayaur Hodgson　484

Pseudolarix amabilis (Nelson.)
　　Rehd.　4544

Pseudostellaria heterophylla (Miq.)
　　Pax et Pax et Hoffm.　1107

Pseudostreblus indica Bur.　31

Psidium guajava L.　729

Psilotum nudum (L.) Beauv.　4520

Psophocarpus tetragonolobus
　　DC.　1218

Psoralea corylifolia L.　1699

Psychotria rubra (Lour.) Poir.　848

Psychotria yunnanensis
　　Hutch.　2324

Pteridium aquilinum (L.) Kuhn var.
　　latiusculum (Desv.)
　　Underw.　1563

Pteris actiniopteroides Christ　3017

Pteris dactylina Hook.　3505

Pteris dissitifolia Bak.　3506

Pteris ensiformis Burm.　4525

Pteris linearis Poir.　2518

Pteris multifida Poir.　504

Pteris nervosa Thunb.　3507

Pteris semipinnata L.　1050

Pteris vittsta L.　3018

Pternopetalum trichomanifolium (Fr.)
　　Hand.-Mazz.　3256

Pterocarpus indicus Willd.　4670

Pterocarya stenoptera C. DC.　23

Pterocephalus hookeri (Clarke)
　　Hoeck.　2333

Pterospermum heterophyllum
　　Hance　207

Pterospermum truncatolobatum
　　Gagnep.　3227

Pterula umbrinella Bres.　3002

Ptilotrichum cretaceum (Adams)
　　Ledeb.　3134

Ptyas korros (Sehlegel)　4473

Ptyas mucosus (L.)　4474

Pueraria lolata (Willd.) Qhwi　1700

Pueraria montana (Lour.)
　　Merr.　1701

Pueraria peduncularis Grah. ex
　　Benth.　3665

Pueraria thomsonii Benth.　2688

Pugionium cornutum (L.)
　　Gaertn.　3135

Pulsatilla ambigus Turcz et
　　Pritz.　4119

Pulsatilla cernua (Thunb.) Bercht. et
　　Opiz. 1625

Pulsatilla chinensis (Bge.)
　　Regel.　1128

Pulsatilla patens (L.) Mill.　4120

Pulsatilla turczaninovii Kryl. et
　　Serg.　4121

Pulveroboletus ravenelii (Berk. et
　　Curt.) Murr.　4019

Pumice　2479

Punica granatum L. var. legrellei
　　Vanhoutte　2219

Punica granatum L. var. multiplex
　　Sw.　3238

Punica granatum L.　1758

Purple salt　1499

Pursatilla dahurica (Fisch ex DC.)
　　Spreng.　2594

Pyracantha angustifolia (Franch.)
    Schneid.   *4170*
Pyracantha fortuneana (Maxim.)
    Li   *101*
Pyrethrum tatsienense (Bur. et
    Franch.) Ling ex Shih   *2904*
Pyrita nodule   *490*
Pyrite *2485*
Pyrola chlorantha Sw.   *4268*
Pyrola decorata H. Andees   *250*
Pyrola forrestiana H. Andres   *2239*
Pyrola incarnata Fisch. et
    DC.   *1778*
Pyrola minor L.   *1312*
Pyrola rotundifolia L. subsp.
    chinensis H. Andres   *2240*
Pyrola rotundifolia L.   *2762*
Pyrola tschanbaischanica Chou et Y.
    L. Chang   *1313*
Pyrolusite   *2489*
Pyrrhocorax pyrrhocarax
    (Linnaeus)   *4491*
Pyrrosia adnascens (Sw.)
    Ching   *4538*
Pyrrosia calvata (Bak.) Ching   *3029*
Pyrrosia davidii (Gies.) Ching   *2526*
Pyrrosia drakeana (Fr.) Ching   *4539*
Pyrrosia gralla (Cies.) Ching   *3030*
Pyrrosia lingua (Thunb.)
    Farw.   *4052*
Pyrrosia petiolosa (Christ)
    Ching   *2527*
Pyrrosia tonkinensis (Gies.)
    Ching   *4540*
Pyrus betulaefolia Bge.   *3156*
Pyrus calleryana Dcne.   *1186*
Pyrus pashia Bunch.-Ham. ex D.
    Don   *2658*
Pyrus pyrifolia (Burm. f.)
    Nakai   *4630*
Pyrus ussuriensis Maxim.   *1676*
Python molurus bivittatus
    (Schlegel)   *3486*

Q

Qelitic hematite   *1487*

Quamoclit pennata (Lam.) Boj.   *284*
Quamoclit sloteri House.   *4306*
Quartz album   *984*
Quartz   *2481*
Quercus acutissima Carr.   *522*
Quercus baronii Skan   *2536*
Quercus dentata Thunb.   *523*
Quercus glandulifera Bl.   *1072*
Quercus liaotungensis Koidz.   *2537*
Quercus mongolica Fisch.   *4071*
Quisqualis indica L.   *228*

R

Rabdosia amethystoides (Benth.)
    Hara   *304*
Rabdosia eriocalyx (Dunn)
    Hara   *2999*
Rabdosia excisa (Maxim.)
    Hara   *1829*
Rabdosia jaonica var. glaucocalyx
    (Maxim.) Hara   *2813*
Rabdosia lophanthoides (Buch. Ham.
    ex D. Don) Hara.   *801*
Rabdosia lophanthoides (Buch.-Ham.
    ex D. Don) Hara var.
    gerardiana (Benth.)
    Hara   *4825*
Rabdosia rosthornii (Diels)
    Hara   *3321*
Rabdosia serra (Maxim.) Hara.   *802*
Rabdosia ternifolia (D. Don)
    Hara   *1830*
Radermachera sinica (Hance)
    Hemsl.   *831*
Rallus aquaticus Linnaeus   *3996*
Ramaria formosa (Pers. ex Fr.)
    Quel.   *1505*
Ramaria stricta (Pers. et. Fr.)
    Quel.   *4009*
Rana amurensis Baulenger   *3483*
Rana nigromaculata Hallowell   *963*
Rana temporaria chinensis
    David.   *964*
Randia spinosa (Thunb.) Poir.   *349*
Rangifer tarandus Linnaeus   *1480*
Ranunculus brotherusii Freyn var.

tanguticus (Maxim.)
    Tamura   *3571*
Ranunculus cantoniensis DC.   *4586*
Ranunculus chinensis Bunge   *2595*
Ranunculus japonicus Thunb.   *62*
Ranunculus muricatus L.   *1129*
Ranunculus repens L.   *4122*
Ranunculus sceleratus L.   *2596*
Ranunculus sieboldii Miq.   *3096*
Ranunculus tanguticus (Maxim.)
    Ovcz.   *4587*
Ranunculus ternatus Thunb.   *4588*
Rapana venosa
    (Valenciennes)   *1955*
Raphanus sativus L.   *1153*
Raphiolepis indica (L.) Lindl.   *4631*
Rauvolfia perakinsis king et
    Gamble   *3307*
Rauvolfia serpentina (L.) Benth, ex
    Kurz.   *1336*
Rauvolfia tetraphylla L.   *271*
Rauvolfia verticillata (Lour.) Bail.
    rubrocarpa Tsiang   *770*
Rauvolfia verticillata (Lour.) Bail.
    var. hainanensis Tsiang   *769*
Rauvolfia verticillata (Lour.)
    Bail.   *272*
Rauvolfia vomitoria Afzel.   *771*
Realgar   *495*
Reaumuria soongorica (Pall.)
    Maxim.   *4245*
Rehderodendron macrocarpum
    Hu   *3295*
Rehmannia chingii Li.   *3331*
Rehmannia glutinosa Libosch.   *826*
Reineckea carnea Kunth.   *424*
Reineckia curvata Z. Y. Zhu   *4936*
Renanthera coccinea Lour.   *4960*
Rhamnella gilgitica Mansfeld et
    Melch.   *3688*
Rhamnus aurea Heppel.   *3689*
Rhamnus crenata Sieb. et
    Zucc.   *4725*
Rhamnus davurica Pall.   *1261*
Rhamnus diamantiaca Nakai   *1262*
Rhamnus erythroxylon Pall.   *4228*
Rhamnus leptophylla
    Schneid.   *3218*

Rhamnus parvifolia Bge. 691

Rhamnus rosthornii Pritz. 3219

Rhamnus schneideri Lével. et Vant
var. manshurica Nakai 2202

Rhamnus ussuriensis J. Vass. 1263

Rhamnus utilis Decne 2717

Rhaphidophora decursiva (Roxb.)
Schott 4920

Rhaphidophora hongkongensis
Schott 4921

Rhapis excelsa (Thunb.) Henry ex
Rehd. 899

Rhaponticum uniflorum (L.)
DC. 387

Rheum altaicum A. Los. 1599

Rheum forrestii Diels 3064

Rheum franzenbachii Münt. 1600

Rheum nobile Hook. f. et Thoms.
var. diqingense H. J. Guo et J.
S. Yang var. nov. ined. 3540

Rheum nobile Hook. f. et
Thoms. 1601

Rheum officinale Baill. 1092

Rheum palmatum L. 2062

Rheum spiciforme Royle 2063

Rheum undulatum L. 538

Rhinacanthus nasutus (L.)
Lindau 1856

Rhinoceros unicorni L. 4495

Rhizomys sinensis Gray 4000

Rhodiola angusta Nakai 1156

Rhodiola bupleuroides (Wall. ex HK.
f. et Thoms.) S. H. Fu 3606

Rhodiola crenulata (Hook. f. et
Thoms.) H. Ohba 3607

Rhodiola forrestii (Hamet) S. H.
Fu 3608

Rhodiola henryi (Diels) Fu 2124

Rhodiola himalensis (D. Don) S. H.
Fu 3609

Rhodiola kirilowii (Regel)
Regel 2125

Rhodiola linearifolia A. Bor. 3610

Rhodiola quadrifida (Pall.) Fisch. et
Mey. 2639

Rhodiola sachalinensis A.
Bor. 1652

Rhodiola wallichiana (HK.) S. H. Fu

var. cholaensis (Praeg.) S. H.
Fu 3611

Rhodiola yunnanensis (Fr.)
Fu 3137

Rhodobryum roseum Limpr. 2517

Rhododendron agglutinatum Balf. f.
et Forrest 4269

Rhododendron anwheiense
Wils. 3271

Rhododendron augustinii Hemsl.
4270

Rhododendron brachycarpum D.
Don 1315

Rhododendron calophytum
Franch. 4271

Rhododendron capitatum
Maxim. 4272

Rhododendron cephalanthum
Franch. 4273

Rhododendron chrysanthum
Pall. 1316

Rhododendron concinuum
Hemsl. 4274

Rhododendron dahuricum L. 1779

Rhododendron davidii Fr. 3272

Rhododendron decorum
Franch. 2241

Rhododendron delavayi Fr. 2242

Rhododendron dendrocharis
Franch. 4275

Rhododendron fortunei
Lindl. 2763

Rhododendron intricatum
Franch. 4276

Rhododendron mariesii Hemsl. et
Wils. 2764

Rhododendron micranthum
Turcz. 251

Rhododendron microphyton
Franch. 4277

Rhododendron molle G.
Don. 2765

Rhododendron mucronatum G.
Don. 2766

Rhododendron mucronulatum
Turcz. 1780

Rhododendron parvifolium
Adams. 1317

Rhododendron przewalskii
Maxim. 4278

Rhododendron racemosum
Franch. 4279

Rhododendron rubiginosum
Franch. 4280

Rhododendron rufum Batal. 4281

Rhododendron sargentianum Rehd.
ex Wils. 4282

Rhododendron schlippenbachii
Maxim. 2767

Rhododendron searsiae Rehd. et
Wils. 4283

Rhododendron simsii Planch. 252

Rhododendron spinuliferum
Franch. 4284

Rhododendron stamineum
Fr. 3273

Rhododendron sutchnenense
Franch. 4285

Rhododendron thymifolium
Maxim. 4286

Rhododendron williamsianum Rehd.
et Wils. 3274

Rhododendron wilsonii Hemsl. et
Wils. 3275

Rhodomyrtus tomentosus (Ait.)
Hassk. 730

Rhodotypos scadens (Thunb.)
Makino 2659

Rhoeo discolor (L'Her) Hance 411

Rhopilema esculenta
Kishinouye 4961

Rhus chinensis Mill. var. roxburghii
(DC.) Rehd. 4706

Rhus chinensis Mill. 184

Rhus punjabensis Stew. var. sinica
(Diels) Rebd. et Wils. 3202

Rhus sylvestris Sieb. et Zucc. 1730

Rhynchanthus beesianus W. W.
Smith 1445

Rhynchosia dielsii Harms 1702

Rhynchosia volubilis Lour. 4671

Rhynchospermum verticillatum
Reinw. 3383

Rhynchospora rubra (Lour.)
Makino 4399

Ribes alpestre Wall. ex Decne. 2645

Ribes diacanthum Pall.　4150

Ribes emodens Rehd.　3144

Ribes komarovii A. Pojark var.
　　cuneifolium Liou　2646

Ribes komarovii A. Pojark　1163

Ribes longiracemosum Fr.　3145

Ribes mandshuricum (Maxim.)
　　Kom.　1164

Ribes meyeri Maxim. var. tanguticum
　　Jancz.　3146

Ribes odoratum Wendl.　4151

Ribes palczewskii Pojark.　4152

Ribes pauciflora Turcz.　4153

Ribes pulchellum Turcz.　4154

Ribes triste Pall.　1660

Ricinus communis L.　675

Robinia pseudoacecia L.　1219

Rodgersia aesculifolia Batal.　1661

Rodgersia pinnata Franch.　591

Rodgersia sambucifolia
　　Hemsl.　3615

Rohdea japonica Roth.　1937

Rorippa elata (Hook. f. et Thoms.)
　　Hand.-Mazz.　3605

Rorippa globosa (Turcz.)
　　Thell.　2631

Rorippa indica (L.) Hiern.　3136

Rorippa islandica (Oder.) Borbas'
　　4144

Rorippa montana (Wall.)
　　Small.　2632

Rosa acicularis Lindl. var. taguetii
　　Nakai　1187

Rosa acicularis Lindl.　4171

Rosa alberti Regel.　4172

Rosa banksiae Aiton.　1188

Rosa bella Rehd. et Wils.　4632

Rosa chinensis Jacj.　102

Rosa cymosa Trott　2660

Rosa davurica Pall.　103

Rosa hugonis Hemsl.　2661

Rosa koreana Kom.　1189

Rosa laevigata Michx.　104

Rosa laxa Retz.　3157

Rosa multiflora Thunb. 3637

Rosa multiflora Thunb. var.
　　platyphylla Thory　602

Rosa omeiensis Rolfe.　603

Rosa platyacantha Schrenk　3158

Rosa roxburghii Tratt.　1190

Rosa rubus Lévl. et Vant.　3159

Rosa rugosa Thunb.　1191

Rosa sikangensis Yu et Ku　3638

Rosa swginzowii Koehne　4173

Rosa taronensis Yu　2662

Rosa tsinglingensis Pax.
　　Hoffm　2663

Rosa xanthina Lindl. f. normalis
　　Rehd.　2664

Rosa xanthina Lindl.　2145

Roscoea alpina Royle　3948

Roscoea purpurea Simth.　4441

Roscoea tibetica Bat.　3949

Rostellularia procumbens (L.)
　　Ness　2318

Rotala rotundifolia (Buch.-Ham.)
　　Koehne　2740

Rourea microphylla (Hook. et Arn.)
　　Planch.　4639

Rourea minor (Gaertn.)
　　Leenh.　3643

Rubia chinensis Reg.　2843

Rubia cordifolia L.　1864

Rubia maillardi Lévl. et Uan.　3345

Rubia membranacea (Franch.)
　　Diels　3822

Rubia oncotricha
　　Hand.-Mazz.　3823

Rubia ovatifolia Z. Y. Zhang　2844

Rubia sylvatica Nakai　2845

Rubia truppeliana Loes.　3346

Rubus alceaetolius Poir.　4174

Rubus amabilis Focke　2665

Rubus amphidasys Focke ex
　　Diels　4633

Rubus biflorus Buch.-Ham.　3639

Rubus blinii Lévl.　2146

Rubus chingii Hu　1677

Rubus cochinchinensis Tratt.　4634

Rubus corchorifolius L.　1192

Rubus coreanus Miq.　3160

Rubus crataegifolius Bunge　1193

Rubus delavayi Franch.　2147

Rubus ellipticus var. obcordatus
　　(Franch.) Focke　2148

Rubus eustephanos Focke　3161

Rubus feddei Lévl. et Vant.　4635

Rubus foliolosus D. Don　604

Rubus hirsutus Thunb.　1194

Rubus leucanthus Hance　4636

Rubus multibracteatus Lévl. et
　　Vant.　2149

Rubus niveus Thunb.　3640

Rubus parvifolius L.　2150

Rubus pirifolicus Smith　105

Rubus reflexus Ker.　4175

Rubus rosaefolius Sm.　4637

Rubus sachalinensis Léve.　1678

Rubus saxatilis L.　4176

Rubus suavissimus S. Lee.　106

Rubus sumatranus Miq.　4177

Rubus tephrodes Hance　107

Rubus xanthocarpus Bur. et
　　Franch.　2666

Ruditapes philippinarum (Adamus et
　　Reeve)　957

Rumex acetosa L.　1602

Rumex acetosella L.　4090

Rumex chalepensis Mill.　4575

Rumex crispus L.　2562

Rumex gmelini Turcz.　2563

Rumex hastata D. Don.　2064

Rumex japonicus Houtt.　539

Rumex longifolius De Candolle [R.
　　domesticus Hartman]　1603

Rumex maritimus L.　2564

Rumex nepalensis Spr.　3541

Rumex obtusifolius L.　540

Rumex patientia L. var. callosus F.
　　Schm. ex Maxim.　2566

Rumex patientia L.　2565

Rumex stenophyllus Ledeb.　1604

Russelia equisetiformis Schlechi et
　　Champ.　2825

Russula alutacea (Pers.) Fr.　4026

Russula aurata (With.) Fr. 1532

Russula delica Fr.　1533

Russula depallens (Pers.) Fr.　4027

Russula emetica (Schaeff. ex Fr.) Pers.
　　ex Gray　1023

Russula foetens (Pers.) Fr.　2511

Russula integra (L.) Fr.　2510

Russula laurocerasi Melz.　3006

Russula nigricans (Bull.) Fr.　1024

Ruta graveolens L.   1713

S

Sabia fasciculata Lecomte ex L.
   Chen   4720
Sabia parviflora Wall.   3686
Sabia swinhoei Hemsl.   4721
Sabina squamata (Buch.-Ham.)
   Antoine   3516
Sabina vulgaris Antoine var.
   jarkendensis (Kom.) C. Y.
   Yang   3518
Sabina vulgaris Antoine   3039
Sabina vulgaris Antoine   510
Sabina wallichiana (Hook. f. et
   Thoms.) Kom.   3519
Saccharum sinensis Roxb.   4913
Sageretia pycnophylla
   Schneid.   3690
Sageretia rugosa Hance   3220
Sageretia thea (Osb.) Johnst.   692
Sagina japonica (Sw.) Ohwi   3069
Sagittaria trifolia L. var. angustifolia
   (Sieb.) Kitag.   2386
Sagittaria trifolia L.   2385
Salix babylonica Linnaeus   2040
Salix dunnii Schneid.   3049
Salix gracilistyla Miq.   2041
Salix heterochroma Seem.   4551
Salix hypoleuca Seem.   2532
Salix matsudana Koidz.   4068
Salix wallichiana Anderss.   4552
Salomonia cantoniensts Lour.   160
Salsola collina Pall.   3065
Salsola ruthenica Iljin   1095
Salvia cavaleriei Lévl. var.
   simplicifolia Stib.   2814
Salvia coccinea Fuss. ex Merr.   803
Salvia deserta Schang   4826
Salvia digitaloides Diels   3787
Salvia flava Forrest ex Diels   2295
Salvia maximowicziana
   Hemsl.   2815
Salvia miltiorrhiza Bge. var. alba C.
   Y. Wu et H. W. Li   1831
Salvia miltiorrhiza Bge.   305

Salvia omeiana Stib.   4827
Salvia plebeia R. Br.   1832
Salvia przewalskii Maxim. var.
   glabrescens Stib.   3788
Salvia przewalskii Maxim. var.
   mandarinorum (Diels)
   Stib.   3789
Salvia przewalskii Maxim. var.
   rubrobrunnea C. Y.
   Wu   3790
Salvia miltiorrhiza Bge. var. alba C.
   Y. Wu et H. W. Li   1831
Salvia miltiorrhiza Bge.   305
Salvia omeiana Stib.   4827
Salvia plebeia R. Br.   1832
Salvia przewalskii Maxim. var.
   glabrescens Stib.   3788
Salvia przewalskii Maxim. var.
   mandarinorum (Diels)
   Stib.   3789
Salvia przewalskii Maxim. var.
   rubrobrunnea C. Y.
   Wu   3790
Salvia przewalskii Maxim.   306
Salvia roborowskii Maxim.   3791
Salvia splendens Ker. Gawl.   804
Salvia substolonifera Stib.   1833
Salvia trijuga Diels   307
Salvia yunnanensis C. H.
   Wight   3322
Salvinia natans (L.) All.   4542
Sambucus adnata Wall.   353
Sambucus chinensis Lindl.   354
Sambucus coreana (Nakai)
   Kom.   2329
Sambucus latipinna Nakai   4347
Sambucus williamsii Hance var.
   miquelii (Nakia) Y. C.
   Tang   3348
Sambucus williamsii Hance   1869
Sanguisorba canadensis L.   3162
Sanguisorba filiformis (Hook. f.)
   Hand.-Mazz.   2151
Sanguisorba officinalis L. var.
   longifolia (Bert.) Yü et Li
   1679
Sanguisorba officinalis L.   108
Sanguisorba sitchensis C. A.

   Mey.   1195
Sanguisorba tenuifolia Fisch. ex
   Lindl.   2667
Sanicula chinensis Bunge   2236
Sanicula coerulescens Fr.   3257
Sanicula lamelligera Hance   3258
Sanicula orthacantha S.
   Moore   2756
Sanicula rubriflora Fr.
   Schmidt   1775
Sansevieria trifasciata Prain   4937
Santalum album L.   1080
Sapindus mukorossi Gaertn.   189
Sapium discolor (Champ.)
   Muell-Arg.   676
Sapium rotundifolium Hemsl.   177
Sapium sebiferrum (L.) Roxb.   2708
Saponaria officinalis L.   1611
Saposhnikovia divaricata (Turcz.)
   Schischk.   2757
Saraca dives Pierre   1220
Sarcandra glabra (Thunb.)
   Nakai   1579
Sarcandra hainanensis (Pei) Swamy
   et Bailey   4064
Sarcococca ruscifolia Stapf   2710
Sarcopyramis nepalensis Wall.   3240
Sargentodoxa cuneata (Oliv.) Rehd.
   et Wils.   4589
Sassafras tzumu (Hemsl.)
   Hemsl.   4137
Satyrium ciliatum Lindl.   3957
Satyrium nepalensis D. Don   2956
Satyrium yunnanensis Rolfe   3958
Saurauia napaulensis DC.   1277
Saurauia tristyla DC.   1744
Sauropus rostrata Miq.   178
Saururus chinensis (Lour.)
   Baill.   1577
Saussurea amara (L.) DC.   2373
Saussurea gnaphaloides (Royle)
   Sch.-Bip.   2905
Saussurea graminea Dunn   3895
Saussurea hieracioides Hook. f.
   3896
Saussurea involucrata (Kar. et Kir.)
   Sch. Blp.   3384
Saussurea japonica (Thunb.) DC. 1891

Saussurea laniceps
    Hand.-Mazz.   3897
Saussurea leucoma Diels   4378
Saussurea likiangensis Franch.   3899
Saussurea longifolia Franch.   3898
Saussurea medusa Maxim.   3900
Saussurea obvallata (DC.)
    Edgew.   3385
Saussurea pachyneura
    Franch.   3901
Saussurea pulchella Fisch.   2374
Saussurea quercifolia W. W.
    Smith   3902
Saussurea romuleifolia
    Franch.   3903
Saussurea stella Maxim.   2906
Saussurea tangutica Maxim.   3904
Saussurea tridactyla Sch.-Bip.   3905
Saussurea ussuriensis Maxim.   4379
Saxidomus purpuratus
    (Sowerby)   2447
Saxifraga candelabrum
    Franch.   3616
Saxifraga diversifolia Wall. ex
    Ser.   3617
Saxifraga flagellaris Willd. ex Sternb.
    ssp. megistantha
    Hand.-Mazz.   3618
Saxifraga hirculus L. var. major
    (Engl. et Irmsch.) J. T.
    Pan   3619
Saxifraga laciniata Nakai et
    Takeda   1662
Saxifraga manshuriensis (Engler)
    Kom.   1165
Saxifraga melanocentra
    Franch.   3620
Saxifraga montana H. Sm.   3621
Saxifraga nigro-glandulifera
    Balakrishana   3622
Saxifraga punctata L.   1166
Saxifraga sanguinea Franch.   3623
Saxifraga signata Engl. et
    Irmsch.   3624
Saxifraga signatella Marq.   3625
Saxifraga stolonifera (L.)
    Meerb.   1663
Saxifraga umbellulata Hook. f. et

Thoms. f. pectinata Marq. et
    Shaw   2131
Scabiosa comosa Fisch. ex Roem. et
    Schult.   2334
Scabiosa tschiliensis
    Grunning   4874
Scapharca broughtonii Sch.   457
Scapharca subcrenata (Lischke)   458
Scarabaeus sacer Linnaeus   4976
Schefflera arboricola Hayata   2744
Schefflera bodinieri (Lévl.)
    Rehd.   2745
Schefflera delavayi (Franch.)
    Harms.   1763
Schefflera kwangsiensis Merr. ex
    Li   241
Schefflera lociana Grushv. et N.
    Skvorts. var. megaphylla
    Shang   4768
Schefflera octophylla (Lour.)
    Harms   242
Schefflera venulosa (Wight et Arn.)
    Harms   2228
Schima wallichii Choisy.   4240
Schisandra chinenesis (Turcz.)
    Baill.   1136
Schisandra henryi Clarke   4604
Schisandra henryi C. B. Clarke var.
    yunnanensis A. C.
    Smith   2610
Schisandra neglecta A. C.
    Smith   2104
Schisandra propinqua (Wall.) Baill.
    var. sinensis Oliv.   2105
Schisandra rubriflora (Fr.) Rehd. et
    Wils.   2106
Schisandra sphaerandra f. pallida
    Sm.   2107
Schisandra sphenanthera Rehd. et
    Wils.   3121
Schisandra viridis A. C.
    Smith   4605
Schizocapsa plantaginea Hance   427
Schizomussaenda dehiscens (Craib)
    Li   2325
Schizonepeta multifida (L.)
    Briq.   2296
Schizonepeta tenuifolia Briq.   308

Schizophyllum commune Fr. 1537
Schnabelia oligophylla H.-M.   4316
Schoenoplectus grossus (L. f.)
    Palla   3924
Schoepfia chinensis Gardn. et
    Champ.   4568
Schustodesmus lampreyanus (Baird et
    Adams)   3965
Scilla scilloides (Lindl.) Druce   2940
Scirpus juncoides Roxb.   4916
Scirpus planiculmis Fr.
    Schmid.   4400
Scirpus tabernaemontani
    Gmel.   2394
Sciurus vulgalis Linnaeus   1974
Scolopia chinensis (Lour.)
    Clos   4753
Scoparia dulcis Linn.   4332
Scoropendra subspinipes mutilans
    Koch   3471
Scorzonera albicaulis Bunge var.
    macrosperma Kitag.   3386
Scorzonera albicaulis Bunge   1892
Scorzonera austriaca Willd.   4380
Scorzonera divaricata Turcz.   1405
Scorzonera grabra Rupr.   1893
Scorzonera radiata Fisch.   4381
Scorzonera sinensis (Lipsch.) Lipsch.
    et Krasch.   4382
Scrophularia buergeriana
    Miq.   1846
Scrophularia ningpoensis
    Hemsl.   1362
Scrophularia spicata Franch.   3805
Scurrula parasitica L.   4569
Scutellaria amoena C. H.
    Wright   3323
Scutellaria baicallensis Georgi   805
Scutellaria barbata Don   806
Scutellaria formosana N. E.
    Brown   4828
Scutellaria galericulata L.   4325
Scutellaria indica L.   1834
Scutellaria likiangensis Diels.   1835
Scutellaria moniliorrhiza
    Kom.   4829
Scutellaria regeliana Nakai   3324
Scutellaria rehderiana Diels   807

Scutellaria scordifolia Fisch. ex
　　　Schrank　　*1836*

Scutellaria viscidula Bge.　　*2297*

Sechium edule (Jacq.) Swartz.　　*2864*

Secotium agaricoides (Czern.)
　　　Hollos　　*4040*

Securidaca inappendiculata
　　　Hassk.　　*1245*

Securinega suffruticosa (Pall.)
　　　Rehd.　　*179*

Sedum aizoon L. f. angustifolium
　　　Franch.　　*2126*

Sedum aizoon L. var. latifolium
　　　Maxim.　　*4148*

Sedum aizoon L.　　*3138*

Sedum bulbiferum Makino　　*2640*

Sedum emarginatum Migo　　*1653*

Sedum erythrodtictum Miq.　　*89*

Sedum kamtschaticum Fisch.　　*1157*

Sedum lineare Thunb.　　*90*

Sedum midden dorfianum
　　　Maxim.　　*1654*

Sedum multicaule Wall.　　*2127*

Sedum odontophyllum Ford.　　*4619*

Sedum pallescens Freyn　　*1158*

Sedum purpureum (L.)
　　　Schult.　　*2128*

Sedum sarmentosum Bge.　　*91*

Selaginella davidii Franch.　　*2023*

Selaginella delicatula (Desv.)
　　　Alston　　*4517*

Selaginella doederleinii
　　　Hieron　　*1042*

Selaginella involvens (Sw.)
　　　Spring　　*3014*

Selaginella labordei Hieron.　　*4518*

Selaginella moellendorfii
　　　Hieron.　　*2024*

Selaginella pulvinata (Hk. et Grev.)
　　　Maxim.　　*2025*

Selaginella sanguinolenta (L.)
　　　Spr.　　*2026*

Selaginella sibirica (Milde)
　　　Hieron.　　*4519*

Selaginella tamariscina (Beauv.)
　　　Spring　　*2*

Selaginella uncinata (Desv.)
　　　Spring　　*3*

Selenarctos thibetanus G.
　　　Cuvier　　*1477*

Semiaquilegia adoxoides (DC.)
　　　Mak.　　*2090*

Semiliquidambar cathayensis H. T.
　　　Chang　　*2648*

Senecio argunensis Turcz.　　*2907*

Senecio canabifolium var.
　　　integrifolius (Koidz.)
　　　Kitag.　　*2908*

Senecio cannabifolium Less. var.
　　　integrifolius (Koidz.)
　　　Kitam.　　*1406*

Senecio cannabifolius Less. f.
　　　pubinervis Kitag.　　*1894*

Senecio cannabifolius Less.　　*2375*

Senecio faberi Hemsl.　　*3387*

Senecio flammeus DC.　　*2376*

Senecio integrifolius (L.) Clairvill var.
　　　fauriei (Lévl. et Vant.)
　　　Kitam　　*388*

Senecio jacobaca L.　　*3388*

Senecio kaschkarovii C.
　　　Winkl.　　*3389*

Senecio nemorensis L.　　*1895*

Senecio nemorensis L.　　*3390*

Senecio oldhamianus Maxim.　　*2909*

Senecio pierotii Miq.　　*4896*

Senecio pteridophyllüs
　　　Franch.　　*2377*

Senecio scandens Buch.-Ham.　　*885*

Senecio solidagineus
　　　Hand.-Mazz.　　*2378*

Senecio solidagineus
　　　Hand.-Mazz.　　*3906*

Senecio spelacicolus (Vant.)
　　　Gagnep.　　*4897*

Senecio villiferus Fr.　　*3391*

Senecio vulgaris L.　　*2379*

Sepia esculenta Hoyle　　*4967*

Sepiella maindroni de Roch.　　*958*

Sericocalyx chinensis (Nees)
　　　Bremek.　　*340*

Sericolite Ying-Cheng　　*1485*

Sericolite　　*1484*

Serissa foetida Comm. var. aureo-
　　　marginata Hort.　　*2846*

Serissa foetida Comm.　　*4342*

Serissa serissoides (DC.) Druce　　*350*

Serpentiniated marble　　*1492*

Serratula centauroides L.　　*4898*

Sesamum orientale L.　　*333*

Sesarma (Holometopus) dehanni H.
　　　Milne-Edwards　　*2973*

Sesbania aculeata Pers.　　*4182*

Sesbania cannabina (Retz.)
　　　Pers.　　*4672*

Setaria glauca (L.) Beauv.　　*896*

Setaria italica (L.) Beauv.　　*3397*

Setaria plicata (Lam.) T.
　　　Cooke　　*4914*

Setaria viridis (L.) Beauv.　　*1909*

Shuteria involuclata (Wall.) Wight et
　　　Arn. var. villosa (Pamp.)
　　　Ohashi　　*3666*

Sicyos angulatus L.　　*3357*

Sida mysorensis Wight et
　　　Arn.　　*4740*

Sida rhombifolia L.　　*4236*

Sida subcordata Span.　　*4741*

Siegesbeckia glabrescens
　　　Makino　　*1407*

Siegesbeckia orientalis L.　　*1896*

Siegesbeckia pubescens Makino　　*886*

Silene aprica Turcz.　　*3543*

Silene conoidea L.　　*3070*

Silene delavayi Franch.　　*2571*

Silene gonosperma (Rupr.)
　　　Bocquet　　*3544*

Silene grandiflorum Franch.　　*3545*

Silene jenisseensis Willd. var.
　　　oliganthella (Nakai ex Kitag.)
　　　X. C. Chu　　*1612*

Silene repens Patr.　　*1108*

Silene vanosa (Gilib.)
　　　Aschers.　　*4097*

Silybum marianum (L.)
　　　Gaertn.　　*887*

Sinapis alba L.　　*2633*

Sinocalamus beecheyanus (Munro)
　　　Mc Clure var. pubescens P. F.
　　　Li　　*4915*

Sinocrassula indica (Decne.)
　　　Berger　　*2129*

Sinofranchetia chinensis (Fr.)
　　　Hemsl.　　*3104*

Sinonovacula constricta
(Lamarck) 2449
Sinopodophyllum emodii (Wall. ex
Royle) Ying 67
Siphocranion macranthum (Hook. f.)
C. Y. Wu 3325
Siphonostegia chinensis
Benth. 2826
Siraitia grosvenorii (Swingle) C.
Jeffrey ex A. M. Lu et Z. Y.
Zhang 364
Sium suave Walt. 2758
Skimmia reevesiana Fortune 4217
Smilacina dahurica Turcz. 1431
Smilacina japonica A. Gray 2941
Smilacina oleracea (Baker) Hook.
f. 3944
Smilacina paniculata (Baker) Wang et
Tang 2942
Smilax bockii warb. 3424
Smilax china Linn. 4423
Smilax ferox Wall. ex Kunth 2943
Smilax glabra Roxb. 921
Smilax glauco-china Wavb. 3425
Smilax lanceifolia Roxb. var. opaca
A. DC. 4938
Smilax lebrunii Lévl. 4939
Smilax mairei Lévl. 4424
Smilax menispermoidea A.
DC. 2421
Smilax microphylla C. H.
Wright 4940
Smilax ocreata A, DC. 922
Smilax perfoliata Lour. 4425
Smilax polycolea Warb. 4426
Smilax riparia A. DC. 2422
Smithsonite 493
Sodium chloride 991
Solanum aviculare Forst 816
Solanum coagulans Forsk. 2305
Solanum indicum Lour. 317
Solanum khasianum C. B.
Clarke 1840
Solanum lyratum Thunb. 318
Solanum mammosum L. 319
Solanum melongena L. var.
depressum Bail. 817
Solanum melongena L. 320

Solanum nigrum L. 818
Solanum photeinocarpum Nacamura
et Odashima 819
Solanum pseudocapsicum L. 820
Solanum surattense Burm. f. 321
Solanum torvum Sw. 1841
Solanum tuberosum L. 1842
Solanum verbascifolium L. 322
Solanum xanthocarpa Schrad. et
Wendl. 323
Solen gouldi Conrad 3467
Solen gracilis Philippi 2450
Solen grandis Dunker 2969
Solenognathus hardwickei
Gray 1466
Solidago canadensis L. 1408
Solidago decurrens Lour. 3392
Solidago virgaurea L. ssp. dahurica
Kitag. 1409
Solidago virgaurea L. 4383
Solms-Laubachia eurycarpa (Maxim.)
Botsch. 3603
Solms-Laubachia linearifolia (W. W.
Smith) O. E. Schulz 3604
Sonchus asper (L.) Hill 3393
Sonchus brachyotus DC. 2910
Sonchus oleraceus L. 2911
Sonchus wightianus DC. 3907
Sophora alopecuroides L. 1221
Sophora davidii (Franch.) Kom. ex
Pavol. 3667
Sophora flavescens Ait. 1703
Sophora glauca Lesch. 3186
Sophora japonica L. 636
Sophora mairei Pamp. 4673
Sophora moorcroftiana (Benth.)
Benth. ex Baker 2169
Sophora tonkinensis Gagnep. 137
Sophora viciifolia Hance 2689
Sopubia trifida Buch.-Ham. 4843
Sorbaria arborea Schneid. 3641
Sorbaria kirilowii (Regel)
Maxim. 2668
Sorbaria sorbifolia (L.) A.
Brown 605
Sorbaria sorbifolia (L.) A. Br. var.
stellipila Maxim. 4178
Sorbus alnifolia (Sieb. et Zucc.) K.

Koch var. lobulata
Rehcl. 3163
Sorbus alnifolia (Sieb. et Zucc.) K.
Koch 2669
Sorbus megalocarpa Rehd. 3164
Sorbus pohuashanensis (Hance)
Hedl. 1196
Sorbus rehderiana Koehne 2670
Sorbus tianshanica Rupr. 3165
Sorghum vulgare Pers. 3398
Soroseris gillii (S. Moore)
Stebb. 3908
Soroseris hookeriana (C.B. Clarke)
Stebb. ssp. erysimoides (Hand.-
Mazz.) Stebb. 3910
Soroseris rosularis (Diels)
Stebb. 3909
Soroseris umbrella (Franch.)
Stebb. 3911
Souliea vaginata (Maxim.)
Franch. 1626
Sparganium simplex Hudson 1907
Spathiphyllum cocheeri
Spathum 4406
Spatholobus suberectus Dunn 138
Spenceria ramalana Trim. 2152
Speranskia cantonensis (Hce.) Pax et
Hoffm. 2709
Speranskia tuberculata (Bge.)
Baill. 180
Sphacelotheca reiliana (Kühn)
Clint. 2003
Sphaeranthus indicus Linn. 3912
Sphagnum palustre L. 4509
Sphenoclea zeylanica Gaertn. 3847
Spilanthes callimorpha A. H.
Moore 3913
Spilanthes paniculata Wall. ex
DC. 3914
Spiraea blumei G. Don. 3166
Spiraea chinensis Maxim. 2671
Spiraea japonica L. f. var. fortunei
(Planch.) Rehd. 3167
Spiraea japonical L. f. var. incisa
Yu 2672
Spiraea media Schmidt 1680
Spiraea pubescens Turcz. 1197
Spiraea salicifolia L. 606

Spiraea schneideriana Rehd.　*3642*

Spiraea sericea Turcz.　*4638*

Spiranthes australis (R. Brown) Lindl.　*949*

Spirobolus bungii Brandt　*2975*

Spirodela polyrhiza (L.) Schleid.　*908*

Squilla oratoia de Haan　*3469*

Stachys baicalensis Fisch. ex Benth.　*1353*

Stachys baicalensis Fisch, ex Beuth. var. hispidula Nakai　*2298*

Stachys chinensis Bunge ex Benth.　*2816*

Stachys geobombycis C. Y. Wu　*4830*

Stachys japonica Miq.　*1354*

Stachys oblongifolia Benth.　*1355*

Stachytarpheta jamaicensis (L.) Vahl　*4818*

Stachyurus chinensis Franch.　*2728*

Stachyurus himalaicus Hook. f. et Thoms.　*2729*

Stachyurus obovatus (Rehd.) Hand.-Mazz.　*3232*

Stachyurus retusus Yang　*3233*

Stachyurus salicifolius Fr.　*3234*

Stahlianthus involucratus (King ex Bak.) Craib　*941*

Stalactite　*1998*

Staphylea bumalda DC.　*4714*

Staphyles holocarpa Hemsl.　*3206*

Statilia maculata Thunb.　*4459*

Stauntonia chinensis DC.　*4590*

Stellaria bungeana Fenzl var. Stubendorfii (Regel) Y. C. Chu　*1613*

Stellaria dichotoma L. var. lanceolata Bge.　*550*

Stellaria dichotoma L.　*4098*

Stellaria radians L.　*4580*

Stellaria saxatilis Buch. Ham.　*1614*

Stellaria yunnanensis Franch.　*551*

Stellera chamaejasme L.　*718*

Stelmatocrypton khasianum (Benth.) Baill.　*3766*

Stemona japonica (Bl.) Miq.　*1421*

Stemona sessilifolia (Miq.) Franch. et

Sav.　*909*

Stemona tuberosa Lonr.　*3410*

Stenoloma chusanum (L.) Ching　*1048*

Stenosolenium saxatile (Pall.) Turcz.　*2797*

Stephania cepharantha Hayata　*4593*

Stephania delavayi Diels　*4128*

Stephania dielsiana Y. C. Wu　*4594*

Stephania epigaea H. S. Lo　*1639*

Stephania forsteri (D.C.) A. Gray　*4595*

Stephania hainanensis H. S. Lo et Tsoong.　*566*

Stephania hernandifolia Walp.　*3115*

Stephania kwangsiensis H. S. Lo　*4596*

Stephania longa Lour.　*4129*

Stephania simica Diels　*2607*

Stephania viridiflavens H. S. Lo et M. Yang　*4597*

Sterculia hainanensis Merr. & Chun　*208*

Sterculia lanceolata Cav.　*705*

Sterculia nobilis Smith　*4238*

Stereum fasciatum (Schw.) Fr.　*2004*

Stereum sanguinolentum (Alb. et Schw.) Fr.　*1003*

Stevia rebaudianum Bertoni　*888*

Stichopus japonicus Se-lenka　*1963*

Stixis suaveolens (Roxb.) Pierre　*2123*

Strelizia reginae Aiton　*434*

Streptocaulon griffithii Hook. f.　*1809*

Streptopelia chinensis (Scopoli)　*4993*

Streptoperia orientalis (Latham)　*3997*

Streptopus parviflorus Fr.　*3426*

Streptopus simplex D. Don.　*4427*

Striga asiatica (L.) O. Kuntze.　*827*

Striga masuria (Buch.-Ham. ex Benth.) Benth.　*4844*

Strobilanthes forrestii Diels　*2319*

Strobilanthes guangxiensis S. Z.

Huang　*4854*

Strongylocentrotus nudus (A. Agassiz)　*465*

Strophanthus divaricatus (Lour.) Hook. et Arn.　*1337*

Strophanthus hispidus DC.　*2262*

Strophanthus sarmentosus DC.　*2263*

Struthiopteris eburnea (Christ) Ching　*3023*

Strychnos angustiflora Benth.　*761*

Strychnos conferitiflora Merr. & Chun　*762*

Strychnos nux-vomica L.　*1328*

Strychnos walli-chiana Steud.　*1329*

Sturnus cineraceus Temminck　*476*

Styrax chinensis Hu et S. Y. Liang　*757*

Styrax japonica Sieb. et Zucc.　*3296*

Styrax tonkinensis (Pierre) Craib ex Hart.　*4790*

Suillus elegans (Fr.) Snell　*3005*

Suillus luteus (L. ex Fr.) Gray　*1530*

Sulphur　*491*

Sus scrofa L.　*4496*

Sus scrofa domestica Brisson　*4998*

Swainsonia salsula Taub.　*139*

Swertia angustifolia Buch.-Ham. ex D. Don var. pulchella (Buch. Ham. ex D. Don)　*3753*

Swertia bimaculata (Sieb. et Zucc.) Hook f. et Thoms.　*2254*

Swertia delavayi Franch.　*2255*

Swertia diluta (Turcz.) Benth. et Hook. f.　*2256*

Swertia kingii Hook. f.　*3754*

Swertia marginata Schrenk　*3755*

Swertia pseudochinensis Hara　*4297*

Swertia zayuensis T. N. Ho et S. W. Liu var. Havescens T. N. Ho et S. W. Liu　*4296*

Sympetrum infuscatum (Selys)　*2452*

Symplocarpus nipponicus Makino　*2400*

Symplocos caudata Wall. ex A. DC.　*3291*

Symplocos chinensis (Lour.) Druce　*4789*

Symplocos paniculata (Thunb.)
Miq. 3292

Symplocos paniculata (Thunb.)
Miq. 3733

Symplocos racemosa Roxb. 3734

Symplocos setchuansis Brand 3293

Syncalathium souliei (Franch.)
Ling 3915

Synedrella nodiflora (L.)
Gaertn. 389

Syneilesis aconitifolia (Bge.)
Maxim. 1897

Syngnathoides biaculeatus
(Bloch) 4982

Syngnathus acus Linnaeus 1467

Synurus deltoides (Ait.)
Nakai 1410

Syringa oblata Lindl. var. affinis
Lingelsh. 262

Syringa oblata Lindl. 1796

Syringa pinnatifolia Hemsl. var.
alashanensis Ma et S. Q.
Zhou 4793

Syringa pubescens Turcz. 2781

Syringa reticulata (Bl.) Hara var.
mandshurica (Maxim.)
Hara 263

Syringa villosa Vahl. 1797

Syringa wollii Schneider 1798

Syrmaticus reevesii (Gray) 4484

Syzygium jambos (L.) Alston 731

T

Tacca chantrieri Andre 428

Tachypleus tridentatus Leach 2451

Tadehagi triquetrum (L.)
Ohashi 140

Tadorna ferruginea (Pallas) 2470

Tagetes erects L. 390

Tagetes patula L. 2912

Takydromus amurensis
(Peters) 4989

Takydromus wolteri Fischer 2986

Talc 993

Talcschist 1982

Talinum paniculatum (Jacq.)

Gaertn. 49

Talinum triangulare (Jacq.)
Willd. 4579

Tamarindus indica L. 1222

Tamarix chinensis Lour. 213

Tamarix juniperina Bunge 2724

Tanacetum vulgare L. 391

Tanakea omeiensis Nakai 3147

Tapiscia sinensis Oliv. 3207

Taraktogenos annamensis
Gagnep. 2215

Taraxacum asiaticum Dahlst. 2380

Taraxacum brassicaefolium
Kitag. 2381

Taraxacum brevirostre
Hand.-Mazz. 3916

Taraxacum calanthodium
Dahlst. 3917

Taraxacum erythropodium
Kitag. 2913

Taraxacum falcilobum Kitag. 4899

Taraxacum lugubre Dahlst. 3918

Taraxacum maurocarpum
Dahlst. 3919

Taraxacum mongolium
Hand.-Mazz. 1898

Taraxacum ohwianum Kitam. 1899

Taraxacum platy pecidum
Diels 1900

Taraxacum pseudo-albidum
Kitag. 2914

Taraxacum sikkimense
Hand.-Mazz. 3920

Taraxacum sinicum Kitag. 1901

Taraxacum tibeticum
Hand.-Mazz. 3921

Taxillus chinensis (DC.)
Danser 4082

Taxillus delavayi (Van Tiegh.)
Danser 2051

Taxus chinensis (Pilg.) Rehd. 3042

Taxus cuspidata Sieb. et
Zucc. 1575

Tecomaria capensis (Thunb.)
Spach. 832

Tectona grandis L. f. 789

Tegillarca granosa (Linnaeus) 4963

Telosma cordata (Burm. f.)

Merr. 1810

Teloxys aristata Moq. 4091

Telphusa sp. 2483

Teonongia tonkinensis (Dub. et
Eberh.) Stapf 4562

Tephrosia purpurea (L.) Pers. 3668

Terminalia catappa L. 725

Terminalia chebula Retz. 726

Ternstroemia gymnanthera (Wight et
Arn.) Sprague 1279

Terra tiavausta 1489

Testudo elongata Blyth 3484

Tetracera asiatica (Lour.) Hoogl. 707

Tetrapanax papyriferus (Hook.) K.
Koch 243

Tetrastes bonasia (Linnaeus) 1973

Tetrastigma hemsleyanum Diels et
Gilg. 4732

Tetrastigma obtectum (Wall.)
Planch. 1738

Tetrastigma planicaule (Hook. f.)
Gagnep. 694

Tetrastigma pubinerve Merr. et
Chun 695

Teucrium quadrifarium
Buch.-Ham. 808

Teucrium viscidum Bl. 309

Thais clavigera Küster 2441

Thalictrum aquilegifolium L. var.
sibiricum Reg. et Tiling 1627

Thalictrum baicalense Turcz. 2597

Thalictrum cultratum Wall. 3572

Thalictrum delavayi Franch. 1628

Thalictrum finetii Boiv. 3097

Thalictrum finetii Boliv. 3097

Thalictrum foliolosum DC. 3098

Thalictrum ichangense Lecoy, ex
Oliv.' 3099

Thalictrum javanicum Bl. 4123

Thalictrum minus L. 2598

Thalictrum minus var. hypoleucum
(Sieb. et Zucc.) Miq. 2091

Thalictrum omeiense W. T. Wang et
S. H. Wang 3100

Thalictrum petaloideum L. 2092

Thalictrum reticulatum Fr. 4124

Thalictrum simplex L. var. brevipes
Hara 2599

Thalictrum tuberiferum Maxim. 3101

Thalictrum uncatum Maxim. 3573

Thalictrum uninulatum Franch. 2600

Thalictrum virgatum Hook. f. et Thoms. 3574

Thamnolia subuliformis (Ehrh.) W. Culb. 1551

Thamnolia vermicularis (Ach.) Asahina 2021

Theobroma cocao L. 1742

Thermopsis chinensis Benth. 1223

Thermopsis lanceolata R. Br. 2690

Thesium chinense Turez. 1589

Thesium longifolium Turcz. 4081

Thesium refractum Mey. 2549

Thevetia peruviana (Pers.) K. Schum. 1805

Thladiantha dubia Bge. 861

Thladiantha glabra Cogn. ex Oliv. 3358

Thlaspi arvense L. 2121

Thlaspi cochleariforme DC. 2634

Thuidium cymbifolium (Doz. et Molk.) Doz. et Molk. 4512

Thunbergia adenophora W. W. Sm. 2839

Thunbergia grandiflora (Roxb. ex Rottl.) Roxb. 837

Thunbergia lacei Gamble 2320

Thunia alba (Lindl.) Rchb. f. 2438

Thymus mongolicus Ronn 310

Thymus przewalskii (Komar) Nakai 311

Thyrocarpus sampsonii Hance 4813

Tiarella polyphylla D. Don 3148

Tilia amurensis Rupr. 2205

Tilia chinensis Maxim. 2720

Tilia mandshurica Rupr. et Maxim. 1273

Tin 2500

Tinospora sagittata (Oliv.) Gagnep. 567

Tinospora sinensis (Lour.) Merr. 3582

Tirpitzia ovoidea Chun et How ex L. Sha 4675

Tithonia diversifolia A. Gray 4900

Toddalia asiatica (L.) Lam. 3675

Tofieldia divergens Bur. et Fr. 3945

Toona sinensis (A. Juss.) Roem. 4685

Torenia flava Buch.-Ham. ex Benth. 4845

Torenia glabra Osheck 3332

Torenia violacea (Azaola) Pennell 3333

Torilis japonica (Houtt.) DC. [Torilis anthriscus (L.) Gmel.] 1309

Torilis scabra (Thunb.) DC. 3259

Torricellia angulata Oliv. var. intermedia (Harms ex Diels) Hu 3264

Toxicodendron succedaneum (L.) Ktze 4221

Toxocarpus ovalifolius Tsiang 279

Toxocarpus villosus (Bl.) Decne. 4808

Trachelospermum jasminoides (Lindl.) Lem. 772

Trachycarpus fortunei (Hook. f.) H. Wendl. 900

Trachyrhamphus serratus (Temminck et Schlegel) 2982

Tradescantia virginiana L. 412

Tragopogon orientalis L. 4384

Trametes cinnabarina (Jacq.) Fr. 1016

Trametes corrugata (Pers.) Bres. 1525

Trametes dickinsii Berk. 1526

Trametes gallica Fr. 4013

Trametes gibbosa (Pers. ex Fr.) Fr. 1017

Trametes orientalis (Yasuda) Imaz. 1018

Trametes pubescens (Schum ex Fr.) Pilat 1527

Trametes sanguineus (Fr.) Lloyd 1528

Trametes suaveoleus (L. ex Fr.) Fr. 1019

Trapa bicornis Osbeck 1761

Trapa bispinosa Roxb. 235

Trapa japonica Fler. 2741

Trapa pseudoincisa Nakai 2742

Trema orientalis (Linn.) Bl. 3525

Tremella fuciformis Berk. 4506

Tremella mesenterica Retz. ex Fr. 1504

Tremellodon gelatinosum (Scop. ex Fr.) Pers. 4007

Tremolite 1984

Trewia nudiflora L. 2189

Tribulus terrestris L. 1709

Trichilia connaroides (W. et A.) Bentvelzen 2176

Trichilia sinensis Bentv. 4686

Tricholoma gambosum (Fr.) Gill. 4022

Tricholoma mongolicum Imai 4034

Tricholoma personatum Quel. 4035

Tricholoma sordidum (Fr.) Quél. 4036

Trichosantes kirilowii Maxim. 862

Trichosanthes anguina L. 3359

Trichosanthes dunniana Lévl. 4878

Trichosanthes laceribractea Hayata 4879

Trichosanthes pedata Merr. et Chun 4351

Trichosanthes rubriflos Thorel ex Cayla 2338

Trichosanthes uniflora Hao 3360

Tricyrtis macropodo Miq. 4428

Tridacna (Chamestrachea) sduamosa (Linnaeus) 3463

Trifolium lupinaster L. 1224

Trifolium pratense L. 637

Trifolium repens L. 1225

Triglochin pulustre L. 2384

Trigonella foenum-graecum L. 638

Trigonotis peduncularis (Trev.) Benth. 2271

Trilead tetroxide 992

Trillium kamtschaticum Pall. ex Pursh 2944

Trillium tschonoskii Maxim. 1938

Trimeresurus albolabris (Gray) 4477

Trimeresurus monticola (Gunther) 3994

Trimeresurus mucrosquamatus (Cantor) 4478

Trimeresurus stejnegeri
    Schmidt　2467

Tringa totanus (Linnaeus)　3495

Trionyx sinensis (Wiegmann)　4468

Triosteum himalayanum Wall.　355

Triosteum pinnatifidum
    Maxim.　2855

Triplostegia glandulifera Wall. ex
    DC.　3829

Tripteros permum volubile (D. Don.)
    Hara.　2257

Tripterospermum cordatum (Marq.)
    H. Smith　3305

Tripterospermum fasciculatum (Wall.)
    Chater　3756

Tripterygium hypoglaucum (Lévl.)
    Hutch.　4222

Tripterygium regelii Sprague et
    Tak.　1256

Tripterygium wilfordii Hook.
    f.　1733

Triticum aestivum L.　397

Triumfetta bartramia L.　4233

Triumfetta pilosa Roth.　4737

Trogopterus xanthipes
    Milne-Edwards　4997

Trollius chinensis Bge.　3102

Trollius macropetalus Fr.
    Schmidt　1629

Trollius ranunculoides Hemsl.　4125

Trollius yunnanensis (Franch.)
    Ulbr.　1630

Tropaeolum majus L.　1233

Tulotis ussuriensis (Reg. et Macck)
    Hara　4455

Tupistra aurantiaca Wall. ex
    Baker　4429

Tupistra delavayi Franch.　4941

Tupistra emeiensis Z. Y. Zhu　3427

Tupistra tui (Wanh et Tang) Wang et
    Liang　3428

Turbo chrysostomus
    (Linnaeús)　1455

Turbo cornutus Solander　1456

Turczaninowia fastigiata (Fisch.)
    DC.　2915

Turraea pubescens Hellen.　4687

Turritella terebra Linnaeus　1954

Tussilago farfara L.　4901

Tutcheria championi kakai　4241

Tylophora atrofolliculata Metc.　280

Tylophora mollissima Wight　4303

Tylophora ovata (Lindl.) Hook. ex
    Steud.　4809

Tylophora yunnanensis
    Schltr.　1811

Typha angustata Bory et
    Chaub.　1904

Typha angustifolia L.　2382

Typha davidiana (Kvonf.)
    H.-M.　4389

Typha latifolia L.　890

Typha minima Funk　1905

Typha przenwalskii Skv.　2383

Typhonium divaricatum (L.)
    Decne.　905

Typhonium flagelliforme (Lodd.)
    Bl.　906

Typhonium giganteum Engl.　907

Tyromyces sulphureus (Bull. ex Fr.)
    Donk　1020

U

Ulmus androssowii Litw. var. virgata
    (Planch.) Grudz.　3526

Ulmus macrocarpa Hance　2538

Ulmus parvifolia Jacq.　1074

Ulmus propinqua Koidz.　1583

Ulmus pumila L.　2539

Ulva lactuca Linnaeus　2501

Ulva linza Linnaeus　2502

Ulva pertusa Kjellm　2001

Umbilicaria esculenta (Miyoshi)
    Minks　1552

Umbilicaria hypococcinea (Jatta)
    Llano　1553

Uncaria hirsuta Havil.　4866

Uncaria macrophlla Wall.　4343

Uncaria rhynchophylla (Miq.) Miq.
    ex Havil.　4867

Uncaria scandens (Smith)
    Hutch.　351

Uncaria sessilifructus Roxb.　352

Uncaria sinensis (Oliv.) Havil.　4868

Undaria pinnatifida (Harv.)
    Sur.　4001

Unio douglasiae (Gray)　2446

Upupa epops Linnaeus　2472

Uraria crinita Desv. var.
    macrostachya Wall.　1226

Uraria crinita (L.) Desv. ex.
    DC.　639

Uraria logolodiodes (L.) Desv. ex
    DC.　640

Uraria picta (Jacq.) Desv.　3669

Urena lobata L.　204

Urena procumbens L.　701

Uroctea limbata L. Koch.　3470

Ursus arctos Linnaeus　2474

Urtica angustifolia Fisch. ex
    Hornem.　1079

Urtica cannabina L.　2049

Urtica fissa Pritz.　2548

Urtica triangularis Hand.-Mazz. ssp.
    pinnatifida (Hand.-Mazz.) C. J.
    Chen　3530

Usnea diffracta Vain　1555

Usnea longissima Ach.　1556

Usnea motisfuji Mot.　1557

Ustilago maydis (DC) Corda　1501

Ustilago nuda (Jens.) Rostr.　3501

Uvaria microcarpa Champ. ex
    Benth.　75

V

Vaccaria segetalis (Neck.)
    Garcke　2572

Vaccinium fragille Franch.　749

Vaccinium iteophyllum
    Hance　4774

Vaccinium sprengelii Sleumer　3276

Vaccinium uliginosum L.　1318

Vaccinium vitis-idaea L.　1781

Valeriana amurensis Smir. ex
    Komarov　2858

Valeriana jatamansii Jones　1872

Valeriana officinalis L.　1873

Vallaris indecora (Baill.) Tsiang et P.
    T. Li　2789

Vanilla planifolia L.　950

Ventilago leiocarpa Benth.　1264
Veratrilla baillonii Franch.　3757
Veratrum dahuricum (Turcz.) Loes. f.
　　1432
Veratrum maackii Regel　2423
Veratrum nigrum L.　4430
Veratrum oxysepalum Turcz.　1433
Veratrum puberulum Loes. f.　3429
Verbascum thapsus L.　828
Verbena officinalis L.　1348
Vermiculite　1495
Vermilion　995
Vernicia fordii (Hemsl.)
　　Airy-Shaw.　677
Vernicia montana Lour.　678
Vernonia bockiana Diels.　3394
Vernonia cinerea (L.) Less.　1902
Vernonia esculenta Hemsl.　2916
Vernonia patula (Ait.) Merr.　4385
Veronica incana L.　4333
Veronica anagallis-aquatica L.　2311
Veronica ciliata Fisch. ssp.
　　zhongdianensis Hong　3803
Veronica didyma Tenore.　1363
Veronica eriogyne H. Winkl.　2827
Veronica linariifolia Pall. ex Link ssp.
　　dilatata (Nakai et Kitagawa)
　　Hong　3804
Veronica linariifolia Pall. ex
　　Link　2828
Veronica longifolia L.　2829
Veronica perogrina L.　1847
Veronica rotunda, Nakai var.
　　subintegra (Nakai)
　　Yamazaki　1848
Veronicastrum axillare (Sieb. et
　　Zucc.) Yamazaki　3335
Veronicastrum latifolium (Hemsl.)
　　Yamazaki　3336
Veronicastrum sibiricum (L.)
　　Pennell　329
Veronicastrum stenostachyum
　　(Hemsl.) Yamazaki subsp.
　　stenostachyum　2830
Vespa mandarinia Sm.　3986
Viburnum betulifolium Batal.　2848
Viburnum chinshanense
　　Graebn.　2849

Viburnum cylindricum Buch.-Ham.
　　ex D. Don　3349
Viburnum dilatatum Thunb.　1372
Viburnum foetidum Wall. var.
　　rectangulatum (Graebn.)
　　Rehd.　2851
Viburnum foetidum var.
　　ceanothoides (C. H. Wright)
　　Hand.-Mazz.　2850
Viburnum fordiae Hance　4872
Viburnum glomeratum
　　Maxim.　2852
Viburnum lutescens Bl.　2330
Viburnum macrocephalum
　　Forture　4348
Viburnum mongolicum (Pall.)
　　Rehd.　1870
Viburnum nervosa D. Don (V.
　　cordifolium Wall. et
　　DC.)　3350
Viburnum odoratissimum Ker　2331
Viburnum plicatum Thunb. f.
　　tomentosum (Thunb.)
　　Rehd.　1373
Viburnum rhytidophyllum
　　Hemsl.　2853
Viburnum sargentii Koehne　1374
Viburnum schensianum
　　Maxim.　2854
Viburnum sempervirens K.
　　Koch.　3351
Vicia amoena Fisch.　1704
Vicia baicalensis (Turcz) P. Y.
　　Pr.　4203
Vicia cracca L.　1227
Vicia faba L.　141
Vicia gigantea Bge.　142
Vicia hirsuta (L.) S. F. Gray　2691
Vicia japonica A. Gray　2170
Vicia kulingiana Baicl.　3187
Vicia murticaulis Ledeb.　2171
Vicia pseudorobus Fisch. et C. A.
　　Mey.　2692
Vicia ramuriflora (Maxim.)
　　Ohwii　4204
Vicia sativa L.　2693
Vicia unijuga A. Br.　1705
Vicia venosa (Willd.) Maxim.　1228

Vigna cylindrica (L.) Skeels　4205
Vigna sinensis (L.) Savi　2694
Vinca minor L.　273
Viola acuminata Ledeb.　1283
Viola betoniciolia Smith.　3695
Viola biflora L.　1749
Viola collina Bess.　4750
Viola diffusa Ging　3230
Viola dissecta Ledeb.　2212
Viola gmeliniana Roemer et
　　Schultes.　4246
Viola hirtipes S. Moore　2725
Viola inconspicua Bl.　713
Viola mandshurica W. Beck.　2213
Viola mongolica Franch.　2726
Viola odorata L.　1284
Viola patrinii DC.　1750
Viola philippica Cav. ssp. munda W.
　　Beck.　3231
Viola prionantha Bge.　714
Viola sacchalinensis De Boiss var.
　　alpicola P. Y. Fu et Y. C.
　　Teng　1751
Viola triangulifolia W. Beck.　4751
Viola tricolor L.　215
Viola vaginata Maxim.　2727
Viola variegeta Fisch.　1752
Viola verecunde A. Gray　4247
Viola xanthopetala Nakai　1285
Viola yedoensis Makino　1753
Viola yunnanfuensis W.
　　Beck.　4248
Viscum articulatum Burm. f.　2052
Viscum coloratum (Kom.)
　　Nakai　4083
Viscum multinerve (Hay.) Hay.　4570
Vitex microphylla (Hand.-Mazz.)
　　Pei　3774
Vitex negundo L. f. laxipaniculata
　　Pei　3775
Vitex negundo L. var. cannabifolia
　　(Sieb. et. Zucc.)
　　Hand.-Mazz.　2277
Vitex negundo L. var. heterophylla
　　(Franch.) Rehd.　1822
Vitex negundo L.　790
Vitex quinata (Lour.) A. N.
　　Williams　4317

Vitex quinata (Lour.) Will. var.
puberula Moldenke 3776
Vitex trifolia L. 1823
Vitex trifolia L. 2278
Vitis amurensis Rupr. 1739
Vitis flexuosa Thunb. 3221
Vitis vinifera L. 3222
Vittaria flexuosa Fee 3514
Viviparus chui Yen 3454
Vulcanlizing agent 200
Vulpes vulpes L. 1976

W

Wahlenbergia marginata (Thunb.) A.
DC. 3363
Wedelia chinensis (Osb.) Merr. 392
Wedelia prostrata (Hook. et Arn.)
Hemsl. 4386
Wedelia wallichii Less. 4920
Weigela coraeensis Thunb. 2856
Wendlandia uvariifolia Hance 3824
Whitmania pigra (Whitman) 1452
Wikstroemia canescens (Wall.)
Meissn. 3700
Wikstroemia dolichantha
Diels 1757
Wikstroemia hainanensis Merr. 719
Wikstroemia indica (L.) C. A.
Mey. 720
Wisteria sinensis Sweet 1706
Woodfordia fruticosa (L.)
Kurz 2218
Woodsia polystichoides Eaton 2030
Woodwardia japonica (L.f.)
Sm. 2523
Woodwardia unigemmata (Makino)
Nakai 2524
Wrightia laevis Hook. f. 4299
Wrightia pubescens R. Br. 4300

X

Xanthium mongolicum Kitag. 4387
Xanthium sibiricum Patrin. ex
Widd. 1411

Xanthoceras sorbifolia Bge. 190
Xanthochrous rheads (Pers.)
Pat. 2015
Xanthopappus subacaulis C.
Winkl. 3922
Xantlochrous hispidus (Bull. ex Fr.)
Pat. 1529
Xerocomus chrysenteron (Bull. ex
Fr.) Quel. 4504
Xylaria nigripes (Kl.) Sacc. 3001
Xylocopa dissimilis (Lep.) 4978
Xylosma japonicum (Walp.) A.
Gray 1286

Y

Youngia japonica (L.) DC. 1903
Youngia stenoma (Turcz.)
Ledeb. 4388
Ypsilandra thibetica Franch. 1939
Yucca filamentosa L. 1434
Yucca gloriosa L. 923

Z

Zanthoxylum avicennae (Lam.)
DC. 155
Zanthoxylum bungeanum
Maxim. 3196
Zanthoxylum dissitoides
Huang 4681
Zanthoxylum dissitum Hemsl. 3197
Zanthoxylum echinocarpum
Hemsl. 4682
Zanthoxylum nitidum (Roxb.) DC. f.
fastuosum How ex
Huang 4684
Zanthoxylum nitidum (Roxb.)
DC. 4683
Zanthoxylum piasezkii
Maxim. 2699
Zanthoxylum planispinum Sieb. ex
Zucc. 1239
Zanthoxylum schinifolium Sieb. et
Zucc. 1240
Zanthoxylum simulans Hance 156

Zanthoxylum simulens Hance var.
Podocarpum Huang 1241
Zaocys dhumnades Cantor 4475
Zea Mays L. 4396
Zebrina pendula Schnizl. 4926
Zephyran thes grandiflora
Lindl. 1942
Zephyranthes candida Herb. 426
Zingiber cochleariforme D.
Fang 3437
Zingiber officinale Rosc. 942
Zingiber omeiense Z. Y. Zhu 3438
Zingiber striolatum Diels 4953
Zingiber zerumbot (L.) Smith 943
Zinnia elegans Jacq. 889
Ziziphora clinopodioides Lam. 4326
Ziziphus jujuba Mill. var. inermis
(Bge.) Rehd. 1736
Ziziphus jujuba Mill. var. spinosa Hu
ex H. F. Chow 1737
Ziziphus jujuba Mill. 2718
Ziziphus mauritiana Lam 1265
Zornia diphylla (L.) Pers 143
Zygophyllum xanthoxylum
Maxim. 148

藻類植物 Cynophyta

綠藻門 Chlorophyta

石蓴科 Ulvaceae
石蓴 Ulva lactuca L.　　2501
長石蓴 Ulva linza L.　　2502
孔石蓴 Ulva pertusa Kjellm.　　2001

松藻科 Codiaceae
刺松藻（水松） Codium fragile (Sur.) Hariot
　2002

褐藻門 Phaeophyta

翅藻科 Alariaceae
裙帶菜 Undaria pinnadifida (Harv.) Sur.　　4001

菌類植物門 Fungi

粘菌綱 Myxomycetes

粉瘤菌科 Lycogalaceae
眞菌粉瘤菌（粉瘤菌） Lycogala epidendrum (L.) Fr.
　1001

子囊菌綱 Ascomycetes

麥角菌科 Clavicipitaceae
大蟬草（蟬花） Cordyceps cicadae Shing　　2503
眞菌蛹蟲草（蛹蟲草） Cordyceps militaris (L. ex Fr.)
　Link　　1002
冬蟲夏草 Cordyceps sinensis (Berk.) Sacc.　　2504
蟬蛹草 Cordyceps sobolifera (Hill) Benk et Br.
　4002

炭棒菌科 Xylariaceae
地碳棍（烏靈參） Xylaria nigripes (Kl.) Sacc.
　3001

地舌菌科 Geoglossaceae
褐地舌 Geoglossum paludosum (Pers.) Durand.
　4006

盤菌科 Pezizaceae
林地碗 Peziza sylvestris (Boud.) Sacc. et Trott　　4003

馬鞍菌科 Helvellaceae
馬鞍菌 Helvella elastica Bull. ex Fr.　　4005
圓錐羊肚菌（羊肚菜） Morchella conica Pers.
　2505
羊肚菜 Morchella esculenta (L.) Pers.　　4004

擔子菌綱 Basidiomycrtes

黑粉菌科 Ustilaginaceae
絲黑穗菌 Sphacelotheca reilian (Kühn) Clint.
　2003
玉米黑粉菌 Ustilago maydis (DC.) Corda　　1501
青稞黑粉菌 Uatilago nuda (Jens.) Rostr.　　3501

木耳科 Auriculariales
木耳 Auricularia auricula (L. et Hook.) Underw.
　1502
毛木耳 Auricularia polytricha (Mont.) Sacc.　　1503

銀耳科 Tremellaceae
銀耳（白木耳） Tremella fuciformis Berk.　　4506
虎掌菌 Tremella gelatinosum (Scop. ex Fr.) Pers.
　4007
金耳 Tremella mesenterica Retz. ex Fr.　　1504

花耳科（叉擔子菌科） Dacryomycetaceae
膠腦菌 Dacryomyces aurantium (Schw.) Farl.
　4008

革菌科 Thelephoraceae
輪紋硬革菌（輪紋硬革） Stereum fasciatum (Schw.)
　Fr.　　2004
血痕韌革菌（血革） Stereum sanguinolentum (Alb.
　et Schw.) Fr.　　1003

珊瑚菌科 Clavariaceae
杆棒菌 Clavaria pistillaris L. ex Fr.　　4010
黑龍鬚菌（樹頭髮） Pterula umbrinella Bres.
　3002
粉紅叢枝菌 Ramaria formosa (Pers. ex Fr.) Quel.
　1505
密枝木瑚（皺珊瑚菌） Ramaria stricta (Pers.) Quel.
　4009

皺孔菌科 Meruliaceae
乾朽菌 Gyrophana lacrymans (Wulf.) Pat.　　1506
膠皺孔菌 Merulius tremellosus Schrad. ex Fr.
　1507

雞油菌科 Cantharellaceae

雞油菌 Cantharella cibarius Fr.　　1508

小雞油菌 Cantharella minor Peck　　2506

齒菌科 Hydnaceae

小刺猴頭 Hericium caput-medusae (Bull. ex Fr.) Pers.
　　2005

玉髯 Hericium coralloides (Scop. ex Fr.) Pers. et
　　Gery　　1004

猴頭 Hericium erinaceus (Bull. ex Fr.) Pers.　　1005

假猴頭 Hericium laciniatum (Leers.) Banker　　2006

乳白耙齒（耙齒菌） Irpex lacteus Fr.　　2007

多孔菌科 Polyporaceae

亞黑管菌 Bjerkandera fumosa (Pers. ex Fr.) Karst.
　　1509

大孔褐瓣菌 Coltricia schweinitzii (Fr.) Cunn.
　　2507

二型革蓋菌 Coriolus biformis (Kl. ex Fr.) Pat.
　　2008

鮭貝芝 Coriolus consors (Berk.) Imaz.　　1510

毛革蓋菌（碟毛菌） Coriolus hirsutus (Wulf. ex Fr.)
　　Quel.　　2009

齒毛芝 Coriolus unicolor (Bull. ex Fr.) Pat.　　1511

雲芝 Coriolus versicolor (L. ex Fr.) Quel.　　1512

隱孔菌 Cryptoporus volvatus (Peck) Hubbard
　　2010

寬鱗大孔菌 Favolus quamosus (Huds. ex Fr.) Ames
　　4012

木蹄（樺菌芝） Fomes fomantarius (Fr.) Kickx
　　1006

藥用層孔菌（阿里紅） Fomes officinalis (Vill. ex Fr.)
　　Ames　　3003

蹄玫菌 Fomes roseus Cooke　　4011

多年擬層孔菌 Fomitopsis annosa (Fr.) Karst.
　　1007

苦白蹄（阿里紅） Fomitopsis officinalis (Vill. ex Fr.)
　　Bond. et Sing.　　2011

松生擬層孔菌 Fomitopsis pinicola (Sw. ex Fr.) Karst.
　　4501

蹄玫菌 Fomitopsis rosea (Alb. et Schw. ex Fr.)
　　Karst.　　1513

榆層孔菌 Fomitopsis ulmaria (Sow. ex Fr.) Bond. et
　　Sing.　　2012

褐層臥孔菌 Fuscoporia punctata (Fr.) Cunn.　　1514

樹舌 Ganoderma applanatum (Pers. ex Gray) Pat.
　　1008

有柄樹舌 Ganoderma applanatum (Pers.) Pat. var.
　　gibbosum (Bl. et Nees) Teng　　3004

赤芝（靈芝） Ganoderma lucidum (Leyss. ex Fr.)
　　Karst.　　1

紫芝 Ganoderma sinense Zhao'xu et Zhang　　1009

硬皮樹舌 Ganoderma tornatum Bres　　4014

松杉靈芝 Ganoderma tsugae Murr.　　1010

籬邊黏褶菌 Gloeophyllum saepiarium (Wulf. ex Fr.)
　　Karst.　　1515

褐黏褶菌 Gloeophyllum subferrugineum (Berk.)
　　Bond. et Sing.　　1516

密黏褶菌 Gloeophyllum trabeum (Pers. ex Fr.) Murr.
　　1011

毛蜂窩菌（龍眼梳） Hexagonia apiaria (Pers.) Fr.
　　2013

稀針孔菌 Inonotus cuticularis (Bull. ex Fr.) Karst.
　　1517

樹皮薄皮孔菌（皺皮菌） Ischnoderma resinosum
　　(Schrad. ex Fr.) Karst.　　2014

樺褶孔菌 Lenzites betulina (L.) Fr.　　1518

三色褶孔 Lenzites tricolor (Bull.) Fr.　　1519

粗皮針層孔 Phellinus gilvus (Schw.) Pat.　　1520

針層孔菌（桑黃） Phellinus igniarius (L. ex Fr.)
　　Quel.　　1012

針裂蹄 Phellinus linteus (Berk. & Curt.) Teng
　　1013

松針層孔 Phellinus pini (Thore ex Fr.) Ames
　　1521

裂蹄 Phellinus rimosus (Berk.) Pilat　　1014

亞針裂蹄 Phellinus setulosus (Lloyd) Imaz.　　1522

樺剝管菌 Piptoporus betulinus (Bull. ex Fr.) Karst.
　　1523

黃多孔菌 Polyporus elegans (Bull.) Fr.　　4502

亞灰樹花 Polyporus giganteus (Pers.) Fr.　　1524

豬苓 Polyporus umbellatus (Pers.) Fr.　　4503

黃貝芝 Polystictum membranaceus (W. ex Fr.)
　　4015

茯苓 Poria cocos (Schw.) Wolf.　　1015

紅栓菌（朱砂菌） Trametes cinnabarina (Jacq.) Fr.
　　1016

紅貝栓菌 Trametes corrugata (Pers.) Bres.　　1525

肉色栓菌 Trametes dickinsii Berk.　　1526

粗毛栓菌 Trametes gallica Fr.　　4013

褶孔栓菌 Trametes gibbosa (Pers. ex Fr.) Fr.
　　1017

灰帶栓菌 Trametes orientalis (Yasuda) Imaz.
　　1018

絨毛栓菌 Trametes pubescens (Schum. ex Fr.) Pilat
　　1527

血紅栓菌 Trametes sanguineus (Fr.) Lloxd　　1528

香栓菌 Trametes suaveoleus (L. ex Fr.) Fr.　　1019

硫磺菌 Tyromyces sulphureus (Bull. ex Fr.) Donk
　　1020

粗毛褐孔 Xanthochrous hispidus (Bull. ex Fr.) Pat.　1529

團核褐孔菌 Xanthochrous rheads (Pers.) Pat. 2015

牛肝菌科 Boletaceae

空柄假牛肝菌 Boletinus cavipes (Opat.) Kalchbr. 4016

美味牛肝菌 Boletus edulis Bull. ex Fr. 4017

橙黃疣柄牛肝 Leccinum aurantianum (Bull.) Gray 4018

黃粉牛肝 Pulveroboletus ravenelii (Berk. et Curt.) Murr. 4019

厚環黏蓋牛肝菌（台蘑） Suillus elegans (Fr.) Snell 3005

褐環黏蓋牛肝菌 Suillus luteus (L. ex Fr.) Gray 1530

紅絨蓋牛肝 Xerocomus chrysenteron (Bull. ex Fr.) Guel 4504

蠟傘科 Hygrophoraceae

美麗蠟傘 Hygrophorus speciosus PK. 4020

紅菇科 Russulaceae

松乳菇 Lactarius deliciosus (L. ex Fr.) Gray 4024

稀褶乳菇 Lactarius hygrophoroides Berk. et Curt. 4023

白乳菇 Lactarius piperatus (L. ex Fr.) Gray 1021

潮濕乳菇 Lactarius uvidus (Fr.) Fr. 4025

絨白乳菇 Lactarius vellereus (Fr.) Fr. 1531

多汁乳菇 Lactarius volemus Fr. 1022

大紅菇 Russula alutacea (Pers.) Fr. 4026

紅斑黃菇 Russula aurata (With.) Fr. 1532

美味紅蘑 Russula delica Fr. 1533

紫紅蘑 Russula depallens (Pers.) Fr. 4027

毒紅菇 Russula emetica (Schaeff. ex Fr.) Pers. ex Gray 1023

臭黃菇 Russula foetens (Pers.) Fr. 2509

變色紅菇 Russula integra (L.) Fr. 2510

擬臭黃菇 Russula laurocerasi Melz. 3006

黑紅菇 Russula nigricans (Bull.) Fr. 1024

側耳科 Pleurotaceae

亞側耳 Hohenbuehelia serotina (Schead. ex Fr.) Sing. 1025

毒側耳 Lampteromyces japonicus (Kawam.) Sing. 1534

潔麗香菇 Lentinus lepidens Fr. 4021

鱗皮扇菇（止血扇菇） Panellus stypticus (Bull. ex Fr.) Karst. 1026

紫革耳 Panus conchatus (Bull. ex Fr.) Fr. 1535

金頂側耳 Pleurotus citrinopileatus Sing. 1027

毒側耳 Pleurotus japonicus Kawan 4028

側耳 Pleurotus ostreatus (Jacq. ex Fr.) Quel. 1028

大榆蘑 Pleurotus ulmaris (Bull. ex Fr.) Quel. 1536

裂褶菌 Schizophyllum commune Fr. 1537

白蘑科 Tricholomataceae

松蕈 Armillaria matsulake Ito et Imai 4030

蜜環菌 Armillariella mellea (Vahl. ex Fr.) Karst. 1029

假蜜環菌（亮菌） Armillariella tabescens (Scop. ex Fr.) Sing. 3007

杯菌 Clitocybe infundrbuliformis (Schaeff. ex Fr.) Quel. 4031

紅蠟盤 Clitocybe laccata (Scop. ex Fr.) Quel. 4032

雞㙡 Collybia albuminosa (Berk.) Petch 2017

雷蘑 Leucopaxillus giganteus (Sow. ex Fr.) Sing. 4033

琥珀皮傘 Marasmius siccus (Schw.) Fr. 4029

白蜜環菌 Oudemansiella mucida (Schrad. ex Fr.) Höhn. 1030

黃皮口蘑（口蘑） Tricholoma gambosum (Fr.) Gill. 4022

白蘑 Tricholoma mongicum Imai 4034

紫皮蘑 Tricholoma personatum Quel. 4035

紫晶蘑 Tricholoma sordidum (Fr.) Quel. 4036

毒傘科 Amanitaceae

燈蓋傘 Amanita caesarea (Scop. ex Fr.) Pers. ex Schw. 1031

毒蠅傘 Amanita muscaria (L. ex Fr.) Pers ex Hook. 1032

豹斑毒傘 Amanita pantherina (D.C. ex Fr.) Secr. 1033

高環柄菇 Macrolepiota procera (Scop. ex Fr.) Sing. 1034

繡傘科 Cortinariaceae

黃絲蓋傘 Inocybe fastigiata (Schaeff. ex Fr.) Quel. 1035

多脂鱗傘 Pholiota adiposa (Fr.) Quel. 1036

翹鱗環銹傘 Pholiota squarrosa (Murr. ex Fr.) Quel. 4037

黑傘科 Agaricaceae

野蘑菇 Agaricus arvensis Schaeff. ex Fr. 1538

四孢蘑菇（蘑菇） Agaricus campestris L. ex Fr. 2508

雙環林地蘑（雙環蘑菇） Agaricus placomyce S. PK. 2016

墨斗鬼傘菌 Coprinus atramentarius (Bull.) Fr. *1539*

晶粒鬼傘 Coprinus micaceus (Bull.) Fr. *3008*

毒靭黑傘 Naematoloma fasciculare (Huds. ex Fr.) Karst. *4038*

鐘形花褶傘 Panaeolus campanulatus (L. ex Pr.) Quel. *4505*

鬼筆菌科 Phallaceae

蛇頭菌 Mustinus caninus (Huds. ex Pers.) Fr. *4039*

紅鬼筆 Phallus rubicundus (Bosc) Fr. *2511*

灰包科 Lycoperdaceae

長根靜灰球 Bovistella radicata (Mont.) Pat. *1540*

龜裂馬勃 Calvatia caelata (Bull. ex DC.) Morg. *1541*

頭狀馬勃 Calvatia craniformis (Schw.) Fr. *2512*

紫色頹馬勃 Calvatia cyathiformis (Boss.) Morg. *3503*

大馬勃 Calvatia gigantea (Batsch ex Pers.) Lloxd *1542*

粗皮馬勃 Calvatia tatrensis Hollos *1543*

脫皮馬勃（馬勃） Lasiosphaera fenzlii Reich. *2513*

東洋毛球馬勃（毛球馬勃） Lasiosphaera nipponica (Kawam) Y. Kob. ex Y. Asch. *2514*

網紋灰包 Lycoperdon perlatum Pers. *1037*

多形灰包（灰包） Lycoperdon polymorphum Vitt. *3502*

小灰包 Lycoperdon pusillum Batsch ex Pers. *2515*

梨形灰包 Lycoperdon pyriforme Schaeff. Ex Pers. *1038*

粒皮灰包 Lycoperdon umbrinum Pers. *2018*

栓皮馬勃 Mycenastrum corium (Guers.) Desv. *4041*

灰包菇 Secotium agaricoides (Czern.) Hollos *4040*

柄（軸）灰包科 Podaxaceae

歧裂馬勃 Phellorinia inquinans Berk. *4042*

地星科 Geastraceae

硬皮地星 Astraeus hygrometrius (Pers.) Mord. *4043*

量濕地星（山蟹） Geastrum hygrometricum Pers. *3009*

尖頂地星 Geastrum triplex (Jungh.) Fisch. *2516*

鳥巢菌科 Nidulariaceae

糞生黑蛋巢 Cyathus stercoreus (Schw.) de Toni *1039*

隆紋黑蛋巢 Cyathus striatus Willd. ex Pers. *2019*

地衣植物門 Lichenes

肺衣科 Lobariaceae

裂芽肺衣 Lobaria isidiosa (Mull. et Arg.) Vain. *1547*

南肺衣亞平變種（老龍皮） Lobaria meridionalis Vain. var. subplana (Asah.) Yoshim. *1548*

肺衣 Lobaria pulmonaria (L.) Hoffm. *1549*

網肺衣 Lobaria retgera (Ach.) Treris *3010*

網衣科 Lecideaceae

高山里紅衣（石霜） Mycoblastus alpinus (Fr.) Kernst. *3011*

梅衣科 Parmeliaceae

冰島衣 Cetraria islandica (L.) Ach. *1550*

松蘿科 Usneaceae

金絲刷 Lethariella cladonioides (Nyl.) Krog. *1554*

環裂松蘿 Usnea diffracta Vain. *1555*

長松蘿 Usnea longissima Ach. *1556*

粗皮松蘿 Usnea motisfuji Mot. *1557*

石蕊科 Cladoniaceae

雀鹿蕊（太白花） Cladina stellaris (Opiz) Brodo *1544*

高山石蕊（太白花） Cladonia alpestris (L.) Radht. *4044*

黑穗石蕊（太白樹） Caldonia amaurocraea (Flk.) Schaer. *1545*

細石蕊（太白針） Cladonia gracilis (L.) Willd. *1546*

石蕊 Cladonia rangiferina Web. *2020*

石花 Parmella tinctorum Despr. *3504*

管枝衣科 Siphulaceae

雪地茶 Thamnolia subuliformis (Ehrn.) W. Culb. *1551*

雪地茶（雪茶） Thamnolia vermicularis (Ach.) Asahina *2021*

石耳科 Umbilicariaceae

石耳 Umbilicaria esculenta (Miyoshi) Minke *1552*

紅腹石耳 Umbilicaria hypococcinea (Jatta) Llano *1553*

苔蘚植物門 Bryophyta

苔綱 Hepaticae

耳葉苔科 Frullaniaceae
列胞耳葉苔（地蓬草） Frullania moniliata (Reinw. Bl. et Nees) Mont.　　*4507*

蛇苔科 Conocephalaceae
蛇苔（蛇地錢） Conocephalum conicum (L.) Dum　　*4508*

地錢科 Marchantiaceae
地錢（地沙羅） Marchantia polymorpha L.　　*3012*

蘚綱 Mussi

泥炭蘚科 Sphagnaceae
泥炭蘚 Sphagnum palustre L.　　*4509*

葫蘆蘚科 Funariaceae
葫蘆蘚 Funaria hygrometrica Hedw.　　*4510*

眞蘚科 Bryaceae
暖地大葉蘚（回心草） Rhodobryum roseum Limpr.　　*2517*

提燈蘚科 Mniaceae
尖葉提燈蘚（水木草） Mnium cuspidatum Hedw.　　*4511*

羽蘚科 Thuidiaceae
大羽蘚 Thuidium cymbifolium (Doz. et Molk.) Doz. et Molk.　　*4512*

灰蘚科 Hypnaceae
大灰蘚 Hypnum plumaeforme Wild.　　*4513*

金髮蘚科 Polytrichaceae
東亞金髮蘚 Pogonatum inflexum (Lindb.) Lac.　　*4514*
大金髮蘚 Polytrichum commune Hedw.　　*1040*

蕨類植物門 Pteridophyta

石杉科 Huperziaceae
蛇足石杉（千層塔） Huperzia serrata (Thunb.) Trev.　　*3013*

金絲條馬尾杉（馬尾千金草） Phlegmariurus fargesii (Herter) Ching　　*4515*

石松科 Lycopodiaceae
高山石松 Lycopodium alpinum L.　　*1559*
杉曼石松 Lycopodium annotinum L.　　*1041*
藤子石松（吊壁伸筋） Lycopodium casuarinoides (Spring) Holub　　*4516*
石松（伸筋草） Lycopodium claratum L.　　*2022*
玉柏石松（玉柏） Lycopodium obscurum L.　　*1560*
燈龍石松（鋪地蜈蚣） Palhinhaea cernua (L.) A. Franco et Vasc.　　*1558*

卷柏科 Selaginellaceae
蔓出卷柏（小過江龍） Selaginella davidii Franch.　　*2023*
薄葉卷柏 Selaginella delicatula (Desv. ex Poir.) Alston　　*3014*
薄葉卷柏（山扁枝） Selaginella delicatula (Desv. ex Poir.) Alston　　*4517*
深綠卷柏（石上柏） Selaginella doederleinii Hieron.　　*1042*
細葉卷柏（地柏枝） Selaginella labordei Hieron.　　*4518*
江南卷柏（地柏枝） Selaginella moellendorfii Hieron.　　*2024*
墊狀卷柏（還陽草） Selaginella pulvinata (Hook. et Grev.) Maxim.　　*2025*
圓枝卷柏 Selaginella sanguinolenta (L.) Spr.　　*2026*
西伯利亞卷柏 Selaginella sibirica (Milde.) Hieron.　　*4519*
卷柏 Selaginella tamariscina Spring　　*2*
翠雲草 Selaginella uncinata (Desv.) Spring　　*3*

木賊科 Equisetaceae
問荊 Equisetum arvense L.　　*4045*
密枝木賊（散生木賊） Equisetum diffusum D. Don　　*1043*
木賊 Equisetum hiemale L.　　*2027*
沼澤問荊 Equisetum palustre L.　　*4519*
節節草 Equisetum ramosissimum Desf.　　*2028*
藺問荊 Equisetum scirpoides Michx.　　*4046*
林問荊 Equisetum sylvaticum L.　　*1561*

松葉蕨科 Psilotaceae
松葉蕨（石刷把） Psilotum nudum (L.) Griseb.　　*4520*

七指蕨科 Helminthostachyaceae

七指蕨（入地蜈蚣） Helminathostachys zeylanica (L.) Hook. *4*

陰地蕨科 Botrychiaceae
絨毛陰地蕨（獨蕨箕） Botrychium lanuginosum Wall. *1047*

瓶爾小草科 Ophioglossaceae
有梗瓶爾小草 Ophioglossum pedunculosum Desv. *1044*
狹葉瓶爾小草 Ophioglossum thermale Kom. *1045*
瓶爾小草 Ophioglossum vulgatum L. *1046*

蓮座蕨科 Angiopteridaceae
福建蓮座蕨（馬蹄蕨） Angiopteris fokinensis Heiron. *4521*
福建蓮座蕨（峨嵋半邊蓮） Angiopteris fokinensis Heiron. (*Angiopteris omeiensis Ching*) *3015*

紫萁科 Osmundaceae
紫萁 Osmunda japonica Thunb. *3016*

里白科 Gleicheniaceae
芒萁 Dicranopteris dichotoma (Thunb.) Bernh. *503*

海金沙科 Lygodiacae
海南海金沙（掌葉海金沙） Lygodium conforme C. Chr. *4522*
長葉海金沙（金沙藤） Lygodium flexuosum (L.) Sw. *4523*
海金沙 Lygodium japonicum (Thunb.) Sw. *501*
小葉海金沙 Lygodium scandens (L.) Sw. *502*

蚌殼蕨科 Dicksoniaceae
金毛狗脊 Cibotium barometz (L.) J. Sm. *2029*

桫欏科 Cyatheaceae
黑桫欏 Gymnosphaera podophylla (Hook.) Copel *3025*

鱗始蕨科 Lindsaeaceae
烏蕨（金花草） Stenoloma chusanum (L.) Ching *1048*

姬蕨科 Hypolepidaceae
姬蕨（冷水蕨） Hypolepis punctata (Thunb.) Mett. *4524*

鳳尾蕨科 Pteridaceae
豬鬃鳳尾蕨 Pteris actiniopteroides Christ *3017*
蕨 Pteridium aquilinum (L.) Kuhn var. latiuseulum (Desv.) Under W. *1563*
指狀鳳尾蕨（金雞尾） Pteris dactylina Hook. *3505*
大半邊旗 Pteris dissitifolia Bak. *3506*
劍葉鳳尾蕨（鳳冠草） Pteris ensitormis Burm. *4525*
三角眼鳳尾蕨（花蕨） Pteris linearis Poir. *2518*
鳳尾草 Pteris multifida Poir. *504*
大葉井口邊草 Pteris nervosa Thunb. *3507*
半邊旗（鳳半邊旗） Pteris semipinnata L. *1050*
蜈蚣草 Pteris vittata L. *3018*

中國蕨科 Sinopteridaceae
銀粉背蕨（通經草） Aleuritopteris argentea (Gmel.) Fee *2519*
棕毛粉背蕨（硬一把抓） Aleuritopteris rufa (Gon) Ching *3509*
野雞尾（金粉蕨） Onychium japonicum (Thunb.) Kunze *1051*

鐵線蕨科 Adiantaceae
毛足鐵線蕨 Adiantum bonatianum Brause *3019*
團羽鐵線蕨（翅柄鐵線蕨） Adiantum capillus-junosis Rupr. *3020*
鐵線蕨（豬鬃草） Adiantum capillus-veneris L. *1564*
鞭葉鐵線蕨 Adiantum caudatum L. *4526*
扇葉鐵線蕨（黑腳蕨） Adiantum flabellulatum L. *1565*
掌葉鐵線蕨 Adiantum pedatum L. *1566*

裸子蕨科 Gymnogrammaceae
普通風丫蕨 Coniogramme intermedia Heiron. *4527*
耳葉金毛裸蕨（敗毒草） Gymnopteris bipinnata Christ. var. auriculata (Pr.) Ching *4528*

書帶蕨科 Antrophyaceae
書帶蕨 Vittaria flexuosa Fee *3514*

蹄蓋蕨科 Athyriaceae
多齒蹄蓋蕨 Athyrium multidentatum (Ooell.) Ching *2520*
單葉蹄蓋蕨（篦麻劍） Diplazium lanceum (Thunb.) Presl *4529*
華中介蕨（小葉山雞尾巴草） Dryoathyrium okuboanum (Makino) Ching *5*

峨嵋蕨（貫衆） Lunathyrium acrostichoides (Sw.)
　　Ching　　2521

金星蕨科　Thelypteridaceae
單葉新月蕨（草鞋青）　Abacopteris simplex (Hook.)
　　Ching　　1568

鐵角蕨科　Aspleniaceae
尖葉鐵角蕨（骨把）　Asplenium falcatum Lam.
　　4530
虎耳鐵角蕨　Asplenium incisum Thunb.　　1052
長葉鐵角蕨　Asplenium prolongatum Hook.　　4047
嶺南鐵角蕨（肥蕨）　Asplenium sampsonii Hance
　　4531
胎生鐵角蕨（鐵骨蓮）　Asplenium yoshinagae
　　Makino (A. panicaule Wall.)　　3021
過山蕨（馬蹄草）　Camptosorus sibiricus Rupr.
　　2522
巢蕨　Neottopteris nidus (L.) J. Sm.　　1053
日本對開蕨（對開蕨）　Phyllitis japonica Kom.
　　1567

球子蕨科　Onocleaceae
東方莢果蕨　Matteuccia orientalis (Hook.) Trev.
　　3024
球子蕨　Onoclea sensibilis L. var. interrupta Maxim.
　　1054

巖蕨科　Woodsiaceae
耳羽巖蕨　Woodsia polystichoides Eaton　　2030

烏毛蕨科　Blechnaceae
烏毛蕨　Blechnum orientale L.　　4048
莢囊蕨　Struthiopteris eburnea (Christ) Ching
　　3023
狗脊蕨　Woodwardia japonica (L.f.) Sm.　　2523
單芽狗脊蕨（貫衆）　Woodwardia unigemmata
　　(Makino) Nakai　　2524

鱗毛蕨科　Dryopteridaceae
貫衆　Cyrtomium fortunei J. Sm　　3027
粗莖鱗毛蕨　Dryopteris crassirhizoma Nakai　　2031
暗鱗鱗毛蕨　Dryopteris cycadina (Franch. et Sav.) C.
　　Chr.　　3510
半島鱗毛蕨　Dryopteris peninsulae Kitag.　　3026
角狀耳蕨　Polystichum alcicorne (Bak.) Diels　　3022
新裂耳蕨　Polystichum neolobatum Nakai　　2032
貓兒刺耳蕨　Polystichum stimulans (Kunze) Presl
　　3508
三叉耳蕨　Polystichum tripteron (Kunze) Presl　　2525

骨碎補科　Davalliaceae
圓蓋陰石蕨（毛石蠶）　Humata tyermanni S. Moore
　　1049
腎蕨　Nephrolepis cordifolia (L.) Presl　　1562

水龍骨科　Polypodiaceae
掌葉線蕨（野雞腳）　Colysis digitata (Bak.) Ching
　　4532
絲帶蕨　Drymoglossum miyoshianum (Makino)
　　Makino　　3033
抱樹蓮　Drymoglossum piloselloides Presl　　6
圓葉槲蕨（大骨碎補）　Drynaria bonii Christ
　　4533
槲蕨（骨碎補）　Drynaria fortunei (Kze.) J. Smith
　　4534
石蓮薑槲蕨（石蓮薑）　Drynaria propinqua (Wall.) J.
　　Smith　　4535
漸尖槲蕨　Drynaria sinica Diels var. intermedia Ching
　　et al.　　3511
抱石蓮　Lepidogrammitis drymoglossoides (Bak.)
　　Ching　　1055
骨牌蕨　Lepidogrammitis rostrata (Bedd.) Ching
　　4051
網眼瓦韋　Lepisorus clathratus (C. B. Clarke) Ching
　　4049
扭瓦韋（一皮草）　Lepisorus contortus (Christ)
　　Ching　　4050
大瓦韋　Lepisorus macrosphaerus (Bak.) Ching
　　3512
烏蘇里瓦韋　Lepisorus ussuriensis (Regel et Maack)
　　Ching　　1056
攀援星蕨　Microsorium brachylepis (Bak.) Nakaike
　　3028
江南星蕨（旋雞尾）　Microsorium fortunei (Moore)
　　Ching　　1569
江南星蕨　Microsorium henryi (Christ) C. M. Kuo
　　3032
盾蕨（大金刀）　Neolepisorus ovatus (Bedd.) Ching
　　3034
光亮瘤蕨（肉碎補）　Phymatodes lucida (Roxb.)
　　Ching　　4536
交連假密網蕨（雞翅膀尖）　Phymatopsis conjuncta
　　Ching　　3513
金雞腳（三角風）　Phymatopsis hastata (Thunb.)
　　Kitag.　　3031
陝西假密網蕨（烏雞騙）　Phymatopsis shensiensis
　　(Christ) Ching　　3035
東北水龍骨　Polypodium virginianum L.　　4537
崖薑　Pseudodrynaria coronans (Wall.) Ching　　7
貼生石韋　Pyrrosia adnascens (Sw.) Ching　　4538

光石葦　Pyrrosia calvata (Bak.) Ching　*3029*

北京石葦　Pyrrosia davidii (Gies.) Ching　*2526*

氈毛石葦　Pyrrosia drakeana (Franch.) Ching　*4539*

西南石葦　Pyrrosia gralla (Gies.) Ching　*3030*

石葦　Pyrrosia lingua (Thunb.) Farw.　*4052*

有柄石葦（石葦）　Pyrroria petiolosa (Christ) Ching　*2527*

越南石葦（小石葦）　Pyrroria tonkinensis (Gies,) Ching　*4540*

蘋科　Marsileaceae

蘋（田字草）　Marsilea quadrifolia L.　*4541*

槐葉蘋科　Salviniaceae

槐葉蘋（蜈蚣草）　Salvinia natans (L.) All.　*4542*

滿江紅科　Azollaceae

滿江紅　Azolla imbricata (Roxb.) Nakai　*4543*

裸子植物門　Gymnospermae

蘇鐵科　Cycadaceae

箟齒蘇鐵（㯶平）　Cycas pectinate Griff.　*8*

蘇鐵　Cycas revoluta (Thunb.)　*505*

雲南蘇鐵　Cycas siamensis Miq.　*1057*

銀杏科　Ginkgoaceae

銀杏（白果）　Ginkgo biloba L.　*506*

松科　Pinaceae

峨嵋冷杉（峨嵋冷杉果）　Abies fabri (Mast.) Craib　*3037*

杉松　Abies holophylla Maxim.　*4053*

西伯利亞冷杉（冷杉油）　Abies sibirica Ledb.　*3038*

雪松　Cedrus deodara (Roxb.) G. Don　*507*

雲南油杉（杉松）　Keteleeria evelyniana Mast.　*2033*

太白紅杉　Larix chinensis Beiss.　*2034*

落葉松　Larix gmelinii (Rupr.) Rupr.　*4054*

四川紅杉　Larix mastersiana Rehd. et Wils.　*4055*

黃花落葉松　Larix olgensis Henry　*1058*

長白魚鱗松　Picea jazoensis Carr. var. komarovii (V. Vassil) Cheng et L. K. Fu　*1059*

紅皮雲杉　Picea koraiensis Nakai　*4056*

華山松　Pinus armandii Franch.　*1570*

白皮松　Pinus bungeana Zucc.　*1060*

赤松　Pinus densiflora Sieb. et Zucc.　*1571*

紅松　Pinus koraiensis Sieb. et Zucc.　*3036*

南亞松　Pinus latteri Mason　*508*

馬尾松（松花粉）　Pinus massoniana Lamb.　*9*

偃松（爬地松）　Pinus pumila (Pall.) Regel　*1572*

樟子松　Pinus sylvestris L. var. mongolica Litv.　*2528*

長白松　Pinus sylvestris L. var. sylvestriformis (Takenouchi) Cheng et C. D. Chu　*1061*

油松　Pinus tabulaeformis Carr.　*10*

雲南松　Pinus yunnanensis Franch.　*11*

金錢松（土荆皮）　Pseudolarix amabilis (Nelson) Rehd.　*4544*

杉科　Taxodiaceae

柳杉　Cryptomeria fortumei Hooibrenk ex Otto et Dietr.　*1062*

杉木　Cunninghamia lanceolata (Lamb.) Hook.　*1573*

水松　Glyptostrobus pensilis (Saunt.) Koch　*4057*

南洋杉科　Araucariaceae

南洋杉　Araucaria cunninghamii Sw.　*4058*

柏科　Cupressaceae

柏木（柏樹葉）　Cupressus funebris Endl.　*4545*

福建柏　Fokienia hodginsii (Dum) Henry et Thomos　*4546*

刺柏　Juniperus formosana Hayata　*3515*

杜松（杜松實）　Juniperus rigida Sieb. et Zucc.　*2036*

西伯利亞刺柏（高山檜）　Juniperus sibirica Burgsd.　*1574*

側柏　Platycladus orientalis (L.) Franco (*Biota orientalis Endl.*)　*12*

圓柏　Sabina chinensis (L.) Antoine　*509*

興安圓柏　Sabina davurica (Pall.) Ant.　*4059*

方枝柏　Sabina saltuaria (Rehd. et Wils.) Cheng et W. T. Wang　*3517*

高山柏　Sabina squqmata (Buch.-Ham.) Antoine　*3516*

沙地柏（臭柏）　Sabina vulgaris Antoine　*510, 3039*

崑崙多子柏　Sabina vulgaris Antoine var. jarkendensis (Kom.) C. Y. Yang　*3518*

滇藏方枝柏　Sabina wallichiana (Hook. f. et Thoms) Kom.　*3519*

竹柏科（羅漢松科）　Podocarpaceae

小葉羅漢松（羅漢松）　Podocarpus macrophyllus (Thunb.) D. Don var. maki (sieb.) Endl.　*511*

竹柏　Podocarpus nagi (Thunb.) Zoll. et Mor. ex Zoll.　*512*

百日青 Podocarpus neriifolius D. Don　*4060*

粗榧科 Cephalotaxaceae
三尖杉 Cephalotaxus fortunei Hook. f.　*1063*
海南粗榧 Cephalotaxus hainanensis Li　*1064*
版納粗榧（西雙版納粗榧） Cephalotaxus mannii
　Hook. f.　*1065*
篦子三尖杉 Cephalotaxus oliveri Mast.　*3040*
中國粗榧（土香榧） Cephalotaxus sinensis (Rehd. et
　Wils.) Li　*2036*

紅豆杉科 Taxaceae
穗花杉 Amentotaxus argotaenia (Hance) Pilger
　3041
紅豆杉 Taxus chinensis (Pilg.) Rehd.　*3042*
東北紅豆杉（紫杉） Taxus cuspidata Sieb. et Zucc.
　1575

麻黃科 Ephedraceae
木賊麻黃 Ephedra equisetina Bge.　*13*
矮麻黃 Ephedra geradiana Wall. ex Mey　*3043*
山嶺麻黃 Ephedra gerardiana Wall. ex Stapf　*3520*
中麻黃 Ephedra intermedia Schrenk ex Mey　*4061*
麗江麻黃 Ephedra likiangensis Florin　*2037*
矮麻黃 Ephedra minuta (Florein) C. Y. Cheng
　2529
單子麻黃 Ephedra monosperma Gmel. ex C. A. Mey
　3521
膜果麻黃 Ephedra przewalskii Stapf　*14*
斑子麻黃 Ephedra rhytidosperma Pachom.　*4547*
藏麻黃 Ephedra saxatilis Royle ex Florin　*1576*
草麻黃 Ephedra sinica Stapf　*15*

買麻藤科 Gnetaceae
買麻藤 Gnetum montanum Markgr.　*16*

被子植物門 Angiospermae

雙子葉植物綱 Dicotyledoneae

原始花被亞綱 Archichlamydeae

木麻黃科 Casuarinaceae
木麻黃 Casuarina equisetifolia L.　*513*

三白草科 Saururaceae
白苞裸蒴（裸蒴） Gymnotheca involucrata Pei
　2530
白苞裸蒴（水折耳） Gymnotheca involucrata Pei　*3044*

蕺草（魚腥草） Houttuynia cordata Thunb.　*514*
三白草 Saururus chinensis (Lour.) Baill.　*1577*

胡椒科 Piperacea
石蟬草 Peperomia dindygueensis Miq　*4062*
草胡椒 Peperomia pellucida (L.) Kunth　*515*
豆瓣綠 Peperomia reflexa (L.f.) A. Dietr.　*516*
小葉蒟 Piper arboricola C. DC.　*17*
華南胡椒（穿壁風） Piper austrosinense Tseng
　4548
蔞葉 Piper betle L.　*2038*
光軸苧葉蒟（十八症） Piper boehmeriaefolium
　(Miq.) C. DC. var. tonkinense C. DC.　*3522*
複毛胡椒 Piper bonii DC.　*3523*
海南蒟 Piper hainanense Hemsl.　*18*
山蒟 Piper hancei Maxim.　*4549*
大葉蒟 Piper laetispicum C. DC.　*4063*
華撥 Piper longum L.　*19*
石楠藤 Piper martinii C. DC.　*3504*
胡椒 Piper nigrum L.　*20*
毛蒟（石楠藤） Piper puberulum (Benth.) Maxim.
　3045
假蒟 Piper sarmentosum Roxb.　*517*

金粟蘭科 Chloranthaceae
全緣金粟蘭（四大天王） Chloranthus fortunei (A.
　Gray) Solms var. helestegius Hand.-
　Mazz.　*1578*
寬葉金粟蘭 Chloranthus henryi Hemsl.　*3046*
銀線草 Chloranthus japonicus Sieb.　*518*
多穗金粟蘭（四葉細辛） Chloranthus multistachys
　Péi　*2531*
及已 Chloranthus serratus (Thunb.) Roem. et Schult.
　3047
四川金粟蘭 Chloranthus sessilifolius K. F. Wu
　3048
金粟蘭（珠蘭） Chloranthus spicatus (Thunb.)
　Makino　*519*
接骨金粟蘭（九節茶） Sarcandra glabra (Thunb.)
　Nakai　*1579*
海南草珊瑚 Sarcandra hainanensis (Pei) Swamy et
　Bailey　*4064*

楊柳科 Salicaceae
響葉楊 Populus adenopoda Maxim.　*4550*
加拿大楊（楊樹花） Populus canatensis Moench.
　4065
胡楊 Populus diversifolia Dchrenk　*520*
小青楊 Populus pseudo-simonii Kitag.　*2039*
小葉楊 Populus simonii Carr.　*4066*

毛白楊（楊枸花） Populus tomentosa Carr. 4067
垂柳（柳枝） Salix babylanica L. 2040
長梗柳 Salix dunnii Schaeid. 3049
細柱柳 Salix gracilistyla Miq. 2041
紫枝柳 Salix heterochroma Seem. 4551
小葉柳 Salix hypoleuca Seem. 2532
旱柳葉 Salix matsuclana Koidz 4068
皂柳 Salix wallichiana Anderss. 4552

楊梅科 Myricaceae
楊梅 Myrica rubra Sieb. et Zucc. 3050

胡桃科 Juglandaceae
山核桃 Carya cathayensis Sarg. 1066
黃杞 Engelhardtia chrysolepis Hance 4069
野核桃（野胡桃仁） Juglans cathayensis Dode 1580
核桃楸 Juglans mandshurica Maxim. 21
胡桃（胡桃仁） Juglans regia L. 22
化香樹 Platycarya strobilacea Sieb. et Zucc. 1067
楓楊 Pterocarya stenoptera C. DC. 23

樺木科 Betulaceae
榿木（榿木梢） Alnus cremastogyne Burk. 3051
榿木（榿木皮） Alnus lanata Duthie ex Bean 2042
東北榿木 Alnus mandshurica H.-M. 4070
榿木（旱冬瓜） Alnus nepalensis D. Don 2043
遼東榿木 Alnus sibirica Fisch. 24
黑樺 Betula dahurica Pall. 2533
岳樺 Betula ermanii Cham. 1068
亮葉樺 Betula luminifera H. Winkl. 1581
東北白樺（樺樹皮） Betula mandshurica Nakai 521
白樺（樺木皮） Betula platyphylla Suk. 2534
千金榆 Carpinus cordata Bl. 1069
刺榛 Corylus ferox Wall 3052
榛（榛子） Corylus heterophylla Fisch. ex. Bess. 1070
毛榛 Corylus mandshurica Maxim. et Rupr. 1582

殼斗科 Fagaceae
錐栗 Castanea henryi (Skan) Rehd. et Wils. 2535
栗（栗子） Castanea mollisima Bl. 1071
麻櫟 Quercus acutissima Carr. 522
槲樹（槲皮） Quercus aliana Bl. 523
橿子櫟（青杠樹） Quercus baronii Skan 2536
枹櫟（枹柞皮） Quercus glandulifera Bl. 1072
遼東櫟（杠木） Quercus liaotungensis Koidz. 2537

蒙古櫟（柞樹皮） Quercus mongolica Fisch. 4071

榆科 Ulmaceae
糙葉樹 Aphananthe aspera (Bl.) Planch. 1073
樟葉朴（臭木頭） Celtis cinnamonea Lindl. et Planch. 2044
朴樹 Celtis trtrandra Roxb. Subsp. Simensis (Pers.) Y. S. Tang 3053
山黃麻 Trema orientalis (Linn.) Bl. 3525
毛枝榆（紅榔木） Ulmus androssowii Litw. var. virgata (Planch.) Grudz. 3526
大果榆（蕪荑） Ulmus macrocarpa Hance 2538
榔榆（榔榆皮） Ulmus parvifolia Jacq. 1074
春榆（白榆） Ulmus propinqua Koidz. 1583
榆（榆白皮） Ulmus pumila L. 2539

桑科 Moraceae
見血封喉 Antiaris toxicaria (Pers.) Lesch. 4072
木菠蘿（菠蘿蜜） Artocarpus heterophyllus Lam. 524
白桂木 Artocarpus hypargyreus Hance 4073
小構樹（構皮麻） Broussonetia kaziroki Sieb. 4553
構樹 Broussonetia papyrifera (L.) Vent. 1075
大麻（火麻仁） Cannabis sativa L. 1584
號角樹 Cecropis peltata L. 4074
構棘（穿破石） Cudrania cochinchinensis (Lour.) Kudo et Masam. 25
柘樹（柘木白皮） Cudrania tricuspidata (Carr.) Bur. 2540
水蛇床（桑草） Fatoua pilosa Gaud. 4554
高榕（大青樹） Ficus altissima Bl. 3527
大果榕（饅頭果） Ficus auriculata Lour. 4555
垂葉榕（吊絲榕） Ficus benjamira L. 4556
無花果 Ficus carica L. 26
印度膠樹（印度橡膠） Ficus elastica Roxb. 27
台灣榕（牛奶木） Ficus formosana Maxim. 4557
黃毛榕 Ficus fulva Reinw. 4075
異果榕（奶漿果） Ficus heteromorpha Hemsl. 1585
對葉榕 Ficus hispida L. f. 28
破裂葉榕（樹地瓜） Ficus laceratifolia Levl. et Vant. 2541
榕樹（榕樹葉） Ficus microcarpa L. f. 4558
琴葉榕 Ficus pandurata Hance 4559
薜荔 Ficus pumila Thunb. 1586
梨果榕 Ficus pyriformis Hook. et Arn. 2045
思維樹（菩提樹） Ficus religiosa L. 525
粗葉榕（五指毛桃） Ficus simplicissima Lour. 526

竹葉榕（竹葉牛奶樹） Ficus stenophylla Hemsl.
　4560
地瓜（地枇杷） Ficus tikoua Bur.　2542
斜葉榕 Ficus tinctoria Forst. f. ssp. gibbosa (Bl.)
　Corner　527
變葉榕 Ficus variolosa Lindl. ex Benth.　528
黃葛樹（黃葛榕） Ficus virens Ait. var.
　sublanceolata (Miq.) Corner　4076
啤酒花 Humulus lupulus L.　29
葎草 Humulus scandens (Lour.) Merr.　30
牛筋藤（米脈藤） Malaisia scandens (Lour.) Planch.
　4561
桑 Morus alba L.　1587
雞桑 Morus australis Poir.　1076
假鵲腎樹（滑葉跌打） Pseudostreblus indica Bur.
　31
米揚噎（米濃液） Teonongia tonkinensis Stapf.
　4562

蕁麻科 Urticaceae
水麻秧 Boehmeria clidemioides Miq.　2543
細野麻 Boehmeria gracilis C. H. Wright　3054
大葉苧麻（西南苧麻） Boehmeria longispica Steud.
　1588
苧麻 Boehmeria nivea (L.) Gaud.　1077
長葉苧麻 Boehmeria penduliflora Wedd. ex Long
　32
懸鈴木葉苧麻（八角麻） Boehmeria platanifolia
　Franch.　4080
長葉水麻 Debregeasia longifolia (Burm. f.) Wedd.
　2046
狹葉樓梯草 Elatostema lineolata Wight var. majus
　Thw.　4077
樓梯草 Elatostema involucratum Franch. et Sav.
　3528
掌葉蝎子草（紅活麻） Girardinia heterophylla Decne
　3055
糯米團（糯米藤） Gonostegia hirta (Bl.) Miq.
　(Memorialis hirta (Bl.) Wedd.)　1078
珠芽艾麻 Laportea bulbifera (Sieb. et Zucc.) Wedd.
　2047
頂花艾麻 Laportea terminalis Wight　3529
廣西艾麻（麻風草根） Laportea viotacea Gagnep.
　4563
毛花點草（雪藥） Nanocnide lobata Wedd.　2544
紫麻（水麻葉） Oreocnide frutescens (Thunb.) Miq.
　4564
凸尖葉紫麻（野水麻） Oreocnide obovata (C. H.
　Wr.) Merr. var. mucronata C. J. Chen　4565
水花墻草 Parictaria micrantha Ledeb.　4078

赤車 Pellionia radicans (Sieb. et Zucc.) Wedd.
　2545
波緣冷水花（石油菜） Pilea cavaleriei Levl.　529
苔水花 Pilea japonica (Maxim.) Hand.-Mazz.
　2547
小葉冷水花 Pilea microphylla (L.) Liebm.　530
透莖冷水花 Pilea mongolica Wedd.　2048
矮冷水花（坐鎮草） Pilea peploides (Gaud.) Hook. et
　Arn.　2546
紅霧水葛（大黏藥） Pouzolzia sanguinea (Bl.) Merr.
　4079
霧水葛 Pouzolzia zeylanica (L.) Benn.　4566
狹葉蕁麻（螫麻子） Urtica angustifolia Fisch. ex
　Hornem.　1079
烱麻 Urtica cannabina L.　2049
裂葉蕁麻 Urtica fissa Pritz.　2548
羽葉蕁麻 Urtica triangularis Hand.-Mazz. ssp.
　pinnatifida (Hand.-Mazz.) C. J. Chen　3530

山龍眼科 Proteaceae
小果山龍眼 Helicia cochinchinensis Lour.　4567
豆腐楂果 Helicia nilagirica Bedd.　2050

鐵青樹科 Olacaceae
赤蒼藤（腥藤） Erythropahum scandens Bl.　531
華南青皮木（碎骨木） Schoepfia chinensis Gardn. et
　Champ.　4568

檀香科 Santalaceae
檀香 Santalum album L.　1080
百蕊草 Thesium chinense Turez.　1589
急析百蕊草 Thesium refractum Mey.　2549
長葉百蕊草（九仙草） Thesium longifolium Turcz
　4081

桑寄生科 Loranthaceae
五蕊寄生 Dendrophthoe pentandra (L.) Miq.　3531
大苞鞘花 Elytranthe albida (Bl.) Bl.　2550
五瓣寄生 Helixanthera parasitica Lour.　3532
鞘花 Macrosolen cochinchinensis (Lour.) van Tiegh.
　3533
紅花寄生 Seurrula parasitica L.　4569
廣寄生（廣桑寄生） Taxillus chinensis (DC.) Danser
　4082
柳樹寄生 Taxillus delavayi (Van Tiegh.) Danser
　2051
扁枝槲寄生（楓香寄生） Viscum articulatum Burm.
　f.　2052
槲寄生 Viscum coloratum (Kom.) Nakai　4083
柄果槲寄生（寄生茶） Viscum multinerve (Hay.)
　Hay.　4570

馬兜鈴科 Aristolochiaceae

川南馬兜鈴（大葉青木香） Aristolochia austroszechuanica Chien & Chang ex Cheng & Wu 3056

三筒管 Aristolochia championii (Champ.) Merr. et Chun 532

北馬兜鈴 Aristolochia contorta Bge. 33

馬兜鈴 Aristolochia debilis Sieb. et Zucc. 34

廣防己 Aristolochia fangchi Wu ex Chou et Hwang 1590

藏馬兜鈴 Aristolochia griffithii Hook. f. et Thoms. ex Duchartre 2053

海南馬兜鈴 Aristolochia hainanensis Merr. 1081

異葉馬兜鈴（漢中防己） Aristolochia heterophylla Hemsl. 3057

廣西馬兜鈴（管南香） Aristolochia kwangsiensis Chun et How ex C. F. Liang 35

木通馬兜鈴（關木通） Aristolochia Manshuriensis Kom. 1591

綿毛馬兜鈴（尋骨風） Aristolochia mollissima Hance 1592

淮通馬兜鈴（淮通） Aristolochia moupinensis Fr. 3058

綾葉馬兜鈴 Aristolochia neolengifolia J.L. Wu et Z. L. Yang 2054

卵葉馬兜鈴（毛藤香） Aristolochia ovatifolia S. M. Hwang 3059

耳葉馬兜鈴 Aristolochia tagala Champ. 36

硃砂蓮 Aristolochia tuberosa C. F. Liang et S. M. Hnang 4571

尾花細辛 Asarum caudigenim Hance 2551

花葉尾花細辛 Asarum caudigerum Hance var. cardiophullum (Franch.) Cheng et Yang 2552

短尾細辛 Asarum caudigrellum C. Y. Cheng et C. S. Yang 2553

牛蹄細辛 Asarum delavayi Franch. 1593, 3060

大塊瓦（圓葉細辛） Asarum geophilum Hemsl. 1082

遼細辛（細辛） Asarum heterotropoides Fr. Schmidt. var. mandshuricum (Maxim.) Kitag. 2055

單葉細辛 Asarum himalaicum Hook. f. et Thoms. ex Klotzsch. 2554

紫背細辛 Asarum prophyronotum Cheng et Yang 2555

長毛細辛 Asarum pulchellum Hemsl. 2556

華細辛（細辛） Asarum sieboldii Miq. 4572

漢城細辛 Asarum sieboldii Miq. var. seoulense Nakai 1083

青城細辛（花臉細辛） Asarum splendens (Maekawa) Cheng et Yang 2557

蛇菰科 Balanophoraceae

川藏蛇菰（菰花） Balanophora fargesii (Van. Tiegh.) Harms 3061

蛇菰 Balanophora japonica Makino 2558

多蕊蛇菰 Balanophora polyandra Griff. 3062

蓼科 Polygonaceae

金線草 Antenoron filiforme (Thunb.) Roberty et Vautier 533

沙拐麥 Calligonum mongolicum Turcz. 534

野蕎麥（金蕎麥） Fagopyrum cymosum (Trev.) Meisn. 535

蕎麥 Fagopyrum esculentum Moench 536

苦蕎麥 Fagopyrum tataricum (L.) Gaertn. 4084

竹節蓼 Homalocladium platycladum (F. Muell.) Bail. 37

大連錢冰島蓼（冰島蓼） Koenigia forrestii (Diels) Mesicek et Sojak 3534

腎葉高山蓼（酸漿菜） Oxyria digyna (L.) Hill 1084

狐尾蓼 Polygonum alopecuroides Turcz. 2056

兩棲蓼 Polygonum amphibium L. 2057

萹蓄 Polygonum aviculare L. 1594

毛蓼 Polygonum barbatum L. 38

拳參 Polygonum bistorta L. 39

本氏蓼 Polygonum bungeanum Turcz. 4085

叢枝蓼 Polygonum caespitosum Bl. 1595

頭花蓼（太陽草） Polygonum capitatum Buch.-Ham. ex D. Don 2058

火炭母 Polygonum chinense L. 1085

卷莖蓼 Polygonum convolvulus L. 4573

草葉蓼（伴蛇蓮） Polygonum coriaceum Semuels. 3535

虎杖 Polygonum cuspidatum Sieb. et Zucc. 40

稀花蓼 Polygonum dissitiflorum Hemsl. 4086

分叉蓼 Polygonum divaricatum L. 1086

匍枝蓼（紅藤蓼） Polygonum emodi Meisn. 3536

長梗蓼 Polygonum griffithii Hook. f. 3537

水蓼 Polygonum hydropiper L. 2059

酸模葉蓼（大馬蓼） Polygonum lapathifolium L. 4087

白山蓼 Polygonum laxmanni Lepech. 1087

假長尾葉蓼 Polygonum longisetum De Bruyn 1088

耳葉蓼 Polygonum manshuriensis Petr. 4088

何首烏 Polygonum multiflorum Thunb. 537

尼泊爾蓼（貓眼睛） Polygonum nepalense Meisn. 2259

倒根蓼 Polygonum ochotense V. Pers. ex Kom. 1596

葒蓼（水紅花子） Polygonum orientale L. 2560

紅莖蓼（草血竭） Polygonum paleaceum Wall. 2060

杠板歸 Polygonum perfoliatum L. 1597

桃葉蓼 Polygonum persicaria L. 2561

腋花蓼（小萹蓄） Polygonum plebeium R. Br. 3063

刺蓼（廊茵） Polygonum senticosum (Meisn.) Franch. et Sarat. 4574

西伯利亞蓼 Polygonum sibiricum Laxm. 4089

箭葉蓼（雀蓼） Polygonum sieboldii Meisn. 2061

翅柄蓼 Polygonum sinomontanum Sam. 3538

圓穗蓼 Polygonum sphaerostachyum Meisn. 3539

戟葉蓼 Polygonum thunbergii Sieb. et Zucc. 1089

蓼藍（藍實） Polygonum tinctorium Ait. 1598

黏毛蓼 Polygonum viscosum Buch.-Ham. 1090

珠芽蓼（蠍子七） Polygonum viviparum L. 1091

阿爾泰大黃 Rheum altaicum A. Los. 1599

牛尾七（雪山七） Rheum forrestii Diels 3064

波葉大黃（川大黃） Rheum franzenbachii Münt. 1600

高山大黃 Rheum nobile Hook. f. et Thoms. 1601

迪慶塔黃 Rheum nobile Hook. f. et Thoms. var. digingerse H. J. Guo et J. S. Yang var. nov. ined. 3540

藥用大黃 Rheum officinale Baill. 1092

掌葉大黃 Rheum palmatum L. 2062

穗序大黃 Rheum spiciforme Royle 2063

波葉大黃 Rheum undulatum L. 538

酸模 Rumex acetosa L. 1602

小酸模 Rumex acetosella L. 4090

紅絲酸模（土大黃） Rumex chalepensis Mill. 4575

皺葉酸模 Rumex crispus L. 2562

毛脈酸模 Rumex gmelini Turcz. 2563

戟葉酸模（川滇土大黃） Rumex hastata D. Don 2064

羊蹄 Rumex japonicus Houtt. 539

直穗酸模 Rumex longifolius DC. (R. domesticus Hartman) 1603

長刺酸模 Rumex maritinus L. 2564

尼泊爾羊蹄（牛兒黃草） Rumex nepalensis Spr. 3541

鈍葉酸模（金不換） Rumex obtusifolius L. 540

巴天酸模 Rumex patientis L. 2565

洋鐵酸模 Rumex patientis L var. callosus F. Schm. ex Maxim. 2566

窄葉酸模 Rumex stenophyllus Ledeb. 1604

藜科 Chenopodiaceae

莙薘菜 Beta vulgaris L. var. cicla L. 1605

藜（灰菜） Chenopodium album L. 1093

土荊皮 Chenopodium ambrosioides L. 1606

大葉藜（血見愁） Chenopodium hybridum L. 2567

小藜（灰藋） Chenopodium serorinum L. 1607

地膚（地膚子） Kochia scoparia (L.) Schrad. 1094

豬毛菜 Salsola collina Pall. 3065

刺沙蓬 Salsola ruthenica Iljin 1095

刺藜 Teloxys aristata Moq. 4091

莧科 Amaranthaceae

土牛膝（倒機草） Achyranthes aspera L. 4576

牛膝 Achyranthes bidentata Bl. 41

柳葉牛膝（山牛膝） Achyranthes longifolia (Makino) Makino 4577

白花莧 Aerva senguinolenta (L.) Bl. 4578

空心蓮子草（空心莧） Alternanthera philoxeroides (Mart.) Griseb. 42

蓮子草 Alternanthera sessilis (L.) DC. 43

紅草 Alternanthera versicolor Regel 4092

尾穗莧（老槍穀根） Amaranthus caudatas L. 2065

繁穗莧 Amaranthus paniculatus L. 541

反枝莧 Amaranthus retroflexus L. 44

刺莧（刺莧菜） Amaranthus spinosus L. 542

莧（雁來紅） Amaranthus tricolor L. 2066

皺果莧（野莧菜） Amaranthus viridis L. 543

青葙（青葙子） Celosia argentea L. 544

雞冠花 Celosia cristata L. 1608

漿果莧（九層風） Cladotachys frutescens D. Don 45

川牛膝 Cyathula officinalis Kuan 1096

漿果莧（地靈莧） Deeringia amaranthoides (Lam.) Merr. 1097

千日紅 Gomphrena globosa L. 1609

紫茉莉科 Nyctaginaceae

光葉子花（葉子花） Bougainvillea glabra Choisy 46

喜馬拉雅紫茉莉 Mirabilis himalaica (Edge W.) Heim. 2067

紫茉莉 Mirabilis jalapa L. 47

商陸科 Phytolaccaceae

商陸 Phytolacca acinosa Roxb. 48

美洲商陸 Phytolacca americana L.　　545

番杏科 Aizoaceae
龍鬚海棠 Mesembryanthemum spectabile Haw.
546
粟米草 Mollugo pentaphulla L.　　547

馬齒莧科 Portulacaceae
大花馬齒莧（打砍不死） Portulaca grandiflora Hook.
548
馬齒莧 Portulaca oleracea L.　　3066
土人參 Talinum paniculatum (Jacq.) Gaertn.　　49
稜軸土人參（假人參） Talinum triangulare (Jacg.)
Willd.　　4579

落葵科 Basellaceae
細枝落葵薯（藤三七） Anredera baselloides Baill.
(Boussingaultia gracilis Miers var. baselloides
Baill.)　　1610
落葵 Basella rubra L.　　50

石竹科 Caryophyllaceae
麥仙翁 Agrostemma githago L.　　1098
毛梗蚤綴 Arenaria eapillaris Poiret　　4093
燈心蚤綴（山銀柴胡） Arenaria juncea Bieb.
2568
無心菜（小塊根滇藏無心菜） Arenaria napuligera
Franch.　　3542
蚤綴（小無心草） Arenaria serpyllifolia L.　　3067
簇生卷耳（鵝秧菜） Cerastium caespitosum Gilib.
2068
黏毛卷耳（卷耳） Cerastium viscosum L.　　1099
狗筋蔓 Cucubalus baccifer L.　　2069
石竹 Dianthus chinensis L.　　1100
高山石竹 Dianthus chinensis L. var. morii (Nakai) Y.
C. Chu　　1101
蒙古石竹 Dianthus chinensis L. var. subulifolias
(Kitag.) Y. C. Ma　　4094
簇莖石竹 Dianthus repens Willd.　　4095
絲葉石竹 Dianthus subulifolius Kitag.　　2569
瞿麥 Dianthus superbus L.　　1102
興安石竹 Dianthus versicolor Fisch.　　2570
荷蓮豆 Drymaria cordata (L.) Willd.　　51
長蕊絲石竹 Gypsophila oldhamiana Miq.　　2070
細梗絲石竹 Gypsophila pacifica Kom.　　2071
淺裂剪秋蘿 Lychnis cognata Maxim.　　3068
剪夏蘿 Lychnis coronata Thunb.　　1103
大花剪秋蘿 Lychnis fulgens Fisch.　　1104
剪秋蘿 Lychnis senno Sieb. et Zucc.　　52
狹葉剪秋蘿 Lychnis sibirica L.　　4096

絲瓣剪秋蘿 Lychnis wilfordii (Regel) Maxim.
2072
牛繁縷（鵝腸草） Malachium aquaticum (L.) Fries
1105
光萼女婁菜 Melandrium firmum (Sieb. et Zucc.)
Kohrb.　　1106
異葉假繁縷（太子參） Pseudostellaria heterophylla
(Miq.) Pax ex Pax et Hoffm.　　1107
金鐵鎖 Psammosilene tunicoides W. C. Wu et C. Y.
Wu　　549
漆姑草 Sagina japonica (Sw.) Ohwi　　3069
肥皂草 Saponaria officinalls L.　　1611
女婁菜 Silene aprica Turcz.　　3543
米瓦罐（麥瓶草） Silene conoidea L.　　3070
洱源土桔梗（淳三七） Silene delavayi Franch.
2571
無瓣女婁菜 Silene gonosperma (Rupr.) Bocquer
3544
大花女婁菜（金蝴蝶） Silene grandiflorum Franch.
3545
長白旱麥瓶草 Silene jenisseensis Willd. var.
oliganthella (Nakai ex Kitag.) X. C. Chu　　1612
匍生蠅子華（葫蘆草） Silene repens patr.　　1108
狗筋麥瓶草 Silene vanosa (Gilib.) Aschers.　　4097
林繁縷 Stellaria bungeana Fenzl Var. Stubendorfii
(kegel) Y. C. Chu　　1613
叉歧繁縷 Stellaria dichotoma L.　　4098
銀柴胡 Stellaria dichotoma L. var. lanceolata Bge.
550
垂梗繁縷 Stellaria radians L.　　4580
石生繁縷（接筋草） Stellaria saxatilis Buch.-
Ham.　　1614
雲南繁縷 Stellaria Yunnanensis Franch.　　551
麥藍菜（王不留行） Vaccaria segetalis (Neck.)
Garcke　　2572

睡蓮科 Nymphaeaceae
芡 Euryale ferox Salisb.　　1109
蓮（蓮子） Nelumbo nucifera Gaertn　　1110
萍蓬草 Nuphar pumilum (Timm.) DC.　　2573
紅睡蓮 Nymphaea alba L. var. rubra Lonnr　　552
柔毛齒葉睡蓮 Nymphaea lotus L. var. pubescens
(Willd.) Hook. f. & Thoms.　　2574
睡蓮 Nymphaea tetragona Georgi　　2575

昆欄樹科 Trochodendraceae
領春木（扇耳樹） Euptelea pleiospermum Hook. f. et
Thoms.　　3071

毛茛科 Ranunculaceae

兩色烏頭 Aconitum alboviolaceum Kom.　　2073

多裂烏頭 Aconitum ambiguum Reichb.　　4099

牛扁 Aconitum barbatum Pers.　　4100

短柄烏頭 Aconitum brachypodum Diels　　3546

彎喙烏頭 Aconitum campylorrhynchum Hand.-
　　Mazz.　　2074

烏頭（川烏） Aconitum carmichaeli Debx.　　55,
　　1111

黃山烏頭 Aconitum carmichaeli Debx. var.
　　hwangshanicum W. T. Wang et Hsiao　　3072

黃花烏頭 Aconitum coreanum (Levl.) Rap.　　1112

薄葉烏頭 Aconitum fischeri Reichb.　　2576

彎枝烏頭 Aconitum fischeri Reichb. var. arcuatum
　　(Maxim.) Regel　　1113

伏毛鐵棒錘 Aconitum flavum Hand.-Mazz.　　3547

麗江烏頭 Aconitum forrestii Stapf　　2577

撫松烏頭 Aconitum fusungense S. H. Li et Y. H.
　　Huang　　1114

露蕊烏頭 Aconitum gymnandrum Maxim.　　2075

瓜葉烏頭（藤烏頭） Aconitum hemsleyanum Pritz.
　　3073

吉林烏頭 Aconitum kirinense Kakai　　2578

工布烏頭 Aconitum kongboense Lauener　　3548

多果工布烏頭 Aconitum kongboense Lauener var.
　　polycarpum W. T. Wang　　3549

展毛工布烏頭 Aconitum kongboense Lauener var.
　　villosum W. T. Wang　　3550

北烏頭 Aconitum kusnezoffii Reichb.　　53

匍枝烏頭 Aconitum macrorhychum Turcz. f.
　　tenuissimum S. H.　　4101

高山烏頭 Aconitum monanthum Nakai　　1115

鐵棒鎚 Aconitum pendulum Busch　　3551

美麗烏頭 Aconitum pulchellum Hand.-Mazz.　　3552

毛瓣美麗烏頭 Aconitum pulchellum Hand.-Mazz. var.
　　hispidum Lauener　　3553

長序美麗烏頭 Aconitum pulchellum Hand.-Mazz. var.
　　racemosum W. T. Wang　　3554

巨苞烏頭（巖烏頭） Aconitum raceamulosum
　　Franch. var. grandibracteolatum W. T. Wang
　　3074

大苞烏頭 Aconitum raddeanum Regel　　2579

等葉花葶烏頭（活血蓮） Aconitum scaposum var.
　　hupehanum Repaics　　2076

寬葉蔓烏頭 Aconitum sczukinii Turcz.　　1116

高烏頭（麻布七） Aconitum sinomontanum Nakai
　　54

新都橋烏頭 Aconitum tongolense Ulbr.　　3555

長白烏頭 Aconitum tschangbaischanense S. H. Li et
　　Y. H. Huang　　1615

草地烏頭 Aconitum umbrosum (Korsh.) Kom.　　4102

狹葉蔓烏頭 Aconitum volubile Pall. ex Koelle　　1117

類葉升麻 Actaea asiatica Hara　　2580

紅果類葉升麻 Actaea erythrocarpa Fisch.　　1616

側金盞花 Adonis amurensis Regel et Radde　　1118

北側金盞花 Adonis sibiricus Patr.　　4103

南銀蓮花（銅骨七） Anemone davidii Franch.
　　2077

展毛銀蓮花 Anemone demissa Hook. f. et Thoms.
　　var. major W. T. Wang　　3556

二歧銀蓮花（土黃芩） Anemone dichotoma L.
　　4104

打破碗花花 Anemone hupehensis Lem.　　56

秋牡丹（秋牡丹根） Anemone hupehensis Lem. f.
　　alba W. T. Wang　　553

長毛銀蓮花 Anemone narcissiflora L. var. crinita
　　(Juz.) Tamara　　4581

多被銀蓮花（竹節香附） Anemone raddeana Regel
　　1119

草玉梅（虎掌草） Anemone rivularis Buch.-Ham. ex
　　DC.　　554

小花草玉梅（破牛膝） Anemone rivularis Buch.-
　　Ham. ex DC. var. flore-minore Maxim.　　3075

大花銀蓮花 Anemone silvestris L.　　4105

大火草 Anemone tomentosa (Maxim.) Pei　　1120

擬條葉銀蓮花 Anemone trullifolia Hook. f. et Thoms.
　　var. coelestina (Franch.) Finet et Gagnep.
　　2078

條葉銀蓮花 Anemone trullifolia var. linearis (Briihl)
　　Hand.-Mazz.　　2079

野棉花 Anemone vitifolia Buch.-Ham.　　2080

阿穆爾樓斗菜 Aquilegia amurensis Kom.　　4106

無距樓斗菜（黃風） Aquilegia ecalcarata Maxim.
　　2081

長白樓斗菜 Aquilegia japonica Nakai et Hara
　　1617

尖萼樓斗菜 Aquilegia oxysepala Trautvi. et C. A.
　　Mey.　　1121

黃花尖萼樓斗菜 Aquilegia oxysepala Trautv. et C. A.
　　Mey. f. pallidiflora (Nakai) Kitag.　　2581

小花樓斗菜 Aquilegia parviflora Ledeb.　　4107

樓斗菜 Aquilegia viridiflora Pall.　　4108

紫花樓斗菜 Aquilegia viridiflora Pall. f. atropurpurea
　　(Willd.) Kitag.　　555

北樓斗菜 Aquilegia yabeana Kitag.　　1618

裂葉星果草（鴨腳黃蓮） Asteropyrum cavaleriei
　　(Levl. et Vant.) Drumm. et Hutch.　　3076

星果草 Asteropyrum peltatum (Franch.) Drumm. et
　　Hutch.　　3077

太白美漢花（重葉蓮） Callianthemum taipaicum W.
　　T. Wang　　3078

空莖驢蹄草（馬蹄葉） Caltha fistulosa Schipcz. *4109*

白花驢蹄草 Caltha matans Pall. *4110*

驢蹄草（馬蹄葉） Caltha palustris L. *3079*

膜葉驢蹄草 Caltha palustris L. var. membranacea Turcz. *2085*

驢蹄草 Caltha palustris L. var. sibirica Regel *1122*

興安升麻 Cimicifuga dahurica (Turcz.) Maxim. *1619*

升麻 Cimicifuga foetida L. *556*

大三葉升麻 Cimicifuga heraeleifolia Kom. *57*

單穗升麻 Cimicifuga simplex Wormsk. ex DC. *4111*

芹葉鐵線蓮 Clematis aethusifolia Turcz. *3080*

甘川鐵線蓮 Clematis akehioides (Maxim.) Hort. et Veitch *2082*

女萎 Clematis apiifolia DC. *2582*

鈍齒鐵線蓮（藤木通） Clematis apiifolia DC. var. obtusidentata Rehd. et Wils. *4582*

粗齒鐵線蓮（大木通） Clematis argentilucida (Lévl. et Vant.) W. T. Wang *2583*

小木通 Clematis armandii Franch. *2584*

鐵線蓮（紅釘耙藤） Clematis brevicaudata DC. *2083*

短柱鐵線蓮 Clematis cadmia Buch.-Ham. ex Wall. *1123*

威靈仙 Clematis chinensis Osb. *58*

金毛鐵線蓮（風藤草根） Clematis chrysocoma Franch. *3081*

合柄鐵線蓮（盤盤木通） Clematis connata DC. *59*

甘木通 Clematis filamentosa Dunn. *4112*

山木通 Clematis finetiana Levl. et Vant. *4583*

鐵線蓮 Clematis florida Thunb. *60*

褐紫鐵線蓮 Clematis fusca Turcz. *1620*

紫花鐵線蓮 Clematis fusca Turcz. var. violacea Maxim. *1124*

灰鐵線蓮 Clematis glauca Willd. var. akebioides (Maxim.) Rehd. et Wils. *3557*

大葉鐵線蓮 Clematis heracleifolia DC. *557*

棉團鐵線蓮（威靈仙） Clematis hexapetala Pall. *1621*

小葉棉團鐵線蓮 Clematis hexapetala Pall. f. breviloba (Freyn) Nakai *2585*

黃花鐵線蓮 Clematis intricata Bge. *1125*

紫萼鐵線蓮 Clematis intricata Bge. var. purpurea Y. Z. Zhao *4113*

朝鮮鐵線蓮 Clematis koreana Kom. *1126*

大瓣鐵線蓮 Clematis macropetala Ledeb. *4114*

東北鐵線蓮 Clematis mandshurica Rupr. *1622*

毛柱鐵線蓮（南鐵線蓮） Clematis meyeniana Walp. *4584*

沙葉鐵線蓮（軟骨過山龍） Clematis meyeniana Walp. var. granulata Find. et Gagnep. *4585*

晚花繡球藤 Clematis montana Buch.-Ham. ex DC. var. wilsonii Sprag. *3082*

高山鐵線蓮 Clematis nobilis Nakai *1127*

鈍萼鐵線蓮（小蓑衣藤） Clematis peterae Hand.-Mazz. *2586*

鬚藥鐵線蓮 Clematis pogonandra Maxim. *3083*

美花鐵線蓮 Clematis potaninii Maxim. *2587*

川木通 Clematis ranunculoides Franch. *2084*

毛茛狀鐵線蓮（繡球藤） Clematis ranunculoides Franch. *3558*

長花鐵線蓮 Clematis rehderiana Craib *3559*

西伯利亞鐵線蓮（新疆木通） Clematis sibirica (L.) Mill. *3084*

甘青鐵線蓮 Clematis tangutica (Maxim.) Korsh. *4115*

毛萼甘青鐵線蓮 Clematis tangutica (Maxim.) Korsh. var. pubescens M. C. Chang et P. Ling *558*

柱果鐵線蓮 Clematis uncinata Champ. *3085*

皺葉鐵線蓮 Clematis uncinata Champ. var. coriacea Pamp. *3086*

飛燕草 Consolida ajacis (L.) Schur *1623*

黃連（味連） Coptis chinensis Franch. *2588*

三角葉黃連（雅連） Coptis deltoidea C. Y. Chen et Hsiao *2589*

峨嵋野連（鳳尾連） Coptis omeiensis (Chen) C. Y. Cheng *2590*

狹菱形翠雀花 Delphinium angusturhombicum W. T. Wang *3560*

還亮草 Delphinium anthriscifolium Hance *3087*

寬距翠雀花 Delphinium beesianum W. W. Sm. *2591*

川黔翠雀花（鐵腳草烏） Delphinium bonvalotii Franch. *3088*

囊距翠雀 Delphinium brunonianum Royle *2086*

擬螺距翠雀花 Delphinium bulleyanum Forrest *3561*

藍翠雀花 Delphinium caeruleum Jacquem ex Cambess. *3562*

白緣翠雀花 Delphinium chenii W. T. Wang *3563*

黃毛翠雀花 Delphinium chrysotrichum Finet et Gagnep. *4116*

基葉翠雀花 Delphinium crassifolium Schr. *4117*

谷地翠雀花（峨山草烏） Delphinium davidii Franch. *3564*

鬚花翠雀花（白升麻） Delphinium davidii Franch.

var. pogonanthum (Hand.-Mazz.) W. T. Wang 3565

翠雀（翠雀花） Delphinium grandiflorum L. 2087

光序翠雀花 Delphinium kamaonense Huth 3566

細鬚翠雀花 Delphinium leptopogon Hand.-Mazz. 2592

寬苞翠雀 Delphinium maackianum Regel 2593

峨嵋翠雀花（峨山草烏） Delphinium omeiense W. T. Wang 3089

峨嵋翠雀花（柔毛峨嵋翠雀花） Delphinium omeiense W. T. Wang var. pubescens W. T. Wang 1624

螺距翠雀花 Delphinium spirocentrum Hand.-Mazz. 3567

康定翠雀花（驚風藥） Delphinium tatsienensis Franch. 4118

長距翠雀花 Delphinium tenii Levl. 3568

光果毛翠雀花 Delphinium trichophorum Franch. var. subglaberrimum Hand.-Mazz. 3569

競生翠雀花 Delphinium yangii W. T. Wang 3570

耳狀人字果（人字果） Dichocarpum auriculatum (Franch.) W. T. Wang et Hsiao 3090

鐵筷子 Helleborus thibetanus Franch. 2088

川鄂獐耳細辛（三角海棠） Hepatica henryi (Oliv.) Steward 3091

藍菫草 Leptopyrum fumarioides (L.) Reichb. 3092

鴉跖花 Oxygraphis glacialis (Fisch.) Bge. 3093

野牡丹（黃牡丹） Paeonia delavayi Franch. 559

芍藥 Paeonia lactiflora Pall. 2089

黃牡丹 Paeonia lutea Franch. 3094

草芍藥 Paeonia obovata Maxim. 560

牡丹（牡丹皮） Paeonia suffruticosa Andr. 61

川赤芍（赤芍） Paeonia veitchii Lynch 3095

蒙古白頭翁 Pulsatilla ambigua Turcz. ex Pritz. 4119

朝鮮白頭翁 Pulsatilla cernua (Thunb.) Bercht. et Opiz. 1625

白頭翁 Pulsatilla chinensis (Bge.) Regel 1128

興安白頭翁 Pulsatilla dahurica (Fisch. ex DC.) Spreng. 2594

腎掌葉白頭翁 Pulsatilla patens (L.) Mill. 4120

細葉白頭翁 Pulsatilla turczaninovii Kryl. et Serg. 4121

高原毛茛 Ranunculus brotherusii Freyn var. tanguticus (Maxim.) Tamura 3571

禺毛茛（自扣草） Ranunculus cantoniensis DC. 4586

回回蒜 Ranunculus chinensis Bge. 2595

毛茛 Ranunculus japonicus Thunb. 62

刺果毛茛 Ranunculus muricatus L. 1129

匍枝毛茛 Ranunculus repens L. 4122

石龍芮 Ranunculus sceleratus L. 2596

楊子毛茛 Ranunculus sieboldii Miq. 3096

高原毛茛 Ranunculus tanguticus (Maxim.) Ovcz. 4587

小毛茛（貓爪草） Ranunculus ternatus Thunb. 4588

天葵（天葵子） Semiaquilegia adoxoides (DC.) Mak. 2090

長果升麻（黃三七） Souliea vaginata (Maxim.) Franch. 1626

翅果唐松草（貓爪子） Thalictrum aquilegifolium L. var. sibiricum Reg. et Tiling 1627

貝加爾唐松草 Thalictrum baicalense Turcz. 2597

高原唐松草 Thalictrum cultratum Wall. 3572

偏翅唐松草 Thalictrum delavayi Franch. 1628

滇川唐松草 Thalictrum finetii Boliv. 3097

盾葉唐松草（崖掃把） Thalictrum ichangense Lecoy. ex Oliv. 3099

爪哇唐松草 Thalictrum javanicum Bl. 4123

小果唐松草（馬尾連） Thalictrum microgynum Lecoy ex Oliv. 3098

亞歐唐松草（白蓬草） Thalictrum minum L. 2598

東亞唐松草 Thalictrum minum L. var. hypoleucum (Sieb. et Zucc.) Miq. 2091

峨嵋唐松草（倒水蓮） Thalictrum omeiense W. T. Wang et S. H. Wang 3100

瓣蕊唐松草 Thalictrum petaloideum L. 2092

網脈唐松草 Thalictrum reticulatum Franch. 4124

短梗箭頭唐松草（硬水黃蓮） Thalictrum simplex L. var. brevipes Hara 2599

深山唐松草 Thalictrum tuberiferum Maxim. 3101

鈎柱唐松草 Thalictrum uncatum Maxim. 3573

彎柱唐松草 Thalictrum uncinulatum Franch. 2600

帚枝唐松草（驚風草） Thalictrum virgatum Hook. f. et Thoms. 3574

金蓮花 Trollius chinensis Bge. 3102

長瓣金蓮花 Trollius macropetalus Fr. Schmidt 1629

毛茛狀金蓮花 Trollius ranunculoides Hemsl. 4125

雲南金蓮花（雞爪草） Trollius yunnanensis (Franch.) Ulbr. 1630

木通科 Lardizabalaceae

五葉木通 Akebia quinata (Thunb.) Decne. 63

三葉木通（八月炸） Akebia trifoliata (Thunb.) Koidz. 2093

白木通 Akebia trifoliata (Thunb.) Koidz. var.

australis (Diels) Rehd.   *64*

貓兒屎（貓屎瓜）　Decaisnea fargesii Franch. *3103*

紫花牛姆瓜（五葉瓜藤）　Holboellia fargesii Reaub. *2094*

大血藤（紅藤）　Sargentodoxa cuneata (Oliv.) Rehd. et Wils. *4589*

串果藤　Sinofranchetia chinensis (Franch.) Hemsl. *3104*

野木瓜（木通七葉蓮）　Stauntonia chinensis DC. *4590*

小檗科　Berberidaceae

錐花小檗　Berberis aggregata Schneid. *3575*

黃蘆木（小檗）　Berberis amurensis Rupr. *2601*

粉葉小檗　Berberis candidula Schneid. *3105*

安徽小檗（雞腳刺）　Berberis chingii Cheng *1130*

直穗小檗（黃刺皮）　Berberis dasystachya Maxim. *2095*

刺紅珠　Berberis dictyophylla Franch. *2096*

假小檗　Berberis fallax Schneid. *2097*

費得小檗　Berberis feddeana Schneid. *2602*

大黃檗　Berberis francisci-ferdinandi Schneid. *3576*

黑果小檗　Berberis heteropoda Schrank *3106*

川滇小檗　Berberis jamesiana Forrest et W. W. Smith *3107*

九蓮小蘗（豪豬刺）　Berberis julianae Schneid. *2603*

淡色小檗　Berberis pallens Franch. *3577*

細葉小檗（三顆針）　Berberis poiretii Schneid. *561*

粉葉小檗（三顆針）　Berberis pruinosa Franch. *562*

西伯利亞小檗　Berberis sibirica Pall. *4126*

華西小檗（三顆針）　Berberis silva-teroucana Schneid. *4127*

西南小檗　Berberis stiebritziana Schneid. *3578*

騰小檗（小檗）　Berberis thunbergii DC. *2604*

金花小檗（三顆針）　Berberis wilsonae Hemsl. *563*

類葉牡丹（葳嚴仙）　Caulophyllum robustum Maxim. *1633*

六角蓮　Dysosma pleiantha (Hance) Woodson *2605*

西藏八角蓮　Dysosma tsayuensis Ying *2098*

川八角蓮　Dysosma veitchii (Hemsl. et Wils.) Fu *3108*

八角蓮　Dysosma versipellis (Hance) M. Cheng. *3109*

粗毛淫羊藿　Epimedium acuminatum Franch. *3110*

心葉淫羊藿　Epimedium brevicornum Maxim. *1631*

寶興淫羊藿　Epimedium davidii Franch. *3111*

東北淫羊藿　Epimedium koreanum Nakai *1131*

柔毛淫羊藿（淫羊藿）　Epimedium pubescens Maxim. *3112*

箭葉淫羊藿　Epimedium sagittatum (Sieb. et Zucc.) Maxim. *1632*

鮮黃蓮　Jeffersonia dubia (Maxim.) Benth. et Hook. f. *1132*

闊葉十大功勞（十大功勞葉）　Mahonia bealei (Fort.) Carr. *1634*

狹葉十大功勞（十大功勞）　Mahonia fortunei (Lindl.) Fedde *564*

刺黃柏　Mahonia gracilipes (Oliv.) Fedde *1635*

長小葉十大功勞　Mahonia lomariifolia Takeda *3579*

華南十大功勞　Mahonia japonica (Thunb.) DC. *65*

滇刺黃柏（十大功勞）　Mahonia mairei Takeda *2099*

北江十大功勞（木黃連）　Mahonia shenii Chun *4591*

南天竹　Nandina domestica Thunb. *66*

桃兒七　Sinopodophyllum emodi (Wall. ex Royle) Ying *67*

鬼臼　Sinopodophyllum emodi Wall. var. chinensis Sprague (*Podophyllum emodi (wall. ex Royle) Ying var. Chinensis (Sprague) Ying*) *3113*

防己科　Menispermaceae

錫生藤（雅呼魯）　Cissampelos pareira L. var. hirsuta (Buch.-Ham. ex DC.) Forman *3580*

樟葉木防己（衡州烏藥）　Cocculus laurifolius DC. *3114*

木防己　Cocculus orbiculatus (L.) DC. *68*

粉葉輪環藤（金線風）　Cyclea hypoglauca (Schauer) Diels *1636*

輪環藤　Cyclea racemosa Oliv. *2606*

峨嵋輪環藤　Cyclea racemosa Oliv. var. omeiensis H. S. Lo et S. Y. Zhao *4592*

天仙藤（藤黃蓮）　Fibraurea recisa Pierre *565*

蒼白秤鈎風（秤鈎風）　Diploclisia glaucescens (Bl.) Diels *1637*

蝙蝠葛　Menispermum dauricum DC. *1638*

連蕊藤（滑板菜）　Parabaena sagittata (Wall.) Miers. ex Hook. f. et Thoms. *3581*

細圓藤（黑風散）　Pericampylus glaucus (Lam.) Merr. *2100*

金線吊烏龜（白藥）　Stephania cepharantha Hayata *4593*

一文錢 Stephania delavayi Diels　　*4128*
白散薯 Stephania dielsiana Y. C. Wu　　*4594*
地不容 Stephania epigaea H. S. Lo　　*1639*
光千金藤 Stephania forsteri (DC.) A. Gray　　*4595*
海南千金藤 Stephania hainanensis H. S. Lo et
　　Tsoong　　*566*
桐葉千金藤 Stephania hernandifolia Waip.　　*2607*
廣西地不容 Stephania kwangsiensis H. S. Lo
　　4596
糞箕篤 Stephania longa Lour.　　*4129*
汝藍（金不換）Stephania sinica Diels　　*3115*
黃葉地不容 Stephania viridiflavens H. S. Lo et M.
　　Yang　　*4597*
青牛膽（金果欖）Tinospora sagittata (Oliv.)
　　Gagnep.　　*567*
中華青牛膽（伸筋藤）Tinospora sinensis (Lour.)
　　Merr.　　*3582*

木蘭科 Magnoliaceae
地楓皮 Illicium difengpi K. I. B. et K. I. M.　　*568*
紅茴香 Illicium henryi Diels　　*1640*
狹葉茴香（紅茴香根）Illicium lancenlatum A. C.
　　Smith　　*4598*
大八角（假八角）Illicium majus Hook. f. et Thoms.
　　4599
野八角 Illicium simonsii Maxim.　　*2101*
八角（八角茴香）Illicium verum Hook. f.　　*69*
黑老虎（黑老虎根）Kadsura coccinea (Lem.) A. C.
　　Smith　　*4600*
異形五味子（地白香）Kadsura heteroclita (Roxb.)
　　Craib　　*4601*
雞血藤 Kadsura interior A. C. Smith　　*2608*
鵝掌楸（凹樸皮）Liriodendron chinensis (Hemsl.)
　　Sarg　　*4130*
望春玉蘭（望春花）Magnolia biondii Pamp.
　　2102
夜合花 Magnolia coco (Lour.) DC.　　*2609*
山玉蘭 Magnolia delavayi Franch.　　*70*
玉蘭（辛夷）Magnolia denudata Desr.　　*1133*
荷花玉蘭（大花木蘭）Magnolia grandiflora L.
　　71
辛夷 Magnolia liliflora Desr.　　*72*
厚朴 Magnolia officinalis Rehd. et Wils.　　*1641*
凹葉厚朴 Magnolia officinalis Rehd. et Wils. var.
　　biloba Rehd. et Wils.　　*1134*
長葉木蘭（長葉玉蘭）Magnolia paenetalauma
　　Dandy　　*4131*
凹葉木蘭 Magnolia sargentiana Rehd. et Wils.
　　3116
天女木蘭 Magnolia sieboldii K.　　*4602*

圓葉木蘭 Magnolia sinensis (Rehd. et Wils.) Stapf
　　4132
二喬木蘭（朱砂玉蘭）Magnolia soulangeana
　　(Lindl.) Soul.-Bod.　　*3117*
西康玉蘭 Magnolia wilsonii (Finet et Gagnep.) Rehd.
　　3118
枝子皮 Magnolia wilsonii (Finet et Gagnep.) Rehd.
　　var. petrosa Law et Chia　　*3119*
木蓮（木蓮果）Manglietia fordiana (Hemsl.) Oliv.
　　4603
四川木蓮 Manglietia szechuanica Hu　　*3120*
白蘭花（白玉蘭）Michelia alba DC.　　*569*
黃蘭（黃緬桂）Michelia champaca L.　　*570*
含笑 Michelia figo (Lour.) Spreng　　*1135*
皮袋香（山辛夷）Michelia yunnanensis Franch.
　　2103
五味子 Schisandra chinensis (Yurcz.) Baill.　　*1136*
稜枝五味子（黃皮血藤）Schisandra henryi Clarke
　　4604
雲南鐵箍散（白五味子）Schisandra henryi C. B.
　　Clarke var. yunnanensis A. C. Smith　　*2610*
滇藏五味子 Schisandra neglecta A. C. Smith　　*2104*
鐵箍散（小血藤）Schisandra propinqua (Wall.) Baill.
　　var. sinensis Oliv.　　*2105*
猩紅五味子 Schisandra rubriflora (Fr.) Rehd. et Wils.
　　2106
華東五味子（南五味子、五味子）Schisandra
　　sphenanthera Rehd. et Wils.　　*3121*
圓藥五味子 Schisandra sphaerandra Stapf f. pallida
　　Smith　　*2107*
綠葉五味子（過山風）Schisandra viridis A. C.
　　Smith　　*4605*

臘梅科 Calycanthaceae
山臘梅 Chimonanthus nitens Oliv.　　*1137*
臘梅 Chimonanthus praecox (L.) Link　　*1138*

番荔枝科 Annonaceae
圓滑番荔枝（牛心果）Annona glabra L.　　*571*
番荔枝 Annona squamosa L.　　*572*
鷹爪（鷹爪花）Artabotrys hexapetalus (L. f.)
　　Bhand.　　*73*
假鷹爪（雞爪風）Desmos chinensis Lour.　　*74*
瓜馥木 Fissistigma oldhamii (emsl.) Merr.　　*4606*
多花瓜馥木 Fissistigma polyanthum (Hook. f. et
　　Thoms.) Merr.　　*4133*
陵水暗羅 Polyanthia nemoralis A. DC.　　*4134*
紫玉盤 Uvaria microcarpa Champ. ex Benth.　　*75*

肉豆蔻科 Myristicaceae

肉豆蔻　Myristica fragrans Houtt.　76

樟科　Lauraceae

峨嵋黃肉楠　Actinodaphne omeiensis (Liou) Allen
　3122
毛黃肉楠　Actinodaphne pilosa (Lour.) Merr.　573
無根藤　Cassytha filiformis L.　574
鈍葉樟（山桂）　Cinnamomum bejolghota (Buch.-
　Ham.) Sweet　4607
陰香　Cinnamomum burmannii (Nees) Bl.　575
樟（樟腦）　Cinnamomum camphora (L.) Presl
　3123
肉桂　Cinnamomum cassia Presl　576
雲南樟（臭樟）　Cinnamomum glanduliferum (Wall.)
　Nees　2108
銀葉樟（銀葉桂）　Cinnamomum mairei Levl.
　2611
黃樟（黃樟木）　Cinnamomum parthenoxylon (Jack)
　Nees　4608
烏藥　Lindera aggregata (Sims) Kosterm. (L.
　strychnifolia Villar)　77
狹葉山胡椒　Lindera angustifolia Cheng　1139
香果樹（小黏葉）　Lindera communis Hemsl.
　3583
川釣樟（香粉葉）　Lindera pulcherrima (Wall.)
　Benth. var. hemsleyana (Diels) H. P. Tsui
　4609
山橿（山橿根）　Lindera reflexa Hemsl.　2612
四川釣樟（石楠根）　Lindera setchuenensis
　Gamble　1642
三股筋香（大香果）　Lindera thomsonii Allen
　3124
山雞椒（山蒼子）　Litsea cubeba (Lour.) Pers.
　1140
滇南木薑子　Litsea garrettii Gamble　3584
潺槁樹　Litsea glutinosa C. B. Rob.　78
白野槁樹（野膠樹）　Litsea glutinosa (Lour.) C. B.
　Rob. var. brideliifolia (Hay.) Merr.　4610
毛葉木薑子（澄茄子）　Litsea mollifolia Chun
　2109
四川木薑子　Litsea moupinesis var. szechuanica
　(Allan) Yang et P. H. Huang　2613
楊葉木薑子（馬木薑子）　Litsea populifolia (Hemsl.)
　Gamble　2110
圓葉豹皮樟　Litsea rotundifolia Hemsl.　4135
西南賽楠（峨嵋賽楠）　Nothaphoebe cavaleriei
　(Levl.) Yang　3125
鱷梨（油犁）　Persea americana Mill.　4136
檫木（半楓樟）　Sassafras tzumu (Hemsl.) Hemsl.
　4137

蓮葉桐科　Hernandiaceae

香青藤（黑吹風）　Illigera aromatica S. Z. Huang et
　S. L. Mo　4611
小花青藤（九牛藤）　Illigera parviflora Dunn
　4612
紅花青藤（三葉青藤）　Illigera rhodantha Hance
　79

罌粟科　Papaveraceae

薊罌粟　Argemone mexicana L.　80
白屈菜　Chelidonium majus L.　577
美麗紫堇　Corydalis adrienii Prain　3585
灰綠黃堇（黃花草）　Corydalis adunca Maxim.
　3586
東北延胡索　Corydalis ambigua Cham. et Schltd. var.
　amurensis Maxim.　578
線葉東北鐵線蓮　Corydalis ambigua Cham. et Schltd.
　f. lineariloba (Sieb. et Zucc.) Kitag.　2614
多裂東北鐵線蓮　Corydalis ambigua Cham. et Schltd.
　f. multifida Y. H. Chou　2615
小距紫堇　Corydalis appendiculata Hand.-Mazz.
　3587
囊距紫堇　Corydalis benecincta W. W. Sm.　3588
地丁草（苦地丁）　Corydalis bungeana Turcz.
　2616
南黃紫堇　Corydalis davidii Franch.　3126
麗江紫堇（蒼山黃堇）　Corydalis delavayi Franch.
　3589
翠雀狀紫堇　Corydalis delphinioides Fedde　2111
密穗黃堇　Corydalis densispica C. Y. Wu　3590
紫堇　Corydalis edulis Maxim.　2617
細裂黃堇（紡錘草）　Corydalis feddeana Levl.
　3127
纖細黃堇（小黃斷腸草）　Corydalis gracillima C. Y.
　Wu　3591
鉤距黃堇（溪傍黃堇）　Corydalis hamata Franch.
　3592
徐州延胡索（土元胡）　Corydalis hsuchowensis Lian
　nov. ined.　579
狹距紫堇　Corydalis kokiana Hand.-Mazz.　3593
寬裂紫堇（巖黃堇）　Corydalis latiloba (Franch.)
　Hand.-Mazz.　3594
條裂黃堇（銅棒錘）　Corydalis linarioides Maxim.
　3595
尖突黃堇　Corydalis mucronifera Maxim.　2112
黑頂黃堇　Corydalis nigro-apiculara C. Y. Wu
　3596
黃紫堇　Corydalis ochotensis Turcz.　2618
小黃紫堇　Corydalis ochotensis Turcz. var. raddeana
　(Regel) Nakai　2619

峨嵋黃堇（山香） Corydalis omeiensis Z. Y. Zhu et B. Q. *3128*

蛇果黃堇 Corydalis ophiocarpa Hook. f. et Thoms. *3597*

黃堇（菊花黃蓮） Corydalis pallida (Thunb.) Pers. *1141*

河北黃堇 Corydalis pallida (Thunb.) Pers. var. chanetii (Levl.) S. Y. He *1643*

多葉紫堇（瑞金巴） Corydalis polyphylla Hand.-Mazz. *3598*

小花黃堇 Corydalis racemosa (Thunb.) Pers. *3129*

齒瓣延胡索 Corydalis remota Fisch. ex Maxim. *580*

狹裂延胡索 Corydalis remota Fisch. ex Maxim. var. lineariloba Maxim. *1644*

線裂齒瓣延胡索 Corydalis remota Fisch. ex Maxim. var. lineariloba Maxim. *(C. turtschaninovii Bess. f. lineariloba (Maxim.) Kitag.)* *2115*

圓葉齒瓣延胡索 Corydalis remota Fisch. ex Maxim. var. rotundiloba Maxim. *81*

全葉延胡索 Corydalis repens Mandl. et Muchld. *2113*

角瓣延胡索 Corydalis repens Mandl. et Muchld. var. watanabei (Kitag.) Y. H. Chou *82*

尖距紫堇（鹿耳草） Corydalis sheareri Moore *2114*

北紫堇 Corydalis sibirica (L. f.) Pers. *3599*

金鉤如意草（倒地抽） Corydalis taliensis Franch. *3130*

糙果紫堇 Corydalis trachycarpa Maxim. *3600*

三裂紫堇 Corydalis trifoliata Franch. *3601*

延胡索（元胡） Corydalis yanhusuo W. T. Wang *83*

大花荷包牡丹 Dicentra macrantha Oliv. *3131*

荷苞牡丹（荷苞牡丹根） Dicentra spectabilis (L.) Lem. *84*

禿瘡花 Dicranostigma leptopodum (Maxim.) Fedde *4138*

血水草 Eomecon chionantha Hance *2620*

花菱草 Eschscholzia californica Cham *1142*

荷青花 Hylomecon japonica (Thunb.) Prantl et Kündig *1143*

直立角茴香（角茴香） Hypecoum erectum L. *1645*

細果角茴香（山黃蓮） Hypecoum leptocarpum Hook. f. et Thoms. *3602*

博落回 Macleaya cordata (Willd.) R. Brown *581*

小果博落回 Macleaya microcarpa (Maxim.) Fedde *582*

黃花綠絨蒿（銀烏） Meconopsis chelidonifolia Bur.

et Franch. *3132*

多刺綠絨蒿 Meconopsis horridula Hook. f. et Thoms. *4139*

總狀綠絨蒿 Meconopsis horridula Hook. f. et Thoms. var. racemosa (Maxim.) Prain *2116*

金緣綠絨蒿（緣絨蒿） Meconopsis integrifolia (Maxim.) Franch. *2621*

長葉綠絨蒿 Meconopsis lancifolia (Franch.) Franch. *4140*

紅花綠絨蒿 Meconopsis punicea Maxim. *4141*

五脈緣絨蒿 Meconopsis quintuplinervia Reg. *2622*

野罌粟 Papaver nudicaule L. *2623*

東方罌粟 Papaver orientalis L. *583*

山罌粟 Papaver pseudoradicatum Kitag. *1144*

虞美人（麗春花） Papaver rhoeas L. *584*

罌粟 Papaver somniferum L. *85*

白花菜科 Capparidaceae

野香櫞花（貓鬍子花） Capparis bodinieri Levl. *2122*

刺山柑（老鼠瓜） Capparis spinosa L. *4142*

尾葉槌果藤（尾葉山柑） Capparis urophylla F. Chun *4613*

白花菜（白花菜子） Cleome gynandra L. *86*

醉蝶花 Cleome spinosa L. *87*

臭矢菜 Cleome viscosa L. *88*

樹頭菜 Crateva unilocularis Buch.-Ham. *4614*

斑果藤 Stixis suaveolens (Roxb.) Pierre *2123*

十字花科 Cruciferae

垂果南芥 Arabis pendula L. *2117*

紅油菜（芸苔） Brassica campestris L. var. oleifera DC. *3133*

球莖甘藍（茚藍） Brassica caulorapa Pasq. *1145*

青菜 Brassica chinensis L. *1146*

芥菜 Brassica juncea (L.) Czern. et Coss. *2118*

勝利油菜 Brassica napus L *1147*

塌棵菜（蹋菜） Brassica narinosa Bailey *1646*

甘藍 Brassica oleracea L. var. capitata L. *1148*

白菜（黃芽白菜） Brassica pekinensis Rupr. *2119*

薺菜 Capsella bursapastoris (L.) Medic. *1149*

彎曲碎米薺 Cardamine flexuosa With. *2624*

毛碎米薺 Cardamine hirsuta L. *4615*

彈裂碎米薺 Cardamine impatiens L. *1150*

白花碎米薺（菜子七） Cardamine leucantha (Tausch) O. E. Schulz *1647*

大葉碎米薺（普腎菜） Cardamine macrophylla Willd. *1648*

裸莖碎米薺（落葉梅） Cardamine scaposa Franch. *2120*

紫花碎米薺 Cardamine tangutorum O. E. Schulz
　　1649

桂竹香 Cheiranthus cheiri L. 　*1151*

播娘蒿 Descurainia sophia (L.) Webb. 　*2625*

葶藶 Draba nemorosa L. 　*2626*

芝麻菜（芝麻菜子） Eruca sativa Mill. 　*2627*

小花糖芥 Erysimum cheiranthoides L. 　*4143*

草大青（板藍根） Isatis indigotica Fort. 　*585*

菘藍 Isatis tinctoria L. 　*1650*

腺獨行菜 Lepidium apetalum Willd. 　*2628*

密花獨行菜 Lepidium densiflorum Schrad. 　*1651*

北美獨行菜 Lepidium virginicum L. 　*2629*

豆瓣菜 Nasturtium officinale R. Br. 　*2630*

諸葛菜 Orychophragmus violaceus (L.) O. E. Schulz
　　1152

燥原薺 Ptilotrichum cretaceum (Adams) Ledeb.
　　3134

沙芥 Pugionium cornutum (L.) Gaertn. 　*3135*

蘿蔔（萊菔子） Raphanus sativus L. 　*1153*

高蔊菜 Rorippa elata (Hook. f. et Thoms.) Hand.
　　Mazz. 　*3605*

球果蔊菜 Rorippa globosa (Turcz.) Thell. 　*2631*

蔊菜 Rorippa indica (L.) Hiem. 　*3136*

蔊菜 Rorippa indica (L.) Hiern 　*2632*

風花菜 Rorippa islandica (Oder.) Eoriber. 　*4144*

白芥 Sinapis alba L. 　*2633*

寬果叢菔 Solms-Laubachis eurycarpa (Maxim.)
　　Botsch. 　*3603*

線葉叢菔（雞掌七） Solms-Laubachis linearifolia (W.
　　W. Smith) O. E. Schulz 　*3604*

菥蓂 Thlaspi arvense L. 　*2121*

山遏藍菜 Thlaspi rhaspidioides (Pall.) Kitag.
　　(Thlaspi cochleariforme DC.) 　*2634*

辣木科 Moringaceae
辣木 Moringa oleifera Lam. 　*586*

豬籠草科 Nepenthaceae
豬籠草 Nepenthes mirabilis (Lour.) Druce 　*2637*

茅膏菜科 Droseraceae
錦地羅 Drosera burmannii Vahl. 　*2635*

長葉茅膏菜（捕蠅草） Drosera indica L. 　*2636*

光萼茅膏菜（地下明珠） Drosera peltata Smith var.
　　glabrata Y. Z. Ruan 　*4616*

圓葉茅膏菜 Drosera rotundifolia L. 　*1154*

景天科 Crassulaceae
落地生根 Bryophyllum pinnatum (L. f.) Oken
　　4617

長葉八寶 Hylotelephium spectabile (Lor.) H. Ohba
　　2638

伽藍菜 Kalanchoe laciniata (L.) DC. 　*4618*

匙葉伽藍菜 Kalanchoe spathulata DC. 　*4145*

洋吊鐘 Kalanchoe verticillata Elliot 　*587*

狼爪瓦松 Orostachys cartilaginea A. Bor. 　*1155*

流蘇瓦松 Orostachys fimbriatus (Turcz.) A. Berger.
　　4146

鈍葉瓦松 Orostachys malacophyllus (Pall.) Fisch.
　　588

黃花瓦松 Orostachys spinosus (L.) G. A Mey.
　　4147

長白紅景天 Rhodiola angusta Nakai 　*1156*

柴胡紅景天 Rhodiola bupleuroides (Wall. ex Hook. f.
　　et Thoms.) S. H. Fu 　*3606*

圓齒紅景天 Rhodiola crenulata (Hook. f. et Thoms.)
　　H. Ohba 　*3607*

長鞭紅景天 Rhodiola fastigiata (Hook. f. et Thoms.)
　　S. H. Fu 　*3609*

長圓紅景天 Rhodiola forrestii (Hamet) S. H. Fu
　　3608

豌豆七（白三七） Rhodiola henryi (Diels) Fu
　　2124

狹葉紅景天 Rhodiola kirilowii (Regel) Regel 　*2125*

條葉紅景天 Rhodiola linearifolia A. Bor. 　*3610*

四裂紅景天 Rhodiola quadrifida (Pall.) Fisch. et Mey.
　　2639

高山紅景天 Rhodiola sachalinensis A. Bor. 　*1652*

大株紅景天 Rhodiola wallichiana (Hook.) S. H. Fu
　　var. cholaensis (Praeg.) S. H. Fu 　*3611*

雲南紅景天（豆葉七） Rhodiola yunnanensis
　　(Franch.) Fu 　*3137*

景天三七 Sedum aizoon L. 　*3138*

狹葉垂盆草 Sedum aizoon L. f. angustifolium Franch.
　　2126

寬葉費菜 Sedum aizoon L. var. latifolium Maxim.
　　4148

珠芽景天（珠芽半枝） Sedum bulbiferum Makino
　　2640

凹葉景天（馬牙枝） Sedum emarginatum Migo
　　1653

景天 Sedum erythrostictum Miq. 　*89*

佛甲草 Sedum lineare Thunb. 　*90*

費菜 Sedum kamtschaticum Fisch. 　*1157*

岩景天（狗景天） Sedum middendorfianum Maxim.
　　1654

滇瓦花（佛指甲） Sedum multicaule Wall. 　*2127*

齒葉景天（紅胡豆七） Sedum odontophyllum Ford.
　　4619

白景天 Sedum pallescens Freyn 　*1158*

紫景天 Sedum purpureum (L.O.) Schuit.　　2128
垂盆草 Sedum sarmentosum Bge.　　91
石蓮（紅花巖松） Sinocrassula indica (Denen.)
　　Berger　　2129

虎耳草科 Saxifragaceae

落新婦 Astilbe chinensis (Maxim.) Franch. et Sav.
　　92
朝鮮落新婦 Astilbe chinensis (Maxim.) Franch. et
　　Sav. var. koreana Kom.　　1159
多花落新婦（金毛七） Astilbe myriantha Diels
　　3139
山荷葉 Astilboides tabularis (Hemsl.) Engler　　1655
巖白菜 Bergenia purpurascens (Hook. f. et Thoms.)
　　Engl.　　2130
金腰子 Chrysosplenium alternifolium L.　　4620
繡毛金腰（螞蟥繡） Chrysosplenium davidianum
　　Decne ex Maxim.　　3140
腎葉金腰（金腰草） Chrysosplenium griffithii Hook.
　　f. et Thoms.　　3141
滇西金腰 Chrysosplenium forrestii Diels　　3612
林金腰子 Chrysosplenium lectus-cochleae Kitag.
　　1160
毛金腰子 Chrysosplenium pilosum Maxim.　　1161
展脈毛金腰 Chrysosplenium pilosum Maxim. var.
　　valdepilosum Ohwi　　1656
小花溲疏 Deutzia parviflora Bge.　　1657
川溲疏 Deutzia setchuenensis Franch.　　2641
常山 Dichroa febrifuga Lour.　　589
廣西繡球（螞蟻樹） Hydrangea kwangsiensis Hu
　　4621
繡球（八仙花） Hydrangea macrophylla (Thunb.)
　　Ser.　　590
圓錐繡球（粉團花） Hydrangea paniculata Sieb.
　　4149
南川繡球 Hydrangea robusta Hook.　　2642
掛苦繡球 Hydrangea xanthoneura Diels　　3142
槭葉草 Mukdenia rossii (Oliv.) Koidz.　　1162
短柱梅花草（蒼耳七） Parnassia brevistyla (Brieg.)
　　Hand.-Mazz.　　2643
梅花草 Parnassia palustris L.　　1658
三脈梅花草 Parnassia trinervis Drude　　3614
雲梅花草 Parnassia unbicola Wall. ex Royle　　3613
雞眼梅花草 Parnassia wightiana Wall.　　1659
扯根菜 Penthorum chinense Pursh　　2644
東北山梅花 Philadelphus schrenkii Rupr.　　4143
大刺茶藨（刺李） Ribes alpestre Wall. ex Decne
　　2645
楔葉茶藨 Ribes diacantha Pall.　　4150
糖茶藨 Ribes emodens Rehd.　　3144

長白虎耳草（長白茶藨） Ribes komarovii A. Pojark
　　1163
楔葉長白茶藨 Ribes komarovii A. Pojark var.
　　cuneifolium Liou　　2646
長串茶藨 Ribes longiracemosum Franch.　　3145
東北茶藨（燈籠果） Ribes mandshuricum (Maxim.)
　　Kom.　　1164
甘青茶藨（狗葡萄） Ribes meyeri Maxim. var.
　　tanguticum Jancz.　　3146
香茶藨子 Ribes odoratum Wendo　　4151
英吉里茶藨 Ribes palczewaskii A. Pojark.　　4152
興安茶藨 Ribes pauciflora Turcz.　　4153
小葉茶藨 Ribes pulchellum Turcz.　　4154
矮茶藨 Ribes triste Pall.　　1660
鬼燈擎（慕荷） Rodgersia aesculifolia Batal.　　1661
羽葉鬼燈擎（蛇疙瘩） Rodgersia pinnata Franch.
　　591
西南鬼燈擎（巖陀） Rodgersia sambucifolia Hemsl.
　　3615
燭台虎耳草（松蒂） Saxifraga candelabrum Franch.
　　3616
異葉虎耳草（江陽大兀） Saxifraga diversifolia Wall.
　　ex Ser.　　3617
大花虎耳草 Saxifraga flagellaris Willd. ex Sternb.
　　ssp. megistantha Hand.-Mazz.　　3618
山羊臭虎耳草（色蒂） Saxifraga hirculus L. var.
　　major (Engl. et Irmsch.) J. T. Pan　　3619
長白虎耳草 Saxifraga laciniata Nakai et Takeda
　　1662
東北虎耳草（腺毛虎耳草） Saxifraga manshuriensis
　　(Engl.) Kom.　　1165
黑蕊虎耳草 Saxifraga melanocentra Franch.　　3620
山地虎耳草 Saxifraga montana Hism.　　3621
垂頭虎耳草 Saxifraga nigro-glandulifera
　　Balakrishana　　3622
斑點虎耳草 Saxifraga punctata L.　　1166
紅虎耳草 Saxifraga sanguinea Franch.　　3623
西南虎耳草 Saxifraga signara Engl. et Irmsch.
　　3624
藏中虎耳草 Saxifraga signatella Marg.　　3625
虎耳草 Saxifraga stolonifera (L.) Meerb.　　1663
篦齒虎耳草 Saxifraga umbellulata Hook. f. et Thoms.
　　f. pectinata Marg. et Shaw　　2131
峨屏草（峨嵋崖雪下） Tanakaea omeiensis Nakai
　　3147
黃水枝 Tiarella polyphylla D. Don　　3148

海桐花科 Pittosporaceae

少花海桐（上山虎） Pittosporum pauciflorum Hook.
　　et Arn.　　4622

巖花海桐 Pittosporum sahnianum Gowda 2647
海桐（海桐花） Pittosporum tobira (Thunb.) Ait. 592
稜果海棠（山枝仁） Pittosporum trigonocarpum Levl. 3149

金縷梅科 Hamamelidaceae

四川蠟瓣花 Corylopsis willmottiae Rhend. et Wils. 4623
蚊母樹 Distylium racemosum Sieb. et Zucc. 93
楓香樹（楓香脂） Liquidambar formosana Hance 94
檵木 Loropetalum chinensis (R. Br.) Oliv. 1167
半楓荷 Semiliquidambar cathayensis H. Y. Chang 2648

杜仲科 Eucommiaceae

杜仲 Eucommia ulmoides Oliv. 95

薔薇科 Rosaceae

龍牙草 Agrimonia pilosa Ledeb. 96
黃龍尾 Agrimonia pilosa Ledeb. var. nepalenis (D. Don) Nakai 593
黏龍牙草 Agrimonia viscidula Bge. 3626
假升麻（升麻草） Aruncus sylvester Kostel. ex Maxim. 1168
毛葉木瓜（木桃） Chaenomeles cathayensis (Hemsl.) Schneid. 594
木瓜（光皮木瓜） Chaenomeles sinensis (Thouin) Koehne 595
皺皮木瓜（木瓜） Chaenomeles speciosa (Sweet) Nakai 596
西藏木瓜 Chaenomeles thibetica Yü 2132
沼委陵菜 Comarum palastre L. 4155
木帚栒子（木帚子） Cotoneaster dielsianus Pritz. 3627
鈍葉栒子 Cotoneaster hebephyllus Diels 3628
平枝栒子（水蓮沙） Cotoneaster horizontalis Decne 2649
全緣栒子 Cotoneaster integerrimus Medic. 4156
小葉栒子（耐冬果） Cotoneaster microphylus Wall. ex Lindl. 2133
寶興栒子 Cotoneaster moupinensis Franch. 4157
水栒子 Cotoneaster multiflorus Bge 4158
水栒子（紫果栒子） Cotoneaster multiflorus Bge. var. atropurpureus Yu 3629
野山楂（南山楂） Crataegus cuneata Sieb. et Zucc. 1169
山楂 Crataegus pinnatifida Bge. 97
山里紅 Crataegus pinnatifida Bge. Major N. E. Br. 98

光葉遼寧山楂 Crataegus sanguinea Pall. var. glabra Maxim. 4159
雲南山楂（雲楂） Cartaegus scabrifolia (Franch.) Rehd. 4624
榅桲 Cydonia oblonga Mill. 4625
金露梅 Dasiphora fruticosa (L.) Rydb. 1170
小葉金露梅（金露梅） Dasiphora parvifolia (Fisch.) Juz. 2134
小葉金志梅 Dasiphora parvifolia (Fisch.) Juz. 3630
移㯶 Docynia delavayi (Franch.) Schneid. 1171
皺果蛇莓 Duchesnea chrysantha (Zoll. & Mor.) Miq. 4160
蛇莓 Duchesnea indica (Andr.) Focke 1172
台灣枇杷 Eriobotrya deflexa (Hemsl.) Nakai 4161
枇杷（枇杷葉） Eriobotrya japonica (Thunb.) Lindl. 99
白鵑梅 Exochorda racemosa (Lindl.) Rehd. 1173
細葉蚊子草 Filipendula angustiloba (Turcz.) Maxim. 2135
翻白蚊子草 Filipendula intermedia (Glehn) Juz. 4162
蚊子草 Filipendula palmata (Pall.) Maxim. 2136
光葉蚊子草 Filipendula palmata (Pall.) Maxim. var. glabra Ledeb. ex Kom. et Alis 1174
槭葉蚊子草 Filipendula purpurea Maxim. 1664
風梨草莓（草莓） Fragaria ananassa Duchesne 1175
西南草莓 Fragaria moupinensis (Franch.) Card. 3631
白草莓 Fragaria nilgerrensis Schlecht. 2137
東方草莓 Fragaria orientalis Lozinsk. 1665
路邊青（五氣朝陽草） Geum aleppicum Jacq. 1666
日本水楊梅 Geum japonicum Thunb. 1667
棣棠（棣棠花） Kerria japonica (L.) DC. f. pleniflora (Witte) Rehd. 100
花紅（林擒） Malus asiatica Nakai 3150
山荊子 Malus baccata (L.) Borkh. 1176
台灣林擒（廣山楂） Malus doumeri (Boib.) Chev. 4626
垂絲海棠 Malus halliana (Voss.) Koehre 1177
西府海棠（海紅） Malus micromalus Makino 4627
蘋果 Malus pumila Mill. 2650
海棠花（海棠果） Malus spectabilis (Ait.) Korkh. 1668
石楠 Photinia serrulata Lindl. 597
星毛委陵菜 Potentilla acaulis L. 4163
楔葉委陵菜 Potentilla ambigua Cam. 4164

鵝絨委陵菜（蕨麻） Potentilla anserina L. 2138

深裂人參果（人參果） Potentilla anserina L. f. incisa Thunb. 3632

金露梅（金露梅花） Potentilla arbuscela D. Don 3633

三出葉委陵菜 Potentilla belonicaefolia Poir. 4165

光叉葉委陵菜 Potentilla bifurca L. var. glabrata Lehw. 1178

委陵菜 Potentilla chinensis Ser. 2139

大萼委陵菜（白毛委陵菜） Potentilla conferta Bge. 4628

狼牙委陵菜 Potentilla cryptotaeniae Maxim. 2140

翻白委陵菜（翻白草） Potentilla discolor Bge. 2141

莓葉委陵菜（雉子筵） Potentilla fragarioides L. 1179

匍枝委陵菜 Potentilla fragellaris Willd. 2651

三葉委陵菜 Potentilla freyniana Bornm. 1180

銀毛委陵菜 Potentilla furgens Wall. 598

銀露梅 Potentilla glabra Lodd. 3634

雲南翻白草（紅地榆） Potentilla griffithii Hook. f. 2142

白花委陵菜 Potentilla inquinans Turcz. 4166

蛇含委陵菜（蛇含） Potentilla kleiniana Wight et Arn. 2652

銀葉委陵菜（澀草） Potentilla leuconota D. Don 1669

白葉委陵菜 Potentilla leucophylla Pall. 2653

多裂委陵菜 Potentilla multifida L. 4167

大委陵菜 Potentilla nudicaulis Willd. ex Schlecht. 4168

伏委陵菜 Potentilla paradoxa Nutt. 2654

絹毛委陵菜（金金棒） Potentilla reptans L. var. sericophylla Franch. 3151

狹葉委陵菜 Potentilla stenophylla (Franch.) Diels 3635

菊葉委陵菜 Potentilla tanacetifolia Willd. ex Schlecht. 4169

黏委陵菜 Potentilla viscosa J. Don 3152

東北扁核木 Prinsepia sinensis (Oliv.) Kom. 1670

單花扁核木（蕤仁） Prinsepia uniflora Batal. 2655

扁核木（青刺尖） Prinsepia utilis Royle 2143

杏（杏仁） Prunus armeniaca L. 599

山杏（苦杏仁） Prunus armeniaca L. var. ansu Maxim. 1671

橉木櫻（華東稠李） Prunus buergeriana Kiq. 3153

山桃 Prunus davidiana Franch. 1672

歐李 Prunus humilis Bge. 1673

郁李（郁李仁） Prunus japonica (Thunb.) Lois 1181

長梗郁李 Prunus japonica (Thunb.) Lois. var. nakai (Lévl.) Yü et Li 1182

山桃稠李 Prunus maackii Rupr. 1183

黑櫻桃 Prunus maximowiczii Rupr. 2656

光核桃 Prunus mira Koehne 3636

梅（烏梅） Prunus mume (Sieb.) Sieb. et Zucc. 1184

蒙古扁桃 Prunus mongolica Maxim. 4629

稠李（臭李子） Prunus padus L. 600

多毛稠李（櫻額） Prunus padus L. var. pubescens Regel 1674

桃（桃仁） Prunus persica (L.) Batsch 1185

壽星桃（壽星桃花） Prunus persica (L.) Batsch var. densa Makino 3154

櫻桃（櫻桃核） Prunus pseudo-cerasus Lindl. 3155

李（李子） Prunus salicina Lindl. 2144

西伯利亞杏 Prunus sibirica L. 2657

毛櫻桃 Prunus tomentosa Thunb. 601

榆葉梅 Prunus triloba Lindl. 1675

秋子梨 Prunus ussuriensis Maxim. 1676

窄葉火棘 Pyracantha angustifolia (Franch.) Schneid. 4170

火棘（赤陽子） Pyracantha fortuneana Li 101

杜梨（棠梨） Pyrus betulaefolia Bge. 3156

豆梨 Pyrus calleryana Decne 1186

川梨（棠梨） Pyrus pashia Buch.-Ham. ex D. Don 2658

梨（沙梨） Pyrus pyrifolia (Burm. f.) Nakai 4630

石斑木（春花木） Raphiolepis indica (L.) Lindl. 4631

雞麻 Rhodotypos scandens (Thunb.) Makino 2659

刺薔薇 Rosa acicularis Lindl. 4171

少棘大葉薔薇（大葉薔薇） Rosa acicularis Lindl. var. taguetii Nakai 1187

落萼薔薇 Rosa alberti Regel 4172

木香花 Rosa banksiae Aiton. 1188

美薔薇 Rosa balla Rehd. 4632

月季花 Rosa chinensis Jacq. 102

小果薔薇 Rosa cymosa Trott 2660

山刺玫（刺玫果） Rosa davurica Pall. 103

黃薔薇 Rosa hugonis Hemsl. 2661

長白薔薇 Rosa koreana Kom. 1189

疏花薔薇 Rosa laxa Retz. 3157

金櫻子 Rosa leavigata Michx. 104

多花薔薇 Rosa multiflora Thunb. 3637

十姐妹 Rosa multiflora Thunb. var. platyphylla Thory 602

峨嵋薔薇（刺石榴） Rosa omeiensis Rolfe. 603

寬刺薔薇 Rosa platyacantha Schrenk 3158

刺梨（刺梨子） Rosa roxburghii Tratt. 1190

茶子藦 Rosa rubus Lévl. et Vant. 3159

玫瑰 Rosa rugosa Thunb. 1191

西康薔薇 Rosa sikangensis Yu et Ku 3638

扁刺薔薇 Rosa sweginzowii Koehne 4173

獨龍薔薇 Rosa taronensis Yü 2662

秦嶺薔薇 Rosa tsinglingensis Pax. et Hoffm. 2663

黃刺莓 Rosa xanthina Lindl. 2145

單瓣黃刺莓 Rosa xanthina Lindl. f. normalis Rehd. 2664

粗葉懸鉤子 Rubus alceaefolius Poir. 4174

秀麗莓 Rubus amabilis Focke 2665

周毛懸鉤子（全毛懸鉤子） Rubus amphidasys Focke ex Diels 4633

粉枝莓 Rubus biflorus Buch.-Ham. 3639

五葉懸鉤子（五爪風） Rubus blinii Lévl. 2146

華東覆盤子 Rubus chingii Hu 1677

蛇泡筋（五葉滄） Rubus cochinchinensis Fratt. 4634

山莓 Rubus corchorifolius L. 1192

插田泡（倒生根） Rubus coreanus Miq. 3160

山楂懸鉤子（牛迭腸） Rubus crataegifolius Bge. 1193

三葉懸鉤子（倒鉤刺） Rubus delavayi Franch. 2147

栽秧泡（黃鎖梅） Rubus ellipticus var. obcordatus (Franch.) Focke 2148

大紅袍 Rubus eustephanos Focke 3161

黔桂懸鉤子（紅泡刺） Rubus feddei Levl. et Vant. 4635

蓬藟（刺菠） Rubus hirsutus Thunb. 1194

白花懸鉤子 Rubus leucanthus Hance 4636

多苞莓（大烏泡） Rubus multibracteatus Levl. et Vant. 2149

灰毛果莓（硬枝黑鎖梅） Rubus folialosus D. Don 604

毛果覆盆子（紫泡） Rubus niveus Thunb. 3640

茅莓（薅田藨） Rubus parvifolius L. 2150

梨葉懸鉤子（紅薊鉤） Rubus pirifolicus Smith 105

薊毛莓（蛇泡薊） Rubus reflexus Ker. 4175

空心泡（倒觸傘） Rubus rosaefolius Sm. 4637

庫頁懸鉤子 Rubus sachalinensis Levl. 1678

石生懸鉤子（小懸鉤子） Rubus saxatilis L. 4176

甜茶 Rubus suavissimus S. Lee. 106

腺毛懸鉤子（紅腺懸鉤子） Rubus sumatrans Miq. 4177

灰白毛莓（烏泡刺） Rubus tephrodes Hance 107

黃果懸鉤子（地莓子） Rubus xanthocarpus Bur. et Franch. 2666

白花地榆 Sanguisorba canadensis L. 3162

矮地榆（蟲蓮） Sanguisorba filiformis (Hook. f.) Hand.-Mazz. 2151

地榆 Sanguisorba officinalis L. 108

長葉地榆 Sanguisorba officinalis L. var. longifolia (Bert.) Yu et Li 1679

大白花地榆（白花地榆） Sanguisorba sitchensis C. A. Mey. 1195

細葉地榆 Sanguisorba tenuifolia Fisch. ex Lindl. 2667

小白花地榆（細葉地榆） Sanguisorba tenuifolia Fisch. ex Link var. alba Frautv. et Mey. 4638

高叢珍珠梅（珍珠桿） Sorbaria arborea Schneid. 3641

珍珠梅（珍珠梅皮） Sorbaria kirilowii (Regel) Maxim. 2668

東北珍珠梅（珍珠梅） Sorbaria sorbifolia (L.) A. Brown 605

珍珠梅星毛變種（星毛珍珠梅） Sorbaria sorbifolia (L.) A. Br. var. stellipilla Maxim. 4178

水榆花楸（水榆果） Sorbus alnifolia (Sieb. et Zucc.) K. Koch 2669

裂葉榆花楸（深山水榆） Sorbus alnifolia (Sieb. et Zucc.) K. Koch var. lobulata Rehd. 3163

大果花楸 Sorbus megalocarpa Rehd. 3164

花楸 Sorbus pohuashanensis (Hance) Hedl. 1196

西南花楸 Sorbus rehderiana Koehne 2670

天山花楸 Sorbus tianshanica Rupr. 3165

小花馬蹄黃（馬蹄黃） Spenceria ramalana Trim. 2152

繡球繡線菊（單瓣笑靨花） Spiraea blumei G. Don 3166

中華繡線菊 Spiraea chinensis Maxim. 2671

裂葉粉花繡線菊（繡線菊） Spiraea japonica L. f. var. incisa Yu 2672

光葉繡線菊 Spiraea japinica L. f. var. fortunei (Planch.) Rehd. 3167

歐亞繡線菊（石棒） Spiraea media Schmidt 1680

土莊繡線菊（土莊花） Spiraea pubescens Turcz. 1197

柳葉繡線菊（空心柳） Spiraea salicifolia L. 606

繡線菊 Spiraea schneideriana Rehd. 3642

絹毛繡線菊 Spiraea sericea Turcz. 4638

牛栓藤科 Connaraceae

小葉紅葉藤（荔枝藤） Rourea microphylla (Hook. et Arn.) Planch. 4639

紅葉藤 Rourea minor (Gaertn.) Leenh. 3643

豆科 Leguminosae

圍涎樹（蛟龍木） Abarema clypearia (Jack) Kosterm. (*Pithecellobium clypearia (Jack.) Benth*) 3644

廣州相思子（雞骨草） Abrus cantoniensis Hance 607

毛相思子 Abrus mollis Hance 4179

相思子 Abrus precatorius L. 608

阿拉伯膠樹（阿拉伯膠） Acacia arabica Willd. 109

兒茶樹（兒茶） Acacia catechu Willd. 110

台灣相思 Acacia confusa Merr. 111

金合歡（鴨皂樹） Acacia farnesiana (L.) Willd. 112

藤金合歡 Acacia sinuata (Lour.) Merr. 4180

海紅豆 Adenanthera pavonina L. 609

田皂角（合萌） Aeschynomene Indica L. 4640

緬茄 Afzelia xylocarpa (Kurz.) Graib 4181

合歡（合歡皮） Albizzia julibrissin Durazz. 610

山合歡（山合歡皮） Albizzia kalkora (Roxb.) Prain 1681

木葉合歡 Albizzia lebbeck (L.) Benth. 1198

駱駝刺（刺糖） Alhagi pseudalhagi (M. B.) Desv. 4641

紫穗槐 Amorpha fruticosa L. 1682

肉色土圞兒（地栗子） Apios carnea Benth. 3168

落花生（花生衣） Arachis hypogaea L. 4642

無莖黃芪 Astragalus acaulis Baker 3645

斜莖黃芪（沙苑子） Astragalus adsurgens Pall. 2153

華黃芪（沙苑子） Astragalus chinensis L. 611

夏黃芪 Astragalus complanatus R. Br. ex Bge. 4183

興安黃芪 Astragalus dahuricus (Pall.) DC. 2673

麗江窄翼黃芪 Astragalus degensis Ulbr. var. rockianus Peter-Stibal 3646

多花黃芪 Astragalus floridus Benth. ex Bge. 3647

粗壯黃芪（賀蘭山黃芪） Astragalus hoantchy Franch. 4643

西康黃芪 Astragalus kialensis Simpson 3648

草木樨狀黃芪 Astragalus melilotoides Pall. 3169

細葉黃芪 Astragalus melilotoides Pall. var. tenuis Ledeb. 3170

東北黃芪 Astragalus membranaceus (Fisch.) Bge. 1199

內蒙黃芪 Astragalus mongolicus Bge. 2154

單蕊黃芪 Astragalus monodelphus Bge. 3649

短苞黃芪 Astragalus prattii Simps. 3650

紫雲英 Astragalus sinicus L. 1683

皺黃芪 Astragalus tataricus Franch. 4644

濕地黃芪 Astragalus uliginosus L. 612

雲南黃芪 Astragalus yunnanensis Franch. 3651

蔓草蟲豆 Atylosia scarabaeoides (L.) Benth. 4184

白花羊蹄甲 Bauhinia acuminata L. 113

火索藤（合掌風） Bauhinia aurea Levl. 4645

馬鞍葉羊蹄甲 Bauhinia brachycarpa Wall. ex Benth. 1684

龍鬚藤 Bauhinia championi (Benth.) Benth. 114

深裂羊蹄甲（首冠藤） Bauhinia corymbosa Roxb. 4185

鄂羊蹄甲（雙腎藤） Bauhinia hupehana Craib 3171

紫羊蹄甲（白紫荊） Bauhinia purpurea L. 1200

紅花羊蹄甲 Bauhinia variegata L. 1685

刺果蘇木 Caesalpinia crista L. 4186

喙莢雲實（南蛇簕） Caesalpinia minax Hance 115

華南雲實 Caesalpinia nuga Ait. 3172

洋金鳳（金鳳花） Caesalpinia pulcherrima (L.) Sw. 116

蘇木 Caesalpinia sappan L. 1686

雲實 Caesalpinia sepiaria Roxb. 1201

木豆 Cajanus cajan (L.) Millsp. 3652

宜昌杭子梢 Campylotropis ichangensis Schindl. 2674

三稜枝杭子梢（大發表） Campylotropis trigonoclada (Franch.) Schindl. 2675

刀豆 Canavalia gladiata (Jacq.) DC. 613

小刀豆（假刀豆） Canavalia microcarpa (DC.) Piper 4646

蒙古錦雞兒 Caragana arborescens (Amm.) Lam. 4187

雲南錦雞兒 Caragana franchetiana Kom. 3653

中間錦雞兒（檸條） Caragana intermedia Kuang et H. C. Fu 1202

鬼箭錦雞兒（狠麻） Caragana jubata (Pall.) Poir. 4188

小葉錦雞兒（檸錦雞兒） Caragana microphylla Lam. 1203

北京錦雞兒 Caragana pekinensis Kom. 4189

紅花錦雞兒 Caragana rosea Turcz. 614

錦雞兒（金雀花） Caragana sinica (Buihoz) Rehd. 1687

西藏錦雞兒 Caragana tibetica Kom. 3654

神黃豆（雄黃豆） Cassia agnes (de Wit) Brenen 2155

婆羅門皂莢（臘腸樹） Cassia fistula L. 4190

光葉決明 Cassia floribunda Cav. 615

大葉山扁豆（鐵箭矮陀） Cassia leschenaultiana DC. 616

含羞決明 Cassia mimosoides L.　　3655

豆茶決明（水皂角）　Cassia nomame (Sieb.) Honda
　　1688

望江南 Cassia occidentalis L.　　117

鐵刀木 Cassia siamea Lam.　　118

茳芒決明 Cassia sophera L.　　1689

黃槐 Cassia surattensis Burm. f.　　2156

決明 Cassia tora L.　　119

紫荊（紫荊皮）　Cercis chinensis Bge.　　2676

紫花雀兒豆 Chesneya Purpurea P. C. L　　3656

鋪地蝙蝠草（半邊錢）　Christia obcordata (Poir.)
　　Bahn. f.　　4647

蝙蝠草 Christia vespertilionis (L. f.) Bahn. f.　　120

蝴蝶花豆（蝶豆）　Clitoria ternatea L.　　617

巴豆藤（鐵藤根）　Craspedolobium schochii Harms.
　　1204

翅托葉豬屎豆（響鈴草）　Crotalaria alata D. Don
　　4648

響鈴豆（黃花地丁）　Crotalaria albida Heyne ex
　　Roth.　　4649

三尖葉豬屎豆 Crotalaria anagyroides H. B. K.
　　1205

大豬屎豆 Crotalaria assamica Benth.　　618

長萼豬屎豆（狗鈴草）　Crotalaria calycina Schrank
　　4650

假地藍（狗響鈴）　Crotalaria ferruginea Grah.
　　2157

線葉狗屎豆（條葉狗屎豆）　Crotalaria linifolia L. f.
　　4651

野百合（農吉利）　Crotalaria sessiliflora L.　　1206

雲南豬屎豆（瓜子蓮）　Crotalaria yunnensis Franch.
　　3173

光萼豬屎豆 Crotalaria zanzibarica Benth.　　619

黃檀（檀根）　Dalbergia hupeana Hance　　3174

降香黃檀（降香）　Dalbergia odorifera T. Chen
　　620

多裂黃檀（老鷹爪）　Dalbergia rimosa Roxb.
　　4652

印度檀 Dalbergia sisso Roxb.　　121

鳳凰木 Delonix regia (Boj.) Raf.　　122

假木豆 Dendrolobium triangulare (Retz.) Schindl.
　　123

毛果魚藤（藤子甘草）　Derris eriocarpa How
　　4653

毛排錢樹 Desmodium blandum Van Meeuwen
　　4191

小槐花 Desmodium caudatum (Thunb.) DC.　　621

圓錐山螞蝗 Desmodium esquirolii Levl.　　3175

大葉山螞蝗（黏人草）　Desmodium gangeticum (L.)
　　DC.　　622

舞草 Desmodium gyrans (L.) DC.　　623

圓葉舞草（接骨藥）　Desmodium gyroides (Roxb. ex
　　Link) DC.　　4654

假地豆（狗尾花）　Desmodium heterocarpum (L.)
　　DC.　　4655

糙毛假地豆 Desmodium heterocarpum (L.) DC. var.
　　strigosum Van Meeuwen　　4192

細柄山綠豆（野豇豆）　Desmodium leptopus A. Gray
　　ex Benth.　　4656

小葉三點金 Desmodium microphyllum (Thunb.) DC.
　　624

餓螞蝗 Desmodium multiflorum DC.　　3657

蔓莖葫蘆茶（鋪地葫蘆茶）　Desmodium
　　pseudotriquetrum DC.　　4657

排錢樹 Desmodium pulchellum (L.) Benth.　　124

顯脈山綠豆 Desmodium reticulatum Champ.　　4193

單葉假地豆（紅山螞蝗）　Desmodium rubrum (Lour.)
　　DC.　　4194

餓螞蟥 Desmodium sambuense (D. Don) DC.
　　3176

波葉山螞蟥（牛巴嘴）　Desmodium sinuatum Bl. ex
　　Baker　　125

廣金錢草 Desmodium styracifolium (Osb.) Merr.
　　126

三點金草 Desmodium triflorum (L.) DC.　　127

絨毛山螞蟥 Desmodium velutinum (Willd.) DC.
　　1690

單葉拿身草（單葉餓螞蟥）　Desmodium zonatum
　　Miq.　　4658

扁豆（白扁豆）　Dolichos lablab L.　　1207

黃花野扁豆（紅草藤）　Dunbaria fusca (Wall.) Kurz
　　4659

長柄野扁豆 Dunbaria podocarpa Kurz　　4660

榼藤子（過崗龍）　Entada phaseoloides (L.) Merr.
　　128

豬仔笠 Eriosema chinense Vog.　　625

龍牙花（象牙花）　Erythrina corallodendron L.
　　626

龍牙花 Erythrina corallodendron L.　　3177

刺桐（海桐皮）　Erythrina variegata L. var. orientalis
　　(L.) Merr.　　1691

蔓性千斤拔（千斤拔）　Flemingia prostrata Roxb.
　　4661

乾花豆（蝦鬚豆）　Fordia cauliflora Hemsl.　　4662

小葉乾花豆（野京豆）　Fordia microphylla Dunn
　　2158

華南皂莢（小果皂莢）　Gleditsia australis Hemsl.
　　4195

山皂莢 Gleditsia melanacantha Tang et Wang
　　1208

豬牙皂（大皂角） Gleditsia sinensis Lam.　627
大豆（黑大豆） Glycine max (L.) Merr.　2677
野大豆（野料豆） Glycine soja Sieb. et Zucc.　2678
光果甘草（甘草） Glycyrrhiza glabra L.　3178
蜜腺甘草 Glycyrrhiza glabra L. var. glandulosa X. Y. Li　3179
脹果甘草 Glycyrrhiza inflata Bat.　3180
刺果甘草 Glycyrrhiza pallidiflora Maxim.　628
甘草 Glycyrrhiza uralensis Fisch.　1209
雲南甘草（土甘草） Glycyrrhiza yunnanensis Cheng f. et L. K. Tai　2159
藍花米口袋（地米菜） Gueldenstaedtia coelestris (Diels) Simpson　129
異葉米口袋（喜馬拉雅米口袋） Gueldenstaedtia diversifolia Maxim.　3658
高山米口袋 Gueldenstaedtia himalaica Baker　3659
狹葉米口袋（地丁） Gueldenstaedtia stenophylla Bge.　2679
米口袋（地丁） Gueldenstaedtia verna (Georgi) A. Bor.　2680
雲南米口袋 Gueldenstaedtia yunnanensis Franch.　3660
山巖黃蓍 Hedysarum alpium L.　4196
滇巖黃蓍 Hedysarum limitancum Hand.-Mazz.　3661
多序巖黃蓍（紅蓍） Hedysarum polybotrys Hand.-Mazz.　130
錫金巖黃蓍 Hedysarum sikkimens Benth.　2681
長白巖黃蓍 Hedysarum ussuriense I. Schischk. et Kom.　1210
多花木藍（土豆根） Indigofera amblyantha Graib　2160
鐵掃帚（野藍枝子） Indigofera bungeana Steud.　2682
華東藍（華東木藍） Indigofera fortunei Craib.　1211
十一葉木藍（鐵箭巖陀） Indigofera hendecaphylla Jacq.　2161
花木藍（豆根木藍） Indigofera kirilowii Maxim. ex Palibim　131
馬棘 Indigofera pseudotinctoria Matsum　1212
三葉木藍 Indigofera trifoliata L.　4663
短萼雞眼草 Kummerowia stipulacea (Maxim.) Makino　2162
雞眼草 Kummerowia striata (Thunb.) Schindl.　132
大山黧豆 Lathyrus davidii Hance　1692
三脈山黧豆 Lathyrus komarovii Ohwi　2683

山黧豆 Lathyrus palustris L. var, pilosus Ledeb.　4197
牧地香豌豆 Lathyrus pratensis L.　1213
五脈山黧豆 Lathyrus quinquenervius (Miq.) Litv. ex Kom.　2684
胡枝子 Lespedeza bicolor Turcz.　1214
短序胡枝子 Lespedeza cyrtobotrya Miq.　629
興安胡枝子（枝兒條） Lespedeza davurica (Laxm.) Schindl.　2163
多花胡枝子 Lespedeza floribunda Bge.　4198
美麗胡枝子（馬掃帚） Lespedeza formosa (Vogel) Koehne　3181
細葉胡枝子 Lespedeza hedysaroides (Pall.) Kitag. var. subsericea (Kom.) Kitag.　4664
小豆花（小雪人參） Lespedeza tomentosa (Thunb.) Sieb.　3182
銀合歡 Leucaena glauca (L.) Benth.　630
百脈根 Lotus corniculatus L.　3183
短萼儀花（五龍根） Lysidice brevicalyx Wei　4665
儀花（鐵羅傘） Lysidice rhodostegia Hance　631
朝鮮槐 Maackia amurensis Rupr. et Maxim.　1215
南苜蓿（小苜蓿） Medicago hispida Gaertn　1216
天藍苜蓿（老蝸生） Medicago lupulina L.　2685
紫苜蓿 Medicago sativa L.　2686
白花草木樨 Melilotus albus Desr.　1693
細齒草木犀 Melilotus dentatum (Wald. et Rit.) Pers.　632
草木犀 Melilotus suaveolens Ledeb.　1694
香花崖豆藤 Millettia dielsiana Harms ex Diels (M. champutongensis Hu)　133
毛瓣雞血藤 Millettia lasiopetala (Hayata) Merr.　1695
窄序巖豆樹（馬鹿花） Millettia leptobotrya Dunn　3662
皺果巖豆藤（山狗豆） Millettia oosperma Dunn　4666
厚果雞血藤（苦檀子） Millettia pachycarpa Benth.　4199
疏葉崖豆（小牛力） Millettia pulchra Kurz. var. laxior (Dunn) Z. Wei　4667
網絡崖豆藤 Millettia reticulata Benth.　4668
含羞草 Mimosa pudica L.　1696
大葉千斤拔 Moghania macrophylla (Willd.) O. Kuntze　134
褐毛黧豆 Mucuna castanea Merr.　4200
海南黧豆（荷包豆） Mucuna hainanensis Hay　4669
大果油麻藤（老鴉花藤） Mucuna macrocarpa Wall.　3663

狗爪豆（貓豆）Mucuna pruriens (L.) DC. var. utilis (Wall. ex Wight) Bak. ex Burck　*135*

秘魯香（秘魯香膠）Myroxylon pereirae (Royle) Klotzsch　*2164*

長白棘豆 Oxytropis anertii Nakai　*1217*

硬毛棘豆 Oxytropis hirta Bge.　*2687*

多葉棘豆（雞翔草）Oxytropis myriophylla (Pall.) DC.　*2165*

砂珍棘豆（沙棘豆）Oxytropis psammocharis Hance　*4201*

毛瓣棘豆 Oxytropis sericopetala E. C. E. Fisch.　*2166*

雲南棘豆 Oxytropis yunnanensis Franch.　*3664*

豆薯 Pachyrhizus erosus (L.) Urban　*1697*

金雀花（一顆血）Parochetus communis Buch.-Ham.　*2167*

赤豆 Phaseolus angularis (Willd.) W. F. Wight　*136*

山綠豆 Phaseolus minimus Roxb.　*3185*

綠豆 Phaseolus radiatus L.　*633*

菜豆（白飯豆）Phaseolus vulgaris L.　*1698*

菜豆（四季豆）Phaseolus vulgaris L. var. humilis Alef.　*634*

黃花木 Piptanthus concolor Harrow　*2168*

豌豆 Pisum sativum L.　*635*

水黃皮 Pongamia pinnata (L.) Merr.　*4202*

四棱豆 Psophocarpus tetragonolobus DC.　*1218*

補骨脂 Psoralea corylifolia L.　*1699*

紫檀 Pterocarpus indicus Willd.　*4670*

葛藤（葛根）Pueraria lobata (Willd.) Ohwi　*1700*

山葛藤（山葛）Pueraria montana (Lour.) Merr.　*1701*

雲南葛藤（苦葛）Pueraria peduncularis Grah. ex Benth.　*3665*

甘葛藤（粉葛）Pueraria thomsonii Benth.　*2688*

菱葉鹿藿（山黃豆藤）Rhynchosia dielsii Harms　*1702*

鹿藿 Rhynchosia volubilis Lour.　*4671*

刺槐 Robinia pseudoacecia L　*1219*

中國無憂花（四方木皮）Saraca dives Pierre　*1220*

刺田菁 Sesbania aculeata Pers.　*4182*

田菁（白天蜈蚣）Sesbania cannabina (Retz.) Pers.　*4672*

毛宿苞豆（草紅藤）Shuteria involuclata (Wall.) Wight et Arn. var. villosa (Pamp.) Ohashi　*3666*

苦豆子 Sophora alopecuroides L.　*1221*

苦刺花 Sophora davidii (Franch.) Kom. ex Pavol.　*3667*

苦參 Sophora flavescens Ait.　*1703*

灰毛槐樹 Sophora glauca Lesch.　*3186*

槐（槐花）Sophora japonica L.　*636*

西南槐樹（烏豆根）Sophora mairei Pamp.　*4673*

砂生槐 Sophora moorcroftiana (Benth.) Benth. ex Baker　*2169*

越南槐（山豆根）Sophora tonkinensis Gagnep.　*137*

白刺花 Sophora viciifolia Hanch.　*2689*

密花豆（雞血藤）Spatholobus suberectus Dunn　*138*

苦馬豆 Swainsonia salsula Taub.　*139*

胡蘆茶 Tadehagi triquetrum (L.) Ohashi　*140*

酸角 Tamarindum indica L.　*1222*

灰葉豆（灰葉）Tephrosia purpurea (L.) Pers.　*3668*

小葉野決明 Thermopsis chinensis Benth.　*1223*

牧馬豆 Thermopsis lanceolata R. Br.　*2690*

野火球 Trifolium lupinaster L.　*1224*

紅車軸草 Trifolium pratense L.　*637*

白車軸草 Trifolium repens L.　*1225*

胡蘆巴 Trigonella foenum-graecum L.　*638*

貓尾草 Uraria crinita (L.) Desv. ex DC.　*639*

長穗貓尾草（布狗尾）Uraria crinita (L.) Desv. var. macrostachya Wall.　*1226*

狸尾草 Uraria lagopodioides (L.) Desv. ex DC.　*640*

美花兔尾草（密馬）Uraria picta (Jacq.) Desv.　*3669*

山野豌豆（山黑豆）Vicia amoena Fisch.　*1704*

貝加爾野豌豆 Vicia baicalensis (Turcz.) P. Y. Fr.　*4203*

廣佈野豌豆（草藤）Vicia cracca L.　*1227*

蠶豆（胡豆）Vicia faba L.　*141*

大野豌豆（野豌豆）Vicia gigantea Bge.　*142*

小巢菜 Vicia hirsuta (L.) S. f. Gray　*2691*

東方野豌豆 Vicia japonica A. Gray　*2170*

牯嶺野豌豆 Vicia kulingiana Baicl.　*3187*

多莖野豌豆 Vicia multicaulis Ledeb.　*2171*

假香野豌豆 Vicia pseudorobus Fisch. et C. A. Mey.　*2692*

北野豌豆 Vicia ramuriflora (Maxim.) Ohwi　*4204*

救荒野豌豆（大巢菜）Vicia sativa L.　*2693*

歪頭菜（三鈴子）Vicia unijuga A. Br.　*1705*

柳葉野豌豆 Vicia venosa (Willd.) Maxim.　*1228*

眉豆（飯豆）Vigna cylindrica (L.) Skeels　*4205*

豇豆 Vigna sinensis (L.) Sawi　*2694*

紫藤 Wisteria sinensis Sweet　*1706*

丁癸草 Zornia diphylla (L.) Pers.　*143*

酢漿草科 Oxalidaceae

楊桃 Averrhoa carambosa L.　*1229*

感應草 Biophytum sensitivum (L.) DC.　*144*

酢漿草 Oxalis corniculata L.　*1707*

紅花酢漿草 Oxalis corymbosa DC.　*641*

麥穗酢漿草（麥穗七） Oxalis griffithii Edgew. et
Hook. f.　*2695*

牻牛兒苗科 Geraniaceae

牻牛兒苗（老鸛草） Erodium stephanianum Willd.
4206

粗根老鸛草 Geranium dahuricum DC.　*4207*

毛蕊老鸛草 Geranium eriostemon Fisch.　*1230*

曲嘴老鸛草 Geranium forrestii R. Kunth　*3670*

血見愁老鸛草 Geranium henryi R. Kunth　*3188*

突節老鸛草 Geranium japonicum Franch.　*1231*

朝鮮牻牛兒苗 Geranium koreanum Kom.　*2172*

興安老鸛草 Geranium maximowiczii Regel et Maack.
4674

蘿葡根老鸛草 Geranium napuligerum Franch.
3671

老鸛草 Geranium nepalense Sweet　*642*

長白老鸛草 Geranium paishanense Y. L. Cheng
1232

甘青老鸛草（賈貝） Geranium pylzowianum Maxim.
2696

紫萼老鸛草 Geranium refractoides Pax et Hoffm.
3672

鼠掌老鸛草 Geranium sibiricum L.　*643*

線裂老鸛草 Geranium soboliferum Kom.　*1708*

大花老鸛草 Geranium transhaicalicum Serg.　*4208*

青島老鸛草 Geranium tsingtanense Yabe　*3189*

老鸛草 Geranium wilfordii Maxim.　*3190*

香葉天竺葵 Pelargonium graveolens L. Herit.
4209

天竺葵 Pelargonium hortorum Bailey　*644*

旱金蓮科 Tropaeolaceae

旱金蓮 Tropaeolum majus L.　*1233*

亞麻科 Linaceae

黑水亞麻 Linum amurense Alef.　*2173*

貝加爾亞麻 Linum balcalense Juz.　*4210*

野亞麻 Linum stellaroides Planch.　*4211*

亞麻 Linum usitatissimum L.　*145*

白花柴（米念巴） Tirpitzia ovoides Chun et How ex
W. L. Sha　*4675*

古柯科 Erythroxylaceae

古柯 Erythroxylum coca Lam.　*146*

蒺藜科 Zygophyllaceae

白刺 Nitraria sibirica Pall.　*1234*

駱駝蓬 Peganum harmala L.　*147*

多裂駱駝蓬 Peganum harmala L. var. multisecta
Maxim.　*4676*

駱駝蒿 Peganum nigellastrum Bge.　*1235*

蒺藜（刺蒺藜） Tribulus terrestris L.　*1709*

霸王 Zygophyllum xanthoxylum Maxim.　*148*

芸香科 Rutaceae

山柚柑（降眞香） Acronychia pedunculata (L.) Miq.
645

酒餅簕（東風橘） Atalantia buxifolia (Poir.) Oliv.
646

臭節草 Boenninghausenia albiflora (Hook.) Meissn.
2174

石椒草 Boenninghausenia sessilicarpa Levl.　*647*

酸橙（枳殼） Citrus aurantium L.　*4677*

代代花（枳殼） Citrus aurantium L. var. amara Engl.
648

柚 Citrus grandis (L.) Osbeck　*149*

化州柚（橘紅） Citrus grandis (L.) Osbeck var.
tomentosa Hort.　*150*

檸檬 Citrus limonia Osbeck　*151*

枸櫞 Citrus medica L.　*1236*

佛手 Citrus medica L. var. sarcodactylis (Noot.)
Swingle　*3191*

橘 Citrus reticulata Blanco　*152*

溫州蜜橘（無核橘） Citrus reticulata Blanco var.
unshin H. H. Hu　*2697*

甜橙（枳實） Citrus sinensis (L.) Osbeck　*3192*

小黃皮 Clausena emarginata Huang　*4678*

假黃皮樹（山黃皮） Clausena excavata Burm. f.
649

黃皮 Clausena lansium (Lour.) Skeels　*650*

白蘚（白蘚皮） Dictamnus albus L. var. dasycarpus
(Turcz.) T. N. Liou et Y. H. Chang　*1710*

異花吳茱萸（異花吳萸） Evodia baberi Rehd. et
Wils.　*3193*

臭辣樹 Evodia fargesii Dode　*3194*

三叉苦 Evodia lepta (Sreng.) Merr.　*651*

楝葉吳茱萸 Evodia meliaefolia (Hance) Benth.
4212

吳茱萸 Evodia rutaecarpa (Juss) Benth.　*652*

單葉吳茱萸 Evodia simplicifolia Ridley　*3673*

牛糾樹（茶辣） Evodia trichotoma (Lour.) Pierre
2175

山橘 Fortunella hindsii (Champ.) Swingle　*4213*

金橘 Fortunella margarita (Lour.) Swingle　*153*

月月橘（四季橘） Forrunella obovata Tanaka　*4214*

小花山白橘（山白橘）Glycosmis parviflora (Sims.) Kurz.　*1237*

北芸香　Haplophyllu dauricum (L.) Juss.　*4215*

大管　Micromelum falcatum (Lour.) Tanaka　*4216*

全緣葉小芸木（小芸木）Micromelum integerrimum (Buch.-Ham. ex Colebr. Wight et Arn ex Roem.　*3674*

廣西九里香　Murraya kwangsiensis (Huang) Huang　*4679*

九里香　Murraya paniculata (L.) Jacks.　*154*

小葉九里香　Murraya paniculata (L.) Jacks. var. exstica (L.) Huang　*2698*

日本常山（臭山羊）Orixa japonica Thunb.　*3195*

黃柏　Phellodendron amurense Rupr.　*1711*

黃皮樹（川黃柏）Phellodendron chinense Schneid.　*1238*

禿葉黃皮樹（廣西黃柏）Phellodendron chinense Schneid. var. galbriusculum Schneid.　*4680*

枳（枸橘）Poncirus trifolita (L.) Raf.　*1712*

芸香　Ruta graveolens L.　*1713*

茵芋　Skimmia reevesiana Fortune　*4217*

飛龍掌血　Toddalia asiatica (L.) Lam.　*3675*

筋檔花椒　Zanthoxylum avicennae (Lam.) DC.　*155*

花椒　Zanthoxylum bungeanum Maxim.　*3196*

擬蜆殼花椒（單面針）Zanthoxylum dissitoides Huang　*4681*

大葉花椒（蚌殼椒）Zanthoxylum dissitum Hemsl.　*3197*

棘殼花椒（見血飛）Zanthoxylum echinocarpum Hemsl.　*4682*

兩面針　Zanthoxylum nitidum (Roxb.) DC.　*4683*

疎刺花椒（毛兩面針）Zanthoxylum nitidum (Roxb.) DC. f. fastuosum How ex Huang　*4684*

川陝花椒　Zanthoxylum piasezkii Maxim.　*2699*

竹葉椒　Zanthoxylum planispinum Sieb. et Zucc.　*1239*

香椒子（野椒）Zanthoxylum schinifolium Sieb. et Zucc.　*1240*

野花椒　Zanthoxylum simulans Hance　*156*

柄果花椒　Zanthoxylum simulans Hance var. podocarpum Huang　*1241*

苦木科　Simaroubaceae

臭椿（樗白皮）Ailanthus altissina (Mill.) Swingle　*1714*

鴉膽子　Brucea javanica (L.) Merr.　*653*

苦木（苦木皮）Picrasma quassioides (D. Don) Benn.　*1715*

橄欖科　Burseraceae

梅迪乳香　Boswellia neglecta M. Moore　*1242*

橄欖（黃欖）Canarium album (Lour.) Raeusch.　*1716*

烏欖　Canarium pimela Koenig　*1243*

棟科　Meliaceae

米仔蘭　Aglaia odorata Lour.　*654*

大葉山棟　Aphanamixis grandifolia Bl.　*655*

毛麻棟　Chukrasia tabularis A. Juss. var. velutina (Wall.) King　*656*

漿果棟（亞羅椿）Cipadessa baccifera Miq.　*3676*

灰毛漿果棟（假茶辣）Cipadessa cinerascens (Pell.) Hand.-Mazz.　*157*

棟樹（苦棟皮）Melia azedarach L.　*1717*

川棟（川棟子）Melia toosendan Sirb. et Zucc.　*2700*

香椿（椿白皮）Toona sinensis (A. Juss.) Roem.　*4685*

老虎棟（海木）Trichilia connaroides (W. et A.) Bentvelzen　*2176*

絨果海木（白骨走馬）Trichilia sinensis Bentv.　*4686*

杜棟　Turraea pubescens Hellen.　*4687*

金虎尾科　Malpighiaceae

風箏果（風車藤）Hiptage benghalensis (L.) Kurz　*2177*

遠志科　Polygalaceae

黃花遠志　Polygala arillata Buch.-Ham.　*1244*

小花遠志（細金牛草）Polygala arvensis Willd.　*4218*

黃花倒水蓮　Polygala fallax Hemsl.　*4688*

華南遠志（大金不換）Polygala glomerata Lour.　*158*

瓜子金　Polygala japonica Houtt.　*2701*

蓼葉遠志（紫飯豆）Polygala persicariaefolia DC.　*3677*

西伯利亞遠志（甜遠志）Polygala sibirica L.　*1718*

小扁豆　Polygala tatarinowii Regel　*2178*

遠志　Polygala tenuifolia Willd.　*159*

長毛遠志　Polygala wattersii Hance　*3198*

齒果草（一碗泡）Salomonia cantoniensis Lour.　*160*

蟬翼藤　Securidaca inappendiculata Hassk.　*1245*

大戟科　Euphorbiaceae

鐵莧菜　Acalypha australis L.　*1719*

狗尾紅　Acalypha hispida Burm. f.　*657*

紅桑 Acalypha wikesiana Muell.-Arg. 2179

喜光花 Actephila merrilliana Chun 4689

山麻桿 Alchornea davidii Franch. 2702

紅背山麻桿（紅背葉） Alchornea trewioides (Benth.) Muell.-Arg. 4690

石栗（石栗子） Aleurites moluccana (L.) Willd. 658

雀兒舌頭（黑鈎葉） Andrachne chinensis Bge. (Leptopus chinensis (Bge.) Pojark) 3199

五月茶 Antidesma bunius (L.) Spreng. 4691

黃毛五月茶（禾線風） Antidesma fordii Hemsl. 4692

方葉五月茶 Antidesma ghaesembilla Gaertn 4219

銀柴 Aporusa chinensis (Champ.) Merr. 1246

毛銀柴 Aporusa villosa (Lindl.) Baill. 3678

木奶果 Baccaurea ramiflora Lour. 2180

重陽木（秋楓木） Bischofia javanica Bl. 659

黑面神 Breynia fruticosa (L.) Hook. f. 1720

小葉黑面葉（小柿子） Breynia parens Benth. 1247

小葉黑面神（跳八丈） Breynia retusa (Dunnest.) Alston 2181

小葉黑面神（紅子仔） Breynia vitis-idaea (Burm, f.) C. E. C. Fischer 660

土蜜樹 Bridelia tomentosa Bl. 161

白桐樹（丟了棒） Claoxylon indicum (Reinw. ex Bl.) Hassk. 4693

變葉木 Codiaeum variegatum (L.) Bl. 162

石山巴豆 Croton euryphyllus W. W. Sm. 4694

越北巴豆 Croton kongensis Gagnep. 2182

毛果巴豆（小葉雙眼龍） Croton lachnocarpus Benth. 4695

巴豆 Croton tiglium L. 1721

東京桐 Deutzianthus tonkinensis Gagnep. 4696

金剛纂（火殃簕） Euphorbia antiquorum L. 2183

乳漿大戟（乳漿草） Euphorbia esula L. 2184

狼毒大戟 Euphorbia fischeriana Steud. 163

澤漆 Euphorbia helioscopia L. 164

猩猩草（葉象花） Euphorbia heterophylla L. 661

飛揚草 Euphorbia hirta L. 1722

地錦（地錦草） Euphorbia humifuga Willd. 1248

湖北大戟（九牛七） Euphorbia hylonoma Hand.-Mazz. 1723

通奶草 Euphorbia hypericifolia L. 4697

甘遂 Euphorbia kansui Liou 2703

續隨子（千金子） Euphorbia lathyris L. 662

貓眼草 Euphorbia lunulata Bge. 663

東北大戟 Euphorbia mandshurica Maxim. 2185

銀邊翠（高山積雪） Euphorbia marginata Pursh. 664

疣果大戟 Euphorbia micractina Boiss. 3680

鐵海棠 Euphorbia milii Ch. des Moulins. 165

大狼毒 Euphorbia nematacypha Hand.-Mazz. 3681

大戟 Euphorbia pekinensis Rupr. 2704

小狼毒（土瓜狼毒） Euphorbia prolifera Buch.-Ham. 2186

一品紅 Euphorbia pulcherrima Willd. 1724

錐腺大戟 Euphorbia savaryi Kiss 1249

高山大戟（一把香） Euphorbia stracheyi Boiss. 2705

斑地錦 Euphorbia supina Rafin 166

千根草（小飛揚草） Euphorbia thymifolia L. 167

光棍樹（綠玉樹） Euphorbia tirucalli L. 2706

大果大戟 Euphorbia wallichii Hook. f. 2187

草沉香（刮金板） Excoecaria acerifolia F. Didr. 168, 3679

紅背桂 Excoecaria cochinchensis Lour. 665

紅背桂花（雞尾木） Excoecaria cochinchinensis Lour. var. viridis (Pax et Hoffm.) Merr. 666

綠背桂花 Excoecaria venenata S. Lee et F. N. Wei 667

白飯樹 Flueggea virosa (Willd.) Baill. 668

四裂算盤子 Glochidion assamicum (Muell.-Arg.) Hook. f. 169

毛果算盤子（漆大姑） Glochidion eriocarpum Champ. 4698

厚葉算盤子 Glochidion hirsutum (Roxb.) Voigt 4699

大葉算盤子（艾膠樹） Glochidion lanceolarium (Roxb.) Voigt 4700

菲島算盤子（甜葉木） Glochidion philippinensis (Cav.) C. B. Rob. 4701

算盤子 Glochidion puberum (L.) Hutch. 170

水柳仔（水楊柳） Homonoia riparia Lour. 2188

痲瘋樹 Jatropha curcas L. 2707

佛肚樹 Jatropha podagrica Hook. 171

中平樹（糠皮樹） Macaranga denticulata (Bl.) Muell.-Arg. 4702

白背葉 Mallotus apelta (Lour.) Muell.-Arg. 172

毛桐 Mallotus barbatus (Wall.) Muell.-Arg. 669

野梧桐 Mallotus japonica Muell.-Arg. 1250

粗糠柴 Mallotus philippinensis (Lam.) Muell. Arg. 670

石巖楓 Mallotus repandus (Willd.) Muell.-Arg. 671

薄葉野桐（野桐） Mallotus tenuifolius Pax 1251

木薯 Manihot esculenta Grantz 672

紅雀珊瑚 Pedilanthus tithymaloides (L.) Poit. 1725

餘甘子 Phyllanthus emblica L.　*173*

蜜柑草 Phyllanthus matsumurae Hayata　*174*

水油甘 Phyllanthus parvifolius Buch.-Ham.　*175*

爛頭砵（山兵豆） Phyllanthus reticulatus Poir.
　176

無毛龍眼睛（紅魚眼） Phyllanthus reticulatus Poir.
　var. glaber Muell.-Arg.　*673*

葉下珠 Phyllanthus urinaria L.　*674*

黃珠子草（珍珠草） Phyllanthus virgatus Forst. f.
　1726

蓖麻 Ricirus communis L.　*675*

山烏桕 Sapium discolor (Champ.) Muell.-Arg.　*676*

圓葉烏桕 Sapium rotundifolium Hemsl.　*177*

烏桕 Sapium sebiferum (L.) Roxb.　*2708*

龍脷葉 Sauropus rostrata Miq.　*178*

一葉萩 Securinega suffruticosa (Pall.) Rehd.　*179*

廣東地構葉（蛋不老） Speranskia cantonensis
　(Hance) Pax ex Hoffm.　*2709*

地構葉（珍珠透骨草） Speranskia tuberculata
　(Poge.) Baill.　*180*

滑桃樹 Trewia nudiflora L.　*2189*

油桐（油桐子） Vernicia fordii (Hemsl.) Airz-
　Shaw　*677*

木油樹（木油桐） Vernicia montata Lour.　*678*

交讓木科 Daphniphyllaceae

牛耳楓 Daphniphyllum calycinum Benth.　*1727*

交讓木 Daphniphyllum macropodum Miq.　*4703*

黃楊科 Buxaceae

紅葉黃楊 Buxus harlandii Hance　*1728*

桃葉黃楊 Buxus henryi Mayr.　*3200*

黃楊 Buxus microphylla Sieb. et Zucc. var. sinica
　Rehd. et Wils.　*679*

皺葉黃楊（黃楊木） Buxus rugulosa Hatusima
　3682

宿柱三角咪（三角咪） Pachysandra stylosa Dunn
　3201

頂蕊三角咪（雪山林） Pachysandra terminalis Sieb.
　et Zacc.　*2190*

野扇花（胃友） Sarcococca ruscifolia Stapf　*2710*

巖高蘭科 Empetraceae

巖高蘭 Empetrum sibiricum V. Vassil.　*4220*

馬桑科 Coriariaceae

馬桑 Coriaria sinica Maxim.　*680*

漆樹科 Anacardiaceae

雞腰果 Anacardium occidentale L.　*181*

南酸棗 Choerospondias axillaris (Roxb.) Burtt et Hill
　182

灰毛黃櫨（黃櫨） Cotinus coggyria Scop. var.
　cinerea Engl.　*1729*

毛葉黃櫨（黃櫨根） Cotinus coggyria Scop. var.
　pubescens Engl.　*2191*

厚皮樹 Lanna coromondelica (Houtt.) Merr.　*4704*

檬果 Mangifera indica L.　*183*

藤漆（秘脂藤） Pegia nitida Colebr.　*2192*

利黃藤（大飛天蜈蚣） Pegia sarmentosa (Lecte.)
　Hand.-Mazz.　*4705*

黃蓮木（黃練葉） Pistacia chinensis Bge.　*1252*

清香木（柴油木） Pistacia weinmannifolia Poiss
　2193

鹽膚木 Rhus chinensis Mill.　*184*

濱鹽膚木（鹽霜柏） Rhus chinensis Mill. var.
　roxburghii (DC.) Rehd.　*4706*

紅麩楊 Rhus punjabensis Siew. var. sinica (Diels)
　Rehd. et Wils.　*3202*

木蠟樹（野漆樹） Rhus sylvestris Sieb. et Zucc.
　1730

野漆樹 Toxicodendron succedaneum (L.) Kuntz.
　4221

冬青科 Aquifoliaceae

鼠葉冬青（滿樹星） Ilex aculeolata Nakai　*4707*

梅葉冬青（崗梅） Ilex asprella (Hook. et Arn.)
　Champ. et Benth.　*4708*

枸骨 Ilex cornuta Lindl. ex Paxt.　*681*

海南冬青（山綠茶） Ilex hainanensis Merr.　*4709*

苦燈茶（苦丁茶） Ilex kudingcha C. J. Tseng
　4710

大葉冬青 Ilex latifolia Thunb.　*1253*

毛梗細果冬青（綠櫻桃） Ilex micrococca Maxim. f.
　pilosa S. Y. Hu　*3683*

毛冬青 Ilex pubescens Hook. et Arn.　*4711*

鐵冬青（救必應） Ilex rotunda Thunb.　*682*

細果冬青 Ilex rotunda Thunb. var. microcarpa (Lindl.
　ex Pax.) S. Y. Hu　*2711*

衛矛科 Celastraceae

刺南蛇藤 Celastrus flagellaris Rupr.　*1254*

哥藍葉（霜紅藤） Celastrus gemmatus Loes　*4712*

南蛇藤 Celastrus orbiculatus Thunb.　*683*

燈油麻 Celastrus paniculatus Willd.　*3684*

短梗南蛇藤（白花藤） Celastrus rosthornianus Loes.
　3203

衛矛（鬼箭羽） Euonymus alatus (Thunb.) Sieb.
　2194

絲棉木 Euonymus bungeanus Maxim.　*1255*

白齒衛矛（安胃藤） Euonymus centidens Levl. 1731

角翅衛矛（木螃蟹） Euonymus cornutus Hemsl. 3204

纖齒衛矛 Euonymus giraldii Loes. 2712

大花衛矛 Euonymus grandiflorus Wall. 684

冬青衛矛（調經草） Euonymus japonicus L. 185

疏花衛矛（山杜仲） Euonymus laxiflorus Champ. ex Benth. 4713

華北衛矛（絲棉木） Euonymus maackii Rupr. 1732

矩圓葉衛矛 Euonymus oblongifolius Loes. et Rehd. 2713

四川衛矛 Euonymus szechuanensis C. H. Wang 3205

滇南美登木 Maytenus austroyunnanensis S. J. Pei et Y. H. Li 2195

密花美登木 Maytenus confertiflora T. Y. Luo et X. X. Chen 186

昆明山海棠（火把花） Tripterygium hypoglaucum (Levl.) Hutch. 4222

東北雷公藤 Tripterygium regelii Spragne et Tak. 1256

雷公藤 Tripterygium wilfordii Hook. f. 1733

省沽油科 Staphyleaceae

野鴉椿 Euscaphis japonica (Thunb.) Dipp. 187

省沽油 Staphylea bumalda DC. 4714

膀胱果 Staphylea holocarpa Hemsl. 3206

銀鵲樹 Tapiscia sinensis Oliv. 3207

茶茱萸科 Icacinaceae

大果微花藤（望骨風） Iodes balansae Gagnep. 4715

小果微毛藤 Iodes vetiginea (Hance) Hemsl. 4223

定心藤（銅鑽） Mappianthus iodoides Hand.-Mazz. 4716

海桐假柴龍樹（馬比木） Nothapodytes pittosporoides (Oliv.) Sieum. 3208

大心翼果（扣巧） Perilerygium platycarpus (Gagnep.) Sleum. 4717

槭樹科 Aceraceae

毛脈槭 Acer barbinerve Maxim. 1734

太白深灰槭（太白槭） Acer caesium Wall. ex Brandis subsp. giraldii (Pax) E. Murr. 2196

青榨槭 Acer davidii Franch. 4224

羅浮槭（蝴蝶果） Acer fabri Hance 188

房縣槭 Acer franchetii Pax 3209

茶條槭（茶條芽） Acer ginnala Maxim. 2714

地錦槭 Acer mono Maxim. 3210

梣葉槭（槭林果） Acer negundo L. 4718

雞爪槭 Acer palmatum Thunb. 1257

青楷槭 Acer tegmentosum Maxim. 3211

三花槭 Acer triflorum Kom. 3212

元寶槭 Acer truncatum Bge. 1735

七葉樹科 Hippocastanaceae

滇緬七葉樹 Aesculus assamica Griff. 2197

七葉樹（娑羅子） Aesculus chinensis Bge. 685

天師栗（娑羅子） Aesculus wilsonii Rehd. 3213

無患子科 Sapindaceae

波葉異木患（三葉茶） Allophylus caudatus Radlk. 4719

倒地鈴（假苦瓜） Cardiospermum halicacabum L. 686

小果倒地鈴（金絲苦楝） Cardiospermum halicacabum L. var. microcarpum (Kunth) Bl. 3685

龍眼（桂圓） Dimocarpus longan Lour. 4225

坡柳（車桑仔葉） Dodonaea viscosa (L.) Jacq. 2198

欒樹（欒樹花） Koelreuteria paniculata Laxm. 687

荔枝 Litchi chinensis Sonn. 4226

紅毛丹 Nephelium lappaceum L. 688

海南韶子 Nephelium topengii (Merr.) H. S. Lo 4227

絨毛番龍眼（番龍眼） Pometia tomentosa (Bl.) Teysm. et Binn. 2199

無患子 Sapindus mukorosii Gaertn. 189

文冠果 Xanthoceras sorbifolia Bge. 190

清風藤科 Sabiaceae

泡花樹（靈壽茨） Meliosma cuneifolia Franch. 2200

簇花清風藤（小發散） sabia fasciculata Lecomte ex Chen 4720

毛萼清風藤（大發散） Sabia limoniacea Wall. var. ardisioides (Hook. et Arn.) L. Chen 191

小花清風藤 Sabia parviflora Wall. 3686

尖葉清風藤（黑鐵鑽） Sabia swinhoei Hemsl. 4721

鳳仙花科 Balsaminaceae

鳳仙花 Impatiens balsamina L. 1258

華鳳仙花（水指甲花） Impatiens chinensis L. 4722

耳葉鳳仙花 Impatiens delavayi Franch. 2715

東北鳳仙花 Impatiens furcillata Hemsl. *2159*

水金鳳 Impatiens noli-tangere L. *1260*

黃金鳳 Impatiens siculifer Hook. f. *3214*

鼠李科 Rhamnaceae

多花勾兒茶（黃鱔藤） Berchemia floribunda (Wall.) Brongn. *2201*

勾兒茶（牛鼻拳） Berchemia giraldiana Schneid. *3215*

紅葉勾兒茶（鐵包金） Berchemia lineata (L.) DC. *192*

峨嵋勾兒茶 Berchemia omeiensis Fang ex Y. L. Chen *3216*

多葉勾兒茶 Berchemia polyphylla Wall. *2716*

雲南勾兒茶（女兒紅） Berchemia yunnanensis Frnch. *3217*

苞葉木（沙達木） Chaydaia rubrinervis (Levl.) C. Y. Wu ex Y. L. Chen *4723*

毛嘴簽（燒傷藤） Gouania javanica Miq. *4724*

嘴簽（下果藤） Gouania leptostachya DC. *3687*

枳椇（拐棗） Hovenia dulcis Thunb. *689*

馬甲子 Paliurus ramosissimus (Lour.) Poir. *690*

西藏貓乳 Rhamnella gilgitica Mansfeld et Melch. *3688*

鐵馬鞭 Rhamnus aurea Heppel. *3689*

長葉凍綠（黎辣根） Rhamnus crenata Sieb. et Zucc. *4725*

鼠李 Rhamnus davurica Pall. *1261*

金剛鼠李 Rhamnus diamantiaca Nakai *1262*

柳葉鼠李 Rhamnus erythroxylon Pall. *4228*

薄葉鼠李 Rhamnus leptophylla Schneid. *3218*

小葉鼠李 Rhamnus parvifolia Bge. *691*

小凍綠樹（叫梨木） Rhamnus rosthornii Pritz. *3219*

東北鼠李 Rhamnus schneideri Lévl. et Vant. var. manshurica Nakai *2202*

烏蘇里鼠李 Rhamnus ussuriensis J. Vass. *1263*

鼠李 Rhamnus utilis Decne. *2717*

密葉雀梅藤（對節刺） Sageretia pycnophylla Schneid. *3690*

繡毛雀梅藤 Sageretia rugosa Hance *3220*

雀梅藤（酸梅筋） Sageretia thea (Osb.) Johnst. *692*

翼核果 Ventilago leiocarpa Benth. *1264*

酸棗 Ziziphus jujuba Mill. *2718*

棗（大棗） Ziziphus jujuba Mill. var inermis (Bge.) Rehd. *1736*

酸棗（酸棗仁） Ziziphus jujuba Mill. var. spinosa Hu ex H. F. Chow *1737*

滇刺棗 Ziziphus mauritiana Lam. *1265*

葡萄科 Vitaceae

烏頭葉蛇葡萄（過山龍） Ampelopsis aconitifolia Bge. *193*

掌裂草葡萄 Ampelopsis aconitifolia Bge. var. glabra Diels *2719*

蛇葡萄（蛇葡萄根） Ampelopsis brevipedunculata (Maxim.) Trautv. *1266*

廣東蛇葡萄（藤茶） Ampelopsis cantoniensis (Hook. et Arn.) Planch. *4726*

三裂葉蛇葡萄（紅赤葛） Ampelopsis delavayana Planch. *2203*

葎草葉蛇葡萄（小接骨丹） Ampelopsis humulifolia Bge. *4229*

白蘞 Ampelopsis japonica (Thunb.) Mak. *194*

大葉蛇葡萄（梅茶） Ampelopsis meglophylla Diels et Gilg *4727*

野葡萄（獨正剛） Ampelopsis sinica (Miq.) W. T. Wang *4728*

光葉蛇葡萄（粉藤） Ampelopsis sinica (Miq.) W. T. Wang var. hancei (Planch.) W. T. Wang *4729*

花烏蘞莓 Cayratia corniculata (Benth.) Gagnep. *1267*

烏蘞莓 Cayratia japonica (Thunb.) Gagnep. *1268*

苦朗藤（風葉藤） Cissus assamica (Laws.) Craib *4730*

花斑菜 Cissus discolor Bl. *1269*

粉藤果 Cissus glaberrima Planch. *195*

四方寬筋藤（四方藤） Cissus hastata (Miq.) Planch. *196*

翅莖白粉藤（六方藤） Cissus hexangularis Planch. *1270*

青紫藤（花斑葉） Cissus javana DC. *2204*

白粉藤 Cissus repens (Wight et Arn.) Lam. *693*

火筒樹（紅吹風） Leea indica (Burm. f.) Merr. *4731*

異葉爬山虎 Parthenocissus heterophylla (Bl.) Merr. *4230*

爬山虎 Parthenocissus tricuspidata (Sieb. et Zucc.) Planch. *1271*

三葉崖爬藤（三葉青） Tetrastigma hemsleyanum Diels et Gilg *4732*

崖爬藤（藤五甲） Tetrastigma obtectum (Wall.) Planch. *1738*

扁莖崖爬藤（扁擔藤） Tetrastigma planicaule (Hook. f.) Gagnep. *694*

毛脈崖爬藤 Tetrastigma pubinerve Merr. et Chun *695*

山葡萄 Vitis amurensis Rupr. *1739*

葛藟（葛藟汁） Vitis flexuosa Thunb. *3221*

葡萄 Vitis vinifera L. *3222*

杜英科 Elaeocarpaceae

水石榕 Elaeocarpus hainanensis Oliv.　*1272*

齒葉杜英（青欖） Elaeocarpus serratus L.　*4733*

山杜英 Elaeocarpus sylvestris (Lour.) Poir.　*4231*

椴樹科 Tiliaceae

甜麻（假黃麻） Corchorus acutangulus Lam.　*4232*

黃麻 Corchorus capsularis L.　*1740*

長蒴黃麻 Corchorus olitorius L.　*4734*

小葉扁擔桿（扁擔木） Grewia biloba G. Don var. parviflora (Bge.) Hand.-Mazz.　*4735*

少蕊扁擔桿（狗核樹） Grewia oligandra Pierre　*4736*

破布樹 Microcos nervosa (Lour.) S. Y. Hu *(Microcos paniculata L.)*　*696*

紫椴 Tilia amurensis Rupr.　*2205*

華椴 Tilia chinensis Maxim.　*2720*

糠椴 Tilia mandshurica Rupc. et Maxim.　*1273*

刺蒴麻（黃花地桃花） Triumfetta bartramia L.　*4233*

長鈎刺蒴麻（金納香） Triumfetta pilosa Roth.　*4737*

錦葵科 Malvaceae

長毛黃葵（假芙蓉） Abelmoschus crinitus Wall.　*4738*

咖啡黃葵 Abelmoschus esculentus (L.) Moench　*2206*

黃葵（麝香秋葵） Abelmoschus moschatus Medic.　*2207*

黃蜀葵 Abelmoschus manihot (L.) Medic.　*197*

磨盤草 Abutilon indicum (L.) Sweet　*198*

苘麻 Abutilon theophrasti Medic.　*199*

藥蜀葵 Althaea officinalis L.　*1741*

蜀葵 Althaea rosea (L.) Cavan.　*1274*

樹棉（樹棉根） Gossypium arboreum L.　*3223*

海島棉 Gossypium barbadense L.　*200*

草棉（草棉根） Gossypium herbaceum L.　*3224*

陸地棉（棉花） Gossypium hirsutum L.　*697*

紅秋葵 Hibiscus coccineus (Medicus) Walt.　*698*

木芙蓉 Hibiscus mutabilis L.　*699*

扶桑 Hibiscus rosasinensis L.　*700*

玫瑰茄 Hibiscus sabdariffa L.　*1275*

吊燈花 Hibiscus schizopetalus (Mast.) Hook. f.　*4234*

木槿（木槿花） Hibiscus syriacus L.　*4739*

黃槿 Hibiscus tiliaceus L.　*201*

野西瓜苗 Hibiscus trionum L.　*202*

大花葵 Malva mauritiana L.　*4235*

野錦葵 Malva rotundifolia L.　*1276*

錦葵 Malva sinensis Cav.　*203*

歐錦葵 Malva sylvestris L.　*3225*

冬葵 Malva verticillata L.　*2721*

賽葵 Malvastrum coromandelianum (L.) Garcke　*2208*

黏毛黃花稔（黃花仔） Sida mysorensis Wight et Arn.　*4740*

白背黃花稔 Sida rhombifolia L.　*4236*

榛葉黃花稔（大葉黃花稔） Sida subcordata Span　*4741*

肖梵天花 Urena lobata L.　*204*

梵天花（狗腳迹） Urena procumbens L.　*701*

木棉科 Bombacaceae

木棉（木棉花） Gossampinus malabarica (DC.) Merr.　*702*

梧桐科 Sterculiaceae

昂天蓮 Ambroma angusta (L.) L. f.　*703*

梧桐（梧桐子） Firmiana simplex (L.) W. F. Wight　*3226*

山芝麻 Helicteres angustifolia.　*4742*

細齒山芝麻（野芝麻根） Helicteres glabriuscula Wall.　*3691*

火索麻 Helicteres isora L.　*205*

劍葉山芝麻（大山芝麻） Helicteres lanceolata DC.　*704*

黏毛火索麻（藏牙草） Helicteres viscida Bl.　*3692*

馬鬆子 Melochia corchorifolia L.　*3691*

夜落金錢 Pentapetes phoenicea L.　*206*

翻白葉樹（半楓荷） Pterospermum heterophyllum Hance　*207*

截裂翅子樹 Pterospermum truncatolobatum Gagnep.　*3227*

小苹婆 Sterculia hainanensis Merr. et Chun　*208*

假苹婆 Sterculia lanceolata Vav.　*705*

蘋婆 Sterculia nobilis Smith　*4238*

可可 Theobroma cacao L.　*1742*

五椏果科 Dilleniaceae

五椏果 Dillenia indica L.　*706*

錫葉藤 Tetracera asiatica (Lour.) Hoogl.　*707*

獼猴桃科 Actinidiaceae

軟棗獼猴桃 Actinidia arguta (Sieb. Zucc.) Planch. ex Miquel　*2722*

中華獼猴桃 Actinidia chinensis Planch.　*708*

狗棗獼猴桃 Actinidia kolomikta (Rupr. et Maxim.) Planch.　*1743*

闊葉獼猴桃（羊奶子） Actinidia latifolia (Gardn. et Champ.) Merr 4743

兩廣獼猴桃（魚綱藤） Actinidia liangguangensis C. F. Liang 4744

美麗獼猴桃（毛蟲藥） Actinidia melliana Hand.-Mazz. 4745

錐序水東哥（牛桑管樹） Saurauia napaulensis DC. 1277

水東哥 Saurauia tristyla DC. 1744

金蓮木科 Ochnaceae
金蓮木 Ochna integerrima (Lour.) Merr. 4239

山茶科 Theaceae
紅楣（紅香樹） Anneslea fragrans Wall. 3693

金花茶 Camellia chrysantha (Hu) Tuyama 209

山茶 Camellia japonica L. 1278

單籽油茶（小果油茶） Camellia meiocarpa Hu, ms. 4746

小果金花茶 Camellia microcarpa (S. L. Mo et S. Z. Huang) S. L. Mo 210

油茶 Camellia oleifera Abel. 1745

野油茶 Camellia oleifera Abel. var. confusa (Graib) Sealy 3694

茶 Camellia sinensis O. Ktze. 211

華南毛柃 Eurya ciliata Merr. 4747

鈍頭柃（鈍頭茶） Eurya obtusifolia Chang 3228

峨嵋木荷（毛木樹） Schima wallichii Choisy 4240

厚皮香（白花果） Ternstroemia gymnanthera (Wight et Arn.) Sprague 1279

石筆木 Tutcheria championi Nakai 4241

藤黃科 Guttiferae
薄葉胡桐（橫經席） Calophyllum membranaceum Gardn. 1280

黃牛木（黃牛茶） Cratoxylum ligustrinum (Spach) Bl. 212

多花山竹子（山竹子） Garcinia multiflora Champ. 709

嶺南山竹子（木竹子） Garcinia oblongifolia Champ. 4748

黃海棠（紅旱蓮） Hypericum ascyron L. 1281

趕山鞭 Hypericum attenuatum Choisy 2209

寬萼土蓮翹（寬萼土連） Hypericum bellum supsp. latisepalum N. Robson 2210

金絲桃 Hypericum chinensis L. 710

滇金絲桃（蠹蟲藥） Hypericum delavayi Franch. 3229

小連翹 Hypericum erectum Thunb. 1746

短柱金絲桃 Hypericum gebleri Ledeb. 1747

金絲海棠（土連翹） Hypericum hookerianum Wight et Arn. 711

地耳草 Hypericum japonicum Thunb. 1748

金絲梅（芒種花） Hypericum patulum Thunb. 1282

突脈金絲桃（大對經草） Hypericum przewaskii Maxim. 4242

元寶草 Hypericum sampsonii Hance 2723

鐵力木（埋摸朗） Mesua ferrea L. 712

龍腦香科 Dipterocarpaceae
羯波羅香 Dipterocarpus turbinatus Gaertn. 4749

檉柳科 Tamaricaceae
水柏枝 Myricaria germanica (L.) Desv. 4243

具苞河柏 Myricaria germanica (L.) Desv. var. bracteata (Royle) Franch. 4244

臥生水柏枝 Myricaria rosea W. W. Sm. 2211

枇杷柴 Reaumuria soongorica (Pall.) Maxim. 4245

檉柳（西河柳） Tamarix chinensis Lour. 213

華北檉柳 Tamarix juniperina Bge. 2724

紅木科 Bixaceae
紅木 Bixa orellana L. 214

菫菜科 Violaceae
雞腿菫菜（走邊疆） Viola acuminata Ledeb. 1283

戟葉菫菜 Viola betoniciolia Smith 3695

雙花黃菫菜 Viola biflora L. 1749

毛果菫菜（地核桃） Viola collina Bess. 4750

匍伏菫菜（地黃瓜） Viola diffusa Ging 3230

裂葉菫菜（疔毒草） Viola dissecta Ledeb. 2212

興安菫菜 Viola gmeliniana Roemer et Schultes. 4246

長柄菫菜（毛柄菫菜） Viola hirtipes Moore 2725

長萼菫菜 Viola inconspicua Bl. 713

東北菫菜 Viola mandshurica W. Beek. 2213

蒙古菫菜 Viola mongolica Franch. 2726

香菫菜 Viola rodorata L. 1284

白花地丁（鏵頭草） Viola patrinii DC. 1750

紫花地丁（鏵頭草） Viola philippica Cav. ssp. munda W. Beck. 3231

早開菫菜（紫花地丁） Viola prionantha Bge. 714

高山庫頁菫菜 Viola sacchalinensis De Boiss var. alpicola P. Y. Fu et Y. C. Teng 1751

三角葉菫菜（山菫菜） Viola triangulifolia W. Beck. 4751

三色菫 Viola tricolor L.　215
鞘柄菫菜（雞心七） Viola vaginata Maxim.　2727
斑葉菫菜 Viola variegeta Fisch.　1752
菫菜（消毒藥） Viola verecunda A. Gray　4247
光瓣菫菜（地丁） Viola yedoensis Makino　1753
雲南菫菜 Viola yunnanfuensis W. Beck.　4248
黃花菫菜 Viola xanthopetala Nakai　1285

大風子科 Flacourtiaceae
山桂花 Bennttiodendron brevipes Merr.　4752
紅花天料木 Homalium hainanensis Gagnep.　4249
印度大風子 Hydnocarpus alpina Wight　2214
泰國大風子 Hydnocarpus anthelmintica Pierre　216
海南大風子 Hydnocarpus hainanensis (Merr.) Sleum.　715
刺柊（紅頭勒） Scolopia chinensis (Lour.) Clos　4753
大葉龍角（麻菠蘿） Taraktogenos annamensis Gagnep.　2215
柞木（柞木葉） Xylosma japonicum (Walp.) A. Gray　1286

旌節花科 Stachyuraceae
中國旌節花 Stachyurus chinensis Franch.　2728
喜馬拉雅旌節花（小通草） Stachyurus himalaicus Hook. f. et Thoms.　2729
倒卵葉旌節花 Stachyurus obovatus (Rehd.) Hand.-Mazz.　3232
凹葉旌節花 Stachyurus retusus Yang　3233
柳葉旌節花 Stachyurus salicifolius Franch.　3234

西番蓮科 Passifloraceae
蒴蓮 Adenia chevalieri Gagnep.　716
月葉西番蓮（羊蹄暗消） Passiflora altebilobata Hemsl.　3696
西番蓮 Passiflora caerulea L.　1754
杯葉西番蓮（對叉疔藥） Passiflora cupiformis Masters　4754
雞蛋果 Passiflora edulis Sims　1755
龍珠果 Passiflora foetida L.　217
蛇王藤 Passiflora moluccana Reiw. ex Bl. var. teysmanniana (Miq.) Willd.　2730

番木瓜科 Caricaceae
番木瓜 Carica papaya L.　1287

秋海棠科 Begoniaceae
花葉秋海棠（花酸苔） Begonia cathyana Hemsl.　4755

粗喙秋海棠（紅半邊蓮） Begonia crassirostris Irmsch.　3697
秋海棠 Begonia evansiana Andr.　2216
紫背天葵（紅天葵） Begonia fimbristipula Hance　4756
裂葉秋海棠 Begonia laciniata Roxb.　4250
蕺葉秋海棠（血染葉） Begonia limprichtii Irmsch.　2731
竹節秋海棠 Begonia maculata Raddi.　4251
掌裂葉秋海棠 Begonia pedatifida Levl.　4252
四季海棠 Begonia semperflorens Link et Otto　1288
一點血秋海棠（一點血） Begonia wilsonii Gagnep.　2732

仙人掌科 Cactaceae
曇花 Epiphyllum oxypetalum Haw.　218
量天尺（劍花） Hylocereus undatus (Haw) Britt. et Rose　219
令箭荷花 Nopalxochia ackermanii (Har.) Kunth　2733
仙人掌 Opuntia dillenii Haw.　220

瑞香科 Thymelaeaceae
白木香（土沉香） Aquilaria sinensis (Lour.) Gilg　717
雲南沉香 Aquilaria yunnanensis S.C. Huang　2217
芫花 Daphne genkwa Sieb. et Zucc.　1289
黃瑞香 Daphne giraldii Nitsche　2734
長白瑞香 Daphne koreana Nakai　1290
毛瑞香（蒙花皮） Daphne odora Thunb. var. atrocaulis Rehd.　2735
凹葉瑞香（金腰帶） Daphne retusa Hemsl.　2736
陝甘瑞香（祖師麻） Daphne tangutica Maxim.　1756
結香（夢花） Edgeworthia chrysantha Lindl.　1291
瑞香狼毒（狼毒） Stellera chamaejasme L.　718
蕘花（山皮條） Wikstroemia canescens (Wall.) Meissm.　3700
一把香（土箭花） Wikstroemia dolichantha Diels　1757
海南蕘花 Wikstroemia hainanensis Merr.　719
了哥王 Wikstroemia indica (L.) C. A. Mey.　720

胡頹子科 Elaeagnaceae
沙棗 Elaeagnus angustifolia L.　1292
長葉胡頹子（貓奶子） Elaeagnus bockii Diels　2737
蔓胡頹子 Elaeagnus glabra Thunb.　4757

角花胡頹子 Elaeagnus gonyanthes Benth. 3698
宜昌胡頹子（紅雞踢香） Elaeagnus henryi Warb. 221
砂生沙棗 Elaeagnus mooceroftii Wall. ex Schlecht. 3235
木半夏 Elaeagnus multiflora Thunb. 2738
尖果沙棗（黃果沙棗） Elaeagnus oxycaepa Schlecht. 3236
胡頹子 Elaeagnus pungens Thunb. 3237
星毛胡頹子（馬奶子） Elaeagnus stellipila Rehd. 4758
木奶子（水牛奶） Elaeagnus umbellata Thunb. 222
蒙古沙棘 Hippophae rhamnoides L. subsp. mongolica Rousi 223
中國沙棘 Hippophae rhamnoides L. subsp. sinensis Rousi 224
中亞沙棘 Hippophae rhamnoides L. subsp. turkestanica Rousi 721
雲南沙棘 Hippophae rhamnoides L. ssp. yunnanensis Rousi 3699

千屈菜科 Lythraceae

紫薇 Lagerstroemia indica L. 722
大花紫薇 Lagerstroemia speciosa Pers. 4253
散沫花（指甲花） Lawsonia inermis L. 723
千屈菜 Lythrum salicaria L. 724
無毛千屈菜 Lythrum salicaria L. var. glabrum Ledeb. 2739
圓葉節節草（水莧菜） Rotala rotundifolia (Buch.-Ham.) Koehne 2740
蝦子花 Woodfordia fruticosa (L.) Kurz. 2218

石榴科 Punicaceae

石榴 Punica granatum L. 1758
瑪瑙石榴（石榴根） Punica granatum L. var. legrellei Vanhoutte 2219
重瓣白石榴（白石榴花） Punica granatum L. var. multiplex Sw. 3238

紅樹科 Rhizophoraceae

木欖 Bruguiera gymnorrhiza (L.) Savigny 4254
竹節樹 Carallia brachiata (Lour.) Merr. 3701

珙桐科（藍果樹科） Nyssaceae

喜樹 Camptotheca acuminata Decne. 1293
珙桐 Davidia involucrata Baillon 3239

八角楓科 Alangiaceae

八角楓 Alangium chinense (Lour.) Harms 225
小花八角楓 Alangium faberi Oliv. 226
瓜木（瓜木根） Alangium platanifolium Harms 2220

使君子科 Combretaceae

風車子（華風車子） Combretum alfredii Hance 227
使君子 Quisqualis indica L. 228
欖仁樹 Terminalia catappa L. 725
訶子 Terminalia chebula Retz. 726

桃金娘科 Myrtaceae

崗松 Baeckea frutescens L. 727
紅千層 Callistemon rigidus R. Br. 728
水榕（水翁花） Cleistocalyx operculatus (Roxb.) Merr. et Perry 1294
丁香 Eugenia aromatica (L.) Merr. et Perry 229
大葉丁香 Eugenia caryophyllata Thunb. 230
番櫻桃 Eugenia uniflora L. 231
白千層 Melaleuca leucadendra L. 232
番石榴 Psidium guajava L. 729
桃金娘（桃金娘根） Rhodomyrtus tomentosa (Ait.) Hassk. 730
蒲桃（水蒲桃） Syzygium jambos (L.) Alston 731

野牡丹科 Melastomataceae

柏拉木 Blastus cochinchinensis Lour. 4759
伏毛肥肉草（酸筒桿） Fordiophyton faberi Stapf 1759
北酸腳桿（黃稔根） Medinilla septentrionalis (W.W.Sm.) Li 4760
多花野牡丹（催生藥） Melastoma affine D. Don 2221
野牡丹 Melastoma candidum D. Don 732
地菍 Melastoma dodecandrum Lour. 233
大野牡丹（大爆牙郎） Melastoma imbricatum Wall. ex clarke 4761
細葉野牡丹 Melastoma intermedium Dunn. 4255
展毛野牡丹（大金香爐） Melastoma normale D. Don 4762
毛菍 Melastoma sanguineum Sims. 234
金錦香（仰天鐘） Osbeckia chinensis L. 1760
假朝天罐（朝天罐） Osbeckia crinita Benth. 2222
螞蟻花 Osbeckia nepalensis Hook. 3702
星毛金錦香（九果根） Osbeckia stellata D. Don 2223
尖子木（大蠟子） Oxyspora paniculata (D. Don) DC. 3703
紅敷地發（鋪地毯） Phyllagathis elattandra Diels 4763

楮頭紅 Sarcopyramis nepalensis Wall.　*3240*

菱科 Trapaceae
烏菱 Trapa bicornis Osbeck　*1761*
菱 Trapa bispinosa Roxb.　*235*
丘角棱 Trapa japonica Fler.　*2741*
格棱 Trapa pseudoincisa Nakai　*2742*

柳葉菜科 Onagraceae
柳藍（紅筷子） Chamaenerion angustifolium (L.) Scop.　*236*
深山露珠草 Circaea alpinia L. var. caulescens Kom.　*4764*
南方露珠草（粉條根） Circaea nollis Sieb. et Zucc.　*4765*
水珠草（露珠草） Circaea quadrisulcata (Maxim.) Franch. et Savat　*2224*
毛脈柳葉菜 Epilobium amurense Hausskn.　*1295*
東北柳葉菜 Epilobium cylindrostigma Kom.　*1296*
柳葉菜 Epilobium hirsutum L.　*733*
草龍 Jussiaea linifolia Vahl　*734*
水龍 Jussiaea repens L.　*1762*
毛草龍 Jussiaea suffruticosa L.　*4256*
草龍（毛草龍） Ludwigia octovalvis (Jacq.) Kaven　*3704*
丁香蓼 Ludwigia prostrata Roxb.　*1297, 3241*
夜來香（月見草） Oenothera biennis L.　*735*
待霄花 Oenothera odorata Jacq.　*3242*

小二仙草科 Haloragidaceae
小二仙草 Haloragis micrantha R. Br.　*3243*

杉葉藻科 Hippuridaceae
杉葉藻 Hippuris vulgaris L.　*3244*

鎖陽科 Cynomoriaceae
鎖陽 Cynomorium songaricum Rupr.　*4257*

五加科 Araliaceae
紅毛五加 Acanthopanax giraldii Harms　*2225*
五加（五加皮） Acanthopanax gracilistylus W. W. Smith　*736*
糙葉五加 Acanthopanax henryi (Oliv.) Harms　*4258*
刺五加 Acanthopanax senticosus (Rupr. et Maxim.) Harms　*1298*
短梗五加 Acanthopanax sessiliflorus (Rupr. et Maxim.) Seem.　*1299*
白簕（三加皮） Acanthopanax trifoliatus Merr.　*237*

芹葉九眼獨活（牛角七） Aralia apioides Hand. - Mazz.　*1300*
虎刺楤木（鷹不踏） Aralia armata (Wall.) Seem.　*4766*
楤木 Aralia chinensis L.　*238*
長白楤木 Aralia continentalis Kitag.　*239*
鳥不企（黃毛楤木） Aralia decaisneana Hance　*1301*
遼東楤木（刺老鴉） Aralia elata (Miq.) Seem.　*2226*
龍眼獨活（九眼獨活） Aralia fargesii Franch.　*2227*
甘肅土當歸 Aralia kansuensis Hoo　*240*
假通草（刺通） Brassaiopsis cilliata Dunn.　*4259*
鴨腳羅傘（樹五加） Brassaiopsis glomerulata (Bl.) Regel　*3245*
變葉樹參（白半楓荷） Dendropanax proteus (Champ.) Benth.　*4767*
假通草 Euaraliopsis ciliata (Dunn.) Hutch.　*3246*
八角金盤 Fatsia japonica Decne. et Planch.　*1302*
常春藤（上樹蜈蚣） Hedera nepalensis K. Koch. var. sinensis Rehd.　*4260*
幌傘楓 Heteropanax fragrans (Roxb.) Seem.　*737*
刺楸（刺楸皮） Kalopanax septemlobus (Thunb.) Koidz.　*1764*
東北刺人參 Oplopanax elatus Nakai　*1303*
人參 Panax ginseng C. A. Mey.　*1304*
三七 Panax notoginseng (Burk.) F. H. Chen　*738*
狹葉竹根七（柳葉竹根七） Panax pseudo-ginseng Wall. var. angustifolius (urk.) Li　*3247*
羽葉三七 Panax pseudoginseng Wall. var. bipinnatifidus (Seem.) Li　*739*
珠子七 Panax pseudo-ginseng Wall. var. japonicus (C. A. Mey) Hoo & Tseng　*2743*
西洋參 Panax quinquefolium L.　*740*
鵝掌藤 Schefflera arboricola Hayata　*2744*
短序鵝掌柴（川黔鴨腳木） Schefflera bodinieri (Lévl.) Rehd.　*2745*
穗序鵝掌柴（大泡通） Schefflera delavayi (Franch.) Harms　*1763*
廣西鵝掌柴（廣西七葉蓮） Schefflera kwangsiensis Merr. ex Li　*241*
龍州鵝掌柴（大鴨腳木） Schefflera lociana Grushv. et Skvorts. var. megaphylla Shang　*4768*
鵝掌柴（鴨腳木） Schefflera octophylla (Lour.) Harms　*242*
密脈鵝掌柴（七葉蓮） Schefflera venulosa (Wight et Arn.) Harms　*2228*
通脫木（通草） Tetrapanax papyriferus (Hook.) R. Roch　*243*

傘形科 Umbelliferae

蒔蘿　Anethum graveolens L.　　*1765*

日本當歸（東當歸）　Angelica acutiloba (Sieb. et
　　Zucc.) Kitag.　　*2746*

黑水當歸　Angelica amurensis Schischk　　*2229*

庫頁白芷　Angelica anomala Lallem.　　*1766*

白芷　Angelica dahurica (Fisch.) Benth. et Hook.
　　741

杭白芷　Angelica dahurica (Fisch.) Benth. et Hook.
　　var. formosana (Boiss.) Shan. et Yuan　　*244*

朝鮮當歸　Angelica gigas Nakai　　*1305*

峨參　Anthriscus aemula (Woron.) Schischk.　　*2747*

旱芹　Apium graveolens L. var. dulce DC.　　*2230*

金黃柴胡　Bupleurum aureum Fisch.　　*4261*

柴胡　Bupleurum chinense DC.　　*742*

匍枝柴胡　Bupleurum dalhousieanum (C. B. Clarke)
　　K. Pol.　　*3705*

大苞柴胡　Bupleurum euphorbioides Nakai　　*1306*

炸柴胡　Bupleurum komarovianum Lincz　　*2231*

大葉柴胡　Bupleurum longiradiatum Turcz.　　*4769*

狹葉柴胡（南柴胡）　Bupleurum scorzoneraefolium
　　Willd.　　*3248*

滇柴胡　Bupleurum yunnanense Franch.　　*3706*

山茴芹　Carlesia sinensis Dunn　　*3249*

黃蒿（藏茴香）　Carum carvi L.　　*743*

細葛縷子　Carum carvi L.f. gracile (Lindl.) Wolff
　　3707

積雪草　Centella asiatica (L.) Urban　　*744*

明黨參　Changium smyrnioides Woff.　　*3251*

毒芹　Cicuta virosa L.　　*1767*

狹葉毒芹　Cicuta virosa L. f. angustifolia (Kitatbel)
　　Schube　　*4262*

蛇床　Cnidium monieri (L.) Cuss.　　*1768*

高山芹　Coelopleurum saxatile (Turcz.) Drude
　　2232

鞘山芎（新疆蒿本）　Conioselinum tataricum Hoffm.
　　4263

芫荽　Coriandrum sativum L.　　*1769*

鴨兒芹　Cryptotaenia japonica Hassk.　　*3250*

南竹葉環根芹（環根芹）　Cyclorhiza waltonii (Wolff)
　　Shed et Shan var. major Sheh et Shan　　*3708*

野胡蘿蔔（南鶴風）　Daucus carota L.　　*2748*

胡蘿蔔　Daucus carota L. var. sativa DC.　　*1307*

大苞芹　Dickinsia hydrocotyloides Franch.　　*2749*

刺芫荽　Eryngium foetidum L.　　*245*

阜康阿魏（阿魏）　Ferula fukanensis K. M. Shen
　　4770

茴香（小茴香）　Foeniculum vulgare Mill.　　*246*

北沙參　Glehnia littoralis F. Schmidt ex Miq.　　*247*

香白芷　Heracleum barmanicum Kurz　　*3709*

白亮獨活　Heracleum candicans Wall. ex DC.　　*2233*

棉毛白芷（軟毛獨活）　Heracleum lanatum Michx.
　　3710

東北牛防風　Heracleum moellendorffii Hance　　*1770*

白雲花（海羅海）　Heracleum rapula Franch.
　　4264

紅馬蹄草　Hydrocotyle nepalensis Hook.　　*248*

天胡荽　Hydrocotyle sibthorpioides Lam.　　*2750*

歐當歸　Levisticum officinale Koch　　*1771*

香芹　Libanotis seseloides Turcz.　　*1772*

尖葉蒿本（黃蒿本）　Ligusticum acuminatum Franch.
　　3711

川芎　Ligusticum chuanxiong Hort.　　*3252*

羽苞蒿本　Ligusticum daucoides (Fr.) Franch.
　　4265

遼蒿本　Ligusticum jeholense (Nakai et Kitag.) Nakai
　　et Kitag.　　*1308*

蕨葉蒿本（黑蒿本）　Ligusticum pteridophyllum
　　Franch.　　*745*

蒿本　Ligusticum sinense Oliv.　　*746*

寬葉薑活（川羌活）　Notopterygium forbesii Boiss.
　　(Notopterygium franchetii Boiss.)　　*4266*

水芹菜　Oenanthe benghalensis (Roxb.) Kurz　　*3712*

細葉水芹　Oenanthe dielsii de Boiss. var. stenophylla
　　de Boiss.　　*3253*

水芹　Oenanthe javanica (Bl.) DC.　　*2751*

卵葉水芹　Oenanthe rosthornii Diels　　*3254*

香根芹　Osmorhiza aristata (Thunb.) Makino et Yabe.
　　2752

隔山香　Ostericum citriodorum (Hance) Shan et Yuan
　　4771

全葉山芹　Ostericum maximowiczii (Fr. Schmidt ex
　　Maxim.) Kitag.　　*2753*

緣花山芹（緣花山芹根）　Ostericum viridiflorum
　　(Turcz.) Kitag.　　*2754*

紫前胡（紫花前胡）　Peucedanum decursivum (Miq.)
　　Maxim. *(Porphyroscias decursiva Miq.)*　　*2234*

鴨巴前胡　Peucedanum decursivum (Miq.) Maxim. f.
　　albiflorum Maxim. *(Porphyroscias decursiva
　　Miq. f. albiflora (Maxim.) Nakai)*　　*2235*

白花前胡　Peucedanum praeruptorum Dunn　　*747*

石防風　Peucedanum terebinthaceum (Fisch.) Fisch.
　　ex Turcz.　　*1773*

寬葉石防風　Peucedanum terebinthaceum (Fisch.)
　　Fisch. ex Turcz. var. deltoideum Makino
　　2755

異葉茴芹（山當歸）　Pimpinella diversifolia DC.
　　3255

缺刻葉茴芹（羊洪膻）　Pimpinella thellungiana
　　Wolff.　　*4267*

美麗稜子芹　Pleurospermum amabile Craib ex W. W. Smith　*3713*

寶興稜子芹（棉參）　Pleurospermum davidii Franch.　*3714*

太白稜子芹（藥茴香）　Pleurospermum giraldii Diels　*3715*

紫莖稜子芹　Pleurospermum hookeri C. B. Clarke　*3716*

稜子芹　Pleurospermum uralense Hoffm.　*1774*

膜蕨囊瓣芹　Pternopetalum trichomanifolium (Fr.) Hand.-Mazz.　*3256*

變豆菜　Sanicula chinensis Bge.　*2236*

天藍變豆菜　Sanicula coerulescens Franch.　*3257*

薄葉變豆菜（肺筋草）　Sanicula lamelligera Hance　*3258*

直刺變豆菜（黑鵝腳板）　Sanicula orthacantha S. Moore　*2756*

紫花變豆菜　Sanicula rubriflora Fr. Schmidt　*1775*

防風　Saposhnikovia divaricata (Turcz.) Schischk.　*2757*

澤芹　Sium suave Walt.　*2758*

竊衣（破子草）　Torilis japonica (Houtt) DC. *(Torilis anthriscus (L.) Gmel.)*　*1309*

竊衣（黏黏草）　Torilis scabra (Thunb.) DC.　*3259*

山茱萸科 Cornaceae

桃葉珊瑚（天腳板）　Aucuba chinensis Benth.　*4772*

西藏珊瑚　Aucuba himalaca Hook. f. et Thoms.　*3260*

灑金束瀛珊瑚　Aucuba japonica Thunb. var. variegata Rehd.　*1310*

峨嵋桃葉珊瑚（峨嵋珊瑚）　Aucuba omeiensis Fang　*3261*

紅瑞木　Cornus alba L.　*2759*

川鄂山茱萸（野棗皮）　Cornus chinensis Wanger.　*3262*

燈臺樹　Cornus controversa Hemsl.　*1776*

梾木　Cornus macrophylla Wall.　*1311*

四照花　Cornus kousa Hance var. chinensis Osborn　*1777*

小梾木（穿魚藤）　Cornus paucinervis Hance　*2760*

中華青英葉（葉上珠）　Helwingia chinensis Batal.　*2237*

西藏青英葉（葉上花）　Helwingia himalaica Clarke　*748*

青英葉　Helwingia japonica (Thunb.) Dietr.　*2238*

峨嵋青英葉（葉上花）　Helwingia omeiensis (Fang) Hara et Kurosawa ex Hara　*3263*

山茱萸　Macrocarpium officinale (S. et Z.) Nakai　*249*

有齒鞘柄木（大接骨丹）　Toricellia angulata Oliv. var. intermedia (Harms ex Diels) Hu　*3264*

合瓣花亞綱 Sympetalae

巖梅科 Diapensiaceae

白奴花　Berneuxia thibetica Decne.　*2761*

鹿蹄草科 Pyrolaceae

松下蘭　Hypopitys monotropa Cyantz　*3265*

擬水晶蘭　Monotropastrum macrocarpum H. Andres　*3266*

長白擬水晶蘭　Monotropastrum tschanbaischanicum Y. L. Chang et Chen　*3267*

綠花鹿蹄草　Pyrola chlorantha Sw.　*4268*

普通鹿蹄草　Pyrola decorata H. Andres　*250*

大理鹿蹄草　Pyrola forrestiana H. Andres　*2239*

紅花鹿蹄草　Pyrola incarnata Fisch. et DC.　*1778*

短柱鹿蹄草　Pyrola minor L.　*1312*

圓葉鹿蹄草　Pyrola rotundifolia L　*2762*

鹿蹄草　Pyrola rotundifolia L. subsp. chinensis H. Andres　*2240*

長白山鹿蹄草　Pyrola tschanbaischanica Chou et Y. L. Chang　*1313*

杜鵑花科 Ericaceae

巖須（草靈芝）　Cassiope selaginoides Hook. f. et Thoms.　*3268*

中華吊鐘花　Enkianthus chinensis Franch.　*3269*

細葉杜香　Ledum palustre L. var. angustum N. Busch.　*1314*

杜香（寬葉杜香）　Ledum palustre L. var. diladatum Wahlanberg　*4773*

狹葉南燭　Lyonia ovalifolia Drude var. lanceolata (Wall.) Hand.-Mazz.　*3270*

凝毛杜鵑　Rhododendron aggutinatum Balf. f. et Forrest　*4269*

毛肋杜鵑　Rhododendron angustinii Hemsl.　*4270*

黃山杜鵑　Rhododendron anwheiense Wils.　*3271*

短果杜鵑　Rhododendron brachycarpum D. Don　*1315*

美容杜鵑　Rhododendron calophytum Franch.　*4271*

頭花杜鵑　Rhododendron capitatum Maxim.　*4272*

毛喉杜鵑　Rhododendron cephalanthum Franch.　*4273*

牛皮杜鵑（牛皮茶） Rhododendron chrysanthum Pall. *1316*

秀雅杜鵑 Rhododendron concinuum Hemsl. *4274*

興安杜鵑（滿山紅） Rhododendron dahuricum L. *1779*

脹果杜鵑 Rhododendron davidii Franch. *3272*

大花杜鵑花 Rhododendron decorum Franch. *2241*

馬纓花 Rhododendron delavayi Franch. *2242*

樹生杜鵑 Rhododendron dendrocharis Franch. *4275*

雲錦杜鵑 Rhododendron fortunei Lindl. *2763*

隱蕊杜鵑 Rhododendron intricatum Franch. *4276*

滿山紅（滿山紅根） Rhododendron mariesii Hemsl. et Wils. *2764*

照山白 Rhododendron micranthum Turcz. *251*

酒瓶花 Rhododendron microphyton Franch. *4277*

鬧羊花 Rhododendron molle G. Don *2765*

白花杜鵑 Rhododendron mucronatum G. Don *2766*

迎紅杜鵑 Rhododendron mucronulatum Turcz. *1780*

小葉杜鵑 Rhododendron parvifolium Adams. *1317*

光背杜鵑 Rhododendron przewalskii Maxim. *4278*

腋花杜鵑 Rhododendron racemosum Franch. *4279*

紅棕杜鵑 Rhododendron rubiginosum Franch. *4280*

黃毛杜鵑 Rhododendron rufum Batal. *4281*

水仙杜鵑 Rhododendron sargentianum Rehd. et Wils. *4282*

大字杜鵑 Rhododendron schlippenbachii Maxim. *2767*

綠點杜鵑 Rhododendron searsiae Rehd. et Wils. *4283*

紅花杜鵑（杜鵑） Rhododendron simsii Planch. *252*

大杜鵑 Rhododendron spinuliferum Franch. *4284*

四川杜鵑 Rhododendron sutchnenense Franch. *4285*

長蕊杜鵑 Rhododendron stamineum Franch. *3273*

千里香杜鵑（百里香葉杜鵑） Rhododendron thymifolium Maxim. *4286*

圓葉杜鵑 Rhododendron williamsianum Rehd. *3274*

皺皮杜鵑 Rhododendron wilsonii Hemsl. et Wils. *3275*

毛葉烏飯樹（土千年健） Vaccinium fragile Franch. *749*

黃背越橘（小龍木） Vaccinium inteophyllum Hance *4774*

米飯花 Vaccinium sprengelii Sleumer *3276*

篤斯越桔（甸果） Vaccinium uliginosum L. *1318*

越橘 Vaccinium vitis-ideae L. *1781*

紫金牛科 Myrsinaceae

紅涼傘 Ardisia bicolor Walker *3277*

矮莖朱砂根（血黨） Ardisia brevicaulis Diels *3278*

凹脈紫金牛 Ardisia brunnescens Walker *750*

尾葉紫金牛（峨嵋紫金牛） Ardisia caudata Hemsl. *3279*

小紫金牛（小獅子） Ardisia chinensis Benth. *4775*

西南紫金牛（紫背綠） Ardisia corymbifera Mez *2243*

朱砂根 Ardisia crenata Sims *751*

百兩金（八爪金龍） Ardisia crispa (Thunb.) A. DC. *752*

圓果羅傘（瘴病木） Ardisia depressa C. B. Clarke *4776*

朗傘木（小羅傘） Ardisia elegans Andr. *4777*

月月紅（江南紫金牛） Ardisia faberi Hemsl. *3280*

走馬胎 Ardisia gigantifolia Stapf *1782*

矮紫金牛（大雨傘） Ardisia humilis Vahl. *253*

紫金牛 Ardisia japonica (Thunb.) Bl. *254*

心葉紫金牛 Ardisia maclurei Merr. *4287*

多斑紫金牛（珍珠傘） Ardisia maculosa Mez *3717*

乳毛紫金牛（虎舌紅） Ardisia mamillata Hance *3281*

山血丹 Ardisia punctata Lindl. *4778*

九節龍（五托蓮） Ardisia pusilla A. DC. *255*

羅傘樹 Ardisia quinquegona Bl. *1784*

紐子果（大羅傘） Ardisia virens Kurz *4779*

酸藤子 Embelia laeta (L.) Mez *4288*

長葉酸藤果（酸藤果） Embelia longifolia (Benth.) Hemsl. *3282*

當歸藤 Embelia parviflora Wall. *4780*

白花酸藤果（水林果） Embelia ribes Burm. f. *1319*

厚葉酸藤果（鹹酸蕨） Embelia ribes Burm. f. var. pachyphylla Chun ex C. Y. Wu et C. Chen *4781*

頂花杜莖山（大葉青弓散） Maesa balansae Mez *4782*

包瘡葉 Maesa indica (Roxb.) A. DC. *3718*

杜莖山 Maesa japonica (Thunb.) Moritzi *1320*

金珠柳（觀音茶） Maesa montana A. DC.　3719
鯽魚膽（空心花） Maesa perlarius (Lour.) Merr.　256
針齒鐵仔 Myrsine semiserrata Wall.　3283

報春花科　Primulaceae

紅花點地梅 Androsace aizoon Duby var. coccinea Franch.　3720
景天點地梅（匙葉點地梅） Androsace bulleyana Forrest　3721
直立點地梅 Androsace erecta Maxim.　3722
東北點地梅 Androsace filiformis Retz.　1784
刺葉點地梅 Androsace spinulifera (Franch.) R. Kunth　3723
點地梅 Androsace umbellata (Lour.) Merr.　753
仙客來（兔耳花） Cyclamen persicum Mill.　2768
廣西過路黃（大散血） Lysimachia alfredii Hance　4783
狠尾花（血經草） Lysimachia barystachys Bge.　1785
細梗排草 Lysimachia capillipes Hemsl.　3284
珍珠菜（單條草） Lysimachia candida Lindl.　2769
過路黃（金錢草） Lysimachia christinae Hance　754
珍珠菜 Lysimachia clethroides Duby　755
聚花過路黃（風寒草） Lysimachia congestiflora Hemsl.　1786
黃蓮花 Lysimachia davurica Ledeb.　1787
延脈假露珠草（癗子草） Lysimachia decurrens Forst.　3730
靈香草（零陵香） Lysimachia foenum-graecum Hance　4784
大葉過路黃（燈台草） Lysimachia fordiana Oliv.　4785
星夜菜（星宿菜） Lysimachia fortunei Maxim.　4786
金爪兒 Lysimachia grammica Hance　2770
裸頭過路黃（大過路黃） Lysimachia gymnocephala Hand.-Mazz　3285
三葉香草（三塊瓦） Lysimachia insignis Hemsl.　756
輪葉排草 Lysimachia klattiana Hance　1321
長蕊珍珠菜（花被單） Lysimachia lobelioides Wall.　2771
重樓排草（四塊瓦） Lysimachia paridiformis Franch.　2772
傘葉排草（追風傘） Lysimachia trientaloides Hemsl.　2773
巴塘報春 Primula bathangensis Petitm.　3724

鄂西粗葉報春花（豆葉參） Primula epilosa Craib.　3286
粉報春 Primula farinosa L.　1788
箭報春 Primula fistulosa Turkey.　4289
段報春 Primula maximowiczii Regel　4290
垂花報春 Primula nutans Delavay ex Franch.　2774
卵葉報春 Primula ovalifolia Franch.　3287
海仙報春 Primula poissonii Franch.　3725
偏花報春（報春花） Primula secundiflora Franch.　3726
天山報春 Primula sibirica Jacq.　4291
櫻草 Primula sieboldii E. Morren　1789
錫金報春（黃花報春） Primula sikkinensis Hook.　3727
金粉雪山報春（三月花） Primula sinopurpurea Balf. f.　3728
苣葉報春（峨嵋雪蓮花） Primula sonchifolia Franch.　3288
高穗花報春 Primula vialii Delavay ex Franch.　3729

藍雪科（白花丹科）　Plumbaginaceae

架棚（小藍雪） Ceratostigma minus Stapf　3731
金色補血草（黃花補血草） Limonium aureum (L.) Hill.　257
二色補血草 Limonium bicolor (Bge.) O. Kuntze　2775
中華補血草（匙葉草） Limonium sinense (Girard) O. Kuntze　2776
藍雪花 Plumbago auriculata Lam.　2777
藍雪花（藍花丹） Plumbago auriculata Lam.　3289
紅花丹（紫雪花） Plumbago indica L.　3732
白花丹 Plumbago zeylanica L.　3290

山欖科　Sapotaceae

人心果 Manilkara zapota (L.) Rogen　258

柿樹科　Ebenaceae

烏柿 Diospyros cathayensis Steward　4787
柿（柿蒂） Diospyros kaki L. f.　259
野柿 Diospyros kaki L. f. var. sylvestris Mak.　2244
黑棗（君遷子） Diospyros lotus L.　260
羅浮柿（野柿花） Diospyros morrisiana Hance　4788
老鴉柿 Diospyros rhombifolia Hemsl.　2778

山礬科　Symplocaceae

山礬 Symplocos caudata Wall. ex A. DC.　*3291*

華山礬（土常山） Symplocos chinensis (Lour.) Druce　*4789*

白檀 Symplocos paniculata (Thunb.) Miq.　*3292*

白檀（白檀根） Symplocos paniculata (Thunb.) Miq.　*3733*

珠仔樹 Symplocos racemosa Roxb.　*3734*

四川山礬 Symplocos setchuansis Brand　*3293*

野茉莉科（安息香料） Styracaceae

鴉頭梨（水冬瓜） Melliodendron xylocarpum Hand.-Mazz. (M. wangianum Hu)　*3294*

木瓜紅 Rehderodron macrocarpum Hu　*3295*

中華安息香 Styrax chinensis Hu et S. Y. Liang　*757*

野茉莉 Styrax japonica Sieb. et Zucc.　*3296*

白花樹（安息香） Styrax tonkinensis (Pierre) Craib. ex Hart.　*4790*

木犀科 Oleaceae

雪柳 Fontanesia fortunei Carr.　*3297*

秦連翹 Forsythia giraldiana Lingelsh.　*1322*

連翹 Forsythia suspensa (Thunb.) Vahl　*758*

金鐘花 Forsythia viridissima Lindl.　*1790*

小葉白蠟樹 Fraxinus bungeana DC.　*1791*

尾葉梣（陝西秦皮） Fraxinus caudata J. L. Wu et Z. W. Xie　*1792*

白蠟樹 Fraxinus chinensis Roxb.　*759*

尖萼梣 Fraxinus longicuspis Sieb. et Zucc.　*2245*

白槍桿 Fraxinus malacophylla Hemsl.　*2246*

水曲柳（水曲柳皮） Fraxinus mandshurica Maxim.　*1793*

大葉梣（秦皮） Fraxinus rhynchophylla Hance　*3298*

扭肚藤（白花茶） Jasminum amplexicaule Buch.-Ham.　*4292*

紅茉莉（小酒瓶花） Jasminum beesianum Forr. et Diels　*3299*

叢林素馨（夾竹桃葉素馨） Jasminum duclouxii (Levl.) Rehd.　*3735*

探春 Jasminum floridum Bge.　*1323*

嶺南茉莉（桂葉素馨） Jasminum laurifolium Roxb.　*760*

野迎春（雲南素馨） Jasminum mesnyi Hance　*1324*

青藤仔（千里行房） Jasminum nervosum Lour.　*4791*

迎春花 Jasminum nudiflorum Lindl.　*2779*

厚葉素馨（青竹藤） Jasminum pentaneurum Hand.-Mazz.　*4792*

茉莉（茉莉根） Jasminum sambac (L.) Ait.　*1794*

長葉女貞（野女貞） Ligustrum compactum (Wall. ex DC.) Hook. f. et Thoms　*2247*

女貞（女貞子） Ligustrum lucidum Ait.　*1325*

遼東水蠟樹 Ligustrum obtusifolium Sieb. et Zucc. var. suave Kitag.　*4293*

小蠟樹 Ligustrum sinense Lour.　*1326*

齊墩果 Olea europaea L.　*261*

紅花木樨欖 Olea rosea Craib　*3736*

寧波木犀 Osmanthus cooperi Hemsl.　*1327*

桂花 Osmamthus fragrans Lour.　*2780*

丹桂（丹桂花） Osmamthus fragrans (Thunb.) Lour. var. aurantiacus (Makino) P. S. Green　*1795*

紫丁香 Syringa oblata Lindl.　*1796*

紫丁香（白丁香） Syringa oblata Lindl. var. affinis Lingelsh.　*262*

賀蘭山丁香 Syringa pinnatifolia Hemsl. var. alashanensis Ma et S. G. Zhou　*4793*

巧玲花（毛丁香） Syringa pubesceos Turcz.　*2781*

暴馬丁香（暴馬子） Syringa reticulata (Bl.) Hara var. mandshurica (Maxim.) Hara　*263*

紅丁香 Syringa villosa Vahl　*1797*

遼東丁香 Syringa wolfii Schneider　*1798*

馬錢科 Loganiaceae

駁骨丹（白背風） Buddleja asiatica Lour.　*3300*

大葉醉魚草（酒藥花） Buddleja davidii Franch.　*1799*

白花醉魚草 Buddleja heliophila W. W. Smith　*2783*

醉魚草 Buddleja lindleyana Fort.　*264*

波葉醉魚草 Buddleja lindleyana Fort. var. sinuato-dendata Hemsl.　*4794*

長穗醉魚草 Buddleja macrostachys Benth.　*3737*

密蒙花 Buddleja officinalis Maxim.　*2782*

胡蔓藤（斷腸草） Gelsemium elegans (Gardn. et Champ.) Benth.　*1800*

牛眼馬錢（牛眼珠） Strychnos angustiflora Benth.　*761*

密花馬錢 Strychnos conferitiflora Merr. & Chun　*762*

馬錢子 Strychnos nuxvomica L.　*1328*

尾葉馬錢 Strychnos wallichiana Steud.　*1329*

龍膽科 Gentianaceae

條萼田草（羅星草） Canscora melastomacea Hand.-Mazz.　*4294*

喉毛花 Comastoma pulmonarium (Turcz.) Toyokuni　*3738*

中甸喉毛花 Comastoma traillianum (Forrest) Holub　*3739*

雲南蔓龍膽（蜂糖草） Crawfurdia campanulacea
　　Wall. et Griff.　　2248
橢圓葉花錨（黑及草） Halenia elliptica D. Don
　　2787
高山龍膽（白花龍膽） Gentiana algida Pall.　　1801
細圓裂龍膽（藍龍膽） Gentiana arethusae Burkill
　　var. deiicatula Marg.　　3740
頭花龍膽 Gentiana cephalantha Franch.　　3741
粗莖秦艽 Gentiana crassicaulis Duthie ex Burkill
　　3301
達烏里龍膽 Gentiana dahurica Fisch.　　2784
七葉龍膽 Gentiana heptaphylla Bulf. f. et Forrest
　　3742
華南龍膽（龍膽地丁） Gentiana loureirii (D. Don)
　　Griseb.　　2249
秦艽 Gentiana macrophylla Pall.　　763
條葉龍膽（東北龍膽） Gentiana manshurica Kitag.
　　2785
小齒龍膽 Gentiana microdonta Franch.　　3743
峨嵋龍膽 Gentiana omeiensis T. N. Ho　　3302
粗壯龍膽 Gentiana robusta King ex Hook. f.　　3744
深紅龍膽 Gentiana rubicunda Franch.　　3303
龍膽 Gentiana scabra Bge.　　2250
鱗葉龍膽（石龍膽） Gentiana squarrosa Ledeb.
　　1330
短柄龍膽（雜色龍膽） Gentiana stipitata Edgew.
　　3745
條紋龍膽 Gentiana striata Maxim.　　3746
火花龍膽 Gentiana szechenyii Kanitz　　2251
西藏秦艽（西藏龍膽） Gentiana tibetica King ex
　　Hook. f.　　2252
三花龍膽 Gentiana triflora Pall.　　1331
烏雙龍膽 Gentiana urnula H. Sm.　　2253
灰綠龍膽（龍膽地丁） Gentiana yokussi Burkill
　　3304
雲南龍膽 Gentiana yunnanensis Franch.　　3747
尖葉假龍膽 Gentianaella acuta (Michx) Hiit　　4295
狹萼扁蕾 Gentianopsis barbata (Froel.) Ma　　3748
扁蕾 Gentianopsis barbata (Froel.) Ma var. sinensis
　　Ma　　2786
大花扁蕾 Gentianopsis grandis (H. Smith) Ma
　　3749
濕生扁蕾 Gentianopsis paludosa (Munro ex Hook. f.)
　　Ma　　3750
花錨 Halenia corniculata (L.) Cornaz.　　1332
圓葉肋柱花（大花側蕊） Lomatogonium oreocharis
　　(Diels) Marg.　　3751
大鐘花 Megacodon stylophorus (C. B. Clarke) H.
　　Smith　　3752
睡菜 Menyanthes trifoliata L.　　1333

荇菜 Nymphoides peltatum (Gmel.) O. Kuntze
　　1802
美麗獐牙菜 Swertia angustifolia Buch.-Ham. ex D.
　　Don var. pulchella (Buch.-Ham.) Burkill　　3753
雙點獐牙菜（大苦草） Swertia bimaculata (Sieb. et
　　Zucc.) Hook. f. et Thoms.　　2254
麗江獐牙菜（青葉膽） Swertia delavayi Franch.
　　2255
當藥 Swertia diluta (Turcz.) Benth. et Hook. f.
　　2256
黃花獐牙菜 Swertia kingii Hook. f.　　3754
膜邊獐牙菜 Swertia marginata Schrenk　　3755
瘤毛獐牙菜（獐牙菜） Swertia pseudochinensis Hara
　　4297
黃花川西獐牙菜（黃花藥藥） Swertia zayuensis T.
　　N. Ho et S. W. Liu var. flavescens T. N. Ho et S.
　　W. Liu　　4296
峨嵋雙蝴蝶（纏竹黃） Tripterospermum cordatum
　　(Marg.) H. Smith　　3305
雙蝴蝶（雞腸風） Tripterospermum fasciculatum
　　(Wall.) Chater　　3756
黃綠雙蝴蝶（蛇藥） Tripterospermum volubile (D.
　　Don) Hara　　2257
黃秦艽 Veratrilla bailonii Franch.　　3757

夾竹桃科 Apocynaceae
軟枝黃蟬 Allemanda cathartica L.　　764
黃蟬 Allemanda neriifolia Hook.　　265
糖膠樹（象皮木） Alstonia scholaris (L.) R. Br.
　　2258
雞骨常山 Alstonia yunnanensis Diels　　2259
毛車藤 Amalocalyx yunnanensis Tsiang　　3760
鱔藤 Anodendron affine (Hook. et. Arn.) Druce
　　266
羅布麻 Apocynum venetum L.　　267
雲南清明花（炮彈果） Beaumontia yunnanensis
　　Tsiang et W. C. Chen　　2260
刺黃果 Carissa caranda L.　　268
假虎刺（老虎刺） Carissa spinarum L.　　3758
長春花 Catharanthus roseus (L.) D. Don　　1334
海杧果（牛心茄子） Cerbera manghas L.　　765
狗牙花（重瓣狗牙花） Ervatamia divaricata (L.)
　　Burk. cv. Gouyahua　　766
藥用狗牙花 Ervatamia officinalis Tsiang　　4298
止瀉木 Holarrhena antidysenterica Wall. ex A. DC.
　　767
雲南蕊木（柯蒲木） Kopsia officinalis Tsiang et P.
　　T. Li　　768
尖山橙 Melodinus fusiformis Champ. ex Benth.
　　4795

川山橙 Melodinus hemsleyanus Diels　　3306

思茅山橙（巖山枝） Melodinus henryi Craib
　　3759

山橙 Melodinus suaveolens Champ.　　2788

夾竹桃 Nerium indicum Mill.　　1335

白花夾竹桃 Nerium indicum Mill. cv. Paihua　　1803

紅杜仲藤（紅杜仲） Parabarium chunianum Tsiang
　　4796

毛杜仲藤（藤杜仲） Parabarium huaitingii Chun et
　　Tsiang　　4797

杜仲藤 Parabarium micrantum (A. DC.) Pierre
　　4798

長節珠（金絲藤仲） Parameria laevigata (Juss.)
　　Moldenke　　2261

紅雞蛋花 Plumeria rubra L.　　269

雞蛋花 Plumeria rubra L. cv. Acutifolia　　1804

簾子藤（花拐藤） Pottsia laxiflora (Bl.) O. Kuntze
　　270

霹靂蘿芙木 Rauvolfia parakinsis King et Gamble
　　3307

蛇根木 Rauvolfia serpentina (L.) Benth. ex Kurz.
　　1336

四葉蘿芙木 Rauvolfia tetraphylla L.　　271

蘿芙木 Rauvolfia verticillata (Lour.) Baill.　　272

海南蘿芙木 Rauvolfia verticillata (Lour.) Baill. var.
　　hainanensis Tsiang　　769

紅果蘿芙木 Rauvolfia verticillata (Lour.) Baill. var.
　　rubrocarpa Tsiang　　770

催吐蘿芙木 Rauvolfia vomitoria Afzel.　　771

羊角拗（羊角扭） Strophanthus divaricatus (Lour.)
　　Hook. et Arn.　　1337

箭毒羊角拗 Strophanthus hispidus DC.　　2262

西非羊角拗 Strophanthus sarmentosus DC.　　2263

黃花夾竹桃 Thevetia peruviana (Pers.) K. Schum.
　　1805

絡石（絡石藤） Trachelopermum jasminoides
　　(Lindl.) Lem.　　772

大鈕子花 Valaris indecora (Baill.) Tsiang et P. T. Li
　　2789

小蔓長春花 Vinca minor L.　　273

藍樹 Wrightia laevis Hook. f.　　4299

倒吊筆 Wrightia pubescens R. Br.　　4300

蘿藦科 Asclepiadaceae

毛車藤 Amalocalyx yunnanensis Tsiang　　3760

馬利筋（蓮生桂子花） Asclepias curassavica L.
　　274

牛角瓜 Calotropis gigantea (L.) Dry ex Ait. f.　　275

白花牛角瓜 Calotropis procera (Ait.) Dry ex Ait.
　　3761

吊燈花 Ceropegia trichantha Hemsl.　　4801

古鈎藤 Cryptolepis buchananii Roem. et Schult.
　　276

合掌消 Cynanchum amplexicaule (Sieb. et Zucc.)
　　Hemsl.　　773

紫花合掌消 Cynanchum amplexicaule (Sieb. et Zucc.)
　　Hemsl. var. castaneum Makino　　2264

白薇 Cynanchum atratum Bge.　　774

耳葉牛皮消（白首烏） Cynanchum auriculatum
　　Royle ex Wight　　775

戟葉牛皮消 Cynanchum bungei Decne　　3308

鵝絨藤 Cynanchum chinense R. Br.　　2265

大理白前（羣虎草） Cynanchum forrestii Schltr.
　　3762

芫花葉白前（白前） Cynanchum glaucescens
　　(Decne.) Hand.-Mazz.　　1338

華北白前（對葉草） Cynanchum hancockianum
　　(Maxim.) Al.　　776

竹靈消（老君鬚） Cynanchum inamoenum (Maxim.)
　　Loes.　　2790

老瓜頭 Cynanchum komarovii Al. Iljinski　　1339

朱砂藤 Cynanchum officinale (Hemsl.) Tsiang et
　　Zhang ex Tsiang et P. T. Li　　3763

青陽參 Cynanchum otophyllum Schneid.　　277

徐長卿 Cynanchum paniculatum (Bge.) Kitag.
　　1806

紫花杯冠藤 Cynanchum purpureum (Pall.) K. Schum.
　　2266

西藏牛皮消 Cynanchum saccatum W. T. Wang ex
　　Tsiang et P. T. Li　　3764

柳葉白前 Cynanchum stauntonii Decne. Schltr. ex
　　Levl　　4799

地梢瓜 Cynanchum thesioides K. Schum.　　2791

雀瓢 Cynanchum thesiddes (Freyn.) K. Schum. var.
　　australe (Maxim.) Tsiang et P. T. Li　　1807

蔓生白薇 Cynanchum versicolor Bge.　　4800

昆明杯冠藤（斷節參） Cynanchum wallichii Wight
　　3765

隔山消 Cynanchum wilfordii (Maxim.) Hemsl.　　278

尖葉眼樹蓮（石瓜子） Dischidia australis Tsiang et
　　P. T. Li　　4802

眼樹蓮（金瓜核） Dischidia chinensis Champ. ex
　　Benth.　　4803

貫筋藤 Dregea sinensis Hemsl. var. corrugata
　　(Schneid.) Tsiang et P. T. Li　　2267

匙羹藤（武靽藤） Gymnema sylvestre (Retz.) Schult.
　　4804

醉魂藤 Heterostemma alatum Wight　　3309

貴州醉魂藤（黔桂醉魂藤） Heterostemma esquirolii
　　(Levl.) Tsiang　　4805

心葉球蘭（打不死） Hoya cordata P. T. Li et S. Z. Hauang　4806

荷秋藤（十二兩根） Hoya lancilimba Merr.　4807

三脈球蘭 Hoya pottsii Traill　4301

藍葉藤 Marsdenia tinctoria R. Br.　4302

蘿藦 Metaplexis japonica (Thunb.) Makino　1340

青蛇藤（烏騷風） Periploca calophylla (Wight) Falc　3310

杠柳（香加皮） Periploca sepium Bge.　1808

鬚藥藤（生藤） Stelmatocrypton khasianum (Benth.) Baill.　3766

馬連鞍 Streptocaulon griffithii Hook. f.　1809

夜來香 Telosma cordata (Burm. f.) Merr.　1810

圓葉弓果藤 Toxocarpus ovalifolius Tsiang　279

毛弓果藤（化肉藤） Toxocarpus villosus (Bl.) Decne.　4808

毛果娃兒藤（三分丹） Tylophora atrofolliculata Metc.　280

通脈丹 Tylophora mollissima Wight　4303

娃兒藤（三十六蕩） Tylophora ovata (Lindl.) Hook. ex Steud.　4809

雲南娃兒藤（白龍鬚） Tylophora yunnanensis Schltr.　1811

旋花科 Convolvulaceae

白鶴藤（一匹綢） Argyreia acuta Lour.　1341

月光花 Calonyction aculeatum (L.) House　3767

打碗花 Calystegia hederacea Wall.　1342

日本打碗花（碗花） Calystegia japonica Choisy　1812

籬打碗花（籬天劍） Calystegia sepium (L.) R. Brown　777

腎葉打碗花 Calystegia soldanella (L.) R. Br.　4304

田旋花 Convolvulus arvensis L.　1813

田間菟絲子 Cuscuta campestris Yuncker.　3311

菟絲子 Cuscuta chinensis Lam.　778

日本菟絲子（大菟絲子） Cuscuta japonica Choisy　1343

馬蹄金 Dichondra repens Forst.　1814

土丁桂 Evolvulus alsinoides L.　2792

蕹菜 Ipomoea aquatica Forsk.　779

番薯（紅薯） Ipomoea batatas (L.) Lam.　1815

五爪金龍 Ipomoea cairica (L.) Sweet　780

鱟藤（馬鞍藤） Ipomoea pescaprae (L.) Sweet　281

虎掌藤 Ipomoea pes-tigridis L.　3768

西伯利亞牽牛（鈴當子） Ipomoea sibirica Pers.　4305

籬欄網（籬欄子） Merremia hederacoa (Burm. f.) Hall. f.　4810

西伯利亞魚黃草（魚黃草） Merremia sibirica (Pers.) Hall. f.　1816

盒果藤 Operculina turpethum (L.) Manso　282

大花牽牛 Pharbitis nil (L.) Choisy　283

圓葉牽牛 Pharbitis purpurea (L.) Voigt　1344

蔦蘿（金鳳毛） Quamoclit pennata (Lam.) Boj.　284

葵葉蔦蘿 Quamoclit sloteri House　4306

花蔥科 Polemoniaceae

中華花蔥 Polemonium coeruleum L. var. chinense Brand　2793

花蔥 Polemonium lariflorum Kitam　4307

柔毛花蔥 Polemonium villosum Rud. ex Georgi　1345

紫草科 Boraginaceae

斑種草（蛤蟆草） Bothriospermum chinensis Bge.　4811

柔弱斑種草（鬼點燈） Bothriospermum tenellum (Hornem.) Fisch. et Mey.　4812

倒提壺 Cynoglossum amabile Stapf et Drumm.　781

琉璃草 Cynoglossum divaricatum Steph.　4308

小花琉璃草（牙蘿草） Cunoglossum lanceolatum Forsk.　2794

大琉璃草（琉璃草） Cynoglossum zeylanicum (Vahl) Thunb. ex Lehm.　3312

厚殼樹（大崗茶） Ehrelia thyrsiflora (Sieb. et Zucc.) Nakai　4309

東北齒緣草 Eritrichium mandschurium M. Pop.　2795

大尾搖 Heliotropium indivum L.　782

鶴虱 Lappula echinata Gillb.　1817

東北鶴虱 Lappula redowskii Greene　2796

紫草 Lithospermum erythrorhizon Sieb. et Zucc.　1818

砂引草 Messerschmidia sibirica L.　2268

密花滇紫草 Onosma confertum W. W. Smith　3769

長花滇紫草（藏藥紫草） Onosma hookeri C. B. Clarke var. longiflorum Duthie　2269

多枝滇紫草 Onosma multiramosum Hand.-Mazz.　3770

滇紫草 Onosma paniculata Bur. et Franch.　2270

紫筒草（紫筒草根） Stenosolenium saxatile (Pall.) Turcz.　2797

盾果草 Thyrocarpus sampsonii Hance　4813

附地菜 Trigonotis peduncularis (Trev.) Benth.　2271

馬鞭草科 Verbenaceae

海欖雌（白骨壤） Avicennia marina (Forsk.) Vierh. *4310*

喬木紫珠（大樹紫珠） Callicarpa arborea Roxb. *2272*

珍珠楓 Callicarpa bodinieri Levl. *2798*

華紫珠 Callicarpa cathayana H. T. Chang *1819*

紫珠 Callicarpa dichotoma (Lour.) K. Koch *1820*

全緣葉紫珠 Callicarpa integerrima Champ. *2273*

尖萼紫珠 Callicarpa lobo-apiculata Metc. *4814*

尖尾楓 Callicarpa longissima (Hemsl.) Merr. *783*

野枇杷 Callicarpa loureiri Hook. et Arn. *784*

大葉紫珠 Callicarpa macrophylla Vahl. *285*

裸花紫珠 Callicarpa nudiflora Hook. et Arn. *4311*

紅葉紫珠 Callicarpa rubella Lindl. *286*

狹葉紅紫珠 Callicarpa rubella Lindl. f. angustata Pei *4312*

鈍齒紅紫珠 Callicarpa rubella Lindl. f. crenata pei *2274*

蘭香草 Caryopteris incana (Thunb.) Miq. *287*

蒙古蒕 Caryopteris mongolica Bge. *4313*

蒕 Caryopteris nepetaefolia (Benth.) Maxim. *2799*

光果蒕 Caryopteris tangutica Maxim. *2800*

毛球蒕 Caryopteris trichosphaera W. W. Sm. *3771*

貓鬚草 Clerodendranthus spicatus (Thunb.) C. Y. Wu *293*

臭牡丹 Clerodendrum bungei Steud. *1346*

灰毛大青（毛賴桐） Clerodendrum canescens Wall. *4815*

腺茉莉 Clerodendrum colebrookianum Walp. *3772*

大青（路邊青） Clerodendrum cyrtophyllum Turcz. *4314*

鬼燈籠（苦燈籠） Clerodendrum fortunatum L. *4315*

臭茉莉 Clerodendrum fragrans Vent. *288*

海南賴桐 Clerodendrum hainanense Hand.-Mazz. *2801*

苦郎樹（水胡蒲） Clerodendrum inerme (L.) Gaertn. *785*

賴桐（荷苞花） Clerodendrum japonicum (Thunb.) Sweet. *1821*

重瓣臭茉莉（大髻婆） Clerodendrum philippinum Schau. *4816*

臭茉莉（白靈藥） Clerodendrum philippinum Schau. var. simplex Modenke *3773*

三對節 Clerodendrum serratum (L.) Spr. *1347*

三臺花 Clerodendrum serratum (L.) Moon var. amplexifolium Moldenke *2275*

龍吐珠 Clerodendrum thomsonae Balf. f. *786*

海州常山（臭梧桐） Clerodendrum trichotomum Thunb. *787*

滇常山 Clerodendrum yunnanense Hu ex Hand.-Mazz. *788*

假連翹 Duranta repens L. *289*

冬紅花 Holmskioldia sanguinea Retz. *290*

馬纓丹（五色梅） Lantana camara L. *291*

過江藤（大二郎箭） Phyla nodiflora (L.) Greene *2802*

黃毛豆腐柴（戰骨） Premna fulva Craib *4817*

臭黃荊 Premna ligustroides Hemsl. *2803*

豆腐柴 Premna microphylla Turcz. *292*

思茅豆腐柴（類梧桐） Premna szemaoensis Pei *2276*

四棱筋骨草 Schnabalia oligophylla Hand.-Mazz. *4316*

假敗醬（玉龍鞭） Stachytarpheta jamaicensis (L.) Vahl *4818*

柚木 Tectona grandis L. f. *789*

馬鞭草 Verbena officinalis L. *1348*

小葉荊 Vitex microphylla (Hand.-Mazz.) Pei *3774*

黃荊 Vitex negundo L. *790*

牡荊 Vitex negundo L. var. cannabifolia (Sieb. et Zucc.) Hand.-Mazz. *2277*

荊條 Vitex negundo L. var. heterophylla (Franch.) Rehd. *1822*

疏序黃荊 Vitex negundo L. var. Laxipaniculata Pei *3775*

山牡荊 Vitex quinata (Lour.) F. N. Williams *4317*

微毛布荊（布荊） Vitex quinata (Lour.) Will. var. puberula Moldenke *3776*

蔓荊（蔓荊子） Vitex trifolia L. *1823*

三葉蔓荊（白布荊） Vitex trifolia L. *2278*

唇形科 Labiaceae

藿香 Agastache rugosa (Fisch. et Mey.) O. Ktze. *791*

彎花筋骨草（止痢蒿） Ajuga campylantha Diels *3777*

短莖康定筋骨草（倒剝） Ajuga campylanthoides C. Y. Wu et C. Chen var. subacaulis C. Y. Wu et C. Chen *2279*

金瘡小草（白毛夏枯草） Ajuga decumbens Thunb. *2280*

痢止草 Ajuga forrestii Diels *792*

白苞筋骨草 Ajuga lupulin Maxim. *3778*

齒苞筋骨草 Ajuga lupulin Maxim. var. major Diels *3779*

多花筋骨草 Ajuga multiflora Bge. *2281*

水棘針 Amethystea caerulea L.　　1349

貓鬚草 Clerodendranthus spicatus (Thunb.) C. Y. Wu　293

風輪菜 Clinopodium chinensis (Benth.) O. Ktze.　2282

瘦風輪（剪刀草） Clinopodium gracile (Benth.) Matsum.　2804

寸金草 Clinopodium megalanthum (Diels) C. Y. Wu et Hsuan　2805

羽萼 Colebrookia oppositifolia Smith　2283

彩葉草 Coleus scutellarioides (L.) Benth.　1350

光萼青蘭 Dracocephalum argunense Fisch. ex Kink　2284

松葉青蘭 Dracocephalum forrestii W. W. Smith　2285

異葉青蘭 Dracocephalum heterophyllum Benth.　4318

香青蘭 Dracocephalum moldavicum L.　294

巖青蘭 Dracocephalum rupestre Hance　3313

香薷（半邊蘇） Elsholtzia ciliata (Thunb.) Hyland　295

吉籠草 Elsholtzia communis (Coll. et Hemsl.) Diels.　3780

野草香 Elsholtzia cyprianii (Pavel.) S. Chow ex Hsu　3314

萼果香薷 Elsholtzia densa Benth.　3781

黃花香薷 Elsholtzia eriostachya Benth　3782

雉骨柴 Elsholtzia fruticosa (D. Don) Rehd.　4319

海州香薷 Elsholtzia splendens Nakai ex Maekawa　4819

木香薷 Elsholtzia stauntonii Benth.　4320

廣防風 Epimeredi indica (L.) Rothm.　296

綿參 Eriophyton wallichii Benth.　3783

鼬瓣花 Galeopsis bifida Boenn.　2806

活血丹 Glechoma congituba (Nakai) Kupr.　1824

中華錐花（白蠟鎖） Gomphostemma chinensis Oliv.　4820

四輪香 Hanceola sinensis (Hemsl.) Kudo　3315

吊球草 Hyptis rhomboidea Mart. et Gal.　793

山香 Hyptis suaveolens (L.) Poit.　794

硬尖神香草（神香草） Hyssopus cuspidatus Boriss.　3316

夏至草 Lagopsis supina (Steph.) IK.-Gal.　1825

獨一味 Lamiophlomis rotata (Benth.) Kudo　2287

野芝麻 Lamium album L.　2286

寶蓋草 Lamium amplexicaule L.　795

野芝麻 Lamium barbatum Sieb. et Zucc.　1826

益母草 Leonurus artemisia (Lour.) S. Y. Hu　1351

白花益母草 Leonurus artemisia (Lour.) S. Y. Hu var. albiflorus (Kigo) S. Y. Hu　3318

大花益母草 Leonurus macranthus Maxim.　1827

錾菜 Leonurus pseudo-macranthus Kitag.　796

興安益母草 Leonurus tataricus L.　2288

繡球防風 Leucas ciliata Benth.　2289

皺面草 Leocas zeylanica (Li) R. Br.　4321

地瓜兒苗（澤蘭） Lycopus lucidus Jurcz.　297

華西龍頭草（紅紫珠） Meehania fargesii (Levl.) C. Y. Wu　2290

滇荊芥（鼻血草） Melissa axillaris (Brnth.) Bakh. f.　3319

興安薄荷 Mentha dahurica Frisch. ex Benth.　4322

薄荷 Mentha haplocalyx Briq.　298

辣薄荷 Mentha piperita L.　1828

峨嵋冠唇花（四稜香） Microtoena omeiensis C. Y. Wu et Hsuan　3320

石香薷 Mosla chinensis Maxim.　4821

野荊芥（大葉香葉） Mosla dianthera (Buch.-Ham.) Maxim.　4822

石薺薴 Mosla scabra (Thunb.) C. Y. Wu et H. W. Li　2807

藏荊芥 Nepeta angustifolia C. Y. Wu　2291

心葉荊芥（樟腦草） Nepeta cataria L.　3317

穗花荊芥 Nepeta laevigata (D. Don) Hand.-Mazz.　3784

圓齒荊芥 Nepeta wilsonii Duthie　3785

羅勒 Ocimum basilicum L.　299

羅勒 Ocimum basilicum L. var. pilosum (Willd.) Benth.　2808

丁香羅勒 Ocimum gratissimum L.　300

毛葉丁香羅勒 Ocimum gratissimum L. var. suave (Willd.) Hook. f.　797

牛至（土香薷） Origanum vulgare L.　798

雞腳參（山檳榔） Orthosiphon wulfenioides (Diels) Hand.-Mazz.　4823

膿瘡草 Panzeria alaschanica Kupr.　4323

小葉假糙蘇 Paraphlomis javanica (Bl.) Prain var. coronata (Vaniot) C. Y. Wu et H. W. Li　2809

白蘇 Perilla frutescens (L.) Britt.　799

紫蘇 Perilla frutescens (L.) Britt. var. acuta (Thunb.) Kudo　1352

回回蘇 Perilla frutescens (L.) Britt. var. crispa (Thunb.) Hand.-Mazz.　800

大葉糙蘇 Phlomis maximowiczii Regel　2810

串鈴草 Phlomis mongolica Turcz.　4824

塊莖糙蘇 Phlomis tubelosa L.　301

糙蘇 Phlomis umbrosa Turcz.　302

扭連錢（白毛扭連錢） Phyllophyton complanatum (Dunn) Kudo　3786

褪色扭連錢 Phyllophyton decolorans (Hemsl.) Kudo　2292

西藏扭連錢 Phyllophyton tibeticum (Jacq.) C. y. Wu *2293*

水珍珠菜（蛇尾草） Pogostemon auricularius (L.) Hassk *4324*

廣藿香 Pogostemon cablin (Blanco) Benth. *2811*

夏枯草 Prunella asiatica Nakai *303*

硬毛夏枯草 Prunella hispida Benth. *2294*

夏枯草 Prunella vulgaris L. *2812*

香茶菜 Rabdosia amethystoides (Brnth.) Hara *304*

毛萼香茶菜 Rabdosia eriocalyx (Dunn) Hara *2299*

尾葉香茶菜（狗日草） Rabdosia excisa (Maxim.) Hara *1829*

藍萼香茶菜 Rabdosia japonica (Burm. f.) Hara var. glaucocalyx (Maxim.) Hara *2813*

線紋香茶菜 Rabdosia lophanthoides (Buch.-Ham. ex D. Don) Hara *801*

狹基香茶菜（熊膽草） Rabdosia lophanthoides (Buch.-Ham. ex D. Don) Hara var. geradiana (Benth.) Hara *4825*

瘦花香茶菜（野香薷） Rabdosia rosthornii (Diels) Hara *3321*

溪黃草 Rabdosia serra (Maxim.) Hara *802*

輪葉香茶菜（牛尾草） Rabdosia ternifolia (D. Don) Hara *1830*

單葉血盆草 Salvia cavaleriei Levl. var. simplicifolia Stib. *2814*

朱唇（小紅花） Salvia coccinea Fuss. ex Merr. *803*

新疆鼠尾草 Salvia deserta Schang *4826*

毛地黃鼠尾（銀紫丹參） Salvia digitaloides Diels *3787*

黃花鼠尾（黃花丹參） Salvia flava Forrest ex Diels *2295*

鄂西鼠尾草（紅秦艽） Salvia maximowicziana Hemsl. *2815*

丹參 Salvia miltiorrhiza Bge. *305*

白花丹參 Salvia miltiorrhiza Bge. var. alba C. Y. Wu et H. W. Li *1831*

峨嵋鼠尾草（白氣草） Salvia omeiana Stib. *4827*

雪見草（荔枝草） Salvia plebeia R. Br. *1832*

甘西鼠尾草（大丹參） Salvia przewalskii Maxim. *306*

少毛甘西鼠尾草（靈藍香） Salvia przewalskii Maxim. var. glabrescens Stib. *3788*

褐毛甘西鼠尾草（褐毛丹參） Salvia przewalskii Maxim. var. mandarinorum (Diels) Stib. *3789*

紅褐甘西鼠尾 Salvia przewalskii Maxim. var. rubrobrunnea C. Y. Wu *3790*

黏毛鼠尾草（黏毛鼠尾） Salvia raborowaskii Maxim. *3791*

西洋紅（一串紅） Salvia splendens Ker.-Gawl. *804*

湖廣草（走莖丹參） Salvia substolonifera Stib. *1833*

三葉鼠尾草（小紅參） Salvia trijuga Diels *307*

滇丹參 Salvia yunnanensis C. H. Wright *3322*

多裂葉荊芥 Schizonepeta multifida (L.) Briq. *2296*

荊芥 Schizonepeta tenuifolia Briq. *308*

西南黃芩（滇黃芩） Scutellaria amoena C. H. Wright *3323*

黃芩 Scutellaria baicallensis Georgi *805*

半枝蓮 Scutelliaria barbata D. Don *806*

盔狀黃芩 Scutellaria galericulata L. *4325*

藍花黃芩 Scutellaria formosana N. E. Brown *4828*

韓信草 Scutellaria indica L. *1834*

麗江黃芩 Scutellaria likiangensis Diels *1835*

念珠黃芩 Scutellaria moliliorrhiza Kom. *4829*

狹葉黃芩 Scutellaria regeliana Nakai *3324*

甘肅黃芩 Scutellaria rehderiana Diels *807*

併頭黃芩 Scutellaria scordifolia Fisch. ex Schrank *1836*

黏毛黃芩 Scutellaria viscidula Bge. *2297*

筒冠花 Siphocranion macranthum (Hook. f.) C. Y. Wu *3325*

毛水蘇（水蘇草） Stachys baicalensis Fisch. ex Benth. *1353*

毛水蘇小剛毛變種（毛水蘇） Stachys baicalensis Fisch. ex Benth. var. hispidula Nakai *2298*

華水蘇 Stachys chinensis Bge. ex Benth. *2816*

地蠶 Stachys geobombycis C. Y. Wu *4830*

水蘇（光葉水蘇） Stachys japonica Miq. *1354*

長圓葉水蘇（野油麻） Stachys oblongifolia Benth. *1355*

鐵軸草 Teucrium quadrifarium Buch.-Ham. *808*

山藿香 Teucrium viscidum Bl. *309*

百里香 Thymus mongolicus Ronn. *310*

展毛地椒 Thumus przewalskii (Komar.) Nakai *311*

風輪新塔花（唇香草） Ziziphora clinopodioides Lam. *4326*

茄科 Solanaceae

三分三 Anisodus acutangulus C. Y. Wu et C. Chen *3792*

鈴鐺子（賽莨菪） Anisodus luridus Link et Otto *2300*

麗山莨菪 Anisodus luridus Link et Otto var. fischerianus (Pascher) C. Y. Wu et C. Chen *3793*

顛茄（顛茄葉） Atropa balladonna L. *1356*

鴛鴦茉莉 Brunfelsia acuminata (Pohl) Benth.
　　4327
朝天椒（指天椒） Capsicum annuum L. var.
　　conoides (Mill.) Irish　　4831
簇生椒 Capsicum annuum L. var. fasciculatum
　　(Sturt.) Irish　　4832
辣椒 Capsicum frutescens L.　　1357
瓶兒花 Cestrum furfureum Standl.　　312
夜香樹 Cestrum nocturnum L.　　2301
木本曼陀羅（木曼陀羅） Datura arborea L.　　809
毛蔓陀羅（洋金花） Datura innoxia Mill.　　2302
洋金花 Datura metel L.　　810
曼陀羅 Datura stramonium L.　　811
北莨菪 Hyoscyamus bohemicus F. W. Schmidt
　　2303
莨菪（天仙子） Hyoscyamus niger L.　　812
中亞天仙子 Hyoscyamus pusillus L　　3794
紅絲線（十萼茄） Lycianthes biflora (Lour.) Bitter
　　313
單花紅絲線 Lycianthes lysimachioides (Wall.) Bitt.
　　2817
寧夏枸杞 Lycium barbarum L.　　1837
枸杞（地骨皮） Lycium chinense Mill.　　314
黑果枸杞（黑子刺） Lycium ruthenicum Murr.
　　315
番茄 Lycopersicon esculentum Mill.　　2818
茄參（曼陀茄根） Mandragora caulescens C. B.
　　Clarke　　2304
茄參 Mandragora caulescens C. B. Clarke ssp.
　　purpurascens Griers et Long　　3795
假酸漿 Nicandra physaloides (L.) Gaertn.　　316
煙草 Nicotiana tabacum L.　　813
碧冬茄 Petunia hybrida Vilm.　　2819
酸漿 Physalis alkekengi L. var. francheti (Mast.)
　　Makino　　814
苦蘵（燈籠草） Physalis angulata L.　　1838
黃姑娘（天泡子） Physalis minima L.　　1839
苦蘵（毛酸漿） Physalis pubescens L.　　2820
漏斗泡囊草（華山參） Physochlaina infundibularis
　　Kuang　　4833
泡囊草 Physochlaina physaloides (L.) G. Don　　815
唐古特馬尿泡（馬尿泡） Przewalskia tangutica
　　Maxim.　　3326
澳洲茄 Solanum aviculare Forst.　　816
黃天茄 Solanum coagulans Forsk.　　2305
刺天茄（金鈕扣） Solanum indicum L.　　317
刺茄子（刺天茄） Solanum khasianum C. B. Clarke
　　1840
白英 Solanum lyratum Thunb.　　318
乳茄（五指茄） Solanum mammosum L.　　319

茄（茄子） Solanum melongena L.　　320
雞蛋茄 Solanum melongena L. deprenum Baill.
　　817
龍葵 Solanum nigrum L.　　818
少花龍葵 Solanum photeinocarpum Nakam. et
　　Odash.　　819
珊瑚櫻（冬珊瑚） Solanum pseudo-capsicum L.
　　820
丁茄 Solanum surattense Burm. f.　　321
水茄 Solanum torvum Swartz　　1841
馬鈴薯（洋芋） Solanum tuberosum L.　　1842
野茄樹（假煙葉） Solanum verbascifolium L.　　322
黃刺茄（黃水茄） Solanum xanthocarpa Schard. et
　　Wendl.　　323

玄參科 Scrophulariaceae
毛麝香 Adenosma glutinosum (L.) Druce　　324
球花毛麝香（大頭陳） Adenosma indianum (Lour.)
　　Merr.　　4834
金魚草 Antirrhinum majus L.　　4835
大黃花 Cymbaria dahurica L.　　2306
蒙古蕊巴 Cymbaria mongolica Maxim.　　4328
毛花洋地黃 Digitalis lanata Ehrh.　　821
紫花洋地黃（毛地黃） Digitalis purpurea L.　　3327
幌菊 Ellisiophyllum pinnatum (Wall.) Makino
　　3328
小米草 Euphrasia pectinata Ten.　　2307
芒小米草 Euphrasia pectinata Ten. subsp. simplex
　　(Freyn.) Hony　　4836
短腺小米草 Euphrasia regelii Wettst.　　2821
小米草 Euphrasia tatarica Fisch.　　1358
鞭打繡球（羊膜草） Hemiphragma heterophyllum
　　Wall.　　822
革葉兔耳草 Lagotis alutacea W. W. Smith　　3796
肉果草（蘭石草） Lancea tibetica Hook. f. et Thoms.
　　2308
紫蘇草（水芙蓉） Limnophila aromatica (Lam.)
　　Merr.　　4837
大葉石龍尾（水八角） Limnophila rugosa (Roth)
　　Merr.　　823
柳穿魚 Linaria vulgaris Mill.　　2309
新疆柳穿魚 Linaria vulgaris Mill. subsp. acutiloba
　　(Fisch. ex Rchb.) Hong　　4838
鐘萼草 Lindenbergia philippensis (Cham.) Benth.
　　2310
長蒴母草（定經草） Lindernia anagallis (Burm. f.)
　　Pennell　　824
齒葉母草（鋸齒草） Lindernia ciliata (Colsm.)
　　Pennell　　3797
母草 Lindernia crustacea (L.) F. Muell　　325

圓葉母草（五角苓） Lindernia numularifolia (D. Don) Wettst. *4329*

旱田草 Lindernia ruellioides (Colsm.) Pennell *3329*

通泉草 Mazus japonicus (Thunb.) O. Ktze. *326*

匍莖通泉草 Mazus miquelii Makino *4839*

崖白翠 Mazus omeiensis Li *3330*

彈刀子草 Mazus stachydifolius (Turcz.) Maxim. *4840*

山蘿花 Melampyrum roseum Maxim. *1843*

寬葉溝酸漿 Mimulus tenellus Bge. var. platyphyllus (Franch.) Hong *3334*

泡桐 Paulownia fortunei (Seem.) Hemsl. *327*

毛泡桐 Paulownia tomentosa (Thunb.) Steud. *1359*

長丹馬先蒿 Pedicularis dolichocymba Hand.-Mazz. *3798*

黃花馬先蒿 Pedicularis flava Pall. *4841*

大花馬先蒿 Pedicularis grandiflora Fisch. *1844*

金緣馬先蒿 Pedicularis integrifolia Hook. f. ssp. integerrima (Penneil et Li) Tsoong *3399*

長筒馬先蒿 Pedicularis longiflora Rudolph var. tubiformis (Klotz.) Tsoong *3800*

蘚生馬先蒿 Pedicularis muscicola Maxim. *4842*

沼地馬先蒿 Pedicularis palustris L. *1360*

馬先蒿 Pedicularis resupinata L. *1845*

毛返顧馬先蒿 Pedicularis resupinata L. var. pubescens Nakai *4330*

穗花馬先蒿 Pedicularis spicata Pall. *4331*

紅紋馬先蒿 Pedicularis striata Pall. *2822*

華麗馬先蒿 Pedicularis superba Franch. ex Maxim. *3801*

扭旋馬先蒿（金邊草） Pedicularis torta Maxim. subsp. stenosta Chyum *2823*

毛灰馬先蒿 Pedicularis trichoglossa Hook. f. *3802*

輪葉馬先蒿 Pedicularis verticillata L. *1361*

松蒿 Phtheirospermum japonicum (Thunb.) Kanitz *2824*

苦玄參 Picria fel-terrae Lour. *328*

西藏胡黃連（胡黃連） Picrorhiza scrophulariaeflora Pennoll *825*

天目地黃 Rehmannia chingii Li *3331*

地黃 Rehmannia glutinosa Libosch. *826*

爆仗竹 Russelia equisetiformis Sohlechi et Champ. *2825*

野甘草 Scoparia dulcis L. *4332*

北玄參 Scrophularia buergeriana Miq. *1846*

玄參（浙玄參） Scrophularia ningpoensis Hemsl. *1362*

穗花玄參 Scrophularia spicata Franch. *3805*

陰行草 Siphonostegia chinensis Benth. *2826*

短冠草（小伸筋草） Sopubia trifida Buch.-Ham. *4843*

獨腳金 Striga asiatica (L.) O. Kuntze *827*

大獨腳金（小白花蘇） Striga masuria (Buch.-Ham. ex Benth.) Benth. *4844*

黃花蝴蝶草（泡卜兒） Torenia flava Buch.-Ham. ex Benth. *4845*

光葉翼萼（水韓信草） Torenia glabra Osheck *3332*

紫萼蝴蝶草 Torenia violacea (Azaola) Pennell *3333*

毛蕊草 Verbascum thapsus L. *828*

水苦蕒 Veronica anagallis-aquatica L. *2311*

中甸長果婆婆納 Veronica ciliata Fisch. ssp. zhongdianensis Hong *3803*

婆婆納 Veronica didyma Tenore *1363*

毛果婆婆納（鄧木撸） Veronica eriogyne H. Winkl. *2827*

白婆婆納 Veronica incana L. *4333*

細葉婆婆納 Veronica linariifolia Pall. ex Link. *2828*

水曼青（一支香） Veronica linariifolia Pall. ex Link ssp. dilatata (Nakai et Kitagawa) Hong *3804*

長尾婆婆納 Veronica longifolia L. *2829*

蚊母草（仙桃草） Veronica peregrina L. *1847*

東北婆婆納 Veronica rotunda Nakai var. subintegra (Nakai) Yamazaki *1848*

爬崖紅 Veronicastrum axillare (Sieb. et Zucc.) Yamazaki *3335*

寬葉腹水草 Veronicastrum latifolium (Hemsl.) Yamazaki *3336*

輪葉婆婆納 Veronicastrum sibiricum (L.) Pennell *329*

細穗腹水草（釣魚竿） Veronicastrum stenostachyum (Hemsl.) Yamazaki subsp. stenostachyum *2830*

紫葳科 Bignoniaceae

凌霄（凌霄花） Campsis grandiflora (Thunb.) Loisel. *2831*

硬骨凌霄 Campsis radicans (L.) Seem. *330*

楸（楸樹） Catalpa bungei C. A. Mey. *1364*

梓樹（梓白皮） Catalpa ovata G. Den *331*

毛子草 Incarvillea arguta (Royle) Royle *2832*

密花波羅花（野蘿蔔） Incarvillea compacta Maxim. *3806*

單葉波羅花 Incarvillea forrestii Fletcher *3807*

黃波羅花 Incarvillea lutea Bur. et Franch. *2312*

滇川角蒿 Incarvillea mairei (Levl.) Grierson *4334*

大花雞肉參（雞肉參） Incarvillea Mairei (Levi.) Grierson var. grandiflora (Wehrhahn) Grierson 332

多小葉雞肉參（土地黃） Incarvillea mairei (Levl.) Grierson f. multifoliolata C. Y. Wu et W. C. Yin 3808

角蒿 Incarvillea sinensis Lam. 2833

中華角蒿 Incarvillea sinensis Lam. ssp. variabilis (Batal.) Grierson 3809

藏角蒿（角蒿） Incarvillea younghusbandii Sprague 2313

吊瓜 Kigelia aethiopica Decne 829

水花樹 Mayodendron igneum (Kurz) Kurz 2834

木蝴蝶 Oroxylum indicum (L.) Vent. 830

菜豆樹 Radermachera sinica (Hance) Hemsl. 831

竹林標 Tecomaria capensis (Thunb.) Spach. 832

胡麻科 Pedaliaceae

芝麻（黑芝麻） Sesamum orientale L. 333

列當科 Orobanchaceae

野菰 Aeginetia indica Roxb. 2314

千斤墜 Boschniakia himalaica Hook. f. et Thoms. 3810

草蓯蓉 Boschniakia rossica (Chem. et Schlech.) Fedtsch. et Flerov. 1365

肉蓯蓉 Cistanche degerticola Y. C. Ma 4335

列當 Orobanche coerulescens Steph. 1849

黃花列當 Orobanche pycnostachya Hance 2315

滇列當 Orobanche yunnanensis (G. Beck.) Hand.-Mazz. 3811

黃筒花 Phacellanthus tubiflorus Sieb. et Zucc. 3337

苦苣苔科 Gesneriaceae

尖葉芒毛苣苔（石榕） Aeschynanthus acuminatus Wall. 4846

廣西芒毛苣苔（下山虎） Aeschynanthus guangxiensis Chun ex W. T. Wang 4847

線形芒毛苣苔（芒毛苣苔） Aeschynanthus lineatus Craib 2835

貓耳朵（牛耳草） Boea hygrometrica (Bge.) R. Br. 1850

白花旋蒴苣苔（石芥菜） Boea martinii Levl. 4848

牛耳巖白菜（牛耳朵） Chirita eburnea Hance 334

螞蝗七 Chirita fimbrisepala Hand.-Mazz. 3812

紅藥 Chirita longgangens W. T. Wang var. hongyao S. Z. Huang 4849

石膽草 Corallodiscus flabellatus (Franch.) B. L. Burtt 335

大葉珊瑚苣苔（大花珊瑚苣苔） Corallodiscus kingianus (Craib) Burtt 3813

大一面鑼 Didissandra sesquifolia C. B. Clarke 3338

半蒴苣苔（山白菜） Hemiboea henryi Clarke 4336

降龍草 Hemiboea subcapitata C. B. Clarke 1851

石吊蘭 Lysionotus pauciflora Maxim. 1852

齒葉吊石苣苔 Lysionotus serratus D. Don 4850

川西吊石苣苔（大石澤蘭） Lysionotus wilsonii Rehd. 3339

繡毛旋蒴苣苔（巖枇杷） Parabosa rufescens (Franch.) Burtt 3814

異裂苣苔（兩面綢） Pseudochirita guangxiensis (S. Z. Huang) W. T. Wang 336

爵床科 Acanthaceae

老鼠簕 Acanthus ilicifolius L. 2316

鴨嘴花（大駁骨） Adhatoda vasica Nees 1853

大駁骨 Adhatoda ventricosa (Wall.) Nees 833

穿心蓮 Andrographis paniculata (Burm. f.) Nees 1854

白接骨 Asytasiella chinensis (S. Moore) E. Hossain (A. neesiana (Will.) Lindau) 3340

馬藍（南板藍） Baphicacanthus cusia (Nees) Bremek. 834

假杜鵑 Barleria cristata L. 835

花葉假杜鵑 Barleria lupulina Lindl. 2836

蝦衣草 Calliaspidia guttata (Bradegee) Bremek. 2837

狗肝菜 Dicleptera chinensis (L.) Nees 1855

黑葉接骨草（大駁骨丹） Gendarussa ventricosa (Wall.) Nees 2317

裹籬樵（駁骨丹） Gendarussa vulgaris Nees 836

球花馬藍 Goldfussia pentstemonoides Nees 337

山一籠雞 Gutzlaffia aprica Hance 338

水蓑衣 Hygrophila salicifolia (Vahl) Nees 4337

紅絲線（紅絲線草） Hypoestes purpurea (L.) Soland. 2838

鱗花草 Lepidagathis incurva Buch.-Ham. ex D. Don 4851

九頭獅子草 Peristrophe japonica (Thunb.) Makino 339

山藍（紅藍草） Peristrophe roxburghiana (Schult.) Brem. 4852

火焰花 Phlogacanthus curviflorus (Wall.) Nees 1366

多枝鈎粉草 Pseudranthemum polyanthum (Clarke) Merr. 4852

白鶴靈芝 Rhinacanthus nasutus (L.) Lindau 1856

爵床 Rostellularia procumbens (L.) Nees　　2318

黃球花（白泡草） Sericocalyx chinensis (Nees)
　　Bremek.　　340

腺毛馬藍（味牛膝） Strobilanthus forrestii Diels
　　2319

廣西馬藍（假馬藍） Strobilanthus guangxiensis S. Z.
　　Huang　　4854

巢腺山牽牛（山牽牛） Thunbergia adenophora W.
　　W. Sm.　　2839

大花山牽牛（老鴉嘴） Thunbergia grandiflora
　　(Roxb. ex Rottl.) Roxb.　　837

黃毛山牽牛（老鴉嘴） Thunbergia lacei Gamble
　　2320

透骨草科 Phrymataceae

透骨草（黏人裙） Phryma leptostachya L. var.
　　aciatica Hara　　1857

車前科 Plantaginaceae

車前 Plantago asiarica L.　　838

平車前 Plantago depressa Willd.　　1858

長葉車前 Plantago lanceolata L.　　1367

大車前 Plantago major L.　　2321

波葉車前（蛤蟆葉） Plantago major L. var. sinuata
　　(Lam.) Decne　　3815

鹽生車前 Plantago maritima L. var. salsa (Pall.)
　　Pilger　　4338

北車前 Plantago media L.　　4855

茜草科 Rubiaceae

水團花 Adina pilulifera (Lam.) Franch. ex Drake
　　1859

水楊梅 Adina rubella Hance　　839

假耳草 Anotis ingrata (Wall.) Hook. f.　　3341

團花 Anthocephalus chinensis (Lam.) Rich. et Walp.
　　840

彎管花 Chasalia curviflora Thwaites　　2322

萊氏金雞納樹（金雞納） Cinchona ledgeriana Moens
　　341

小果咖啡（咖啡） Coffea arabica L.　　4339

大果咖啡（咖啡） Coffea canephora Pierre ex
　　Franch.　　4340

虎刺 Damnacanthus indicus Gaertn. f.　　2840

豬殃殃 Galium aparine L. var. tenerum (Gren. et
　　Godr.) Reichb.　　342

砧草 Galium boreale L.　　1860

四葉葎（四葉草） Galium bungei Steud　　4856

東北豬殃殃 Galium manshuricum Kitag.　　3342

蓬子菜 Galium verum L.　　1861

梔子 Gardenia jasminoides Ellis　　343

大梔子（水梔子） Gardenia jasminoides Ellis var.
　　grandiflora Nakai　　344

愛地草 Geophila herbacea (L.) O. Ktze.　　3816

耳草 Hedyotis auricularia L.　　1368

頭序耳草（涼喉茶） Hedyotis capitellata Wall
　　3818

金毛耳草（黃毛耳草） Hedyotis chrysotricha (Palib.)
　　Merr.　　4857

傘房花耳草（水線草） Hedyotis corymbosa (L.)
　　Lam.　　841

胍耳草（黑節草） Hedyotis costata Roxb.　　3817

白花蛇舌草 Hedyotis diffusa Willd.　　842

牛白藤 Hedyotis hedyotidea DC.　　843

粗葉耳草 Hedyotis hispida Retz.　　4858

劍葉耳草（少年紅） Hedyotis lancea Thunb.
　　4859

纖花耳草（蝦子草） Hedyotis tenelliflora Bl.
　　(Oldenlandia tenelliflora (Bl.) O. Ktze.)　　3344

藏丁香（石老虎） Hymenopogon parasiticus Wall.
　　3819

龍船花 Ixora chinensis Lam.　　844

黃花龍船花 Ixora cocoinea L. var. lutea Corner
　　4341

紅大戟 Knoxia valerianoides Thorel ex Pitard
　　345

滇丁香（野丁香） Luculia intermedia Hutch.　　1369

雞冠滇丁香（丁香花） Luculia yunnanensis S. Y. Hu
　　3820

狹葉雞眼藤（狹葉巴戟） Morinda angustifolia Roxb.
　　2323

橘葉巴戟（海巴戟） Morinda citrifolia L.　　346

巴戟天 Morinda officinalis How　　347

小葉羊角（百眼藤） Morinda parvifolia Bartl.
　　348

羊角藤 Morinda umbellata L.　　4860

粗毛玉葉金花 Mussaenda hirsutula Miq.　　2841

紅毛玉葉金花（葉天天花） Mussaenda hossei Craib
　　3821

玉葉金花（白常山） Mussaenda parviflora Miq.
　　3343

玉葉金花 Mussaenda pubescens Ait. f.　　845

華腺萼木（龍州甜茶） Mycetia sinensis (Hemsl.)
　　Craib　　4861

烏檀（膽木） Nauclea officinalis Pierre ex Pitard
　　1862

廣州蛇根草（紫金蓮） Ophiorrhiza cantoniensis
　　Hance　　4862

蛇根草 Ophiorrhiza japonica Bl.　　4863

短小蛇根草（綠蛇根草） Ophiorrhiza pumila Champ.
　　ex Benth.　　4864

廣西雞屎藤　Paederia pertomentosa Merr. ex Li
　　4865
雞屎藤　Paederia scandens (Lour.) Merr.　　846
毛雞屎藤　Paederia scandens (Lour.) Merr. var.
　　tomentosa (Bl.) Hand.-Mazz.　　1863
滿天星（大沙葉）　Pavetta hongkongensis Bremek.
　　2842
南山花（黃根）　Prismatomeris tetrandra (Roxb.) K.
　　Schum.　　847
九節（山大顏）　Psychotria rubra (Lour.) Poir.
　　848
雲南九節（九節木）　Psychotria yunnanensis Hutch.
　　2324
山石榴　Randia spinosa (Thunb.) Poir.　　349
大礁草　Rubia chinensis Reg.　　2843
茜草　Rubia cordifolia L.　　1864
小紅藤　Rubia maillardi Levl. et Uan.　　3345
金線草　Rubia membranacea (Franch.) Diels　　3822
釣毛茜草（活血丹）　Rubia oncotricha Hand.-
　　Mazz.　　3823
卵葉茜草　Rubia ovatifolia Z. Y. Zhang　　2844
林茜草　Rubia sylvatica Nakai　　2845
狹葉茜草　Rubia truppeliana Loes.　　3346
裂果金花（根辣）　Schizomussaenda dehiscens
　　(Craib) Li　　2325
六月雪（天星木）　Serissa foetida Comm.　　4342
金邊白馬骨（白馬骨根）　Serissa foetida Comm. var.
　　aureo-manginata Hort.　　2846
六月雪　Serissa serissoides (DC.) Druce　　350
毛鈎藤　Uncaria hirsuta Havil.　　4866
大葉鈎藤（鈎藤）　Uncaria macrophylla Wall.
　　4343
鈎藤　Uncaria rhynchophylla (Miq.) Miq.　　4867
攀莖鈎藤（小葉鈎藤）　Uncaria scandens (Smith)
　　Hutch.　　351
無柄果鈎藤（白鈎藤）　Uncaria sessilifructus Roxb.
　　352
華鈎藤　Uncaria sinensis (Oliv.) Havil.　　4868
水錦樹　Wendlandia uvariifolia Hance　　3824

忍冬科　Caprifoliaceae

六道木　Abelia biflora Turcz.　　1865
小葉六道木　Abelia parvifolia Hemsl.　　2326
雙楯木　Dipelta floribunda Maxim.　　2847
夜吹簫　Leycesteria formosa Wall.　　2327
狹葉鬼吹簫（梅竹葉）　Leycesteria formosa Wall.
　　var. stenosepala Rehd.　　849
淡紅忍冬　Lonicera acuminata Wall.　　2328
藍錠果　Lonicera caerulea L. var. edulis Turcz. ex
　　Herd.　　1370

黃花忍冬　Lonicera chrysantha Turcz.　　1866
華南忍冬（山銀花）　Lonicera confusa DC.　　850
剛毛忍冬　Lonicera hispida Pall. ex Roem et Schult.
　　1867
紅腺忍冬　Lonicera hypoglauca Miq.　　4869
金銀花　Lonicera japonica Thunb.　　851
柳葉忍冬　Lonicera lanceolata Wall.　　4344
金銀忍冬（金銀木）　Lonicera maackii (Rupr.)
　　Maxim.　　852
大花忍冬（大花金銀花）　Lonicera macrantha (D.
　　Don) Spreng.　　4870
灰氈毛忍冬　Lonicera macranthoides Hand.-
　　Mazz.　　1868
小葉忍冬　Lonicera microphylla Willd. ex Roem. et
　　Schult.　　4871
單花忍冬　Lonicera monantha Nakai　　1371
隴塞忍冬　Lonicera tangutica Maxim　　3347
盤葉忍冬（土銀花）　Lonicera tragophylla Hemsl.
　　4345
波葉忍冬　Lonicera vesicaria Kom.　　4346
血滿草　Sambucus adnata Wall.　　353
接骨草　Sambucus chinensis Lindl.　　354
朝鮮接骨木　Sambucus coreana (Nakai) Kom.
　　2329
寬葉接骨木　Sambucus latipinna Nakai　　4347
接骨木　Sambucus williamsii Hance　　1869
毛接骨木（馬尿燒）　Sambucus williamsii Hance var.
　　miquelii (Nakai) Y. C. Tang　　3348
穿心莛子藨（五轉七）　Triosteum himalayanum Wall.
　　355
羽裂莛子藨（天王七）　Triosteum pinnatifidum
　　Maxim.　　2855
樺葉莢蒾（紅對節子）　Viburnum betulifolium Batal.
　　2848
陝西莢蒾　Viburnum cehensianum Maxim.　　2854
金山莢蒾　Viburnum chinshanense Graebn.　　2849
水紅木（吊白葉）　Viburnum cylindricum Buch.-
　　Ham. ex D. Don　　3349
莢蒾　viburnum dilatatum Thunb.　　1372
珍珠莢蒾　Viburnum foetidum Wall. var. ceanothoides
　　(C. H. Wright Hand.-Mazz.)　　2850
直角莢蒾（酸五味子）　Viburnum foetidum Wall. var.
　　rectangulatum (Graebn.) Rehd.　　2851
南方莢蒾（火柴樹）　Viburnum fordiae Hance
　　4872
球花莢蒾　Viburnum glomeratum Maxim.　　2852
淡黃莢蒾（帶子樹）　Viburnum lutescens Bl.　　2330
木繡球（木繡球莖）　Viburnum macrocephalum
　　Forture　　4348
蒙古莢蒾　Viburnum mongolicum (Pall.) Rehd.　　1870

心葉莢蒾（心葉莢蒾根） Viburnum nervosa D. Don
　　(V. cordifolium Wall. et DC.)　　3350
旱禾樹（沙糖木） Viburnum odoratissium Ker
　　2331
蝴蝶莢蒾（蝴蝶樹） Viburnum plicatum Thunb. f.
　　tomentosum (Thunb.) Rehd.　　1373
枇杷葉莢蒾 Viburnum rhytidophyllum Hemsl.
　　2853
雞樹條莢蒾（雞樹條） Viburnum sargentii Koehne
　　1374
陝西莢蒾 Viburnum Schensianum Maxim.　　2854
堅莢蒾 Viburnum sempervirens K. Koch.　　3351
海仙花 Weigela coraeensis Thunb.　　2856

敗醬科 Valerianaceae

甘松 Nardostachys chinensis Batal.　　356
大花甘松（甘松） Nardostachys grandiflora DC.
　　3825
匙葉甘松（甘松） Nardostachys jatamansii DC.
　　853
異葉敗醬（墓頭回） Patrinia heterophylla Bge.
　　2332
巖敗醬 Patrinia rupestris Juss.　　4349
黃花敗醬（敗醬） Patrinia scabiosaefolia Fisch. ex
　　Link　　1871
糙葉敗醬 Patrinia scabra Bge.　　3352
西伯利亞敗醬 Patrinia sibirica Juss.　　4873
白花敗醬 Patrinia sinensis (Levl.) Koidz.　　1375
白花敗醬（苦齋公） Patrinia villosa Juss.　　2857
黑水纈草 Valeriana amurensis Smir. ex Komarov
　　2858
心葉纈草（蜘蛛香） Valeriana jatamansii Jones
　　1872
纈草 Valeriana officinalis L.　　1873

川續斷科 Dipsacaceae

川續斷 Dipsacus asper Wall.　　854
木頭續斷 Dipsacus chinensis Batal.　　3826
白花刺參 Morina alba Hand.-Mazz.　　4350
大花刺參 Morina delavayi Franch.　　855
刺參（細葉刺參） Morina nepalensis D. Don
　　3827
白花刺參 Morina nepalensis D. Don var. alba (Hand.-
　　Mazz.) Y. C. Tang　　3828
小花刺參 Morina parviflora Kar. et Kir.　　2859
匙葉翼首花（翼首草） Pterocephalus hookeri
　　(Clarke) Hoeek　　2333
窄葉藍盆花 Scabiosa comosa Fisch. ex Roem. et
　　Schult.　　2334
華北藍盆花 Scabiosa tschiliensis Grunning　　4874

雙參（土敗醬） Triplostegia glandulifera Wall. ex
　　DC.　　3829

葫蘆科 Cucurbitaceae

盒子草 Actinostemma tenerum Griff.　　2335
冬瓜 Benincasa hispida (Thunb.) Cogn.　　1874
土貝母 Bolbostemma paniculata (Maxim.) Franq.
　　856
西瓜（西瓜翠） Citrullus lanatus (Thunb.) Matsum.
　　et Nakai　　1875
甜瓜（瓜蒂） Cucumis melo L.　　2336
菜瓜 Cucumis melo L. var. conomon (Thunb.)
　　Makino　　3353
黃瓜 Cucumis sativus L.　　357
南瓜（南瓜子） Cucurbita moschata Duch.　　1876
西葫蘆 Cucurbita pepo L.　　2860
北瓜 Cucurbita pepo L. var. kintoga Makino　　358
噴瓜 Ecballium elaterium (L.) A. Rich.　　359
絞股藍 Gynostemma pentaphyllum (Thunb.) Makino
　　360
雪膽 Hemsleya chinensis Cogn.　　3354
小花雪膽（馬銅鈴） Hemsleya graciflora (Harms)
　　Cogn.　　4875
峨嵋雪膽 Hemsleya omeiensis I. T. Shen et W. J.
　　Cheng　　3355
波稜瓜 Herpetospermum pedunculosum (Ser.) Baill.
　　857
有棱油渣果（豬油果） Hodgsonia macrocarps (Bl.)
　　Cogn.　　4876
油瓜（油渣果） Hodgsonia macrocarpa (Bl.) Cogn.
　　var. carpniocarpa (Ridl.) Tsai　　2337
瓢瓜 Lagenaria siceraria (Molina) Standl. var.
　　depressa lser. Hara　　858
小葫蘆 Lagenaria siceraria (Molina) Standl. var.
　　microcarpa (Naud.) Hara　　859
棱角絲瓜 Luffa aeutangula Roxb.　　860
絲瓜 Luffa cylindrica (L.) Roem.　　361
茅瓜 Melothria heterophylla (Lour) Cogn.　　2861
馬㼎兒 Melothria indica Lour.　　3356
鈕子瓜 Melothria maysorensis (Wight et. Arn.)
　　Chang　　2862
苦瓜 Momordica charantia L.　　362
小苦瓜 Momordica charantia L. var. abbreviata Ser.
　　2863
木鱉（木鱉子） Momordica cochinchinensis (Lour.)
　　Spreng.　　363
凹萼木鱉（野苦瓜） Momordica subangulata Bl.
　　4877
佛手瓜 Sechium edule (Jacq.) Swartz.　　2864
小扁瓜 Sicyos angulatus L.　　3357

羅漢果 Siraitia grosvenorii (Swingle) C. Jeffrey ex A. M. Lu et Z. Y. Zhong　364

赤雹 Thladiantha dubia Bge.　861

光赤爬（王瓜根） Thladiantha glabra Cogn. ex Oliv.　3358

蛇瓜 Trichosanthes anguina L.　3359

糙點栝樓 Trichosanthes dunniana Levl.　4878

栝樓（瓜蔞） Trichosanthes kirilowii Maxim.　862

長萼栝樓 Trichosanthes laceribractea Hayata　4879

叉指葉栝蔞（瓜蔞） Trichosanthes pedata Merr. et Xhan　4351

紅花栝樓 Trichosanthes rubriflos Thorel ex Caxla　2338

雙邊栝樓（瓜蔞） Trichosanthes uniflora Hao　3360

桔梗科 Campanulaceae

泡參（雲南沙參） Adenophora bulleyana Diels　3830

絲裂沙參 Adenophora capillaris Hemsl.　2339

細萼沙參 Adenophora capillaris Hemsl. subsp. leptosepala (Diek) Hong　3831

天藍沙參 Adenophora coelestis Diels　3832

展枝沙參（沙參） Adenophora divaricata Fr. et Sav.　3361

柳葉沙參 Adenophora gmelinii (Spreg.) Fisch. var. coronopifolia (Fischo) Y. Z・Zhao　4352

杏葉沙參 Adenophora hunanensis Nannf.　863

川藏沙參 Adenophora liliifolioides Pax et Hoffm.　3833

紫沙參 Adenophora paniculata Nannf.　4353

長白沙參（興安沙參） Adenophora pereskiifolia (Fisch. et Boem.) et Schult. G. Donvar. alternifolia Fuh ex Y. Z. Zhao　4880

石沙參 Adenophora polyantha Nakai　2865

泡沙參（沙參） Adenophora potaninii korsh.　2340

薄葉薺苨 Adenophora remotiflora Mig.　1877

長柱沙參 Adenophora stenanthina (Ledeb.) Kitagawa subsp. stenanthina　2866

掃帚沙參 Adenophora stenophylla Hemsl.　2867

沙參 Adenophora stricta Miq.　2341

昆明沙參 Adenophora stricta Miq. ssp. confusa (Nannf.) Hong　3834

輪葉沙參 Adenophora tetraphylla (Thunb.) Fisch.　2342

薺苨 Adenophora trachelioides Maxim.　2868

多歧沙參 Adenophora wawreana Zahlbr.　2343

聚花風鈴草 Campanula glomerata L.　1376

西南風鈴草（岩蘭花） Campanula pallida Wall.　3835

紫斑風鈴草 Campanula punctata Lam.　1377

大花金錢豹（土黨參） Campanumoea javanica Bl.　864

長葉輪鐘草（蜘蛛果） Campanumoea lancifolia (Roxb.) Merr.　4881

球子參 Codonopsis convolvulacca Kurz. var. forrestii (Diels) Ballard　3836

四葉參 Codonopsis lanceolata (Sieb. et Zucc.) Trautv.　1378

大萼黨參 Codonopsis macrocalyx Diels　3837

高山黨參 Codonopsis nervosa (Chipp) Nannf.　3838

黨參 Codonopsis pilosula (Franch.) Nannf.　365

球花黨參（臭參） Codonopsis subglobosa W. W. Sm.　3839

管花黨參 Codonopsis tubulosa Kom.　2869

雀斑黨參 Codonopsis ussuriensis (Rupr. et Maxim) Hemsl.　1379

總花藍鐘花（馬鬃參） Cyananthus argenteus Marq.　3840

中甸藍鐘花 Cyananthus chungdianensis C. Y. Wu　3841

黃鐘花 Cyananthus flavus Marq.　3842

光葉黃鐘花 Cyananthus flavus Marq. var. glaber C. Y. Wu　3843

美麗黃鐘花 Cyananthus formosus Diels　2344

灰毛藍鐘花（小白棉） Cyananthus incanus Hook. f. et Thoms.　3844

脹萼藍鐘花 Cyananthus inflatus Hook. f. et Thoms.　3845

麗江藍鐘花 Cyananthus lichiangensis W. W. Sm　3846

半邊蓮 Lobelia chinensis Lour.　1380

山梗菜 Lobelia sessilifolia Lamb.　2870

袋果草 Peracarpa carnosa (Wall.) Hook. f. et Thoms.　3362

桔梗 Platycodon grandiflorus (Jacq.) A. DC.　1381

銅錘玉帶草 Pratia begoniifolia (Wall.) Lindl.　1878

楔瓣花（木空菜） Sphenoclea zeylanica Gaertn.　3847

藍花參 Wahlenbergia marginata (Thunb.) A. DC.　3363

菊科 Compositae

齒葉蓍 Achillea acuminata (Ledeb.) Sch.-Miq.　2871

一枝蒿 Achillea alpina L.　1382

千葉蓍 Achillea millefolium L.　366

短瓣蓍　Achillea ptarmicoides Maxim.　*2345*

西南蓍草（土一枝蒿）　Achillea wilsoniana (Heim.) Heim.　*1879*

貓兒菊（貓兒黃金菊）　Achyrophorus ciliatus (L.) Scop.　*4882*

腺梗菜　Adenocaulon himalaicum Edgew.　*1383*

下田菊（風氣草）　Adenostemma lavenia (L.) O. Ktze.　*4883*

藿香薊（勝紅薊）　Ageratum conyzoides L.　*1880*

杏葉兔兒風（金邊兔耳）　Ainsliaea fragrans Champ.　*4884*

寬穗鬼耳風（刀口藥）　Ainsliaea latifolia (D. Don) Schutz-Bip.　*3848*

葉下花　Ainsliaea pertyoides Franch. var. albo-tomentosa Beauv.　*4354*

黃腺香青　Anaphalis aureopunctata Lingelsh. et Borze　*2346*

黏毛香青（五香草）　Anaphalis bulleyana (J. F. Jetfr.) Chang　*3849*

薄葉旋葉香青（旋葉香青）　Anaphalis contorta (D. Don) Hook. f. var. pellucida (Franch.) Ling　*3850*

淡黃香青　Anaphalis flavescens Hand.-Mazz.　*2347*

纖枝香青　Anaphalis gracilis Hand.-Mazz.　*3851*

乳白香青　Anaphalis lactea Maxim.　*1384*

粉苞乳白香青（紅花乳白香青）　Anaphalis lactea Maxim. f. rosea Ling　*3852*

寬翅香青　Anaphalis latialata Ling et Y. L. Chen　*3364*

條葉珠光香青（火草）　Anaphalis margaritaceae (L.) Benth. et Hook. f. var. japonica (Sch.-Bip.) Makino　*2348*

尼泊爾香青（打火草）　Anaphalis nepalensis (Spreng.) Hand.-Mazz.　*3853*

四川香青　Anaphalis szechuanensis Ling et Y. L. Chen　*3854*

牛蒡（牛蒡子）　Arctium lappa L.　*367*

黃花蒿　Artemisia annua L.　*865*

奇蒿　Artemisia anomala S. Moore　*866*

香蒿（青蒿）　Artemisia apiacea Hance　*2349*

艾蒿　Artemisia argyi Levl. et Vent.　*368*

茵陳蒿（茵陳）　Artemisia capillaris Thunb.　*4885*

蛔蒿　Artemisia cina Berg　*867*

東北蛔蒿　Artemisia finita Kitag.　*4868*

白蓮蒿（蚊煙草）　Artemisia gmelinii Web. ex Stechm.　*1881*

差把嘎蒿（沙漠嘎）　Artemisia halodendron Turcz. ex Bess.　*2872*

臭蒿　Artemisia hedinii Ostenf.　*3855*

柳蒿　Artemisia integrifolia L.　*4356*

牡蒿　Artemisia japonica Thunb.　*1385*

菴藺　Artemisia keiskeana Miq.　*3365*

白蒼蒿（鴨腳艾）　Artemisia lactiflora Wall.　*868*

白山蒿　Artemisia lagocephala (Bess.) DC.　*4357*

野艾蒿　Artemisia lavandulaefolia DC.　*2350*

魁蒿（端午艾）　Artemisia princeps Pamp.　*4887*

萬年蒿　Artemisia sacrorum Ledeb.　*2873*

灰蓮蒿　Artemisia sacrorum Ledeb. var. incana (Bess.) Y. R. Line　*4355*

豬毛蒿　Artemisia scoparia Waldst. et Kit.　*2874*

蔞蒿　Artemisia selengensis Turcz. ex Bess.　*2875*

大籽蒿　Artemisia sieversiana Willd.　*2876*

牛尾蒿　Artemisia subdigitata Mattf.　*3366*

唐古特青蒿　Artemisia tangutica Pamp. var. tomentosa Pamp.　*3856*

山白菊　Aster ageratoides Turcz.　*1386*

堅葉山白菊（白頭草）　Aster ageratoides Turcz. var. firmus (Diels) Hand.-Mazz.　*3857*

小舌紫菀　Aster albescens (DC.) Hand.- Mazz.　*3367*

高山紫菀　Aster alpinus L.　*4358*

巴塘紫菀　Aster batangensis Bur. et Franch.　*3858*

短毛紫菀　Aster brachytrichus Franch.　*2351*

重冠紫菀（寒風參）　Aster diplostephioides (DC.) C. B. Clarke　*3859*

灰毛萎軟紫菀　Aster flaccidus Bge. f. griseobarbarus Griers　*3860*

須彌紫菀　Aster himalaicus C. B. Clarke　*3861*

滇西北紫菀（燈掌花）　Aster jeffreyanus Diels　*3862*

菊紫胡　Aster juchaifu Zhu et Min　*3368*

圓蒼紫菀　Aster maackii Regel.　*4359*

野冬菊　Aster oreophilus Franch　*3863*

緣毛紫菀　Aster souliei Franch.　*3864*

鑽形紫菀（土柴胡）　Aster subulatus Michx.　*3369*

紫菀　Aster tataricus L. f.　*2352*

東俄洛紫菀　Aster tongolensis Franch.　*3865*

滇藏紫菀　Aster tsarungensis (Griers.) Lina　*3866*

北蒼朮（蒼朮）　Arractylodes chinensis (DC.) koidz.　*369*

關蒼朮　Atractylodes japonica Koidz ex Kitam.　*4888*

朝鮮蒼朮　Atractylodes koreana (Nakai) Kitam.　*1387*

茅蒼朮　Atractylodes lancea (Thumb.) DC.　*370*

白朮　Atractylodes macrocephala Koidz.　*371*

木香　Aucklandia lappa Decne.　*372*

鬼針草　Bidens bipinnata L.　*3370*

金盞銀盤　Bidens biternata (Lour.) Merr. et Sherff.　*4360*

柳葉鬼針草 Bidens cernua L.　*2877*

羽葉鬼針草 Bidens maximovicziana Oett.　*1388*

小花鬼針草 Bidens parviflora Willd.　*2878*

三葉刺針草 Bidens pilosa L.　*869*

白花鬼針草（蝦鉗草）Bidens pilosa L. var. radita
　Sch.-Bip　*4889*

狼把草（婆婆針）Bidens tripartita L.　*870*

馥芳艾納香（山風）Blumea aromatica DC.　*871*

冰片艾（大風艾）Blumea balsamifera (L.) DC.
　4361

千頭艾納香（火油草）Blumea lanceolaria (Roxb.)
　Druce　*3867*

大頭艾納香 Blumea megacephala (Rand.) Chang et
　Tceng　*872*

山尖子 Cacalia hastata L.　*1982*

蛛毛蟹甲草（八角香）Cacalia roborowskii (Maxim.)
　Ling　*2879*

羽裂蟹甲草 Cacalia tangutica (Maxim.) Hand.-
　Mazz.　*373*

金盞菊 Calendula officinalis L.　*374*

翠菊 Callistephus chinensis (L.) Nees　*2353*

刺飛廉 Carduus acanthoides L.　*2354*

飛廉 Carduus crispus L.　*1883*

金挖耳（挖耳草）Carpesiun cernuum L.　*375*

高山金挖耳 Carpesium lipskyi C. Winkl.　*2880*

長葉天名精 Carpesium longifolium Chen et C.M. Hu
　3371

大花金挖耳 Carpesium macrocephalum Franch. et
　Sav.　*2355*

尼泊爾天名精（藏天名精）Carpesium nepalense
　Less.　*3868*

四川天名精（紅釣桿）Carpesium szechuanense
　Chen et C.M. Hu　*3372*

紅花 Carthamus tinctrius L.　*1389*

矢車菊 Centaurea cyanus L.　*376*

石胡荽（鵝不食草）Centipeda minima (L.) A. Br. et
　Aschers.　*3373*

歐茼蒿 Chrysanthemum coronarium L.　*1884*

野菊（野菊花）Chrysanthemum indicum L.
　(Dendranthema indcum (L.) Dos Moul.)　*1390*

菊苣 Cichorium intybus L.　*873*

滇大薊 Cirsium chlorolepis Petrak　*2356*

貢山薊 Cirsium eriophoroides (Hoo k. f.) Petrak
　3869

蓮座薊 Cirsium esculentum (Sicevers) C. A. Mey
　4362

灰薊 Cirsium griseum Levl.　*3870*

魁薊 Cirsium leo Nakai et Kitag　*3374*

麗江薊 Ciroium lijiangense Petrak et Hand.-
　Mazz.　*2881*

線葉薊（苦芙）Cirsium lineare (Thunb.) Sch.-
　Bip.　*2882*

大薊 Cirsium japonicum DC.　*1391*

煙管薊 Crisium pendulum Fisch.　*2883*

刻葉刺兒菜（刺兒菜）Cirsium segetum Bge.
　(Cephalanoplos segetum (Bge.) Kitam.)　*1885*

大刺兒菜 Cirsium setosum (Willd.) Mb.　*4364*

聚頭薊（葵花大薊）Cirsium souliei (Franch.) Maltf.
　4363

絨背薊 Cirsium vlassovianum Fisch.　*2357*

香絲草 Conyza bonariensis (L.) Cronq.　*4365*

小白酒草 Conyza canadensis (L.) Cronq.　*1392*

線葉金雞菊（金雞菊）Coreopsis lanceolata L.
　874

蛇目菊 Coreopsis tinctoria Nutt.　*1393*

秋英 Cosmos bipinnatus Cav.　*4366*

黃秋菊（硫黃菊）Cosmos sulphureus Cav.　*875*

狹葉垂頭菊 Cremanthodium angustifolium W. W.
　Sm.　*3871*

鐘花垂頭菊 Cremanthodium campanulatum (Franch.)
　Diels　*3872*

須彌垂頭菊（露肖）Cremanthodium decaisnei C. B.
　Clarke　*3873*

向日垂頭菊 Cremanthodium helianthus (Franch.) W.
　W. Sm.　*3874*

側莖垂頭菊 Cremanthudium pleurocaule (Franch.)
　Good.　*3875*

紅花垂頭菊 Cremanthodium rhodocephalum Diels
　3876

紫莖垂頭菊 Cremanthodium smithianum (Hand.-
　Mazz.) Hand.-Mazz.　*3877*

還陽參 Crepis crocea (Lam.) Babc.　*2358*

萬丈深 Crepis lignea (Vant.) Babc. *(Lectuca lignea
　Vant.)*　*3375*

萬丈深 Crepis phloenix Dunn　*876*

杯菊（紅蒿枝）Cyathocline purpurea (Buch.-Ham.
　ex D. Don) O. Kuntze　*2359*

菜薊 Cynara scolymus L.　*377*

大麗菊 Dahlia pinnata Cav.　*378*

巖香菊 Dendranthema lavandulifolia (Makino) Ling
　et Shis　*379*

甘野菊 Dendranthema lavandulifolium (Fisch. ex
　Trautv.) Ling et Shih var. seticuspe (Maxim.)
　Shih　*2360*

紫花野菊 Dendranthema zawaskii (Herb.) Tzvel.
　4367

山野菊 Dendranthema zawaskii Tzvel. var. latiloba
　(maxim.) H. C. Fu　*4368*

小魚眼草（魚眼草）Dichrocephala benthamii C. B.
　Clarke　*2361*

魚眼草（口瘡草） Dichrocephala integrifolia (L. f.) O. Ktze.　*3878*

東風菜 Doellingeria scaber (Thunb.) Nees　*2884*

厚葉川木香 Dolomiaea berardioides (Franch.) Shih　*3879*

菜木香 Dolomiaea edulis (Franch.) Shih　*4369*

紫舌厚喙菊 Dubyaea atropurpurea (Franch.) Stebb.　*3880*

厚喙菊 Dubyaea hispida (D. Don) DC.　*3881*

砂藍刺頭 Echinops gmelinii Turcz.　*1394*

禹州漏蘆（藍刺頭） Echinops latifolius Tausch.　*1395*

新疆藍刺頭（新疆漏蘆） Echinops ritro L.　*3377*

鱧腸（旱蓮草） Eclipt prostrata (L.) L.　*380*

地膽草 Elephantopus scaber L.　*1396*

白花地膽草 Elephantopus tomentosus L.　*877*

細紅背葉（小一點紅） Emilia prenanthoides DC.　*4890*

一點紅 Emilia sonchifolia (L.) DC.　*878*

飛蓬 Erigeron acer L.　*2885*

一年蓬 Erigeron annuus (L.) Pers.　*2886*

短葶飛蓬（燈盞細辛） Erigeron breviscapus Hand.-Mazz.　*879*

長莖飛蓬 Erigeron elongatus Ledeb.　*2362*

大麻葉澤蘭 Eupatorium cannabinum L.　*1886*

華澤蘭（多鬚公） Eupatorium chinense L.　*4370*

蘭草（佩蘭） Eupatorium fortunei Turcz.　*880*

異葉澤蘭（紅升麻） Eupatorium heterophyllum DC.　*381*

白鼓釘（野馬追） Eupatorium lindleyanum DC.　*382*

線葉菊 Filifolium sibiricum (L.) Kitam.　*2363*

辣子草（銅錢草） Galinsoga parviflora Cav.　*1393*

蒲公幌 Geblera tenuifolia Kitag.　*2887*

寬葉鼠麴草（地膏藥） Gnaphalium adnatum Wall. ex DC.　*3882*

鼠麴草 Gnaphalium affine D. Don　*1398*

貝加爾鼠麴草 Gnaphalium baicalense Kirp.　*4371*

秋鼠麴草（天水蟻草） Gnaphalium hypoleucum DC.　*2888*

白背鼠麴草（天青地白） Gnaphalium japonicum Thunb.　*4891*

匙葉鼠麴草 Gnaphalium pensylvanicum Willd　*4892*

濕鼠麴草 Gnaphalium tranzschelii Kirp.　*2889*

荔枝草（田基黃） Grangea maderaspatana (L.) Poir.　*4372*

紫背菜 Gynura bicolor (Roxb.) DC.　*2890*

革命菜（滿天飛） Gynura crepidioides Benth.　*2891*

菊三七（三七草） Gynura segetum (Lour.) Merr.　*3376*

向日葵 Helianthus annuus L.　*383*

菊芋 Helianthus tuberosus L.　*2892*

泥胡菜 Hemistepta lyrata Bge.　*2364*

阿爾泰狗哇花（鐵桿蒿） Heteropappus altaicus (Willd.) Novopokr.　*2365*

多枝阿爾泰狗哇花 Heteropappus altaicus (Willd.) Novopokr. var. millefolius (Vant.) Hand.-Mazz.　*2366*

山柳菊 Hieracium umbellatum L.　*2893*

黃金菊 Hypochoeris grandiflora Ledeb.　*2894*

歐亞旋覆花（大花旋覆花） Inula britannica L.　*3378*

羊耳菊 Inula cappa DC.　*384*

土木香 Inula helenium L.　*881*

水朝陽花 Inula helianthus-aquatilis C. Y. Wu et Ling　*3883*

旋覆花（日本旋覆花） Inula japonica Thunb.　*2367*

綫葉旋覆花 Inula linariaefolia Regel　*4373*

藏木香 Inula racemosa Hook. f.　*882*

沙地旋覆花（蓼子摸） Inula salsoloides (Turcz.) Ostenf.　*1399*

山苦菜 Ixeris chinensis (Thunb.) Nakai　*1887*

狹葉山苦菜 Ixeris chinensis (Thunb.) Nakai var. intermedia (Kitag.) Kitag.　*4374*

絲葉苦菜 Ixeria chinensis (Thunb.) Nakai subsp. versicolor Kitam.　*2368*

剪刀股 Ixeris debilis A. Gray　*883*

苦賞菜 Ixeris denticulata (Houtt.) Stebb.　*884*

細葉苦賞（粉苞苣） Ixeris gracilis (DC.) Stebb.　*2895*

匍匐苦賞菜 Ixeris repens A. Gray　*2896*

抱莖苦賞菜（苦碟子） Ixeris sonchifolia (Bge.) Hance　*1888*

馬蘭 Kalimeris indica (L.) Schulz.-Bip.　*1889, 3379*

全葉馬蘭 Kalineris integrifolia Turcz.　*2897*

山馬蘭 Kalimeris lautureana (Debx) Kitam.　*1890*

蒙古馬蘭 Kalimeris mongolica (Franch.) Kitag.　*2898*

仙人筆 Kleinia articulata Haw　*385*

山萵苣 Lactuca indica L.　*2369*

萵苣（萵苣子） Lactuca sativa L.　*1400, 3380*

翼柄山萵苣 Lactuca triangulata Maxim.　*2899*

六稜菊（六耳稜） Laggera alata (D. Don) Sch. Bip. ex Oliv.　*4893*

間型六稜菊（小六耳稜） Laggera intermedia C. B. Clarke　*4894*

無莖栓果菜（滑背草鞋根） Launaea acaulis (Roxb.) Babc.　*386*

大丁草 Leibnitza anandria (L.) Nakai　　*2370*

剪花火絨草 Leontopodium conglobatum (Turcs.)
　　Hand.-Mazz.　　*4375*

戟葉火絨草 Leontopodium dedekensii (Bur. et
　　Franch.) Beauv.　　*3884*

堅稈火絨草 Leontopodium franchetii Beauv.　　*3885*

火絨草（花頭草） Leontopodium leontopodioides
　　(Willd.) Beauv.　　*1401*

長葉火絨草 Leontopodium longifolium Ling　　*2900*

毛香火絨草 Leontopodium stracheyi (Hook. f.) C. B.
　　Clarke ex Hemsl.　　*3886*

大黃橐吾 Ligularia duciformis (C. Winkl.) Hand.-
　　Mazz.　.　*3887*

蹄葉橐吾 Ligularia fischeri (Ledeb.) Turcz.　　*2371*

四川橐吾 Ligularia hodgsoni Hook. var.
　　sutchuenensis (Franch.) Henry　　*3381*

四川橐吾（滇紫菀） Ligularia hodgsoni Hook. var.
　　sutchuensis (Franch.) Henry　　*3888*

大頭橐吾（猴巴掌） Ligularia japonica (Thunb.)
　　Less　　*1402*

寬戟橐吾（山橐吾） Ligularia latihastata (W. W. S.)
　　Hand.-Mazz.　　*3889*

蓮葉橐吾（一碗水） Ligularia nelumbifolia (Franch.)
　　Hand.-Mazz.　　*3890*

西伯利亞橐吾 Ligularia sibirica (L.) Cass.　　*4376*

東俄洛橐吾 Ligularia tongolensis (Franch.) Hand.-
　　Mazz.　　*3891*

倉山橐吾（尖葉橐吾） Ligularia tsangchanensis
　　(Franch.) Hand.-Mazz.　　*2372*

離舌橐吾（土紫菀） Ligularia veitchiana (Hemsl.)
　　Greenm.　　*2901*

黃帚橐吾 Ligularia virgaurea (Maxim.) Mattf.
　　3892

母菊 Matricaria chamomilla L.　　*1403*

小舌菊 Microglossa pyrifolia (Lam.) O. Ktze.　　*3893*

鰭薊 Olgaea leucophylla Iljin　　*3382*

銀膠菊（假芹） Parthenium hysterophorus L.
　　4895

小葉帚菊 pertya phylicoides J. F. Jeffr.　　*3894*

蜂斗菜 Petasites japonicus (Sieb. et Zucc.) F.
　　Schmidt　　*1404*

毛連菜 Picris japonica Thunb.　　*2902*

興安毛連菜 Picris japonica Thunb. subsp. davurica
　　(Fisch.) Kitag.　　*2903*

闊苞菊 Pluchea indica Less.　　*4377*

川西小黃菊 Pyrethrum tatsienense (Bur. et Franch.)
　　Ling ex Shih　　*2904*

祁州漏蘆 Rhaponticum uniflorum (L.) DC.　　*387*

秋分草 Rhynchospermum verticillatum Reinw.
　　3383

草地風毛菊 Saussurea amara (L.) DC.　　*2373*

鼠麴雪兔子 Saussurea gnaphaloides (Royle) Sch.-
　　Bip.　　*2905*

禾葉風毛菊 Saussurea graminea Dunn　　*3895*

長毛風毛菊 Saussurea hieracioides Hook. f.　　*3896*

雪蓮（雪蓮花） Saussurea involucrata (Kar. et Kir.)
　　Sch.-Bip.　　*3384*

風毛菊（八楞木） Saussurea japonica (Thunb.) DC.
　　1891

綿頭雪兔子 Saussurea laniceps Hand.-Mazz.　　*3897*

麗江風毛菊 Saussurea likiangensis Franch.　　*3899*

白毛雪兔子 Saussurea leucoma Diels　　*4378*

長葉風毛菊 Saussurea longifolia Franch.　　*3898*

水母雪蓮花 Saussurea medusa Maxim.　　*3900*

苞葉風毛菊（苞葉雪蓮） Saussurea obovallata (DC.)
　　Edgew.　　*3385*

羽裂風毛菊 Saussurea pachyneura Franch.　　*3901*

美花風毛菊 Saussurea pulchella Fisch.　　*2374*

槲葉雪兔子 Saussurea quercifolia W. W. Smith
　　3902

線葉風毛菊（蛇眼草） Saussurea romuleifolia
　　Franch.　　*3903*

星狀風毛菊（匍地風毛菊） Saussurea stella Maxim.
　　2906

紫苞風毛菊 Saussurea tangutica Maxim.　　*3904*

三指雪蓮花 Saussurea tridactyla Sch.-Bip.　　*3905*

烏蘇里風毛菊 Saussurea ussuriensis Maxim.　　*4379*

華北鴉蔥（筆管草） Scorzonera albicaulis Bge.
　　1892

傘花鴉蔥 Scorzonera albicaulis Bge. var.
　　macrosperma Kitag.　　*3386*

鴉蔥 Scorzonera austriaca Willd.　　*4380*

叉枝鴉蔥（苦葵鴉蔥） Scorzonera divaricata Turcz.
　　1405

狹葉鴉蔥 Scorzonera radiata Fisch.　　*4381*

東北鴉蔥（鴉蔥） Scorzonera sinensis Lipsch. et
　　Krasch.　　*1893*

桃葉鴉蔥 Scorzonera sinensis (Lipsch.) Lipsch. et
　　Krasch.　　*4382*

羽葉千里光 Senecio argunensis Turcz.　　*2907*

麻葉千里光 Senecio cannabifolius Lees.　　*2375*

單葉返魂草 Senecio cannabifolius Less. var.
　　integrifolius (Koidz.) Kitag.　　*1406, 2908*

毛背返魂草 Senecio cannabifolius Less. f. pubinervis
　　Kitag.　　*1894*

峨嵋千里光（山青菜） Senecio faberi Hemsl.
　　3387

紅輪千里光 Senecio flammeus DC.　　*2376*

狗舌草 Senecio integrifolius (R.) Clairvill var. fauriei
　　(Levl. et Vant.) Kitam.　　*388*

羽葉千里光 Senecio jacobaca L.　3388

長梗千里光（野青菜）　Senecio kaschkarovii C. Winkl.　3389

森林千里光（黃菀）　Senecio nemorensis L.　1895

林蔭千里光 Senecio nemorensis L.　3390

蒲兒根 Senecio oldhamianus Maxim.　2909

河濱千里光 Senecio pierotii Miq.　4896

蕨葉千里光 Senecio pteridophyllus Franch.　2377

千里光 Senecio scandens Buch.-Ham.　885

川西千里光（一枝黃花）　Senecio solidagineus Hand.-Mazz.　2378, 3906

巖穴千里光（大葉千里光）　Senecio spelacicolus (Vant.) Gagnep.　4897

紫毛千里光 Senecio villiferus Franch.　3391

歐洲千里光 Senecio vulgaris L.　2379

麻花頭 Serratala centauroides L.　4898

毛梗豨薟 Siegesbeckia glabrescens Makino　1407

豨薟（豨薟草）　Siegesbeckia orientalis L.　1896

毛豨薟 Siegesbeckia pubescens Makino　886

水飛薊 Silybum marianum (L.) Gaertn.　887

美洲一枝黃花 Solidago canadensis L.　1408

一枝黃花 Solidago decurrens Lour.　3392

毛果一枝黃花 Solidago virgaurea L.　4383

興安一枝黃花 Solidago virgaurea L. ssp. dahurica Kitag.　1409

大葉苣蕒菜（續斷菊）　Sonchus asper (L.) Hill.　3393

苣蕒菜 Sonchus brachyctus DC.　2910

苦苣菜 Sonchus oleraceus L.　2911

南苦蕒菜 Sonchus wightianus DC.　3907

金沙絹毛菊 Soroseris gillii (S. Moore) Stebb.　3908

糖芥絹毛菊（空桶參）　Soroseris hookeriana (C. B. Clarke) Stebb. ssp. erysimoides (Hand.-Mazz.) Stebb.　3910

蓮狀絹毛菊 Soroseris rosularis (Diels) Stebb.　3909

傘花絹毛菊（雪條參）　Soroseris umbrella (Franch.) Stebb.　3911

絨毛戴星草（花鈕扣草）　Sphaeranthus indicus L.　3912

美形金鈕扣（小銅錘）　Spilanthes callimorpha A. H. Moore　3913

金鈕扣（天文草）　Spilanthes panicula ta Wall. ex DC.　3914

甜葉菊 Stevia rebaudianum Bertoni　888

滇康合頭菊 Syncalathium souliei (Franch.) Ling　3915

金腰箭 Synedrella nodiflora (L.) Gaertn.　389

兔兒傘 Syneilesis aconitifolia (Bge.) Maxim.　1897

山牛蒡 Synurus deltoides (Ait.) Nakai　1410

萬壽菊 Tagetes erecta L.　390

孔雀草 Tagetes patula L.　2912

菊蒿 Tanacetum vulgare L.　391

亞洲蒲公英（蒲公英）　Taraxacum asiaticum Dahlst.　2380

芥葉蒲公英 Taraxacum brassicaefolium Kitag.　2381

短喙蒲公英 Taraxacum brevirostre Hand.-Mazz.　3916

大頭蒲公英 Taraxacum calanthodium Dahlst.　3917

紅梗蒲公英 Taraxacum erythroppdium Kitag.　2913

興安蒲公英 Taraxacum falcilobum Kitag.　4899

川甘蒲公英 Taraxacum lugubre Dahlst.　3918

川藏蒲公英 Taraxacum maurocarpum Dahlst.　3919

蒲公英 Taraxacum mongolium Hand.-Mazz.　1898

東北蒲公英 Taraxacum ohwianum Kitam.　1899

白緣蒲公英（河北蒲公英）　Taraxacum platypecidum Diels　1900

白花蒲公英 Taraxacum pseudo-albidum Kitag.　2914

錫金蒲公英 Taraxacum sikkimense Hand.-Mazz.　3920

華蒲公英 Taraxacum sinicum Kitag.　1901

西藏蒲公英 Taraxacum tibeticum Hand.-Mazz.　3921

腫柄菊（假向日葵）　Tithonia diversifolia A. Gray　4900

東方婆羅門參 Tragopogon orientalis L.　4384

女菀 Turczaninowia fastigiata (Fisch.) DC.　2915

款冬花 Tussilago farfara L.　4901

南川斑鳩菊 Vernonia bockiana Diels　3394

夜香牛 Vernonia cinerea (L.) Less.　1902

斑鳩菊 Vernonia esculenta Hemsl.　2916

鹹蝦花（狗仔花）　Vernonia patula (Ait.) Merr.　4385

蟛蜞菊 Wedelia chinensis (Osb.) Merr.　392

滷地菊 Wedelia prostrata (Hook. et Arn.) Hemsl.　4386

山蟛蜞菊（細針果）　Wedelia wallichii Less.　4902

蒙古蒼耳 Xanthium mongolicum Kitag.　4387

蒼耳 Xanthium sibiricum Patrin. ex Widd.　1411

黃纓菊（九頭妖）　Xanthopappus subacaulis C. Winkl.　3922

黃鵪菜 Youngia japonica (L.) DC.　1903

鹼黃鵪菜（鹼黃鵪）　Youngia stenoma (turcz.) Ledeb.　4388

百日菊（百日草）Zinnia elegans Jacq.　889

單子葉植物綱 Monocotyledoneae

香蒲科 Typhaceae
長苞香蒲（香蒲）Typha angustata Bory et Chaub.　1904
水燭香蒲 Typha angustifolia L.　2382
蒙古香蒲 Typha davidiana (Kvonf.) Hand.-Mazz.　4389
小香蒲 Typha minima Funk　1905
寬葉香蒲（蒲黃）Typha latifolia L.　890
普香蒲 Typha przenwalskii Skv.　2383

露兜樹科 Pandanaceae
小露兜 Pandanus gressitii B. C. Stone　4390
露兜樹（橭罟子）Pandanus tectorius Sol.　1906

黑三棱科 Sparganiaceae
小黑三棱 Sparganium simplex Hudson　1907

眼子菜科 Potamogetonaceae
眼子菜 Potamogeton distincts A. Benn. (P. franchetiti A. Benn. et Bagg)　3395
光葉眼子菜 Potamogeton lucens L.　2917
浮葉眼子菜 Potamogeton natans L.　2918
穿葉眼子菜（酸水草）Potamogeton perfoliatus L.　4391

水麥冬科 Juncaginaceae
水麥冬 Triglochin palustre L.　2384

澤瀉科 Alismataceae
澤瀉 Alisma orientale (Sam.) Juzep.　891
慈姑 Sagittaria trifolia L.　2385
狹葉慈姑 Sagittaria trifolia L. var. angustifolia (Sieb.) Kitag.　2386

禾本科 Gramineae
水蔗草 Apluda mutica L.　4903
藎草 Arthraxon hispidus (Thunb.) Makino　4392
蘆竹 Arundo donax L.　892
野燕麥（燕麥草）Avena fatua L.　2387
燕麥 Avena sativa L.　4393
大眼竹（竹苗）Bambusa eutuldoides McClure　4904
撐篙竹（竹心）Bambusa pervariabilis McClure　4905

青皮竹（竹黃）Bambusa textilis McClure　2388
青竿竹 Bambusa tuldoides Munro　4906
佛竹（佛肚竹）Bambusa ventricosa McClure　2389
青絲金竹（黃金間碧竹）Bambusa vulgaris Schrod. var. striata Gamble　393
䔲草 Beckmannia syzigachne (Steud.) Fernald.　2390
虎尾草 Chloris virgata Swax.　2391
竹節草 Chrysolophus aciculatus (Retz. Trin.)　4394
川穀根 Coix lacrymajobi L.　2392
薏米（薏苡仁）Coix lacryma-jobi L. vae. ma-yuen (Roman) Stapf　394
香茅 Cymbopogon citratus (DC.) Stapf　4907
狗牙根（鐵線草）Cynodon dactylon (L.) Pars.　4908
麻竹（甜竹）Dendrocalamus latiflorus Munro　395
馬唐 Digitaria sangunialis (L.) Scop.　2919
稗（稗根苗）Echinochloa crusgalli (L.) Beauv.　396
長芒野稗 Echinochloa crusgalli (L.) Beauv. var. caudata (Roshew.) Kitag.　2920
家稗（稗子）Echinochloa crusgalli (L.) Beauv. var frumentacea (Roxb.) W. F. Wight　2921
牛筋草 Eleusine indica (L.) Daertn.　893
大麥（麥芽）Hordeum vulgare L.　4909
裸麥（穬麥蘗）Hordeum vulgare L. var. nudum Hook. f.　3923
白茅（白茅根）Imperata cylindrica (L.) Beauv. var. major (Nees) C. E. Hubb　894
粉簞竹（竹卷心）Lingnania chungii (McClure) McClure　4910
淡竹葉 Lophatherum gracile Brongn.　895
稻（穀芽）Oryza sativa L.　1412
糯稻（糯稻根）Oryza sativa L. var. glutinosa Matsum.　3396
黍（黍米）Panicum miliaceum L.　2922
鋪地黍 Panicum repens L.　4395
狼尾草 Pennisetum alopecuroides (L.) Spr.　1413
蘆葦（蘆根）Phragmites communis (L.) Trin.　1414
紫竹（紫竹根）Phyllostachya nigra (Lodd.) Munro　4911
淡竹（竹瀝）Phyllostachya nigra (Lodd.) Munro var. henonis (Milf.) Stapf ex Rendle　4912
金絲草 Pogonatherum crinitum (Thunb.) Kunth　1908
甘蔗（蔗）Saccharum sinensis Roxb.　4913

金毛狗尾草 Setaria glauca (L.) Beauv.　896
粟（粟米） Setaria italica (L.) Beauv.　3397
皺葉狗尾草（馬草） Setaria plicata (Lam.) T. Cooke
　4914
狗尾草 Setaria viridis (L.) Beauv.　1909
大頭典竹（竹茹） Sinocalamus beecheyanus
　（Munro) McClure var. pubescens P. f. Li
　4915
高粱 Sorghum vulgare Pers.　3398
小麥（浮小麥） Triticum aestivum L.　397
玉蜀黍（玉米鬚） Zea mays L.　4396

莎草科 Cyperaceae
十字苔草 Carex cruciata Wahlenb.　4397
披針葉苔草（羊鬍毿草） Carex lanceolata Boott
　2393
風車草（九龍吐珠） Cyperus alternifolius L. subsp.
　flabelliformis (Rottb.) Kukenth.　398
碎米莎草（三楞草） Cyperus iria L.　3399
莎草（香附） Cyperus rotundus L.　399
水蜈蚣 Kyllinga brevifolia Rottb.　3400
單穗水蜈蚣 Kyllinga cororata (L.) Druce　4398
刺子莞 Rhynchospora rubra (Lour.) Makino　4399
豬毛草（假燈草） Schoenplectus grossus (L. f.) Palla
　3924
螢藺 Scirpus juncoides Roxb.　4916
扁稈藨草 Scirpus planiculmis Fr. Schmidt　4400
水葱 Scirpus tabernaemontani Gmel.　2394

棕櫚科 Palmae
檳榔 Areca catechu L.　400
莎木（桄榔子） Arenga pinnata (Wurmb.) Merr.
　2395
華南省藤（手杖藤） Calamus rhabdocladus Burret
　2396
魚尾葵 Caryota ochlandra Hance　4401
椰（椰子） Cocos nucifera L.　897
蒲葵 Livistona chinensis (Jacq.) R. Br.　898
棕竹 Rhapis excelsa (Thunb.) Henry ex Rehd.　899
棕櫚 Trachycarpus fortunei (Hook. f.) H. Wendl.
　900

天南星科 Araceae
菖蒲 Acorus calamus L.　1910
石菖蒲 Acorus gramineus Soland.　1911
細葉菖蒲（錢蒲） Acorus gramineus Soland. var.
　pusillus Engl.　1415
寬葉菖蒲 Acorus latifolius Z. Y. Zhu　4917
茴香菖蒲 Acorus macrospadiceus (Yamamoto) F. N.
　Wei et Y. K. Li　4918

廣東萬年青 Aglaonema modestum Schott　401
越南萬年青（觀音蓮） Aglaonema pierreanum Engl.
　3925
海芋 Alocasia macrorrhiza (L.) Schott　402
尖尾芋 Alocasia cucullata (Lour.) Schott et Engl.
　4402
疣柄魔芋（臭魔芋） Amorphophallus virosus N. E.
　Brown　403
魔芋（蒟蒻） Amorphophallus rivieri Durieu
　1416
白苞花燭 Anthurium andrenum L.　4403
東北南星 Arisaema amurense Maxim.　1912
朝鮮南星 Arisaema angustatum Franch. et Sav. var.
　peninsulae (Nakai) Nakai　1913
旱生天南星（旱生南星） Arisaema aridum H. Li
　3926
高鞘南星（銀半夏） Arisaema bathycoleum Hand.-
　Mazz.　2923
象南星（黑南星） Arisaema elephas Buchet　404
天南星 Arisaema erubescens (Wall.) Schott　1417
黄苞南星 Arisaema flavum (Forsk.) Schott　2397
紫灰南星（老母豬半夏） Arisaema franchetianum
　Engl.　1418
異葉天南星（天南星） Arisaema heterophyllum Bl.
　3401
盈江南星 Arisaema inkiangense H. Li　2924
花南星 Arisaema lobatum Engl.　3402
偏葉天南星（偏葉南星） Arisaema lobatum Engl.
　var. rosthornianum Engl.　3403
峨嵋南星 Arisaema omeiense P. C. Kao　3404
川中南星 Arisaema wilsonii Engl.　2398
滇南星 Arisaema yunnanense S. Buch.　2399
花葉芋（紅水芋） Caladium bicolor (Ait.) Vent
　901
水芋 Calla palustris L.　3405
野芋（鐵芋） Colocasia antiquarum Schott　4919
芋（芋頭） Colocasia esculenta (L.) Schott　902
大野芋 Colocasia gigantea (Bl.) Hook. f.　903
紫芋 Colocasia tonoimo Nakai　3406
雲南隱棒花（八仙過海） Cryptocoryne yunnanensis
　H. Li　3927
花葉萬年青 Dieffenba-chia picta (Lodd.) Schott
　904
麒麟尾 Epipremnum pinnatum (L.) Engl.　4404
千年健 Homalomena occulta (Lour.) Schott　405
刺芋（簕慈姑） Lasia spinosa (L.) Thw.　406
龜背竹 Monstera deliciosa Liebm.　1914
掌葉半夏 Pinellia pedatisecta Schott　407
大半夏 Pinellia polyphylla S. L. Hu　3407
半夏 Pinellia ternata (Thunb.) Breit.　1915

大藻（水浮蓮） Pistia stratistes L. 　　4405
石氣柑 Pothos cathcartii Schott 　　3408
石柑子 Pothos chinensis (Raf.) Merr. 　　408
地柑（葫蘆藤） Pothos pilulifer Buchet es Gagn.
　　3928
蜈蚣藤（飛天蜈蚣） Pothos repens (Lour.) Merr.
　　2925
爬樹龍 Rhaphidophora decursiva (Roxb.) Schott
　　4920
獅子尾（青竹標） Rhaphidophora hongkongensis
　　Schott 　　4921
匙鞱萬年青 Spathiphyllum cochleeri Spathum
　　4406
日本臭菘 Symplocarpus nipponicus Makino 　　2400
犁頭尖 Typhonium divaricatum (L.) Decne. 　　905
鞭檐犁頭尖（水半夏） Typhonium flagelliforme
　　(Lodd.) Bl. 　　906
獨腳蓮（白附子） Typhonium giganteum Engl.
　　907

浮萍科 Lemnaceae
浮萍（青萍） Lemna minor L. 　　4922
紫萍（浮萍） Spirodela polyrhiza (L.) Schleid.
　　908

穀精草科 Eriocaulaceae
高山穀精草 Eriocaulon alpestre Hook. f. et Thoms.
　　ex Koern. 　　3929
穀精草 Eriocaulon buergerianum Koern. 　　2401
華南穀精草 Eriocaulon sexangulare L. 　　4407
賽穀精草（白藥穀精草） Eriocaulon sieboldianum
　　Seib. et Zuzz. 　　4923

鳳梨科 Bromeliaceae
鳳梨 Ananas comosus (L.) Merr. 　　409
水塔花 Billbergia pyramidalis Lindl. 　　410

鴨跖草科 Commelinaceae
鴨跖草 Commelina communis L. 　　1419
雞冠藍耳草（四孔草） Cyanotis cristata Roem. et
　　Schult. f. 　　4408
大苞水竹草（痰火草） Murdannia bracteata (Clarke)
　　O. Ktze. 　　4924
疣草 Murdannia keisak (Hassk) Hand.-
　　Mazz. 　　2402
水竹葉 Murdannia triguetra (Wall.) Bruckn. 　　4409
粗柄杜若（黑珍珠） Pollia hasskarlii Rolla Rao
　　3930
川杜若 Pollia omeiensis Hong 　　3409
長柄杜若 Pollia secundiflora (Bl.) Bakh. f. 　　4925

紫萬年青（蚌花） Rhoeo discolor (L'Her) Hance
　　411
紫露草（紫鴨跖草） Tradescentia virginiana L.
　　412
水竹草（吊竹梅） Zebrina pendula Schnizl 　　4926

雨久花科 Pontederiaceae
鳳眼藍（水葫蘆） Eichhornia crassipes Solms
　　1916
箭葉雨久花 Monochoria hastata (L.) Solms 　　2403
雨久花 Monochoria korsakowii Reg. et Maack
　　2404
鴨舌草 Monochoria vaginalis (Burm. f.) Presl. ex
　　Kunth 　　4927

田蔥科 Philydraceae
田蔥 Philydrum lanuginosum Banks et Sol. ex
　　Gaertn. 　　4410

燈心草科 Juncaceae
燈心草 Juncus effusus L. var. decipeiens Buchen.
　　1917
細燈心草 Juncus gracillimus Krecz. 　　4411
野燈心草 Juncus setchuensis Buchen. 　　1420

百部科 Stemonaceae
蔓生百部 Stemona japonica (Bl.) Miq. 　　1421
直立百部 Stemona sessilifolia (Miq.) Franch. et Sav.
　　909
對生大百部（大百部） Stemona tuberosa Lour.
　　3410

百合科 Liliaceae
蔥（蔥子） Allium fistulosum L. 　　1918
稜沙韭（野韭） Allium forrestii Diels 　　3931
寬葉韭 Allium hookeri Thwaites 　　2405
大花韭 Allium macranthum Baker 　　3932
小根蒜（薤白） Allium macrostemon Bge. 　　4928
蒙古韭（蒙古蔥） Allium mongolicum Regel
　　1422
長梗薤 Allium neriniflorum Baker 　　3411
卵葉韭（鹿耳韭） Allium ovalifolium Hand.-
　　Mazz. 　　3412
太白韭（野蔥） Allium prattii C. H. Wright 　　3933
蒜（大蒜） Allium sativum L. 　　4929
山韭 Allium senescens L. 　　2926
輝韭 Allium strictum Schrader 　　3413
韭菜（韭菜子） Allium tuberosum Rottl. ex Spreng.
　　1919
知母 Anemarrhena asphodeloides Bge. 　　1920

天門冬　Asparagus cochinchinensis (Lour.) Merr.　*1423*

興安天門冬　Asparagus dauricus Fisch.　*4412*

非洲天門冬　Asparagus densiflorus (Kunth) Jessop　*2927*

羊齒天門冬（羊齒天冬）　Asparagus filicinus Ham. ex D. Don　*910*

短梗天門冬（山百部）　Asparagus lycopodineus Wall. ex Baker　*4930*

多刺天門冬　Asparagus myriacanthus Wang et S. C. Chen　*3934*

石刁柏　Asparagus officinalis L.　*1921*

南玉帶　Asparagus oligoclonos Maxim.　*1922*

雉隱天冬（龍鬚菜）　Asparagus schoberioides Kunth　*1923*

文竹　Asparagus setaceus (Kunth) Jessop.　*1424*

曲枝天門冬　Asparagus trichophyllus Bge.　*1924*

蜘蛛抱蛋　Aspidistra elatior Bl.　*1925*

小花蜘蛛抱蛋　Aspidistra minutiflora Stapf　*911*

峨嵋蜘蛛抱蛋（大趕山鞭）　Aspidistra omeiensis Z. Y. Zhu et J. L. Zhang　*3414*

吊蘭（金邊吊蘭）　Chlorophytum capense (L.) Ktze.　*3415*

小花吊蘭（三角草）　Chlorophytum laxum R. Br.　*4931*

七筋菇（雷公七）　Clintonia udensis Trautv. et Mey.　*1425*

鈴蘭　Convallaria magilis L.　*912*

朱蕉（鐵樹葉）　Cordyline fruticosa (L.) A. Cheval.　*413*

山管蘭　Dianella ensifolia (L.) DC.　*1426*

散斑假萬壽竹　Disporopsis aspera (Hua) Engl. et Krause　*2928*

竹根七　Disporopsis fuscopicta Hance　*414*

長葉竹根七（長葉萬壽竹）　Disporopsis longifolia Craib　*4932*

竹根假萬壽竹（黃腳雞）　Disporopsis perryi (Hua) Diels　*2929*

萬壽竹（竹葉參）　Disporum antoniense (Lour.) Merr.　*3416*

長蕊萬壽竹（竹凌霄）　Disporum bodinieri (Levl et Vant.) Wang et Tang　*2930*

距花寶鐸草（狗尾巴參）　Disporum calcaratum D. Don　*415*

大花萬壽竹　Disporum megalanthum Wang et Tang　*3417*

寶珠草　Disporum viridescens (Maxim.) Nakai　*2406*

鴛鴦蘭　Diuranthera major Hemsl.　*416*

小鴛鴦草（漏蘆）　Diuranthera minor (C. H. Wright) Hemsl.　*3935*

小花龍血樹　Dracaena cambodiana Pierre ex Gagnep.　*2931*

劍葉龍血樹（山鐵樹葉）　Dracaena cochinchinensis (Lour.) S. C. Chen　*2407*

矮龍血樹（大劍葉木）　Dracaena terniflora Roxb.　*3936*

獨尾草　Eremurus chinensis O. A. Fedtsch.　*3937, 4413*

捲葉貝母（川貝母）　Fritillaria cirrhosa D. Don　*2408*

稜砂貝母（川貝母）　Fritillaria delavayi Franch　*2409*

一輪貝母　Fritillaria maximowiczii Freyn　*2932*

額敏貝母　Fritilliria meleagroides Patrin et Schult.　*4414*

伊犁貝母　Fritillaria pallidiffora Schrenk　*2420*

華西貝母　Fritillaria sichuanica S. C. Chen　*4415*

太白貝母　Fritillaria taipaiensis P. Y. Li　*2411*

浙貝母　Fritillaria thunbergii Miq.　*913*

托里黃花貝母　Fritillaria tortifolia Z. X. Duan et X. J. Zheng var. ciliina Z. X. Duan et X. J. Zheng　*4416*

暗紫貝母（松貝）　Fritillaria unibracteata Hsiao et K. C. Hsia　*2933*

平貝母　Fritillaria ussuriensis Maxim.　*1427*

輪葉貝母（貝母）　Fritillaria verticillata Willd.　*4417*

新疆貝母　Fritillaria walujewii Regel　*2412*

小頂冰花　Gagea hiensis Pasch.　*2934*

頂冰花　Gagea lutea (L.) Ker.-Gawl.　*1428*

嘉蘭（翻百合）　Gloriosa superba L.　*2413*

黃花菜　Hemerocallis citrine Bareni　*4418*

小萱草　Hemerocallis dumortierii Morr.　*1926*

萱草　Hemerocallis fulva L.　*914*

北黃花菜　Hemerocallis lilioasphodelus L.　*1927*

小黃花菜　Hemerocallis minor Mill.　*2935*

褶葉萱草（黃花菜）　Hemerocallis plicata Stapf　*915*

肖菝葜（土太片）　Heterosmilax japonica Kunth　*1928*

玉簪花　Hosta plantaginea (Lam.) Aschers.　*916*

紫玉簪　Hosta ventricosa (Salisb.) Stearn　*1929*

麗江山慈菇　Iphigenia indica Kunth　*417*

滇百合　Lilium bakerianum Collett et Hemsl.　*4419*

山百合　Lilium brownii F. E. Brown ex Miell.　*4933*

百合　Lilium brownii F. E. Brown var. viridulum Baker　*418*

渥丹（百合）　Lilium concolor Salisb.　*2415*

有斑百合　Lilium concolor Salisb. var. pulchellum (Fisch.) Regel　*1930*

毛百合 Lilium dauricum Ker-Gawl. *1931*

川百合 Lilium davidii Duchastre *4420*

東北百合 Lilium distichum Nakai *2414*

寶興百合 Lilium duchartrei Franch. *4421*

卷丹 Lilium lancifolium Thunb. *419*

大花卷丹 Lilium leichtlinii Hook. f. var.
maximowiczii (Regel) Baker *1932*

麝香百合（巖百合） Lilium longiflorum Thunb.
420

尖被百合 Lilium lophophorum (Bur. et Franch.)
Franch. *3938*

細葉百合（山丹） Lilium pumilum DC. *917*

大理百合 Lilium taliense Franch. *3939*

闊葉麥冬 Liriope platyphylla Wang et tang *1429*

大麥冬（麥冬） Liriope spicata Lour. *1933*

舞鶴草 Maianthemum bifolium (L.) Fr. Schmidt
1430

太白米 Notholirion bulbiliferum (Lingelsh.) Steam.
3940

連藥沿階草（寬葉麥冬） Ophiopogon bockianus
Diels *3418*

長莖沿階草 Ophiopogon·chingii Wang et Tang
2416

間型沿階草（山韭菜） Ophiopogon intermedius D.
Don *4934*

沿階草（麥門冬） Ophiopogon japonicus (L. f.) Ker-
Gawl. *1934*

闊葉沿階草（厚葉沿階草） Ophiopogon platyphyllus
Merr. et Chun *4935*

多花沿階草（大葉麥冬） Ophiopogon tankinensis
Rodr. *918*

金線重樓（重樓） Paris chinensis Franch. *4422*

球藥隔重樓 Paris fargesii Fr. *3419*

毛葉重樓 Paris mairei Levl. *3941*

七葉一枝花（重樓） Paris polyphylla Smith *2417*

短梗重樓 Paris polyphylla Sm. var. appendiculata
Hara *2936*

狹葉重樓 Paris polyphylla Sm. var. stenophylla Fr.)
2937

長藥隔重樓 Paris polyphylla Sm. var. thibetica (Fr.
Hara *2938*

雲南重樓 Paris polyphylla Sm. var. yunnanensis
(Franch.) Hand.-Mazz. *919*

北重樓 Paris verticillat M. Bieb. *920*

花莖重樓 Paris violacea Levl. *2418*

捲葉黃精（老虎薑） Polygonatum cirrhifolium
(Wall.) Royle *3420*

垂葉黃精 Polygonatum curvistytum Hua *3942*

囊絲黃精 Polygonatum cyrtonema Hua *421*

小玉竹 Polygonatum humile Fisch. ex Maxim. *1935*

二苞黃精 Polygonatum involucratum Maxim.
2939

西南黃精（節節高） Polygonatum kingianum Coll. et
Hemsl. *2419*

熱河黃精 Polygonatum macropodium Turcz. *1936*

玉竹 Polygonatum odoratum (Mill.) Druce *422*

康定玉竹 Polygonatum prattii Baker *3421*

點花黃精（樹刁） Polygonatum punctayum Royle ex
Kunth *3422*

黃精 Polygonatum sibiricum Delar. ex Redoute
423

狹葉黃精 Polygonatum stenophyllum Maxim.
2420

格脈黃精（滇竹根七） Polygonatum tessellatum
Wang et Tang *3943*

湖北黃精 Polygonatum zanlanscianense Pamp. *3423*

吉祥草 Reineckia carnea Kunth *424*

彎莩草 Reineckia curvata Z. Y. Zhu *4936*

萬年青（萬年青根） Rohdea japonica Roth. *1937*

虎尾蘭 Sansevieria trifasciata Prain *4937*

錦棗兒 Scilla scilloides (Lindl.) Druce *2940*

興安鹿藥 Smilacina dahurica Turcz. *1431*

鹿藥 Smilacina japonica A. Gray *2941*

長柱鹿藥 Smilacina oleracea (Baker) Hook. f.
3944

狹瓣鹿藥 Smilacina paniculata (Baker) Wang et
Tang *2942*

西南菝葜（金剛藤） Smilax bockii Warb. *3424*

菝葜 Smilax china L. *4423*

刺菝葜 Smilax ferox Wall. ex Kunth *2943*

土茯苓 Smilax glabra Roxb. *921*

黑果菝葜 Smilax glauco-china Warb. *3425*

暗色菝葜（白茯苓） Smilax lanceifelia Roxb. var.
opaca A. DC. *4938*

粗糙菝葜 Smilax lebrunii Levl. *4939*

無刺菝葜 Smilax mairei Levl. *4424*

防巴葉菝葜 Smilax menispermoidea A. DC. *2421*

小葉菝葜（烏魚刺） Smilax microphylla C. H.
Wright *4940*

抱莖菝葜 Smilax ocreata A. DC. *922*

穿鞘菝葜（翅柄菝葜） Smolax perfoliata Lour.
4425

紅果菝葜 Smilax polycolea Warb. *4426*

牛尾菜 Smilax riparia A. DC. *2422*

小花扭柄花（高山竹杯消） Streptopus parviflorus
Franch. *3426*

腋花扭柄花（算盤七） Streptopus simplex D. Don
4427

叉柱岩菖蒲（復生草） Tofieldia divergens Bur. et Fr.
3945

油點草（紅酸七） Tricyrtis macropodo Miq.　4428

吉林延齡草 Trillium Kamtschaticum Pall. ex Pursh
　　2944

延齡草 Trillium tschonoskii Maxim.　1938

橙花開口箭 Tupistra aurantiaca Wall. ex Baker
　　4429

筒花開口箭（萬年巴） Tupistra delavayi Franch.
　　4941

峨嵋開口箭 Tupistra omeiensis Z. Y. Zhu　3427

碟花開口箭（小趕山鞭） Tupistra tui (Wanh et
　　Tang) Wang et Liang　3428

興安藜蘆 Veratrum dahuricum (Turcz.) Loes. f.
　　1432

毛穗藜蘆 Veratrum maackii Regel　2423

藜蘆 Veratrum nigrum L.　4430

尖被藜蘆 Veratrum oxysepalum Turcz.　1433

毛葉藜蘆 Veratrum puberulum Loes. f.　3429

丫蕊花（峨嵋石鳳丹） Ypsilandra thibetica Franch.
　　1939

絲蘭 Yucca filamentosa L.　1434

鳳尾絲蘭（鳳尾蘭） Yucca gloriosa L.　923

石蒜科 Amaryllidaceae

劍麻 Agave sisalana Perrine ex Engelm.　924

朱頂蘭 Amaryllis vittata Ait.　1435

君子蘭 Clivia miniata Regel　1940

文殊蘭（羅裙帶） Crinum asiaticum L. var. sinicum
　　Baker　2945

西南文殊蘭 Crinum latifolium L.　1941

大葉仙茅 Curculigo capitulata (Lour.) O. Kunth
　　1436

仙茅 Curculigo orchioides Gaertn.　425

網球花 Haemanthus multiflorus Martyn　3946

水鬼蕉（水鬼蕉葉） Hymenocallis americana Roem.
　　4942

夏雪片蓮 Leucojum aestivum L.　1437

忽地笑 Lycoris aurea (L. Herit) Herb.　1438

石蒜 Lycoris radiata (L. Her.) Herb.　3430

換錦花 Lycoris sprengeri Comes　1439

水仙花 Narcissus tazetta L. var. chinensis Roem
　　1440

晚香玉 Polianthes tuberosa L.　4431

葱蓮（肝風草） Zephyranthes candida Herb.　426

韭蓮 Zephyranthes grandiflora Lindl.　1942

蒟蒻薯科 Taccaceae

裂果薯（水田七） Schizocapsa plantaginea Hance
　　427

長鬚果（老虎鬚） Tacca chantrieri Andre　428

薯蕷科 Dioscoreaceae

蜀葵葉薯蕷（穿地龍） Dioscorea althaeoides R.
　　Kuhth　925

黃獨（黃藥子） Dioscorea bulbifera L.　926

菊葉薯蕷 Dioscorea camposita Hemsl.　2424

三角葉薯蕷 Dioscorea deltoidea Wall.　927

白薯莨 Dioscorea hispida Dennst　928

粉背草薢（粉草薢） Dioscorea hypoglauca Palibin
　　4943

高山薯蕷 Dioscorea kamoonensis Kunth　2425

穿龍薯蕷（穿山龍） Dioscorea nipponica Makino
　　429

薯蕷（山藥） Dioscorea opposita Thunb.　430

黃山藥 Dioscorea panthaica Prain et Burk.　431

褐苞薯蕷 Dioscorea persimilis Prain et Burk.　432

毛膠薯蕷（黏山藥） Dioscorea subcalva Prain et
　　Burk.　4944

鳶尾科 Iridaceae

射干 Belamcanda chinensis (L.) DC.　929

雄黃蘭（觀音蘭） Crocosmia cracosmiflora
　　(Nichols.) N. E. Br.　3433

番紅花（藏紅花） Crocus sativus L.　930

紅葱 Eleutherine plicata Herb.　4945

唐菖蒲（標桿花） Gladiolus gandavensis Van Houtt.
　　931

高原鳶尾（小棕皮頭） Iris collettii Hook. f.　2426

扁竹蘭（藍花扁竹） Iris confusa Seuly　4946

長莛鳶尾 Iris delavayi Micheli ex Franch.　3947

野鳶尾 Iris dichotoma Pall.　3431

馬藺（馬藺子） Iris ensata Thunb.　1441

蝴蝶花（扁竹根） Iris japonica Thunb.　1943

馬藺（馬藺子） Iris lactea Pall. var. chinensis
　　(Fisch.) Koidz.　2427

老君扇 Iris laevigata Fisch.　4432

紫苞鳶尾 Iris ruthenica Ker-Gawl.　4947

矮紫苞鳶尾 Iris ruthenica ker-Gawl. var. nana
　　Maxim.　3432

溪蓀 Iris sanguinea Donn ex Hornem　2428

山鳶尾 Iris setosa Pall. ex Link　4948

鳶尾 Iris tectorum Maxim.　932

細葉鳶尾 Iris tenuifolia Pall.　4433

粗根鳶尾 Iris tigridia Bge.　4434

北陵鳶尾 Iris typhifolia Kitag.　4435

單花鳶尾 Iris uniflora Pall. ex Link　4949

囊花鳶尾 Iris ventricosa Pall.　2946

芭蕉科 Musaceae

芭蕉（芭蕉根） Musa basjoo Sieb. et Zucc.　3434

指天蕉（紅花蕉） Musa coccinea Andr.　4436

香蕉 Musa nana Lour. *433*

芭蕉（大蕉） Musa paradisiaca L. *4437*

地湧金蓮 Musella lasiocarpa (Franch.) C. Y. Wu *1944*

鶴望蘭 Strelitzia reginae Aiton *434*

薑科 Zingiberaceae

茴香砂仁 Achasma yunnanense T. L. Wu. et Sonjen *2429*

竹葉山薑 Alpinia bambusifolia C. F. Liang et D. Fang *435*

距花山薑 Alpinia calcarata Rosc. *436*

華山薑（山薑） Alpinia chinensis (Retz. (Retz.) Rosc. *1945*

密苞山薑 Alpinia densibractiata T. L. Wu et Senjen *4438*

大高良薑（紅豆蔻） Alpinia galanga (L.) Willd. *933*

和山薑 Alpinia japonica Miq. *4950*

草豆蔻 Alpinia katsumadai Hayata *934*

假益智 Alpinia maclurei Merr. *935*

高良薑 Alpinia officinarum Hance *936*

益智 Alpinia oxyphylla Miq. *437*

多花山薑 Alpinia polyantha D. Fang *4439*

花葉山薑 Alpinia sanderae Sand. *4440*

箭杆風 Alpinia stachyoides Hance *2430*

艷山薑（大草蔻） Alpinia zerumbet (Pers.) Burtt et Smith *4951*

爪哇白豆蔻 Amomum compactum Soland ex Maton *438*

泰國白豆蔻（白豆蔻） Amomum kravanh Pierre ex Gagnep. *439*

海南砂仁 Amoum longiligulare t. L. Wu *440*

疣果豆蔻 Amomum muricarpum Elm. *937*

草果 Amomum tsao-ko Crevost et Lemarie *4952*

陽春砂（砂仁） Amomum villosum Lour. *938*

縮砂密 Amomum villosum Lour. var. xanthioides (Wall. ex Bak.) D. L Wu et Senjen *1442*

閉鞘薑 Costus speciosus (Koenig) Smith *1443*

光葉閉鞘薑 Costus tonkinensis Gagnep. *1444*

莪朮 Curcuma aeruginosa Roxb. *1946*

鬱金 Curcuma aromatica Salisb *939*

西莪朮（毛莪朮） Curcuma kwangsiensis S. G. Lee et C. F. Liang *940*

薑黃 Curcuma longa L. *1947*

藍薑（黑心薑） Curcuma phaeocaulis Valeton *441*

莪朮 Curcuma zedoaria (Berg.) Rosc. *2947*

峨嵋舞花薑（望秋子） Globba omeiensis Z. Y. Zhu *3435*

舞花薑 Globba racemosa Smith *442*

薑花（山薑活） Hedychium coronarium Koen. *443*

盤珠薑花（洋薑笋） Hedychium panzhuum Z. Y. Zhu *3436*

土良薑 Hedychium spicatum Ham. ex Smith *2431*

毛薑花 Hedychium villosum Wall. *2432*

山奈 Kaempferia galanga L. *444*

喙花薑（岩薑） Rhynchanthus beesianus W. W. Smith *1445*

高山象牙參（雞脬參） Roscoea alpina Royle *3948*

象牙參 Roscoea purpurea Smith *4441*

藏象牙參（土中聞） Roscoea tibetica Bat. *3949*

土田七（薑三七） Stahlianthus involucratus (King ex Bak.) Craib. *941*

匙苞薑（地蓮花） Zingiber cochleariforme D. Fang *3437*

薑 Zingiber officinale Rosc. *942*

峨嵋薑（累心花） Zingiber omeiense Z. Y. Zhu *3438*

陽荷（野薑） Zingiber striolatum Diels *4953*

紅球薑 Zingiber zerumbet (L.) Smith *943*

美人蕉科 Cannaceae

蕉芋（芭蕉芋） Canna edulis Ker *4954*

黃花美人蕉 Canna flaccida Salisb *4442*

大花美人蕉 Canna generalis Bailey *445*

美人蕉 Canna indica L. *944*

紫葉美人蕉（狀元紅） Canna warscewierii A. Dietr. *2948*

竹芋科 Marantaceae

花葉竹芋 Maranta bicolor Ker *446*

柊葉 Phrynium capitatum Willd. *447*

蘭科 Orchidaceae

多花脆蘭 Acampe multiflora (Lindl.) Lindl. *4443*

花葉開唇蘭（金線蘭） Anoectochilus roxburghii (Wall.) Lindl. *2433*

竹葉蘭（山荸薺） Arundina graminifolia (D. Con) Hochr. *2434*

黃花白芨 Bletilla ochracea Schltr. *2949*

白芨 Bletilla striata (Thunb.) Reichb. f. *448*

蝦脊蘭（連珠三七） Calanthe discolor Lindl. *3439*

流蘇蝦脊蘭（九子連環草） Calanthe fimbriata Franch. *2950*

叉唇蝦脊蘭（硬九子連環草） Calanthe hancockii Rolfe *3440*

腎唇蝦脊蘭 Calanthe lamellosa Rolfe *3441*

三褶蝦脊蘭 Calanthe triplicata (Willemet) Ames
　　4444

銀蘭 Cephalanthera erecta (Thunb.) Bl.　　*3442*

杜鵑蘭（山慈姑）　Cremastra appendiculata (D. Don)
　　Makino　*3443*

建蘭（建蘭花）　Cymbidium ensifolium (L.) Sw. *1948*

多花蘭 Cymbidium floribundum Lindl.　　*945*

山蘭（春蘭）　Cymbidium goeringii (Rchb. f.) Rchb.
　　1446

硬葉吊蘭 Cymbidium pendulum (Roxb.) Sw.　　*3950*

黑蘭 Cymbidium sinense (Andr.) Will.　　*1447*

杓蘭 Cypripedium calceolus L.　　*946*

對葉杓蘭（二月蘭）　Cypripedium debile Rchb. f.
　　3444

大葉杓蘭（蜈蚣七）　Cypripedium fasciculatum
　　Franch.　*3445*

黃花杓蘭 Cypripedium flavum Hunt et Summ.　*3951*

毛杓蘭（牌樓七）　Cypripedium franchetii Wils.
　　3446

紫點杓蘭 Cypripedium guttatum Sw.　　*1448*

綠花杓蘭（龍舌箭）　Cypripedium henryi Rolfe
　　4445

扇脈杓蘭（扇子七）　Cypripedium japonicum Thunb.
　　3447

大花杓蘭（蜈蚣七）　Cypripedium macranthum Sw.
　　1449

斑葉杓蘭（蘭花雙葉草）　Cypripedium
　　margaritaceum Franch.　　*3448*

西藏杓蘭（敦盛草）　Cypripedium tibeticum King ex
　　Rolfe　*3449*

鈎狀石斛 Dendrobium aduncum Wall. ex Lindl.
　　2951

黑及草〔鐵皮石斛（石斛）〕Dendrobium candidium
　　Wall. ex Lindl.　　*4446*

疊鞘石斛 Dendrobium denneanum Kerr.　　*1949*

流蘇石斛 Dendrobium fimbriatum Hook.　　*4447*

細葉石斛 Dendrobium hancockii Rolfe　　*2435*

聚石斛（雞背石斛）　Dendrobium jenkinsii Wall. ex
　　Lindl.　　*4448*

粉花石斛（環草石斛）　Dendrobium loddigesii Rolfe
　　4955

金釵石斛 Dendrobium nobile Lindl.　　*947*

黑毛石斛（雞爪蘭）　Dendrobium williamsonii Day et
　　Rchb. f.　*3952*

半柱毛蘭（上石蝦）　Eria corneri Reichb. f.　　*4956*

小花火燒蘭（膀胱七）　Epipactis helleborine (L.)
　　Crantz　*2952*

天麻 Gostrodia elata Bl.　　*948*

高斑葉蘭（石風丹）　Goodyera procera (Ker-Gawl.)
　　Hook.　*3450*

絨葉斑葉蘭（金線盤）　Goodyera velutina Maxim.
　　3451

手掌參 Gymnadenia conopsea (L.) R. Br.　　*1450*

短距手參 Gymnadenia crassinervis Finet　　*4449*

西南手參 Gymnadenia orchidis Lindl.　　*4450*

落地金錢 Habenaria aitchisonii Rchb. f. ex Aitchison
　　3953

長距玉鳳花（腎陽草）　Habenaria davidii Franch.
　　3954

雞腎參 Habenaria delavayi Finet.　　*449*

粉葉玉鳳花（雙葉蘭）　Habenaria glaucifolia Bur. et
　　Franch.　*3955*

叉唇角盤蘭（蛇尾草）　Herminium lanceum (Thunb.)
　　Vuijk　*4451*

角盤蘭 Herminium mororchis (L.) R. Br.　　*4452*

多序槽舌蘭（葉綠冬）　Holcodlossum quasipinifolium
　　(Hayata) Schltr.　*4957*

鐮翅羊耳蒜（石海椒）　Liparis bootanensis Griff
　　3452

羊耳蒜 Liparis japonica Maxim.　　*2953*

血葉蘭（石上藕）　Ludisia discolor (Ker-Gawl.) A.
　　Rich.　*2954*

兜被蘭（百步還陽丹）　Neottianthe cuculata (L.)
　　Schltr.　*4453*

毛唇芋蘭（青天葵）　Nervilia fordii (Hance) Schltr.
　　450

廣佈門蘭（珍珠參）　Orchis chusua D. Don　　*3956*

鶴頂蘭 Phaius tankervilliae (Ait.) Bl.　　*4454*

斑葉鶴頂蘭 Phaius woodfordii (Hook.) Merr.
　　4958

石仙桃 Pholidota chinensis Lindl.　　*4959*

密苞石仙桃 Pholidota imbricata Lindl.　　*3453*

二葉舌唇蘭（土白芨）　Platanthera chlorantha Cust.
　　ex Rchb.　*1950*

舌唇蘭 Platanthera japonica (Thunb.) Lindl.　　*2955*

獨蒜蘭（山慈姑）　Pleione bulbocodioides (Franch.)
　　Rolfe　*2436*

滇獨蒜蘭 Pleione yunnanensis (Rolfe) Rolfe　　*2437*

火焰蘭（山觀帶）　Renanthera coccinea Lour.　　*4960*

緣毛鳥足蘭（肚精丹）　Satyrium ciliatum Lindl.
　　3957

長距鳥足蘭（對對參）　Satyrium nepalensis D. Don
　　2956

雲南鳥足蘭 Satyrium yunnanensis Rolfe　　*3958*

綬草（盤龍參）　Spiranthes sinensis (Pers.) Ames
　　949

笋蘭（巖蘭）　Thunia alba (Lindl.) Rchb. f.　　*2438*

小花蜻蜓蘭（半春蓮）　Turotis ussuriensis (Reg. et
　　Macck.) Hara　*4455*

香草蘭 Vanilla planifolia (Salisb.) Aers　　*950*

腔腸動物門 COELETERATA

鉢水母綱 SCYPHOZOA

圓盤水母目 DISCOMEDUSAE

根口水母科 Rhizostomatidae
海蜇 Rhopilema esculenta Kishinouye　　*4961*

珊瑚綱 ANTHIATIA

海葵目 ACTINIATIA

海葵科 Actiniidae
黃海葵 Anthopleura xanthogrammica (Berkly)
451

環節動物門 ANNELIDA

多毛綱 POLYCHAETA

游走目 ERRANTIA

鉅蚓科 Megascolecidae
參環毛蚓 Pherefima aspergillum (Perrier)　　*4962*
磯沙蠶科 Eunicidae
巢沙蠶 Diopatra neapolitara Rette Chiaje　　*452*

蛭綱 HIRUDINEA

顎蛭目 GNATHOBDELLIDA

醫蛭科 Hirudae
日本醫蛭 Hirudo nipponica (Whitman)　　*1451*
寬體金線蛭 Whitmania pigra (Whitman)　　*1452*

軟體動物門 MOLLUSCA

雙神經綱 AMPHINEURA

多板目 POLYPLACOPHORA

隱板石鱉科 Criptoplacidae
紅條毛膚石鱉 Acanthochton rubrolineatus (Lischke)
453

腹足綱 GASTROPODA

原始腹足目 ARCHAEOGASTROPODA

鮑科 Haliotidae
雜色鮑 Haliotis diversicolor Reeve　　*1453*
皺紋盤鮑 Haliotis discus hannai Ino　　*1454*
羊鮑 Haliotis ovina Gmelin　　*1951*
澳洲鮑 Haliotis ruber (Leach)　　*1952*
半紋鮑 Haliotis semistriata Reeve　　*1953*
馬蹄螺科 Trochidae
黑凹螺 Chlorostoma nigerrima (Gmelin)　　*2957*
鏞凹螺 Chlorostoma rusticum (Gmelin)　　*2958*
蠑螺科 Turbinidae
金口蠑螺 Turbo chrysostomus Linnaeus　　*1455*
蠑螺 Turbo cormutus Solander　　*1456*
田螺科 Vivipardae
中國圓田螺 Cipangopaludina chinensis (Gray)
2439
東北田螺 Viviparus chui Yen　　*3454*
錐螺科 Turritellidae
笋錐螺 Turritella terebra Linnaeus　　*1954*
寶貝科 Cypraeidae
虎斑寶貝 Cypraea tigris Linnaeus　　*454*
卵黃寶貝 Cypraea vitellus (Linnaeus)　　*3959*
眼球貝 Erosaria erosa (Linnaeus)　　*2440*
擬棗貝 Erronea erronea Linnaeus　　*3455, 4456*
阿紋綬貝 Mauritia arabica (Linnaeus)　　*951*
環紋貨貝 Monetaria annulus (Linnaeus)　　*952*
貨貝 Monetaria moneta (Linnaeus)　　*953*
日本細焦掌貝 Dalmaduata gracilia japonica Schilder
3456

新腹足目 NEOGASTROPODA

骨螺科 Muricidae
淺縫骨螺 Murex trapa Roeding　　*2959*
脈紅螺 Rapanavenosa (Valenciennes)　　*1955*
疣荔枝螺 Thais clavigera Kuster　　*2441*
蛾螺科 Buccinidae
方斑東風螺 Babylonia areolata (Lamarck)　　*2960*
泥東風螺 Babylonia lutosa (Lamarck)　　*3960*
香螺 Neptunea cumingi Gosse　　*4457*
榧螺科 Olividae
彩榧螺 Oliva ispidula (Linnaeus)　　*3961*
紅口榧螺 Oliva miniacea (Roding)　　*2961*
伶鼬榧螺 Oliva mustellina Lamarck　　*2962*
渦螺科 Volutidae
瓜螺 Cymblum melo (Solander)　　*954*

動物藥科屬分類索引

阿地螺科 Atyidae
泥螺 Bullacta exarata (Philippi)　3962
石磺海牛科 Homoiodorididae
石磺海牛 Homoiodoris japonica Bergh　455

柄眼目 STYLOMMATOPHORA

瑪瑙螺科 Achatinidae
褐雲瑪瑙 Achatina furica Ferussac　3457
巴蝸牛科 Bradybaenidae
馬氏巴蝸牛 Bradybaena maacki (Gerstfeldt)　2442
蛞蝓科 Limacidae
黃蛞蝓 Limaxfravus (Linnaeus)　3458
黏液蛞蝓科 Phiolomycidae
雙線嗜黏液蛞蝓 Philomycus bilinaetus (Benson)　456

瓣鰓綱 LAMELLIBRANCHIA

列齒目 TAXODONTA

蚶科 Arcidae
魁蚶 Scapharca brouhtonii (Schrenck)　457
毛蚶 Scapharca subcrenata (Liachke)　458
泥蚶 Tegillarca granosa (Linnaeus)　4963

異柱目 ANISOMYARIA

貽貝科 Mytilidae
偏頂蛤 Modiolus modiolus (Linnaeus)　956
紫貽貝 Mytilus edulis Linnaeus　3459
鉗蛤科 Isognomonidae
丁蠣 Malleus malleus (Linnaeus)　3963
江珧科 Pinnidae
櫛江珧 Pinna (Atrina) penctinata Linnaeus　3964
扇貝科 Pectinidae
櫛孔扇貝 Chlamys farreri (Jones et Preston)　3460
不等蛤科 Anomidae
海月 Placuna placuna (Linnaeus)　3461
牡蠣科 Ostreidae
密鱗牡蠣 Ostrea (Ostrea) denselamellosa Lischke　4966
長牡蠣 Ostrea (Crassostrea) gigas Thunberg　2443
褶牡蠣 Ostrea plicatula Gmelin　955
近江牡蠣 Ostrea (Crassostrea) rivularis Gould　2444
大連灣牡蠣 Ostrea (Crassostrea) talienwhanensis Crosse　2963
珍珠貝科 Pinctadae
珠母貝 Pinctada margaritifera (Linnaeus)　4964

合浦珠母貝 Pinctada martensii (Dunker)　4965
珍珠蚌科 Margaritanidae
珠母珍珠蚌 Margaritiana dahurica (Middendorff)　2445
蚌科 Unionidae
蚶形無齒蚌 Anodenta arcaeformis (Heude)　2966
背角無齒蚌 Anodenta woodiana woodiana (Lea)　1957
褶紋冠蚌 Cristaria plicata (Leach)　3967
三角帆蚌 Hyriopsis cumimgii (Lea)　2964
背瘤麗蚌 Lamprotula leai (Gray)　1458
短褶矛蚌 Lanceolaria grayana (Lea)　1457
射線裂脊蚌 Schistodesmus lampreyanus (Baird et Adams)　3965
蜆科 Corbicuridae
閃蜆 Corbicula nitens (Pilippi)　3968
刻紋蜆 Corbicula targillierti (Philippi)　3462
硨磲科 Tridacnidae
鱗硨磲 Tridacna (Chamestrachea) squamosa Lamarck　346○
簾蛤科 Veneridae
青蛤 Cyclina sinensis (Gmelini)　3464
餅乾鏡蛤 Dosinia (Phacosoma) biscocta (Reeve)　3465
日本鏡蛤 Dosinia (Phacosoma) japonica (Reeve)　956
薄片鏡蛤 Dosinia (Limellidosinia) laminata (Reeve)　2966
文蛤 Meretix meretix (Linnaeus)　1958
江戶佈目蛤 Protothaca jedoensis (Lischks)　2965
菲律濱蛤仔 Ruditapes philippinarum (Adams et Reeve)　957
紫石房蛤 Saxidomus purpuratus Soverby)　2447
蛤蜊科 Mactridae
西施舌 Mactra (Mactra) antiquata Spengler　2967
中國蛤蜊 Mctra (Mactra) chinensis Philippi　2448
四角蛤蜊 Mactra (Mactra) veneriformis Reeve　2968
竹蟶科 Solenidae
小刀蟶 Cultellus attenuatus Dunker　3969
縊蟶 Sinonovacula constricta (Lamarck)　2449
長竹蟶 Solen gouldii Conrad　3467
細長竹蟶 Solen gracilis Pilippi　2450
大竹蟶 Solen geandis Dunker　2969

頭足綱 CEPHALOPODA

十腕目 DECAPODA

槍烏賊科 Loliginidae

火槍烏賊　Loligo beka Sasaki　*3970*

　　烏賊科　Sepiidae
金烏賊　Sepia esculenta Hoyle　*4967*
曼氏無針烏賊　Sepiella mandroni de Rochebrune
958

八腕目 OCTOPODA

　　蛸科　Octopoddidae
短蛸　Octopus ocellatus Gray　*2970*
長蛸　Octopus variabilis (sasaki)　*3466*

節肢動物門 ARTHROPODA

甲殼綱 CRUSTACEA

圓胸目 THORCICA

　　鎧茗荷科　Scalpellidae
石蜐　Mitella mitella (Linnaeus)　*3971*

藤壺目 BALANOMORPHA

　　藤壺科　Balanidae
白脊紋藤壺　Balanusamuphitriti albicostatus Pilsbry
459
　　平甲蟲科　Armadillidae
平甲蟲　Armadillidium vulgare (Latrelle)　*460*
　　海蟑螂科　Ligiidae
海岸水虱　Ligiaexotica (Roux)　*461*

十足目 DECAPODA

　　對蝦科　Penaedae
對蝦　Penaeus orientalis Kishinouye　*1459*
　　河蝦科　Astacidae
東北鰲蝦　Cambaroldes dauricus (Pallas)　*3468*
　　長臂蝦科
靑蝦　Macrobrachium nipponense (de Haan)　*4968*
　　蝦蛄科　Squillidae
蝦蛄　Squilla oratoria de Haan　*3469*
　　美人蝦科　Callianassidae
哈氏美人蝦　Callianassa harmandi Bouvie　*2971*
日本美人蝦　Callianassa petalura Stimpson　*462*
　　饅頭蟹科　Calappidae
中華虎頭蟹　Orithyia sinica Linnaeus　*2972*
　　關公蟹科　Dorippidae
日本關公蟹　Dorippe japonica Von Siebold　*1959*
　　梭子蟹科　Portunidae

日本蟳　Charybdis japonica A. Milne-
　　Edwards)　*962*
三疣梭子蟹　Portunus tritubeeculatus (Miers)　*463*
　　沙蟹科　Ocypodidae
寬身大眼蟹　Macrophthalmus dilatatum de Hann
3972
　　玉蟹科　Leucosiidae
豆形拳蟹　Philyra pisum Hann　*959*
　　方蟹科　Grapsidae
中華絨螯蟹　Eriocheir sinensis H. Milne-
　　Edwards　*1460*
絨毛近方蟹　Hemigrapsus penecillatus (de Hann)
960
肉球近方蟹　Hemigrapsus sanguineus (de Hann)
961

劍尾目 XIPHOSURA

　　鱟科　Tatypleidae
中國鱟　Tachypleus tridentatus Leach　*2451*

蛛形綱 ARACHNIDAE

蝎目 SCORPIONIDAE

　　鉗蝎科　Buthidae
東亞鉗蝎　Buthus marthensi Karsch　*2974*

蜘蛛目 ARANEIDA

　　園蛛科　Argiopidae
大腹園蛛　Aranea ventricosa (L. Koch)　*1960*
悅目金蛛　Argiope amoena L. Koch　*4969*
　　漏斗蛛科　Agelenidae
迷宮漏斗蛛　Agelena labyrinthica Clerck　*4970*
　　壁錢科　Urocteidae
北壁錢　Uroctea linmbata L. Koch.　*3470*

山蛩目 SPIROBOLIDA

　　山蛩科　Spirobolidae
燕山蛩　Spirobolus bungii Brandt.　*2975*

唇足綱 CHILOGNATHA

整形目 EPIMORPHA

　　蜈蚣科　Scoropendridae
少棘蜈蚣　Scoropendra subspinipes mutilans Koch
3471

昆蟲綱 INSECTA

蜻蜓目 ODONATA

蜻科 Libellulidae
大蜻蜓 Anax parthenope Selys　　2976
黃衣 Pantala flavescens Fabricius　　3973
褐頂赤卒 Sympetrum infuscatum Selys　　2452

蜚蠊目 BLATTARIA

姬蠊科 Phyllodromiidae
東方後片蠊 Opisthoplatia orientalis Burm.　　3472
鼈蠊科 Corydiidae
東方蜚蠊 Blatta orientalis Linnaeus　　4971
中華地鼈 Eupolyphaga sinensis Walker　　3974
冀地鼈 Polyphaga plancyi Bolivar　　3975

螳螂目 MANTODAE

螳螂科 Mantidae
巨斧螳螂 Hierodula patellifera Serville　　4458
華北螳螂 Paratenodera augustipennis (Saussure)　　2977
中華螳螂 Paratenodera sinensis Saussure　　2978
小螳螂 Statilia maculata Thunb.　　4459

直翅目 ORTHOPTERA

蝗科 Acriaidae
中華蚱蜢 Acrida chinensis (Westw.)　　2979
飛蝗 Locusta migratoria Linnaeus　　2980
中華稻蝗 Oxya chinensis (Thunberg)　　3473
螽斯科 Tettigoniidae
螽斯 Gampsocleis gratiosa Brunner Wattenwyl　　3976
蟋蟀科 Gryllidae
油葫蘆 Gryllus testaceus Walker　　3474
棺頭蟋蟀 Loxoblemmus doenitzi Stein　　4460
螻蛄科 Cryllotalpidae
非洲螻蛄 Gryllotalpa africana Parisot et Beauvois　　1461

同翅目 HOMOPTERA

蟬科 Cicadidae
華南蚱蟬 Cryptotympana mandarina Dist.　　3475
蚱蟬 Cryptotympana pustulata Fabricius　　1462
朝鮮黑背鳴蟬 Oncotympana coreana Kato　　1961

樗雞科 Fulgoridae
樗雞 Lycorma delicatula White　　2453

半翅目 HEMIPTERA

蝽科 Pentatomidae
九香蟲 Aspongopus chinensis Dallas　　4972

鱗翅目 LEPIDOPTERA

刺蛾科 Cochlidiidae
黃刺蛾 Cnidocampa flavescens Walker　　3977
螟蛾科 Pyralidae
高粱條螟 Proceras venosatus (Walker)　　3978
野螟科 Pyraustidae
玉米螟 Dstrinia nubilalis (Hubner)　　2454
天蠶蛾科 Saturniidae
柞蠶 Antheraea pernyi Guerin　　2455
蓖麻蠶 Philosamia cynthia ricini (Donovan)　　3476
蠶蛾科 Bombycidae
家蠶 Bombyx mori (Linnaeus)　　4973
粉蝶科 Pieridae
濃眉碧鳳蝶 Papilio bianor mandchurica Matsumura　　4974
黃鳳蝶 Papilio machaon L.　　4461
鳳蝶 Papilio xuthus L.　　3477
白粉蝶 Pieris rapae L.　　1962

鞘翅目 COLEOPTERA

龍虱科 Dytiscidae
三星龍虱 Cybister tripunctatus orientalis Gschwendtner　　3478
芫青科 Meloidae
長地膽 Meloe violaceus Mars.　　3981
蘋斑芫菁 Mylabris calida Pallas　　4975
眼斑芫青 Mylabris cichorii L.　　3979
大斑芫青 Myrabris phalerata Pallas　　3980
天牛科 Cerambycidae
桑天牛 Apriona germari (Hope)　　3982
雲斑天牛 Batocera horsfieldi (Hope)　　1463
溝脛天牛科 Lammidae
星天牛 Anoplophora chinensis (Forster)　　3983
鰓金龜科 Melolonthidae
東北大黑鰓金龜 Holotrihia diompharia Bates　　2456
金龜子科 Scarabaeidae
獨角蜣螂蟲 Allomyrina dichotoma L.　　3984
神聖金龜 Scarabaeus sacer Linnaeus　　4976

膜翅目 HYMENOPTERA

蜜蜂科 Apidae
中華蜜蜂 Apis cerana Fabricius　　*4977*
意大利蜂 Apis mellifera L.　　*3985*
竹筒蜂 Xylocopa dissimilis (Lep.)　　*4978*
胡蜂科 Vespidae
斑胡蜂 Vespa mandarinia Sm.　· *3986*

棘皮動物門 ECHINODERMATA

海參綱 HOLOTHURIOIDAE

楯手目 ASPIDOCHIROTA

刺參科 Stichopodidae
刺參 Stichopus japonicus Selenka　　*1963*

海星綱 ASTEROIDEA

顯帶目 PHANEROZONIA

棘海星科 Echnasteridae
雞爪海星 Nenricia ieviuscula (Stimpson)　　*1464*

有棘目 SPINULOSA

海燕科 Asterinidae
海燕 Asterina pectinifera (Muller et Troschel)
2457

鉗棘目 FORCIPULATA

海盤車科 Asteriidae
羅氏海盤車 Asterias rollestoni Bell　　*2981*

海膽綱 ECHINOIDEA

拱齒目 CAMARODONTA

球海膽科 Strongylocentrotidae
馬糞海膽 Hemicentrotus pulcherrimus (A. Agassiz)
464
光棘球海膽 Strongylocentrotus nudus (A. Agassiz)
465

脊索動物門 CHORDATA

硬骨魚綱 OSTEICHTHYES

鯉形目 CYPR INIFORMES

鯉科 Cyprinidae
鱅魚 Aristichthys nobilis (Richardson)　　*1965*
鯽魚 Carassius auratus (Linnaeus)　　*2458*
金魚 Carassius auratus L. var. Goldfish.　　*4462*
草魚 Ctenopharyngodon idellus　　*4463*
鯉魚 Cyprinus carpio Linnaeus　　*1964*
鰱魚 Hypophthalmichthys moriltrix　　*4464*
鯰科 Siluridae
鯰 Parasilurus asotus (Linnaeus)　　*3987*
鬍子鯰科 Clariidae
鬍子鯰 Clarias fuscus (Lacepede)　　*1465*
鰍科 Cobitidae
泥鰍 Misgurnus anguillicaudatus Cantor　　*3479*

頜鍼魚目 BELONIFORMES

鍼科 Hemirhamphidae
鱵魚 Hemirhamphus sajori (Temminck et Schlegel)
4980

海龍目 SYNGNATHIFORMES

海龍科 Syngnathidae
刺海馬 Hippocampus histrix Kaup　　*2459*
日本海馬 Hippocampus japonicus Kaup　　*1966*
克氏海馬 Hippocampus Kelloggi Jordan et Snyder
1967
大海馬 Hippocampus Kuda Bleeker　　*4981*
斑海馬 Hippocampus trimaculatus Leach　　*1968*
擬海龍 Syngnathoides biaculeatus (Bloch)　　*4982*
尖海龍 Syngnathus acus Linnaeus　　*1467*
刁海龍 Solenognathus hardwickii (Gray)　　*1466*
粗吻海龍 Trachyrhamphus serratus (Temminck et
Schlegel)　　*2982*

鯔形目 MUGILIFORMES

鯔科 Mugilidae
梭鯔 Mugil soiuy Basileusky　　*4465*
黃鯔 Mugil vaigiensis Quoy et Gaimard　　*4466*

鱸形目 PERCIFORMES

鯖科 Scombridae
鮐魚 Pneumatophorus japonicus (Houttuyn)   4467

合鰓目 SYMBRANCHIFORMES

合鰓科 Symbranchidae
黃鱔 Monopterus albus (Zuiew)   3988

魨形目 TETRODONTIFORMES

魨科 Tetrodontidae
暗紋東方魨 Fugu obscurus (Abe)   3480

海蛾魚目 PEGASIFORMES

海蛾魚科 Pegasidae
海蛾 Pegasus laternarius Cuvier   3481
飛海蛾 Pegasus volitans Cuvier   2460

兩棲綱 AMPHIBIA

有尾目 CAUDATA

蠑螈科 Salamandridae
東方蠑螈 Cynops orientalis (David)   2461
盤舌蟾科 Discoglossidae
東方鈴蟾 Bombina orientalis (Boulenger)   2983
蟾蜍科 Bufonidae
中華大蟾蜍 Bufo bufo gargarizans Cantor   466
黑眶蟾蜍 Bufo melanostictus Schneider   2462
花背蟾蜍 Bufo raddei Strauch   1468
雨蛙科 Hylidae
無斑雨蛙 Hyla arborea immaculata Boettger   3482
蛙科 Ranidae
黑龍江林蛙 Rana amrensis Baulenger   3483
中國林蛙 Rana temporaria chensinensis David   964
黑斑蛙 Rana nigromaculata Hallowell   963

爬行綱 REPILIA

龜鼈目 TESTUDOFORMES

龜科 Testudinidae
烏龜 Chinemys reevesii (Gray)   1469
眼斑水龜 Clemmys bealei (Gray)   2984
黃喉水龜 Clemmys mutica (Cantor)   4983
三線閉殼龜 Coura trifasciata (Bell)   1470
黃緣閉殼龜 Cuora flavomarginata (Gray)   4984
鋸緣攝龜 Cyclemys mouhotii Gray   4985
中華花龜 Ocadia sinensis (Gray)   1969
大頭平胸龜 Platysternon mgacephalum   3989
緬甸陸龜 Testudo elongata Blyrh   3484
海龜科 Cheloniidae
蠵龜 Caretta caretta olivacea (Eschscholtz)   4986
綠海龜 Chelonia mydas (Linnaeus)   4987
玳瑁 Eremochelys imbricata Linnaeus   965
鼈科 Trionychidae
中華鼈 Trionyx sinensis (Wiegmam)   4468
黿 Pelochelys bibroni (Owen)   4469

蜥蜴目 LACERTIFORMES

鬣蜥科 Agamidae
喜山鬣蜥 Agama himalayana (Steindechner)   3990
變色樹蜥 Calotes versicolor (Daudin)   3991
草原沙蜥 Phrynocephalus frontalis Strauch   3485
長鬣蜥 Physignathus cocincinus Cuvier   2987
壁虎科 Gekkonidae
中國壁虎 Gekko chinensis Gray   3992
無蹼壁虎 Gekko swinchonis Guenther   2463
大壁虎 Gekko gecko (Linnaeus)   2985
蜥蜴科 Lacertidae
麗斑麻蜥 Eremias argus Peters   2464
密點麻蜥 Eremias multiocellata (Guenther)   4988
黑龍江草蜥 Takydromus amurensis (Peters)   4989
白縧草蜥 Takydromus wolteri Fischer   2986

蛇目 SERPENTIFORMES

蟒科 Boidae
蟒蛇 Pythonmolurus bivittatus Schlegel   3486
游蛇科 Colubridae
火赤鏈蛇 Dinodon rufozonatum (Cantor)   1970
黃鏈蛇 Dinodon septentrionalis (Guenther)   3993
王錦蛇 Elaphe carinata (Guenther)   4470
白條錦蛇 Elaphe dione (Pallas)   2465
百花錦蛇 Elaphe moellendorffi (Boettger)   2466
三索錦蛇 Elaphe radiata (Schlegel)   1971
紅點錦蛇 Elaphe rufodorsata (Cantor)   3487
黑眉錦蛇 Elaphe taenius Cope   4471
虎斑游蛇 Natrix tigrina lateralis (Berthord)   4472
灰鼠蛇 Ptyas korros (Sehlegel)   4473
滑鼠蛇 Ptyas mucosus (L.)   4474
烏梢蛇 Zaocys dhumnades Cantor   4475
眼鏡蛇科 Elapidae
金環蛇 Bungarus fasciatus (Schneider)   1472
銀環蛇 Bungarus multicinctus multicinctus Blyth.   3488

眼鏡蛇　Naja naja (Linnaeus)　*1471*
眼鏡王蛇　Ophiophagus hannah (Cantor)　*4476*
　海蛇科　Hydrophiidae
青環海蛇　Hydrophis cyanocinctus Daudin　*4990*
平頦海蛇　Lapemis hardwickii (Gray)　*4991*
　蝰科　Viperidae
五步蛇　Agkistrodon acutus (Guenther)　*3489*
蝮蛇　Agkistrodon halis (Pallas)　*966*
白唇竹葉青　Trimeresurus albolabris (Gray)　*4477*
烙鐵頭　Trimeresurus mucrosquamatus (Cantor)
　4478
竹葉青　Trimeresurus stejnegeri Schmidt　*2467*
山竹葉青　Temeresurus monticola orientalis Schmidt
　3994

鱷目　CROCODIRIOFORMES

　鼉科　Alligatoridae
揚子鱷　Alligator sinensis Fauvel　*1437*

鳥綱　AVES

鵜形目　PELECANIFORMES

　鵜鶘科　Pelecanidae
斑嘴鵜鶘　penecanus roseus Gmelin　*467*
　鸕鷀科　Phalacrocoracidae
鸕鷀　Phalacrocorax carbo Linnaeus　*3490*
　鷺科　Ardeidae
白鷺　Egretta garzetta Linnaeus　*3491*
栗葦鳽　Ixobrychus cinnamomeus (Gmelin)　*468*
　鸛科　Ciconidae
白鸛　ciconia ciconia (Linnaeus)　*469*

雁形目　ANSERIFORMES

　鴨科　Anatidae
鴛鴦　Aix galericulata (Linnaeus)　*2486*
家鴨　Anas domesticus Linnaeus　*470*
綠頭鴨　Anas platynchos (Linnaeus)　*967*
斑嘴鴨　Anas poecilorhyncha (Forster)　*2469*
白額雁　Anser albifrons (Scopoli)　*4479*
灰雁　Anser anser (Linnaeus)　*3492*
鴻雁　Anser cygnoides (Linnaeus)　*3493*
家鵝　Anser domestica Geese　*968*
豆雁　Anser fabalis (Latgam)　*969*
大天鵝　Cygnus cygnus (Linnaeus)　*970*
疣鼻天鵝　Cygnus olor (Gmelin)　*471*
普通秋沙鴨　Mergus merganser Linnaeus　*472*
赤麻鴨　Tadorna ferruginea (Pallas)　*2470*

隼形目　FARCONIFORMES

　鷹科　Accipitridae
禿鷲　Aegypius monachus (Linnaeus)　*1972*
金鵰　Aquila chrysaetos Linnaeus　*2988*

雞形目　GALLFORMES

　松雞科　Tetraonidae
花尾榛雞　Tetrastes bonasia (Linnaeus)　*1973*
　雉科　Phasianidae
竹雞　Bambusicola thoracica (Temminck)　*3494*
白腹錦雞　Chrysolophus amherstiae (Leadbeater)
　4480
紅腹錦雞　Chrysolophus pictus (L.)　*4481*
鵪鶉　coturnix coturnix (Linnaeus)　*473*
鷓鴣　Francolinus lintadeanus (Scopoli)　*3995*
原雞　Gallus gallus (Linnaeus)　*474*
家雞　Gallus gallus domesticus Briss　*4992*
烏骨雞　Gallus gallus domesticus Beisson　*971*
黑鷳　Lophura leucomelana (Latham)　*4482*
白鷳　Lophura nycthemera Linnaeus　*972*
綠孔雀　Pavo muticus (L.)　*4483*
環頸雉　Phasianus colchicus Linnaeus　*973*
白冠長尾雉　Syrmaticus reevesii (Gray)　*4484*

鶴形目　GRUIFORMES

　鶴科　Gruidae
蓑羽鶴　Anthropoides virgo Linnaeus　*2989*
灰鶴　Grus grus (Linnaeus)　*2471*
丹頂鶴　Grus japonensis (P. L. Muller)　*974*
黑頸鶴　Grus nigricollis (przevalski)　*4485*
秧雞　Rallus aquaticus Linnaeus　*3996*

鴴形目　CHARADRIIFORMES

　鷸科　Scolopacidae
大杓鷸　Numenius madagascariensis (Linnaeus)
　4486
紅腳鷸　Tringa totanus (Linnaeus)　*3495*
　鳩鴿科　Columbidae
家鴿　Columba livia domestica Gmelin　*475*
珠頸斑鳩　Streptopelia chinensis (Scopoli)　*4993*
山斑鳩　Streptopelia orientalis (Latham)　*3997*

鷗形目　LARIFORMES

　鷗科　Laridae
紅嘴鷗　Larus ridibundus (L.)　*4487*

鵑形目 CUCULIFORMES

杜鵑科 Cuculidae
褐翅鴉鵑 Centropus sinensis (Sterphens)　*477*
大杜鵑 Cuculus canoeus Linnaeus　*3496*

鴞形目 STRIGIFORMES

鴟鴞科 Strigidae
鵰鴞 Bubo bubo (L.)　*4488*

佛法僧目 CORACIIFORMES

戴勝科 Upupidae
戴勝 Upupa epopus Linnaeus　*2472*

鴷形目 PICIFORMES

啄木鳥科 Picidae
棕腹啄木鳥 Dendrocops hyperythrus (Vigors)　*2990*
大斑啄木鳥 Dendrocopos major (Linnaeus)　*4489*
綠啄木鳥 Picus canus Gmelin　*3497*

雀形目 PASSERIFORMES

燕科 Hirundinidae
金腰燕 Hirundo daurica Linnaeus Linnaeus　*1474*
黃鸝科 Orioridae
黃鶯 Oriolus chinensis Linnaeus　*3998*
伯勞科 Laniidae
伯勞 Lanius cristatus Linnaeus　*2991*
椋鳥科 Sturnidae
八哥 Acridotheres cristatellus (L.)　*4490*
灰椋鳥 Sturnus cineraceus Temminck　*476*
鴉科 Corvidae
喜鵲 Pica pica (Linnaeus)　*2992*
紅嘴山鴉 Pyrrhocorax pyrrhocorax (Linnaeus)　*4491*
文雀科 Ploceidae
麻雀 Passer montanus (Linnaeus)　*478*
雀科 Fringillidae
黑尾臘嘴雀 Eophona migratoria Hartert　*2993*
黃胸鵐 Emberiza aureola Pallas　*1475*
灰頭鵐 Emberiza spodocephala Pallas　*1476*

哺乳綱 MAMMALIA

食蟲目 INSETIVORA

猬科 Erinaceidae
刺猬 Erinaceus europaeus Linnaeus　*975*
大耳猬 Hemiechinus auritus Gmelin　*3498*
短刺猬 Hemiechinus dauricus Sundevall　*976*

翼手目 CHIROPTERA

蝙蝠科 Vespertilionidae
大耳蝠 Plecotos auritus Linnaeus　*4994*

靈長目 PRIMATES

猴科 Cercopithecidae
獼猴 Macaca mulatta Zimmermann　*977*
峨嵋藏猴 Macaca thibetana Milne-Edwards　*3499*
黑葉猴 Presbytis francoisi Pousargues　*4995*

鱗甲目 PHOLLDOTA

鯪鯉科 Manidae
穿山甲 Manis pentadacytyla Linnaeus　*4996*

囓齒目 RODENTIA

鼯鼠科 Petauristidae
復齒鼯鼠 Trogopterus xanthipes Milne-Edwards　*4997*
松鼠科 Sciuridae
黃鼠 Citellus dauricus Brandt　*978*
花鼠 Eutamias sibilicus Laxmann　*3999*
松鼠 Sciurus vulgalis Linnaeus　*1974*
竹鼠科 Rhizomyidae
竹鼠 Rhizomys sinensis Gray　*4000*
倉鼠科 Crictdae
草原鼢鼠 Myospalax aspalax Pallas　*2473*
豪豬科 Hystricidae
豪豬 Hystrix hodgsoni Gray　*1975*

食肉目 CARNIVORA

犬科 Canidae
狼 Camis lupus L.　*4492*
狗 Canis familiaris Linnaeus　*479*
豺 Cuon alpinus Pallas　*4493*
貉 Nyctercutes procyonoides Gray　*480*
狐狸 Vurpes vurpes Linnaeus　*1976*

熊科 Ursidae
黑熊 Selenarctos thibetanus Ouvier　*1477*
棕熊 Ursus arctos Linnaeus　*2474*

貓科 Felidae
猞猁 Felis lynx Linnaeus　*1977*
豹貓 Felis ocreata domestica Brisson　*1478*
貓 Felis ocreata domestica Brisson　*2475*
華南虎 Panthera tigris amoyensis Hilzheimer
　4494
東北虎 Panthera tigris Linnaeus　*481*

鰭腳目 PINNIPEDIA

海獅科 Otariidae
海狗 Callorhinus ursinus Linnaeus　*3500*

長鼻目 PROBOSCIDEA

象科 Elephantidae
亞洲象 Elephasmaximus Linnaeus　*2994*

奇蹄目 PERISSODCETYLA

馬科 Equidae
驢 Equus asinus Linnaeus　*2995*
騾 Equus asinus L. x Equus caballus orientalis Noack
　2476
馬 Equus caballus orientalis Noack　*2996*
野驢 Equus hemionus Pallas　*482*
野馬 Equus przewalaskii Poliakov　*979*
犀科 Rhinocerotidae
印度犀 Rhinoceros unicornis L.　*4495*

偶蹄目 ARTIODACTYLA

野豬科 Suidae
野豬 Sus scrofa L.　*4496*
豬 Sus scrofa domestica Brisson　*4998*
駝科 Camelidae
雙峯駝 camelus bactrianus Linnaeus　*2477*
鹿科 Cervidae
駝鹿 Alces alces L.　*4497*
狍 Capreolus capreolus (L.)　*4498*
白唇鹿 Cervus albirosreis Przewalski　*1479*
馬鹿 Cervus elaphus Linnaeus　*1979*
梅花鹿 Cervus nippon Temminck　*1980*
林麝 Moschus berezovskii Flerov.　*4499*
原麝 Moschus moschiferus L.　*4999*
小鹿 Muntiacus reevesi Ogiiby　*1978*
馴鹿 Ranglfer tarandus Linnaeus　*1480*

牛科 Bovidae
黃牛 Bos taurus domesticus Gmelin　*2478*
水牛 Bubalus bubalis Linnaeus　*980*
北山羊 Capra ibex Linnaeus　*5000*
山羊 Caprahircus Linnaeus　*981*
鬣羚 Capricornis sumatraensis Bechstein　*4500*
巖羊 Pseudois nayaur Hodgson　*484*
青羊 Naemorhedus goral Hordwicke　*982*
綿羊 Ovisaries Linnaeus　*483*

原礦物類

瑪瑙 Agate　　*492*

琥珀 Amber　　*988*

煤珀 Amber　　*989*

黏土紫石英 Amethyst　　*2492*

白硇砂 Ammonium chloride　　*2484*

寒水石 Anhydrite (fibreeus aggregete)　　*1985*

長石 Anhydrite (granular structure)　　*1494*

理石 Anhydrite (Massive structure)　　*1981*

礜石 Arsemopyrite　　*1997*

藍銅礦（曾青）Azurite　　*990*

樌珊瑚（鵝管石）Balonophyllia sp.　　*1996*

方解石 Calcite　　*2480*

小海浮石（海浮石）Carcium carbonate　　*485*

鵝管石 Calcium carbonate　　*1995*

錫礦 Cassiterite　　*1991*

黃銅礦自然銅（自然銅）Chalcopyrite　　*2488*

白堊 Chalk　　*1483*

青礞石（礞石）Chlorite schiat　　*986*

朱砂 Cinnabar　　*494*

黏土滑石（滑石）Clay mineral　　*2491*

黃石脂 Clayrock　　*1983*

桃色珊瑚 Corallium japonicum Kishinouye　　*488*

脊突苔蟲（海浮石）Costazia aculeata Canu et Bassler　　*1497*

石燕 Cyrtiospirifer sinensis (Graban)　　*486*

龍齒 Dens draconis　　*1994*

石膏玄精石（玄精石）Flake anhydrite　　*2482*

扁青 Flat azurite　　*2487*

紫石英 Flucrite　　*1986*

叢生盃形珊瑚（鵝管石）Galaxea fascicularis (Linnaeus)　　*2493*

灰瑪瑙 Grayagate　　*1989*

鈣芒硝（玄精石）Glauberite　　*1488*

石鹽（大青鹽）Halite　　*983*

代赭石 Hematite　　*1486*

不灰木 Hornblende asbestos　　*1481*

麥飯石 Igneous rock　　*489*

白石脂 Kaolinite　　*985*

赤石脂 Kaolinite　　*1493*

光明鹽 Lake salt　　*1491*

禹餘糧 Limonite　　*487*

褐鐵礦（自然銅）Limonnized pyrite　　*1490*

薑石 Loess concretion　　*2490*

磁石 Magnotite　　*1988*

綠青 Malachite　　*1987*

水銀 Mercury　　*2495*

金礞石 Mica-schist　　*2486*

雲母 Muscovite　　*988*

玉 Nephrite　　*1482*

雌黃 Orpiment　　*1990*

砒石 Orpiment pigment　　*1496*

龍骨 Os draconis nativus　　*1992*

五花龍骨 Os draconis coloratus　　*1993*

大海浮石（海浮石）Pumice　　*2479*

自然銅 Pyrite　　*2485*

蛇含石 Pyrite nodule　　*490*

無名異 Pyrolusite　　*2489*

無釘赭石 Qelitic hematite　　*1487*

石英（白石英）Quartz　　*2481*

白石英 Quartz album　　*984*

雄黃 Realgar　　*495*

石膏 Sericolite　　*1484*

應城石膏 Sericolite Yin cheng　　*1485*

花蕊石 Serpentiniated marble　　*1492*

爐甘石 Smithsonite　　*4930*

鐘乳石 Stalactite　　*1998*

硫黃 Sulphur　　*491*

滑石 Talc　　*993*

陰起石 Talcschist　　*1982*

石蟹 Telphusa sp.　　*2483*

伏龍肝 Terra tiavausta　　*1489*

陽起石 Tremolite　　*1984*

金精石 Vermiculite　　*1495*

礦物製品類

白礬 Alumen　　*496*

人工砒石 Arsenic blanc　　*1498*

人工朱砂 Artificial cinabar　　*2494*

綠鹽 Artificial cupric chloriae　　*499*

硼砂 Borax　　*1999*

銅綠 Copper carbonate　　*498*

銅綠塊（銅綠）Copper carbonate lump　　*2000*

膽礬 Cupric surfate　　*997*

金箔 Gold　　*994*

樸硝 Granberis sale salecake sesemin　　*996*

鉛粉 Lead carbonate　　*497*

石灰 Limestone　　*2496*

密陀僧 Litharge　　*1500*

綠礬 Melanterite　　*2499*

銀箔 Native silver　　*2498*

消石 Niter　　*2497*

紫硇砂 Purple salt　　*1499*

秋石 Sodium chloride　　*991*

錫 Tin　　*2500*

鉛丹 Trilead tetroxide　　*992*

銀珠 Vermilion　　*995*

礦物製劑類

輕粉 Calomel mercurous chloride　　1000
白降丹 Mercurous chloride　　998
紅粉 Oxidized azoth　　999
小靈丹 Vulcanlizing agent　　500

其他

五倍子　　2997
神曲　　2998
紫河車　　2999
機製冰片　　3000